Nasleep

Bezoek onze internetsite www.awbruna.nl
voor informatie over al onze boeken en dvd's.

Peter Robinson

Nasleep

A.W. Bruna Uitgevers, Utrecht

Oorspronkelijke titel
Aftermath
© 2001 by Peter Robinson
Published by arrangement with Lennart Sane Agency AB.
Vertaling
Valérie Janssen
Omslagbeeld
© Adrian Muttitt / Trevillion Images
Omslagontwerp
Wil Immink Design
© 2012 A.W. Bruna Uitgevers, Utrecht

ISBN 978 94 005 0106 5
NUR 305

Het kwaad dat de mens aanricht, leeft langer dan hijzelf.

-William Shakespeare, *Julius Caesar*

Proloog

Toen ze begon te bloeden, sloten ze haar op in de kooi. Tom zat er ook. Hij zat er al drie dagen en huilde niet meer. Hij beefde wel nog steeds. Het was februari, de kelder was niet verwarmd en ze waren allebei naakt. Er zou ook geen eten worden gebracht, wist ze, ze zouden een hele tijd niets krijgen, pas wanneer ze zoveel honger had dat het voelde alsof ze van binnenuit werd leeggegeten.

Het was niet de eerste keer dat ze in de kooi werd opgesloten, maar deze keer was het anders dan al die andere keren. Toen was het steeds geweest omdat ze iets fout had gedaan of niet deed wat ze haar hadden opgedragen. Deze keer was het anders; deze keer was het om wat ze was geworden en ze was erg bang.

Toen ze de deur boven aan de trap hadden dichtgedaan, vlijde het donker zich als een bontvacht om haar heen. Ze voelde hoe de kooi langs haar huid schuurde, zoals een kat zich langs je benen schurkt. Ze begon te trillen. Ze haatte de kooi het meest van alles, meer nog dan de klappen en de vernederingen. Ze zou echter niet huilen. Ze huilde nooit. Ze wist niet hoe dat moest.

De stank was verschrikkelijk; er was geen wc, slechts een emmer in een hoek die ze alleen konden legen wanneer ze naar buiten mochten. En je wist nooit van tevoren wanneer dat zou zijn.

Erger nog dan de stank waren de zachte, schrapende geluidjes die ze na een paar minuten hoorde. Ze wist dat ze het gekriebel van scherpe klauwtjes op haar benen of buik zou voelen zodra ze ging liggen. De eerste keer had ze geprobeerd voortdurend in beweging te blijven en zoveel mogelijk lawaai te maken om ze uit de buurt te houden, maar ten slotte was ze uitgeput in slaap gevallen en kon het haar niet langer schelen hoeveel het er waren of wat ze deden. Ze kon in het donker aan hun bewegingen en gewicht voelen of het ratten of muizen waren. De ratten waren het ergst. Eentje had haar zelfs een keer gebeten.

Ze hield Tom vast en probeerde hem te troosten, totdat ze het allebei een beetje warmer kregen. Ze zou zelf eigenlijk ook wel getroost willen worden, maar er was verder niemand.

Muizen trippelden over haar voeten. Af en toe maakte ze een schoppende beweging met haar benen en één keer hoorde ze een luid gepiep toen een muis tegen de muur te pletter sloeg. Ze kon de muziek van boven horen en de tralies van de kooi trilden met de bas mee.

Ze deed haar ogen dicht en probeerde ergens diep in haar binnenste een veilige schuilplek te vinden, een plek waar alles warm en zonnig was, waar de zee die op de stranden spoelde diepblauw en het water waar ze in sprong warm en helder was. Ze kon de plek echter niet vinden, kon het zandstrand en de blauwe zee, de tuin vol felgekleurde bloemen of het koele, groene, zomerse bos niet vinden. Toen ze haar ogen dichtdeed, zag ze slechts roodgevlekte duisternis, hoorde ze in de verte gemompel en geschreeuw, en overheerste een afgrijselijk gevoel van onheil.

Ze dommelde in en was zich niet langer bewust van de muizen en ratten. Ze wist niet hoe lang ze hier had gezeten toen ze boven geluiden hoorde. Nieuwe geluiden. De muziek was al lang geleden opgehouden en afgezien van de schrapende klauwtjes en Toms ademhaling was alles stil. Ze dacht dat ze buiten een auto hoorde remmen. Stemmen. Nog een auto. Toen hoorde ze iemand op de verdieping boven haar lopen. Gevloek.

Plotseling klonk er boven een hels kabaal. Het klonk alsof iemand met een boomstronk tegen de deur ramde, gevolgd door een luid gekraak en een enorme klap toen de voordeur bezweek. Tom was nu ook wakker en kroop jammerend in haar armen.

Ze hoorde geschreeuw en de voetstappen van minstens tien volwassenen die boven rondrenden. Na een eeuwigheid hoorde ze iemand het slot van de kelderdeur opendraaien. Er viel een dun straaltje licht naar binnen, maar niet veel, en er was hier beneden geen lamp. Nog meer stemmen. Toen zag ze de felle lichtstralen van zaklampen die steeds dichterbij kwamen, zo dichtbij dat het pijn deed aan haar ogen en ze die met haar hand moest afschermen. Toen bleef de lichtstraal op haar rusten en riep een onbekende stem: 'O, god! O, mijn god!'

1

Maggie Forrest sliep al een tijdje slecht, dus het was logisch dat ze begin mei even voor vier uur in de ochtend wakker werd van de stemmen, hoewel ze had gekeken of alle ramen in het huis goed waren gesloten voordat ze naar bed was gegaan.

Als het de stemmen niet waren geweest, was het wel iets anders geweest: iemand die vroeg aan het werk moest en zijn autoportier dichtsloeg; de eerste trein die over de brug ratelde; de hond van de buren; het gekraak van oude planken ergens in huis; de koelkast die aan- of afsloeg; een pan of een beker die omviel in het droogrek. Of anders een van die nachtelijke geluiden waardoor ze badend in het zweet en met bonkend hart wakker werd, naar adem happend alsof ze aan het verdrinken was: de man die ze Het Geraamte noemde en die tikkend met zijn wandelstok langs The Hill op en neer liep; het gekrabbel aan de voordeur; het kind dat werd mishandeld en in de verte schreeuwde.

Of een nachtmerrie.

Ze was tegenwoordig veel te schrikachtig, zei ze bij zichzelf en ze probeerde het van zich af te zetten. Maar nu hoorde ze het opnieuw. Het waren beslist stemmen, waaronder een harde mannenstem.

Maggie stapte uit bed en liep naar het raam. De straat die The Hill werd genoemd, kroop langs de noordelijke helling van de brede vallei omhoog. Maggie woonde net voorbij de spoorbrug ongeveer halverwege de straat in een van de huizen aan de oostzijde, boven op een zeven meter hoge, dicht met struiken en boompjes begroeide helling. Soms leken de bodembedekkers en het gebladerte zo dicht dat ze slechts met moeite het pad naar het trottoir wist te vinden.

Maggies slaapkamerraam keek uit op de huizen aan de westkant van The Hill en het landschap daarachter, een lappendeken van woonwijken, verkeersaders, pakhuizen, fabrieksschoorstenen en velden die zich voorbij Bradford en Halifax helemaal tot aan het Penninisch Gebergte uitstrekten. Soms kon Maggie urenlang naar het uitzicht zitten kijken, terwijl ze over de vreemde gebeurtenissen nadacht die haar hiernaartoe hadden gebracht. Nu, in het vale licht dat de zonsopgang aankondigde, boden de lange rijen straatlantaarns met hun gele schijnsel in de verte een spookachtige aanblik, alsof de stad niet helemaal echt was.

Maggie bleef bij het raam staan en keek naar de overkant. Ze durfde te zweren dat er in het huis tegenover haar, het huis van Lucy, licht brandde in de gang, en toen ze de stem opnieuw hoorde, wist ze ineens heel zeker dat haar voorgevoelens juist waren geweest.

Het was Terry's stem en hij schreeuwde tegen Lucy. Ze kon niet verstaan wat hij zei. Toen hoorde ze een schrille kreet, het geluid van brekend glas en een doffe dreun.

Lucy.

Maggie bleef even als versteend staan, maar pakte toen met trillende handen de hoorn van de telefoon naast haar bed en draaide het alarmnummer.

Janet Taylor, politieagent in opleiding, stond buiten het bereik van de stinkende rookwalm bij haar dienstauto. Met haar hand haar ogen afschermend tegen de felle gloed keek ze naar de zilverkleurige BMW die in brand stond. Haar partner, agent Dennis Morrisey, stond naast haar. Een of twee toeschouwers gluurden uit hun slaapkamerraam, maar verder scheen niemand geïnteresseerd. Brandende auto's waren in deze wijk niets bijzonders. Zelfs niet om vier uur 's ochtends.

Oranje en rode vlammen vermengd met blauw of groen en een enkele paarse sliert werden het donker in geslingerd en veroorzaakten dikke, zwarte rooksluiers. Janet kreeg hoofdpijn van de stank van brandend rubber en plastic en besefte dat haar uniform en haar haar er nog dagenlang naar zouden ruiken.

De brandweerman die de leiding had, Gary Cullen, kwam naar hen toe. Hij richtte zich uiteraard tot Dennis; dat deed hij altijd. Ze waren goede vrienden.

'Wat denk je?'

'Joyriders.' Dennis knikte naar de auto. 'We hebben het nummerbord al nagetrokken. Hij is eerder vanavond gestolen uit een keurig nette woonwijk in Manchester.'

'Waarom staat hij nu dan hier?'

'Geen idee. Er zou een verband kunnen zijn, een wraakoefening of zoiets. Iemand die even zijn gevoelens moet luchten. Drugs zou ook kunnen. Dat zoeken de grote jongens maar uit. Die worden er tenslotte voor betaald om na te denken. Wij zijn hier klaar. Alles veilig?'

'Onder controle. Wat doen we als er een lijk in de kofferbak ligt?'

Dennis begon te lachen. 'Dan zal dat nu wel lekker gaar zijn. Wacht even, is dat onze mobilofoon?'

Janet liep naar de wagen. 'Ik neem hem wel,' zei ze over haar schouder. 'Meldkamer aan drie-vijf-vier. Meldt u, alstublieft, drie-vijf-vier. Over.' Janet greep de radio. 'Drie-vijf-vier aan meldkamer. Over.' 'We hebben een melding van huiselijk geweld op nummer 35, The Hill. Ik herhaal: Vijfendertig. The Hill. Kunnen jullie ernaartoe? Over.' Jezus, dacht Janet, huiselijk geweld, verdomme. Geen enkele agent met gezond verstand kreeg graag een geval van huiselijk geweld toegeschoven, vooral niet op dit tijdstip in de ochtend. 'Oké,' zei ze zuchtend en ze keek op haar horloge. 'Verwacht er over drie minuten te kunnen zijn.'

Ze riep Dennis, die zijn hand opstak en nog een paar woorden wisselde met Gary Cullen voordat hij haar kant opkeek. Toen Dennis naar de auto kwam lopen, brulden beide mannen van het lachen.

'Je hebt hem zeker die mop verteld?' vroeg Janet en ze nam plaats achter het stuur.

'Welke mop?' vroeg Dennis onschuldig.

Janet startte de motor en reed snel naar de hoofdweg. 'Je weet wel, over dat blondje en haar eerste pijpbeurt.'

'Ik heb geen idee waar je het over hebt.'

'Ik heb zelf gehoord dat je hem op het bureau aan die nieuwe agent vertelde, die jongen die nog nat is achter de oren. Gun die arme knul toch een kans om zelf een mening over vrouwen te vormen, Dennis, in plaats van hem meteen al te hersenspoelen.'

Janet reed met veel te hoge snelheid de rotonde van The Hill op en schoot daardoor bijna van de weg af. Dennis moest zich aan het dashboard vastklampen om in evenwicht te blijven. 'Godallemachtig. Vrouwen achter het stuur. Het is maar een mop. Heb je dan helemaal geen gevoel voor humor?'

Janet glimlachte voldaan, remde af en reed stapvoets langs de stoep van The Hill op zoek naar nummer 35.

'Ik ben het trouwens aardig zat,' zei Dennis.

'Wat? Mijn rijkunst?'

'Dat ook, maar vooral dat voortdurende gezeik van je. Tegenwoordig kan een kerel niet eens meer zeggen wat hij denkt.'

'Als hij zulke schunnige gedachten heeft als jij niet, nee. Pure milieuverontreiniging. Bovendien zijn de tijden veranderd, Den. En wij moeten meeveranderen, anders sterven we net als de dinosaurus uit. Trouwens, even over die moedervlek van je.'

'Welke moedervlek?'

'Je weet wel, die ene op je wang. Naast je neus. Waar al die haren uit groeien.'

11

Dennis tastte met een hand naar zijn wang. 'Wat is daarmee?'

'Ik zou daar maar snel naar laten kijken als ik jou was. Dat zou volgens mij best eens huidkanker kunnen zijn. Ah, nummer 35. We zijn er.'

Ze parkeerde de wagen een paar meter voorbij het huis aan de rechterkant van de weg. Het was een klein, vrijstaand woonhuis van rode baksteen en zandsteen, dat tussen een volkstuinencomplex en een rij winkels lag. Het was niet veel groter dan een cottage en had leistenen dakpannen; rond de tuin stond een laag muurtje en rechts van het huis een moderne garage. Op dat moment was het er doodstil.

'Er brandt licht in de gang,' zei Janet. 'Zullen we maar even gaan kijken?'

Dennis, die met zijn ene hand nog steeds de moedervlek bevoelde, zuchtte en mompelde iets onverstaanbaars wat ze maar als instemming opvatte. Janet stapte als eerste uit de wagen en liep over het pad; ze was zich ervan bewust dat hij met opzet bleef treuzelen. De tuin was overwoekerd en ze moest takken en struiken opzij duwen om erlangs te kunnen. Er stroomde al wat adrenaline door haar lichaam, waardoor ze extra alert was, zoals altijd bij meldingen van huiselijk geweld. De meeste agenten hadden er een hekel aan omdat je nooit wist wat er ging gebeuren. Wanneer je een man van zijn vrouw moest lostrekken, was de kans groot dat de vrouw zijn kant zou kiezen en je met een deegroller te lijf zou gaan.

Bij de deur bleef Janet stilstaan. Afgezien van Dennis' zware ademhaling achter haar was alles nog steeds stil. Het was nog te vroeg voor mensen om naar hun werk te gaan en de meeste doorzakkers van de late avond lagen nu wel ergens hun roes uit te slapen. In de verte begonnen de eerste vogels te kwetteren. Mussen waarschijnlijk, dacht Janet. Muizen met vleugels.

Omdat ze geen deurbel zag, klopte Janet op de deur.

Er kwam van binnen geen reactie.

Ze klopte wat harder. Het getik leek door de hele straat te echoën. Nog steeds geen reactie.

Janet liet zich op haar knieën zakken en tuurde door de brievenbus. Ze kon nog net zien dat onder aan de trap een lichaam lag. Een vrouwenlichaam. Reden genoeg om de deur te forceren.

'We moeten naar binnen,' zei ze.

Dennis probeerde de deurklink. Op slot. Hij gebaarde Janet dat ze uit de weg moest en stortte zich toen met zijn schouder tegen de deur.

Waardeloze techniek, dacht ze. Zij zou een aanloop hebben genomen en hem hebben ingetrapt. Dennis speelde echter al jaren rugby, hield ze zichzelf voor, en zijn schouders hadden inmiddels al tegen zoveel klootzakken gebeukt dat ze behoorlijk sterk moesten zijn.

De deur sprong bij de eerste aanval al open. Dennis tuimelde de gang in en moest zich aan de trapleuning vastgrijpen om niet te struikelen over de roerloze figuur die op de grond lag.

Janet liep achter hem aan naar binnen, deed de deur dicht voorzover mogelijk was, knielde neer naast de vrouw op de grond en voelde of ze een hartslag kon vinden. Zwak, maar regelmatig. Een deel van haar gezicht baadde in het bloed.

'Mijn god,' mompelde Janet. 'Den? Alles in orde?'

'Niets aan de hand. Zorg jij maar voor haar. Ik ga even rondkijken.' Dennis liep naar boven.

Deze keer vond Janet het niet irritant dat iemand haar vertelde wat ze moest doen. Ook niet dat Dennis er automatisch vanuit ging dat het de taak van de vrouw was om de gewonden te verzorgen, terwijl de man op pad ging om heldendaden te verrichten. Of eigenlijk vond ze het wel irritant, maar ze maakte zich ernstige zorgen over het slachtoffer, dus was ze niet van plan er moeilijk over te doen.

Klootzak, dacht ze. Wie dit ook heeft gedaan. 'Het komt wel goed,' zei ze, hoewel ze niet dacht dat de vrouw haar kon horen. 'We laten een ambulance voor je komen. Hou vol.'

Het meeste bloed leek afkomstig te zijn uit een diepe wond vlak boven haar rechteroor, zag Janet, hoewel er ook wat bloedvegen rond haar neus en lippen zaten. Zo te zien had iemand haar met zijn vuisten bewerkt. Overal om haar heen lagen glasscherven en narcissen, en op de vloerbedekking was een vochtige vlek te zien. Janet haakte haar portofoon van haar riem los en verzocht om een ambulance. Ze had geluk dat het ding werkte op The Hill; de portofoons hadden veel minder bereik dan de mobilofoons in de dienstwagens en waren berucht om hun slechte ontvangst.

Dennis kwam hoofdschuddend naar beneden. 'Die klootzak zit in ieder geval niet boven,' zei hij. Hij overhandigde Janet een deken, een hoofdkussen en een handdoek.

Janet schoof het kussen behoedzaam onder het hoofd van de vrouw, legde voorzichtig de deken over haar heen en drukte de handdoek tegen de bloedende wond op haar slaap. Had ik nooit achter hem gezocht, dacht ze, onze Den zit vol verrassingen. 'Denk je dat hij ervandoor is?' vroeg ze.

'Geen idee. Ik ga even achter kijken. Blijf jij maar bij haar tot de ambulance er is.'

Voordat Janet iets kon zeggen, was hij al naar de achterkant van het huis verdwenen. Hij was nog geen minuut weg toen ze hem hoorde

roepen: 'Janet, kom eens kijken. Snel. Het zou belangrijk kunnen zijn.'
Janet keek naar de vrouw. De wond was opgehouden met bloeden en ze kon verder niets doen. Toch liet ze haar liever niet alleen.
'Toe nou,' riep Dennis weer. 'Schiet eens op.'
Janet wierp nog een laatste blik op de bewusteloze vrouw en liep toen naar de achterkant van het huis. De keuken was in duisternis gehuld.
'Hier beneden.'
Achter een openstaande deur rechts van haar leidden drie traptreden naar een gangetje dat door een kaal peertje werd verlicht. Daar was weer een deur, waarschijnlijk naar de garage, dacht ze, en om een hoek was de trap naar de kelder.
Dennis stond bijna onder aan de trap voor een derde deur.
Daarop hing een poster van een naakte vrouw met enorme borsten. Ze lag wijdbeens op haar rug op een koperen bed, haar vingers plukten aan haar vagina en ze keek met een verleidelijke en uitnodigende glimlach naar de toeschouwer. Dennis stond er breed grijnzend voor.
'Klootzak,' siste Janet.
'Je kunt toch wel tegen een grapje?'
'Dit is niet grappig.'
'Denk je dat er iets achter zit?'
'Ik weet het niet.' Janet zag een lichtschijnsel onder de deur. Het was zwak en onregelmatig als van een lamp die het elk moment kon begeven. Ook rook ze een vreemde geur. 'Wat is dat voor lucht?' vroeg ze.
'Hoe moet ik dat weten? Optrekkend vocht? De riolering?'
Janet vond dat het eerder naar verrotting rook. Verrotting en sandelhoutwierook. Ze huiverde.
'Moeten we niet naar binnen?' Onwillekeurig was ze gaan fluisteren.
'Dat lijkt me wel het beste, ja.'
Janet liep voor hem uit de laatste traptreden af. Langzaam stak ze haar hand uit naar de deurklink. Op slot. Ze deed een stap opzij en deze keer gebruikte Dennis wel zijn voet. Het slot werd verbrijzeld en de deur zwaaide open. Dennis deed een stap opzij en maakte een hoffelijke buiging. 'Dames gaan voor.'
Met Dennis op haar hielen stapte Janet de kelder in.
Ze had nauwelijks tijd haar eerste indrukken van de kleine ruimte tot zich door te laten dringen: spiegels; tientallen brandende kaarsen rond een matras op de vloer; een meisje op de matras, naakt en vastgebonden, met iets geels rond haar nek; de verschrikkelijke stank die hier ondanks de wierook veel erger was, een combinatie van een verstopte riolering en rottend vlees; kinderlijke houtskooltekeningen op witgeverfde muren.

Hij kwam van ergens achter hen uit een donkere hoek van de kelder. Dennis draaide zich om en greep zijn wapenstok, maar hij was niet snel genoeg. De machete kliefde door zijn wang en sneed deze van zijn oog tot zijn lippen open. Voordat Dennis kans zag om zijn hand naar zijn gezicht te brengen of zelfs maar pijn te voelen, haalde de man opnieuw uit, deze keer naar de zijkant van zijn hals. Dennis maakte een rochelend geluid en zakte met wijd opengesperde ogen op zijn knieën. Warm bloed gutste over Janets gezicht en spetterde in abstracte patronen op de witte muren. Ze begon te kokhalzen toen ze de warme geur ervan opving.

Ze had geen tijd om na te denken. Dat had je nooit wanneer het echt gebeurde. Ze wist alleen dat ze Dennis niet kon helpen. Nog niet. Eerst moest ze de man met het mes onschadelijk maken. Hou vol, Dennis, smeekte ze zwijgend. Hou vol.

De man was blijkbaar nog niet tevreden en maakte aanstalten om opnieuw op Dennis in te hakken, wat Janet de gelegenheid gaf haar wapenstok tevoorschijn te trekken. Ze had net genoeg tijd om het handvat zo vast te grijpen dat de wapenstok haar arm afschermde voordat hij haar aanviel. Hij keek geschokt en verbaasd toen het lemmet op de wapenstok afketste.

Janet greep die kans meteen aan. Techniek en training konden de pot op. Ze haalde uit en raakte hem op zijn slaap. Hij leek het bewustzijn te verliezen en viel tegen de muur, maar zakte niet op de grond. Ze ging dichterbij staan en sloeg met volle kracht op de pols van de hand met het mes. Ze hoorde iets breken. Hij schreeuwde het uit en de machete viel op de grond. Janet schopte het wapen in de verste hoek, greep toen de wapenstok met beide handen beet, maakte een zwaaiende beweging en raakte hem opnieuw vol op de zijkant van zijn hoofd. Hij probeerde naar zijn machete te kruipen, maar ze sloeg hem vervolgens zo hard ze kon op zijn achterhoofd en daarna tegen de onderkant van zijn schedel. Hij zat op zijn knieën, maar strekte nu brullend zijn bovenlichaam en spuugde haar een stroom obsceniteiten toe, waarna ze nogmaals uithaalde naar zijn slaap. Hij viel tegen de muur, waar zijn achterhoofd een lange, donkere veeg op de witte verf achterliet toen hij op de vloer zakte en daar met uitgestrekte benen bleef liggen. Even bubbelden er roze luchtbelletjes in zijn mondhoek, maar die verdwenen al snel. Janet sloeg hem nog eens boven op zijn schedel en haalde toen haar handboeien tevoorschijn waarmee ze hem aan een van de leidingen langs de muur ketende. Hij kreunde en bewoog even, dus sloeg ze hem opnieuw op zijn hoofd. Toen hij stil was, liep ze naar Dennis.

Hij maakte nog steeds schokkerige bewegingen, maar de straal bloed uit zijn wond was minder geworden. Krampachtig probeerde Janet zich haar EHBO-lessen te herinneren. Ze hield haar zakdoek stevig tegen de doorgesneden ader en probeerde de randen tegen elkaar te drukken. Toen probeerde ze via haar portofoon een noodoproep door te geven. Ze kreeg alleen gekraak en geruis te horen. Geen verbinding. Het enige wat ze nu kon doen, was wachten tot de ambulance kwam. Ze kon niet weggaan nu Dennis er zo aan toe was. Ze kon hem nu niet alleen laten. Janet liet zich in kleermakerszit op de grond zakken, legde Dennis' hoofd in haar schoot, wiegde hem zachtjes heen en weer en mompelde allerlei onzinnige dingen in zijn oor. De ambulance kwam eraan, zei ze tegen hem. Het zou allemaal goed komen. Maar hoe stevig ze de zakdoek ook aandrukte, het bloed bleef op haar uniform sijpelen. Ze kon de warmte op haar vingers, buik en dijen voelen. Alsjeblieft Dennis, bad ze, hou alsjeblieft vol.

Boven Lucy's huis kon Maggie de sikkelvormige schijf van de nieuwe maan zien en de dunne zilverkleurige rand die hij in de duisternis rond de oude maan had getrokken. De oude maan in de armen van de nieuwe. Een slecht voorteken. Zeelieden geloofden dat de aanblik hiervan, vooral wanneer deze door glas werd waargenomen, een voorbode was van zware storm en het verlies van vele levens. Maggie huiverde. Ze was niet bijgelovig, maar er ging iets onheilspellends van uit, iets wat zich naar haar uitstrekte en haar aanraakte vanuit een ver verleden, uit een tijd waarin mensen meer betekenis hechtten aan kosmische gebeurtenissen zoals de veranderende stand van de maan.
Ze keek weer naar het huis en zag dat er een politieauto stopte, dat een vrouwelijke agent aanklopte en iets riep, en dat haar mannelijke partner vervolgens de deur in ramde.
Daarna hoorde Maggie een hele tijd niets, misschien vijf of tien minuten lang, totdat er een hartverscheurend, jammerend gehuil uit de ingewanden van het huis opsteeg. Het was ook mogelijk dat ze zich dat alleen maar had verbeeld. De lucht was inmiddels lichter van kleur en het vroege ochtendgezang was weer begonnen. Was het misschien een vogel geweest? Nee, geen enkele vogel kon zo wanhopig en van god en iedereen verlaten klinken, zelfs niet de fuut op het meer of de wulp op de heide.
Maggie masseerde haar nek en bleef toekijken. Enkele seconden later kwam een ambulance voorrijden. En nog een politieauto. Vervolgens zag ze verplegers naar binnen gaan. Ze lieten de voordeur openstaan en Maggie kon zien dat ze naast iemand in de hal neerknielden. Iemand die was toegedekt met een lichtbruine deken. Ze tilden het lichaam op

een brancard op wielen en duwden deze over het tuinpad naar de ambulance die met openstaande deuren stond te wachten. Het gebeurde allemaal zo snel dat Maggie niet goed kon zien wie het was, maar ze meende een glimp te hebben opgevangen van Lucy's gitzwarte haar.

Het was dus inderdaad gegaan zoals ze had gedacht. Ze beet op haar duimnagel. Had ze eerder moeten ingrijpen? Ze had inderdaad haar vermoedens gehad, maar had ze dit op de een of andere manier kunnen voorkomen? Wat had ze kunnen doen?

Vervolgens kwam er iemand bij die zo te zien een agent in burger was. Hij werd al snel gevolgd door vijf of zes mannen die witte wegwerpoveralls aantrokken voordat ze het huis binnengingen. Iemand anders spande blauwwitte tape voor het hek in de voortuin en zette ook een groot deel van de stoep af, waaronder de dichtstbijzijnde bushalte en het stuk weg dat aan nummer 35 grensde.

Maggie vroeg zich af wat er allemaal aan de hand was. Ze zouden toch niet al die moeite doen als er niet iets heel ernstigs was gebeurd? Was Lucy dood? Had Terry haar uiteindelijk vermoord?

Het werd lichter en het tafereel werd steeds onwezenlijker. Er arriveerden nog meer politiewagens en nog een ambulance. Toen de ambulancebroeders een tweede stretcher naar buiten reden, passeerde de eerste bus van die ochtend The Hill, waardoor Maggie het zicht werd ontnomen. Ze zag dat de passagiers hun hoofd omdraaiden of opstonden om te kunnen zien wat er gebeurde. Ze kon niet zien wie er op de brancard lag. Ze zag alleen dat er twee agenten instapten.

Daarna wankelde een in elkaar gedoken en in een deken gewikkeld figuurtje over het pad, aan beide kanten ondersteund door een geüniformeerde agent. Eerst had Maggie geen flauw idee wie het was. Een vrouw, meende ze aan het silhouet en het donkere haar te kunnen zien. Toen zag ze het donkerblauwe uniform. De vrouwelijke agent. De adem stokte in haar keel.

Er was inmiddels meer bedrijvigheid dan Maggie ooit voor mogelijk had gehouden bij een melding van huiselijk geweld. Er stond nu minstens een half dozijn politieauto's, de burgerauto's meegerekend. Een pezige man met kortgeknipt, donker haar stapte uit een blauwe Renault en liep het huis binnen alsof het van hem was. De man die achter hem naar binnen ging zag eruit als een dokter. Hij had tenminste een zwarte tas bij zich en zag er gewichtig uit. Overal op The Hill gingen mensen nu naar hun werk; ze reden hun auto de garage uit of stonden te wachten bij de tijdelijke bushalte die iemand van het busstation had opgesteld. Er hadden zich groepjes toeschouwers bij het huis verzameld die nieuwsgierig toekeken, maar ze werden weggestuurd door een agent.

Maggie keek op haar horloge. Halfzeven. Ze zat al tweeënhalf uur voor het raam geknield, maar had desondanks het gevoel dat de gebeurtenissen zich razendsnel voor haar oog hadden voltrokken. Toen ze opstond, hoorde ze haar knieën kraken. De grof geweven vloerbedekking had donkerrode voren in haar huid geperst.

Er gebeurde nu niet zoveel meer rond het huis: er stonden nog een paar agenten op wacht en anderen stonden op de stoep te roken en praatten zachtjes en hoofdschuddend met elkaar.

Uitgeput en verward trok Maggie een spijkerbroek en T-shirt aan en liep naar beneden om een kop thee en wat geroosterd brood te maken. Toen ze de ketel vulde, merkte ze dat haar handen beefden. Ze zouden vast en zeker met haar willen praten, dat leed geen twijfel. Wat moest ze hun dan vertellen?

2

Plaatsvervangend hoofdinspecteur Alan Banks ('plaatsvervangend' omdat zijn directe chef, hoofdinspecteur Gristhorpe, zijn enkel had verbrijzeld tijdens het werk aan een stapelmuurtje en minstens een paar maanden uitgeschakeld was) tekende even na zes uur die ochtend het logboek bij het tuinhek, haalde diep adem en liep The Hill 35 binnen. Bewoners: Lucy Payne, tweeëntwintig, medewerkster van de afdeling leningen van het filiaal van de NatWest-bank bij het winkelcentrum, en haar echtgenoot, Terence Payne, achtentwintig, leraar aan de Silverhill-scholengemeenschap. Geen kinderen. Geen strafblad. Op het eerste gezicht een voorbeeldig en succesvol jong paar. Net een jaar getrouwd.

Overal in het huis brandde licht en de technische recherche, net als Banks gekleed in de verplichte steriele witte overalls, overschoenen, handschoenen en kappen, was al druk aan het werk. Ze zagen eruit als spoken die aan de grote schoonmaak waren, dacht Banks. Ze stoften en stofzuigden alles nauwgezet, verzamelden monsters, pakten alles in en voorzagen de zakjes van een label.

Banks bleef even in de gang staan om de sfeer op te snuiven. Het leek een doorsnee middenklassehuis. Het koraalroze gestreepte behang zag er nieuw uit. Een met tapijt bedekte trap aan de rechterkant leidde naar de slaapkamers. Als er al iets opviel, dan was het dat het iets te veel naar luchtverfrisser met citroen rook. Het enige wat niet in het plaatje thuishoorde, was de roestbruine vlek op de crèmekleurige vloerbedekking in de gang.

Lucy Payne lag op datzelfde moment ter observatie van zowel artsen als de politie in het ziekenhuis in Leeds, op dezelfde gang waar ook haar echtgenoot, Terence Payne, voor zijn leven vocht. Banks kon geen medelijden voor hem opbrengen; Dennis Morrisey had het gevecht voor zijn leven veel sneller moeten opgeven.

Bovendien lag er in de kelder een dood meisje.

Het grootste deel van deze informatie had Banks op weg naar Leeds via zijn mobiele telefoon van inspecteur Ken Blackstone ontvangen en de rest had hij gehoord van de verplegers en ambulancebroeders die buiten stonden. Het eerste telefoontje naar Gratly Cottage, zijn huis, had hem even na halfvijf gewekt uit de toch al ondiepe, onrustige slaap waar hij het tegenwoordig zo vaak mee moest doen. Hij had gedoucht, zich aangekleed en was in zijn auto gesprongen. Een cd van Zelenka Trios had hem onderweg geholpen zijn kalmte te bewaren en hem ervan weerhouden buitensporige risico's te nemen op de A1. Alles bij elkaar had de rit van honderddertig kilometer anderhalf uur in beslag genomen en als hij niet zoveel andere dingen aan zijn hoofd had gehad, had hij aan het begin van zijn reis van een prachtige zonsopgang boven de Yorkshire Dales kunnen genieten, iets wat deze lente sporadisch was voorgekomen, ook al was het al mei.

Hij had evenwel weinig anders gezien dan de weg voor hem en ook de muziek had hij nauwelijks gehoord. Tegen de tijd dat hij de ringweg van Leeds had bereikt, was de maandagochtendspits al in volle gang.

Banks ontweek de bloedvlekken en narcissen op de vloer in de gang en liep naar de achterkant van het huis. Hij zag dat iemand had overgegeven in de gootsteen in de keuken.

'Iemand van het ambulancepersoneel,' zei de technisch rechercheur die druk bezig was met het doorzoeken van de keukenlades en kastjes. 'Arme stakker, het is zijn eerste dag. We hebben nog mazzel dat hij het tot hier heeft weten op te houden en niet ter plekke alles heeft ondergekotst.'

'Jezus, dat moet een stevig ontbijt zijn geweest.'

'Zo te zien Thaise rode curry en patat.'

Banks liep de trap af naar de kelder. Onderweg viel hem de deur naar de garage op. Heel handig als je iemand ongemerkt het huis wilde binnensmokkelen, iemand die je had ontvoerd bijvoorbeeld en misschien had verdoofd of bewusteloos geslagen. Banks deed de deur open en wierp snel een blik op de auto. Het was een donkere vierdeurs Vectra met een 'S' aan het begin van het nummerbord. De laatste drie letters waren NVG. Niet afkomstig uit de directe omgeving, dus. Hij maakte in gedachten een aantekening dat hij het nummerbord moest laten natrekken bij de centrale in Swansea.

Hij hoorde stemmen in de kelder en zag het flitsen van fototoestellen. Dat moest Luke Selkirk zijn, hun topfotograaf. Luke was net terug van een door het leger gesponsorde cursus in Catterick Camp, waar hij de gevolgen van terroristische bomaanslagen had leren fotograferen. Niet dat hij deze vaardigheid vandaag nodig zou hebben, maar het was goed te weten dat je met een ervaren, uitstekend opgeleide collega samenwerkte. De stenen treden waren op sommige plekken afgesleten; de bakstenen muren waren witgeschilderd. Er was blauwwitte tape gespannen in de deuropening onder aan de trap. Niemand mocht er naar binnen, totdat Banks, Luke, de arts en de technische recherche hun werk hadden gedaan.

Banks bleef op de drempel staan en snoof voorzichtig. Er hing een stank van rottend vlees, schimmel, wierook en de zoete, metaalachtige geur van vers bloed. Hij dook onder het tape door naar binnen, maar deinsde onmiddellijk terug bij de gruwelijke aanblik van het tafereel.

Niet dat iets dergelijks hem nooit eerder onder ogen was gekomen. Integendeel, hij had nog veel erger gezien: de prostituee Dawn Whadden in Soho, wier ingewanden uit haar lichaam waren gesneden; de onthoofde kruimeldief William Grant; de deels opgegeten lichaamsdelen van de jonge Colleen Dickens, die in een bar had gewerkt; lichamen die uit elkaar waren gereten door geweerschoten en met messen waren opengesneden. Hij kon zich alle namen nog herinneren. Hij had de afgelopen jaren echter geleerd dat dat er allemaal niet toe deed. Het ging niet om het bloed, de ingewanden die waren blootgelegd, de vermiste ledematen of de gapende wonden. Wanneer het erop aan kwam, was dat niet wat je het meest raakte. Dat was slechts het uiterlijke aspect. Als je heel hard je best deed, kon je jezelf ervan overtuigen dat je op de set was van een film of toneelstuk, dat de lichamen slechts decorstukken waren, dat het bloed niet echt was.

Nee, wat hem het meeste raakte, was het intense medelijden dat hij voelde voor de slachtoffers. In tegenstelling tot wat hij aanvankelijk had gedacht, was hij door de jaren heen niet harder of ongevoeliger geworden zoals zovele anderen. Elke nieuwe zaak was als een diepe wond die opnieuw werd geopend. Vooral een zaak als deze. Hij had zichzelf onder controle, wist het maagzuur in zijn borrelende ingewanden te houden en deed zijn werk, maar vanbinnen vrat het aan hem als een bijtend zuur en 's nachts hield het hem uit zijn slaap. Pijn, angst en wanhoop waren in de poriën van deze muren doorgedrongen zoals fabrieken de oude stadsgebouwen onder een dikke laag vuil hadden bedekt. Dit soort verschrikkingen liet zich echter niet zo gemakkelijk met zandstralen verwijderen.

Zeven mensen in de krappe kelderruimte, vijf van hen levend en twee dood. Dit zou ongetwijfeld ontaarden in een logistieke en forensische nachtmerrie.

Iemand had het licht, een kaal peertje, aangedaan en overal stonden nog steeds brandende kaarsen. Vanuit de deuropening zag Banks dat de arts zich over het bleke lichaam op de matras had gebogen. Een meisje. De enige uiterlijke tekenen van geweld waren een paar sneden en blauwe plekken, een bebloede neus en een gele, plastic waslijn rond haar hals. Ze lag met gespreide benen op de bevuilde matras en haar handen waren met hetzelfde gele, plastic koord vastgebonden aan metalen pinnen in de betonnen vloer. Het bloed uit Morriseys doorgesneden ader was op haar enkels en benen gespetterd. Een paar vliegen zoemden boven het opgedroogde bloed onder haar neus. Rond haar mondhoeken hadden zich blaasjes gevormd. Haar dode gezicht was bleek en blauwachtig in het felle schijnsel van de gloeilamp.

Wat het allemaal nog erger maakte, waren de grote spiegels aan het plafond en aan de muren, waardoor alles werd verveelvoudigd.

'Wie heeft het licht aangedaan?' vroeg Banks.

'Het ambulancepersoneel,' zei Luke Selkirk. 'Ze waren als eerste ter plekke na Taylor en Morrisey.'

'Oké, we zullen het voorlopig aanlaten, totdat we een beter idee hebben van wat ons hier allemaal te wachten staat. Maar daarna moet ook de oorspronkelijke situatie worden gefotografeerd. Met alleen dat kaarslicht.'

Luke knikte. 'Dit is trouwens Faye McTavish, mijn nieuwe assistente.' Faye was een tengere, bleke, verweesd ogende jonge vrouw met een neuspiercing. Ze kon niet ouder dan twintig zijn. De grote oude Pentax die om haar nek hing, leek veel te zwaar voor haar, maar ze wist hem wonderbaarlijk goed te gebruiken.

'Prettig kennis te maken, Faye,' zei Banks en hij stak zijn hand uit. 'Ook al is dit misschien niet het meest geschikte moment.'

Hij draaide zich om en keek naar het lichaam op de matras.

Hij wist wie ze was: Kimberley Myers, vijftien jaar oud, afgelopen vrijdagavond niet thuisgekomen na een feestje van de jongerenclub dat op nog geen halve kilometer van haar huis was gehouden. Ze was knap geweest, met het lange blonde haar en het slanke, sportieve figuur die alle slachtoffers hadden gekenmerkt. Nu staarden haar dode ogen in de spiegel aan het plafond.

Opgedroogd sperma glinsterde in haar schaamhaar. En bloed. Sperma en bloed, het oude liedje. Waarom namen deze monsters altijd knappe jonge meisjes te grazen? vroeg Banks zich voor de honderdste keer af. O, hij kende alle stereotiepe antwoorden wel: hij wist dat vrouwen en kinderen gemakkelijke slachtoffers waren omdat ze fysiek zwakker waren, zich sneller lieten intimideren door mannelijke brute kracht. Hij wist ook dat prostituees en weglopers eveneens gemakkelijke slachtoffers waren, omdat zij minder snel als vermist werden opgegeven dan iemand uit een gelukkig gezin, zoals Kimberley. Maar dat was niet het enige. Er zat altijd een sinister seksueel aspect aan dit soort zaken. Het was niet genoeg dat het slachtoffer zwakker was, het moest haar kwelgeest ook genot en bevrediging kunnen schenken. En ze moest jeugd en onschuld uitstralen. Mannen doodden elkaar om talloze redenen, in oorlogstijd zelfs met duizenden tegelijk, maar bij misdaden als deze was het slachtoffer altijd een vrouw.

De agent die als eerste ter plaatse was geweest, had de tegenwoordigheid van geest gehad om met tape een smal pad op de vloer uit te zetten, zodat niet overal gelopen kon worden en bewijsmateriaal zou worden vernietigd, maar na wat er was gebeurd met Morrisey en Taylor was het daar waarschijnlijk toch al te laat voor.

Agent Dennis Morrisey lag ineengedoken op zijn zij in een plas bloed op de betonnen vloer. Zijn bloed was ook op de muur en een van de spiegels gespat. De rest van de witgekalkte muren was bedekt met pornografische afbeeldingen die uit tijdschriften waren gescheurd en met obscene mannenfiguurtjes met een enorme fallus. Ertussenin bevonden zich onhandig getekende occulte symbolen en grijnzende doodshoofden. Naast de deur lag een tweede plas bloed en op het witkalk was een lange, donkere veeg zichtbaar. Terence Payne.

Luke Selkirks camera flitste. Faye was inmiddels bezig met haar camcorder. De andere man in de kamer draaide zich om en zei iets: inspecteur Ken Blackstone van de West Yorkshire-politie, onberispelijk als altijd, zelfs in zijn beschermende kleding. Grijs haar krulde rond zijn oren en brillenglazen vergrootten zijn scherpe ogen.

'Alan,' zei hij zuchtend, 'het is verdomme net een abattoir.'

'Een leuk begin van de week. Wanneer ben je hier aangekomen?'

'Zestien minuten voor vijf.'

Blackstone woonde in de buurt van Lawnswood en had hooguit een halfuur nodig gehad om op The Hill te komen. Als hoofd van het North Yorkshire-team werkte Banks graag samen met Blackstone, die de leiding had over het West Yorkshire-team dat samen met het team van Banks inmiddels bekendstond als 'de Kameleon-brigade', omdat de moordenaar waar ze gezamenlijk jacht op maakten er tot dusverre steeds weer in was geslaagd in zijn omgeving op te gaan, in het donker van de nacht te verdwijnen en onopgemerkt te blijven. Zo'n samenwerking ging meestal gepaard met grote ego's en onverenigbare karakters, maar Banks en Blackstone kenden elkaar al acht of negen jaar en hadden die problemen niet. Ook buiten werktijd konden ze het goed met elkaar vinden en ze deelden een voorliefde voor pubs, Indiaas eten en jazzzangeressen.

'Heb je al iemand van het ambulancepersoneel gesproken?' vroeg Banks.

'Ja,' antwoordde Blackstone. 'Ze zeiden dat ze het meisje hebben onderzocht, maar geen teken van leven hebben gevonden en haar verder onaangeroerd hebben laten liggen. Morrisey was eveneens al dood. Terence Payne zat met handboeien vast aan die leiding daar. Hij had zware verwondingen aan zijn hoofd, maar hij ademde nog, dus hebben ze hem zo snel mogelijk naar het ziekenhuis gebracht. De plaats delict is hierdoor enigszins aangetast, met name wat betreft de positie van het lichaam van Morrisey, maar minder dan je gezien de omstandigheden zou verwachten.'

'Het probleem is dat we hier niet met één plaats delict te maken hebben, maar met twee die elkaar overlappen; drie, als je wat er met Payne is gebeurd als een aparte zaak beschouwt.' Hij zweeg even. 'Vier zelfs, als je Lucy Payne boven meetelt. Dat zal de nodige problemen opleveren. Waar is Stefan?' Brigadier Stefan Nowak, die de werkzaamheden op The Hill coördineerde, was een nieuweling op het hoofdbureau van de westelijke regio in Eastvale, en Banks, die in korte tijd onder de indruk was geraakt van zijn vaardigheden, had hem zelf aan het team toegevoegd. Banks benijdde Stefan op dit moment niet.

'Hij loopt hier ergens rond,' zei Blackstone. 'De laatste keer dat ik hem zag, ging hij net naar boven.'

'Heb je verder nog iets voor me, Ken?'

'Eigenlijk niet. We zullen moeten wachten tot we agent Taylor hebben gesproken en er meer details bekend zijn.'

'Wanneer zou dat moeten gebeuren?'

'Aan het eind van de dag. De verplegers hebben haar meegenomen. Ze wordt behandeld voor shock.'

'Dat verbaast me niets. Hebben ze...?'

'Ja. Ze hebben haar kleding in zakken verpakt en de politiearts is naar het ziekenhuis geweest om te doen wat gedaan moest worden.'

Dat hield onder andere in dat hij haar vingernagels had schoongeschraapt en uitstrijkjes van haar handen had gemaakt. Het was maar al te gemakkelijk om te vergeten (waarschijnlijk omdat iedereen het zo graag wilde vergeten), dat agent in opleiding Janet Taylor geen heldin was; ze was een verdachte in een misdrijf waarbij excessief geweld was gebruikt. Een buitengewoon lastige zaak.

'Wat denk jij dat er is gebeurd, Ken?' vroeg Banks. 'Je eerste reactie?'

'Ik denk dat ze Payne hier beneden hebben verrast en in een hoek hebben gedreven. Hij heeft razendsnel de aanval ingezet en met dat ding daar op Morrisey ingehakt.' Hij wees op de met bloed besmeurde machete die op de grond bij de muur lag. 'Morrisey is duidelijk twee of drie keer geraakt. Taylor moet daardoor genoeg tijd hebben gehad om haar wapenstok te grijpen en die tegen Payne te gebruiken. Ze moest wel, Alan. Hij is haar als een dolgedraaide maniak aangevallen. Ze moest zichzelf verdedigen.'

'Het is niet aan ons om te beslissen,' zei Banks. 'Wat is de schade bij Payne?'

'Schedelbasisfractuur. Meervoudige botbreuken.'

'Jammer. Mocht hij toch nog doodgaan, dan bespaart dat de rechtbank op de lange termijn misschien nog een aardig bedrag en een hoop ellende. En zijn vrouw?'

'Het ziet ernaar uit dat hij haar op de trap met een vaas heeft geslagen en dat ze toen naar beneden is gevallen. Lichte hersenschudding, paar blauwe plekken. Verder geen ernstige verwondingen. Gelukkig voor haar was het geen zwaar kristal, anders zat ze nu in hetzelfde schuitje als haar man. Ze is nog wel buiten bewustzijn en ze houden haar voorlopig in de gaten, maar ze komt er wel bovenop. Agent Hodgkins is nu in het ziekenhuis.'

Banks keek nogmaals de kamer rond met de flakkerende kaarsen, spiegels en obscene tekeningen. Hij zag glasscherven bij het lichaam op de matras, en toen hij zijn spiegelbeeld opving, besefte hij dat ze afkomstig waren van een gebroken spiegel. Zeven jaar ongeluk. Hendrix' "Roomful of Mirrors" zou nooit meer hetzelfde klinken.

Voor het eerst sinds Banks de kelder was binnengekomen keek de arts op van zijn onderzoek. Hij kwam uit zijn geknielde positie overeind en liep naar hen toe. 'Ian Mackenzie, patholoog-anatoom,' zei hij, met uitgestoken hand op Banks af lopend.

Dokter Mackenzie was een stevig gebouwde man met een flinke bos bruin haar, een dikke neus en een spleet tussen zijn voortanden. Dat bracht geluk, had Banks' moeder hem ooit voorgehouden. Misschien zou dat de gevolgen van de gebroken spiegel ongedaan maken. 'Wat kunt u ons vertellen?' vroeg Banks.

'De onderhuidse bloedingen, kneuzingen in de hals en cyanose duiden op dood door wurging, hoogstwaarschijnlijk met een wurgkoord zoals die gele waslijn rond haar hals, maar dat kan ik u pas met zekerheid melden als er sectie is verricht.'

'Zijn er sporen die duiden op seksuele handelingen?'

'Enkele scheurtjes aan vagina en anus, en naar het zich laat aanzien spermavlekken. Dat had u waarschijnlijk zelf ook al gezien. Nogmaals, ik kan u daar pas later meer over vertellen.'

'Tijdstip van overlijden?'

'Recent. Zeer recent. Er is nog vrijwel geen hypostase, geen rigor mortis en ze is nog steeds warm.'

'Hoe lang geleden?'

'Ik schat een uur of twee, drie.'

Banks keek op zijn horloge. Even na drieën dus, kort voordat de echtelijke ruzie de vrouw aan de overkant van de weg ertoe had aangezet het alarmnummer te bellen. Banks vloekte. Als de melding iets eerder was binnengekomen, een uur of zelfs maar een paar minuten, dan hadden ze Kimberley misschien nog kunnen redden. 'En die uitslag rond haar mond? Chloroform?'

'Ik vermoed van wel. Waarschijnlijk gebruikt bij haar ontvoering en misschien ook om haar onder verdoving te houden, hoewel daar natuurlijk aangenamer manieren voor te bedenken zijn.'

Banks wierp een blik op Kimberleys lichaam. 'Ik denk niet dat de dader zich daar druk over heeft gemaakt. Is chloroform gemakkelijk te verkrijgen?'

'Vrij gemakkelijk. Het wordt gebruikt als oplosmiddel.'

'Het is niet de doodsoorzaak?'

'Ik zou zeggen van niet, nee. Ik kan het natuurlijk pas na de sectie met zekerheid zeggen, maar als dat de doodsoorzaak is, zouden we ernstige blaarvorming moeten aantreffen in de slokdarm en dan zou er aanzienlijke beschadiging aan de lever moeten zijn.'

'Wanneer denkt u dat u tijd voor haar heeft?'

'Tenzij er een file op de snelweg staat, zou ik vanmiddag met de sectie kunnen beginnen,' zei dokter Mackenzie. 'We hebben het weliswaar vrij druk, maar sommige dingen hebben nu eenmaal prioriteit.' Hij keek van Kimberley naar Morrisey. 'Hij is zo te zien overleden aan bloedverlies. Zowel zijn halsslagader als zijn strotader is volledig doorgesneden. Een lelijke verwonding, maar een snelle dood. Zijn partner heeft blijkbaar nog gedaan wat ze kon, maar het was al te laat. Zeg maar tegen haar dat ze zichzelf niets hoeft te verwijten. Vanaf het begin ten dode opgeschreven.'

'Dank u wel, dokter,' zei Banks. 'Als u met de sectie op Kimberley zou kunnen beginnen...'

'Maar natuurlijk.'

Dokter Mackenzie vertrok om voorbereidingen te treffen en Luke Selkirk en Faye McTavish gingen verder met het maken van foto's en video-opnames. Banks en Blackstone keken zwijgend toe. Er was verder niet veel meer te zien, maar wat er was zou in hun geheugen gegrift staan. 'Waar leidt die deur naartoe?' Banks wees naar een deur in de muur naast de matras.

'Geen idee,' zei Blackstone. 'Ik heb nog geen gelegenheid gehad om te kijken.'

'Laten we dan nu maar eens even een kijkje nemen.'

Banks liep naar de deur en voelde aan de klink. Hij was niet op slot. Langzaam duwde hij de zware houten deur open, die toegang gaf tot een kleinere kamer met een aarden vloer. De stank was hier veel erger. Hij tastte naar een lichtknop, maar kon er geen vinden. Hij vroeg Blackstone een zaklamp te halen en probeerde in het licht vanuit de aangrenzende ruimte iets te ontwaren.

Toen zijn ogen eenmaal aan het duister waren gewend, meende hij groepjes champignons uit de aarde te zien steken.

Toen drong het plotseling tot hem door...

'Jezus,' zei hij en hij liet zich tegen de muur zakken. Het groepje dat het dichtst bij hem stond, bevatte helemaal geen champignons. Het waren menselijke tenen die uit de aarde staken.

Na een snel ontbijt en een gesprek met twee agenten over haar telefoontje naar het alarmnummer besloot Maggie een wandeling te gaan maken. Met al die drukte aan de overkant was de kans dat ze nu nog zou kunnen werken minimaal, hoewel ze wist dat ze het later wel zou moeten proberen. Op dit moment was ze echter te rusteloos en kon ze niet helder denken. De agenten hadden voornamelijk naar de feiten gevraagd en ze had hun niets over Lucy verteld, maar ze kreeg de indruk dat in elk geval een van hen niet tevreden was met haar antwoorden. Die kwamen zeker nog een keer terug.

Ze wist verdomme nog steeds niet wat er aan de hand was. De agenten hadden haar natuurlijk niets verteld, zelfs niet hoe het met Lucy ging, en het lokale nieuws op de radio had evenmin veel prijsgegeven. Het enige wat ze op dit tijdstip konden zeggen was dat een burger en een agent eerder die ochtend gewond waren geraakt. En dat was minder belangrijk dan de berichtgeving over een meisje uit de buurt, Kimberley Myers, dat vrijdagavond na een feestje van de jongerenclub op weg naar huis was verdwenen.

Toen ze aan de voorkant van het huis langs de fuchsia's liep die binnenkort zouden gaan bloeien en hun zware paarsroze klokken over het pad zouden laten hangen, zag Maggie dat er bij nummer 35 nog steeds hard werd gewerkt en dat buren zich op de stoep hadden verzameld, die nu door een touw van de weg was afgescheiden.

Diverse mannen in witte overalls kwamen met scheppen, zeven en emmers een bestelbus uit en liepen snel over het tuinpad naar het huis.

'O, kijk,' riep een van de buren. 'Een emmer en een schepje. Die gaat zeker in de zandbak spelen.'

Niemand lachte. Net als Maggie had iedereen zo langzamerhand in de gaten dat er iets heel ernstigs was gebeurd op The Hill 35. Ongeveer tien meter verderop, tegenover het smalle, ommuurde paadje dat de afscheiding vormde met nummer vijfendertig, waren winkels: een afhaalpizzeria, een kapper, een minisupermarkt, een sigarenzaak en een fish&chipszaak. Verscheidene agenten in uniform hadden het aan de stok met de winkeliers. Die wilden natuurlijk hun zaak openen, dacht Maggie.

Agenten in burger stonden te praten en te roken. Uit hun portofoons klonk geruis. Dit stukje straat zag er inmiddels uit alsof er een natuurramp had plaatsgevonden. Maggie herinnerde zich nog de aanblik van Los Angeles na de aardbeving in 1994, toen ze daar voor hun trouwen met Bill naartoe was geweest: een ingestort flatgebouw waar drie verdiepingen in enkele seconden tot twee waren gereduceerd; breuken in het wegdek; een snelweg die voor een deel was ingestort. Hoewel hier geen duidelijk zichtbare schade was, heerste er hetzelfde gevoel, hing er dezelfde geschokte sfeer. En hoewel ze nog niet wisten wat er aan de hand was, waren de mensen met stomheid geslagen en berekenden ze de schade; er hing een waas van ongerustheid over de buurt en een diepe angst voor de vernietigende kracht die God op hen had losgelaten. Ze beseften dat zich vlak bij hun eigen huis iets verschrikkelijks moest hebben afgespeeld. Maggie wist nu al dat het leven in deze buurt nooit meer hetzelfde zou zijn.

Ze draaide zich om en liep onder de spoorbrug door langs The Hill naar beneden. Aan het eind lag een kleine, kunstmatige vijver tussen de woonwijken en industrieterreinen. Het stelde niet veel voor, maar het was beter dan niets. Hier kon ze tenminste op een bankje aan het water zitten, de eenden voeren en naar de mensen kijken die hun hond uitlieten.

Het was er ook veilig, een belangrijke overweging in dit deel van de stad waar grote oude huizen zoals het hare zij aan zij stonden met nieuwe, onvriendelijke woonkazernes. Inbraak was er aan de orde van de dag en ook werden de bewoners van tijd tot tijd opgeschrikt door een moord, maar hier bij de vijver, waar gewone mensen hun hond uitlieten en op enkele meters afstand de dubbeldekkers op de hoofdweg passeerden, voelde Maggie zich nooit afgezonderd of bedreigd. Ze wist dat overvallen vaak genoeg bij daglicht plaatsvonden, maar toch voelde ze zich hier veilig.

Het was een prachtige, warme ochtend. De zon scheen, maar er stond een stevige bries en een jas was geen overbodige luxe. Af en toe dreef er een wolk voor de zon, die schaduwen wierp op het wateroppervlak. Er ging iets troostends uit van eenden voeren, dacht Maggie. Niet voor de eenden natuurlijk, die hadden er geen idee van wat samen delen inhield. Je wierp ze het brood toe en ze doken er luid kwakend en vechtend op af. Maggie verkruimelde het oudbakken brood tussen haar vingers en wierp het in het water. Ineens moest ze denken aan haar eerste ontmoeting met Lucy Payne, enkele maanden eerder.

Ze was die dag (een opmerkelijk warme dag voor maart) naar de stad gegaan om haar voorraad tekenspullen aan te vullen. Ze had daarna een paar boeken gekocht en was vervolgens doelloos via het Victoria Quarter naar Kirkgate Market geslenterd, waar ze Lucy tegen het lijf liep. Ze waren elkaar wel vaker op straat en in buurtwinkels tegengekomen en hadden elkaar altijd gegroet. Afgezien van Claire Toth, de schoolgaande dochter van haar buurvrouw die haar scheen te hebben geadopteerd, had Maggie in haar nieuwe wereld geen vriendinnen. Dat kwam deels omdat ze daar zelf voor gekozen had en deels omdat ze zo verlegen was. Erop uitgaan om nieuwe mensen te ontmoeten was nooit haar sterkste kant geweest. Ze kwam al snel tot de ontdekking dat Lucy Payne een gelijkgestemde ziel was.

Ze bleven allebei staan om even met elkaar te praten, misschien wel omdat ze zich beiden buiten hun natuurlijke leefomgeving bevonden, als landgenoten die elkaar in een vreemd land ontmoeten. Lucy vertelde dat het haar vrije dag was en dat ze wat wilde winkelen. Maggie stelde voor om een kop thee of koffie te gaan drinken op het terras van het restaurant van Harvey Nichols en Lucy nam haar aanbod graag aan. Ze zochten een rustig plekje en zetten hun aankopen op de grond. Lucy keek naar de namen op de tassen die Maggie bij zich had, waaronder die van Harvey Nichols, en bekende dat ze zelf nooit het lef zou hebben zo'n chique zaak binnen te gaan. Haar eigen aankopen kwamen uit veel goedkopere zaken. Deze beschroomdheid van noorderlingen was Maggie al eerder opgevallen en ze had wel vaker gehoord dat je de doorsnee inwoner van Leeds met zijn parka en pet nooit zou aantreffen in een luxezaak als Harvey Nichols. Toch verbaasde het haar dat Lucy het zo openlijk toegaf, want Maggie vond haar een zeer aantrekkelijke en elegante vrouw met haar mooie figuur en glanzende, pikzwarte haar dat tot onder aan haar rug viel. Lucy was lang, had volle borsten, een smal middel en perfecte heupen en benen. Ze gebruikte weinig make-up en meer had ze ook niet nodig. Haar bleke huid was zo glad als een spiegel, ze had zwarte, mooi gewelfde wenkbrauwen en geprononceerde jukbeenderen in een ovaal gezicht. Haar ogen waren diepzwart met stukjes vuursteen die het licht opvingen als kwartskristallen.

Toen de serveerster bij hen kwam, vroeg Maggie of Lucy een cappuccino wilde. Lucy zei dat ze dat nog nooit had gedronken en niet precies wist wat het was, maar ze wilde het wel proberen. Maggie bestelde twee cappuccino's. Toen Lucy haar eerste slok nam, bleef er wat schuim op haar bovenlip achter dat ze met een servetje wegdepte.

'Je kunt je met mij werkelijk nergens in het openbaar vertonen,' zei ze lachend.

'Zo erg is het toch niet?' zei Maggie.

'Nee, echt. Dat zegt Terry ook altijd.' Ze praatte zachtjes, precies zoals Maggie nog heel lang nadat ze bij Bill was weggegaan had gedaan.

Maggie wilde bijna antwoorden dat Terry niet goed bij zijn hoofd was, maar slikte net op tijd haar woorden in. Het zou heel onbeleefd zijn om Lucy's echtgenoot tijdens hun eerste ontmoeting al te beledigen. 'Hoe vind je de cappuccino?' vroeg ze.

'Lekker.' Lucy nam nog een slokje. 'Waar kom je eigenlijk vandaan?' vroeg ze. 'Je vindt me toch niet te nieuwsgierig, hè? Het komt door je accent...'

'Nee hoor, helemaal niet. Ik kom uit Toronto, Canada.'

'Geen wonder dat je zo mondain bent. Ik ben nog nooit verder weg geweest dan het Lake District.'

Maggie barstte in lachen uit. Toronto mondain?

'Zie je wel,' zei Lucy en ze trok een pruillip. 'Je lacht me nu al uit.'

'Nee, hoor,' zei Maggie. 'Echt niet. Het is alleen... ach, het hangt er maar vanaf vanuit welke hoek je het bekijkt.'

'Hoe bedoel je?'

'Als ik tegen iemand uit New York zou beweren dat Toronto mondain is, zou ze me recht in mijn gezicht uitlachen. Het beste wat je over die stad kunt zeggen is dat het er schoon en veilig is.'

'Maar dat is toch iets om trots op te zijn? Leeds is geen van tweeën.'

'Zo erg lijkt het me hier anders niet.'

'Waarom ben je er weggegaan? Waarom ben je hiernaartoe gekomen?'

Maggie fronste haar wenkbrauwen en zocht in haar tas naar een sigaret. Ze had er enorme spijt van dat ze zo stom was geweest om op haar dertigste nog te beginnen met roken. Ze zou het natuurlijk allemaal op stress kunnen gooien, hoewel die er uiteindelijk alleen maar door was toegenomen. Ze herinnerde zich nog de eerste keer dat Bill aan haar adem had gemerkt dat ze had gerookt en zijn razendsnelle overgang van bezorgde echtgenoot naar Monsterkop, zoals ze het zelf was gaan noemen. Roken was heus zo slecht niet. Zelfs haar psychiater had toegegeven dat het misschien geen gek idee was als ze zo nu en dan een sigaret opstak bij wijze van tijdelijke reddingsboei. Ze kon later altijd weer stoppen, als ze voelde dat ze beter tegen de situatie was opgewassen.

'Waarom ben je nu hier?' herhaalde Lucy. 'Ik wil niet nieuwsgierig zijn, maar het interesseert me. Heb je een andere baan gekregen?'

'Niet echt. Ik kan mijn werk in feite overal doen.'

'Wat doe je dan?'

'Ik ben grafisch kunstenaar. Ik illustreer boeken. Voornamelijk kinderboeken. Op dit moment ben ik bezig met een nieuwe uitgave van de sprookjes van Grimm.'

'O, dat klinkt fantastisch,' zei Lucy. 'Ik was op school heel slecht in tekenen. Waarom ben je hier dan?'

Maggie stond even in tweestrijd en antwoordde niet direct. Toen gebeurde er iets vreemds en kreeg ze het gevoel dat de kettingen en sloten in haar binnenste loskwamen, dat ze meer ademruimte kreeg. Terwijl ze hier onder het genot van een sigaretje en een kop cappuccino met Lucy zat te praten, voelde ze spontaan genegenheid in zich opwellen voor deze jonge vrouw die ze nauwelijks kende. Ze wilde niets liever dan vriendschap met haar sluiten, zag al voor zich hoe ze vaker met elkaar over hun problemen konden praten en elkaar medeleven en advies konden geven, net zoals in Toronto met Alicia. Met haar onhandigheid en onschuldige charme maakte Lucy een soort emotioneel zelfvertrouwen in Maggie wakker. Ze had het gevoel dat dit iemand was bij wie ze veilig was. Meer dan dat. Maggie mocht dan de meest 'mondaine' van hen beiden zijn, ze voelde instinctief dat ze meer met elkaar gemeen hadden dan op het eerste oog leek. Het was moeilijk voor haar om de waarheid toe te geven, maar tegelijkertijd voelde ze de drang het aan iemand anders dan haar psychiater toe te vertrouwen. En waarom niet aan Lucy?

'Wat is er?' vroeg Lucy. 'Je kijkt zo verdrietig.'

'Is dat zo? Ach, het is eigenlijk niets. Mijn man en ik...' Het kostte haar moeite de woorden over haar lippen te krijgen. 'Ik... ehm... we zijn uit elkaar.' Haar mond voelde plotseling droog aan. Het was moeilijker dan ze gedacht had. Ze nam nog een slokje koffie.

Lucy fronste haar wenkbrauwen. 'Het spijt me. Maar waarom ben je zo ver weg gegaan? Er gaan zoveel mensen uit elkaar en de meesten verhuizen dan toch ook niet naar de andere kant van de wereld? Tenzij hij natuurlijk... o, mijn god.' Ze gaf zichzelf een klap op haar wang. 'Lucy, jij en die grote mond van je ook altijd.'

Maggie moest ondanks zichzelf even lachen, ook al had Lucy de pijnlijke waarheid ontdekt. 'Het geeft niet,' zei ze. 'Ja, hij mishandelde me. Hij sloeg me. Je zou kunnen zeggen dat ik op de vlucht ben. Op het ogenblik wil ik zelfs niet in hetzelfde land zijn als hij.' Ze verbaasde zich over de heftigheid waarmee ze het zei.

Er lag een vreemde blik in Lucy's ogen en ze keek even om zich heen alsof ze naar iemand op zoek was. Er wandelden alleen anonieme winkelende mensen met hun pakjes over de promenade onder het glas-in-looddak. Lucy raakte Maggies arm even aan. Maggie voelde een huivering door haar lichaam gaan en had bijna in een reflex haar arm losgetrokken. Enkele ogenblikken geleden had het haar een goed idee geleken om een andere vrouw in vertrouwen te nemen, maar nu wist ze het niet zo zeker meer. Ze voelde zich te naakt, de wonden waren nog te vers.

'Het spijt me als ik je in verlegenheid heb gebracht,' zei Maggie op scherpe toon.

'O, nee,' zei Lucy en ze klemde haar vingers om Maggies pols. Haar greep was verrassend sterk en haar handen voelden koel aan. 'Denk dat alsjeblieft niet. Ik heb er zelf om gevraagd. Het is mijn eigen schuld. Ik vind het niet vervelend. Het is alleen... Ik weet niet wat ik moet zeggen. Ik bedoel... Jij? Je lijkt zo slim, alsof je alles onder controle hebt.'

'Ja, dat heb ik zelf ook altijd gedacht. Hoe kan mij zoiets nu overkomen? Gebeurt het dan niet alleen bij andere vrouwen? Arme, minder gelukkige of minder ontwikkelde vrouwen?'

'Hoe lang?' vroeg Lucy. 'Ik bedoel...?'

'Hoe lang ik dit heb toegelaten voordat ik ervandoor ging?'

'Ja.'

'Twee jaar. En vraag me alsjeblieft niet waarom ik het zo lang heb laten doorgaan, want dat weet ik niet. Daarvoor loop ik nog steeds bij een psychiater.'

'Ik begrijp het.' Lucy zweeg en liet het tot zich doordringen. 'Waarom ben je uiteindelijk toch bij hem weggegaan?'

Maggie dacht even na en antwoordde toen: 'Op een dag ging hij gewoon te ver,' zei ze. 'Ik had een gebroken kaak, twee gebroken ribben en verwondingen aan mijn ingewanden. Ik heb toen in het ziekenhuis gelegen. Daar heb ik aangifte gedaan van mishandeling. En zal ik je eens wat zeggen? Ik had het nog niet gedaan of ik wilde de aanklacht alweer intrekken, maar de politie hield me tegen.'

'Hoezo?'

'Ik weet niet hoe het hier zit, maar wanneer je in Canada eenmaal aangifte van mishandeling hebt gedaan, heb je het niet meer in eigen hand. Je kunt niet zomaar van gedachten veranderen en de zaak intrekken. Maar goed, er werd een straatverbod tegen hem uitgevaardigd. Een paar weken lang gebeurde er niets. Toen kwam hij met bloemen naar mijn huis, want hij wilde praten.'

'Wat deed je toen?'

'Ik had de ketting op de deur gedaan. Ik was niet van plan hem binnen te laten. Hij was heel berouwvol. Hij smeekte en bedelde en zwoer op het graf van zijn moeder. Dat had hij wel vaker gedaan. Tja, en toen begon hij te dreigen, werd hij gewelddadig. Hij bonkte op de deur en schold me uit. Ik heb de politie gebeld en die heeft hem gearresteerd. Hij bleef echter terugkomen, heeft me zelfs gestalkt. Een vriendin stelde toen voor dat ik een tijdje ergens anders ging wonen, hoe verder weg hoe beter. Ik kende het huis op The Hill. Het is van Ruth en Charles Everett. Ken je hen?'

Lucy schudde haar hoofd. 'Ik ben ze wel eens tegengekomen. De laatste tijd niet meer.'

'Nee, dat kan wel kloppen. Charles heeft een aanbod gekregen om een jaar lang les te geven aan Columbia University in New York. Hij is in januari begonnen. Ruth is met hem meegegaan.'

'Waar heb je hen leren kennen?'

'Ruth en ik werken in hetzelfde vakgebied. Het is een vrij klein wereldje.'

'Maar waarom Leeds?'

Maggie glimlachte. 'Waarom niet? Ten eerste stond hier een kant-en-klaar huis waar ik zo kon intrekken. Bovendien komen mijn ouders uit Yorkshire. Ik ben hier zelfs geboren. In Rawdon. We zijn verhuisd toen ik nog heel klein was. Het leek me de ideale oplossing.'

'Dus nu woon je in je eentje in dat grote huis aan de overkant van de weg?'

'Helemaal in mijn eentje.'

'Ik dacht al dat ik er verder niemand anders had gezien.'

'Eerlijk gezegd ben jij zo'n beetje de eerste met wie ik contact heb sinds ik hier ben komen wonen, Lucy, afgezien van mijn psychiater en mijn agent. Niet dat de mensen hier niet vriendelijk zijn, maar ik denk dat ik gewoon wat... afstandelijk ben geweest. Niet erg toeschietelijk.' Lucy's hand lag nog steeds op Maggies pols, hoewel ze die nu niet langer vastklemde.

'Dat is ook logisch na alles wat je hebt meegemaakt. Is hij je hiernaartoe gevolgd?'

'Ik denk het niet. Ik geloof niet dat hij weet waar ik ben. Er is een paar keer 's avonds laat gebeld en als ik dan opnam, werd er opgehangen, maar ik weet niet of hij daarachter zat. Ik denk van niet. Al mijn vrienden in Canada hebben plechtig beloofd hem niet te zullen vertellen waar ik ben en hij kent Ruth en Charles niet. Hij is nooit geïnteresseerd geweest in mijn carrière. Ik betwijfel of hij weet dat ik in Engeland ben.' Maggie wilde van onderwerp veranderen. Het suisde in haar oren, de promenade leek om haar heen te dansen, haar kaken deden pijn en haar nekspieren waren gespannen, zoals altijd wanneer ze zich in gedachten te lang met Bill had beziggehouden. Psychosomatisch, had haar psychiater gezegd. Alsof ze daar iets aan had. Ze vroeg Lucy naar haar leven.

'Ik heb eigenlijk ook geen echte vrienden,' zei Lucy. Ze roerde in het restje schuim van haar cappuccino. 'Ik ben altijd een beetje te verlegen geweest, denk ik, ook op school. Ik weet nooit wat ik tegen mensen moet zeggen.' Ze begon te lachen. 'Ik heb niet eens een eigen leven. Alleen mijn baan bij de bank. Thuis. Voor Terry zorgen. We zijn nog niet eens een jaar getrouwd. Hij vindt het niet prettig wanneer ik alleen uitga. Zelfs vandaag niet, op mijn vrije dag. Als hij het wist... Goed dat ik eraan denk trouwens.' Ze keek nerveus op haar horloge. 'Bedankt voor de koffie, Maggie. Ik moet er echt vandoor. Ik moet de bus halen en thuis zijn voordat de school uitgaat. Terry is namelijk leraar.'

Nu was het Maggie die Lucy bij de arm greep. 'Wat is er, Lucy?' vroeg ze.

Lucy keek haar niet aan.

'Lucy?'

'Niets. Het is wat je daarnet zei.' Ze ging zachter praten en keek om zich heen voordat ze vervolgde: 'Ik weet precies wat je bedoelt, maar ik kan er nu niet over praten.'

'Slaat Terry je?'

'Nee. Dat is niet... ik bedoel... hij is gewoon streng. Voor mijn eigen bestwil.' Ze keek Maggie recht aan. 'Je kent me niet. Ik ben net een onhandelbaar kind. Terry moet me soms wel straffen.'

Onhandelbaar, dacht Maggie. Straffen. Wat een vreemde, angstaanjagende woorden om in dit verband te gebruiken. 'Om je onder de duim te houden? Je in de pas laten lopen?'

'Ja.' Ze stond op. 'Hoor eens, ik moet nu echt gaan. Het was fijn om eens met je te praten. Ik hoop dat we vriendinnen kunnen worden.'

'Ik ook,' zei Maggie. 'We moeten echt nog een keer praten. Je kunt hulp krijgen, weet je.'

Lucy schonk haar een flauwe glimlach en verdween snel in de richting van Vicar Lane.

Toen Lucy was vertrokken, bleef Maggie verdoofd achter en dronk met trillende hand haar kopje leeg. Lucy ook een slachtoffer? Ze kon het niet geloven. Die sterke, gezonde, mooie vrouw een slachtoffer, net als de tengere, zwakke, meisjesachtige Maggie? Ze kon het zich nauwelijks voorstellen.

Toch had ze een voorgevoel gehad, iets van verwantschap gevoeld. Daar had ze vanochtend niet met de politie over willen praten. Ze wist dat ze uiteindelijk misschien geen andere keus zou hebben, dat hing af van de ernst van de situatie, maar ze wilde dat moment zo lang mogelijk uitstellen.

Terwijl ze over Lucy nadacht, herinnerde Maggie zich het belangrijkste dat ze tot nu toe over huiselijk geweld had geleerd: het maakt niet uit wie je bent. Het kan iedereen overkomen. Alicia en al haar andere vriendinnen thuis hadden hun verbazing uitgesproken over het feit dat een slimme, intelligente, succesvolle, liefhebbende, ontwikkelde vrouw als Maggie zich door haar man had laten mishandelen. Ze had de uitdrukking op hun gezicht gezien, had gemerkt dat hun gesprekken verstomden wanneer ze een kamer binnenkwam. Er is vast iets mis met haar, zeiden ze allemaal. En dat had ze zelf ook gedacht en tot op zekere hoogte dacht ze dat nog steeds. Want Bill was een slimme, intelligente, liefhebbende, hoogopgeleide en succesvolle man. Totdat hij zijn Monsterkop opzette natuurlijk, maar Maggie was de enige die hem ooit zo zag. En het was vreemd, dacht ze, dat niemand op het idee was gekomen om te vragen waarom een intelligente, rijke, succesvolle advocaat als Bill het nodig vond een vrouw te slaan die bijna dertig centimeter kleiner en minstens dertig kilo lichter was dan hij.

Zelfs toen de politie die keer moest komen omdat hij op haar voordeur stond te beuken, had ze gemerkt dat ze zijn gedrag vergoelijkten: hij was door het dolle heen omdat zijn vrouw een straatverbod tegen hem had laten uitvaardigen; hij was van slag omdat zijn huwelijk op de klippen was gelopen en zijn vrouw hem geen kans gaf het goed te maken. Excuses, allemaal excuses. Maggie was de enige die wist hoe hij werkelijk was. Elke dag was ze dankbaar dat ze geen kinderen hadden.

Bij die gedachte kwam ze weer terug in het heden, bij de vijver en de eenden die ze aan het voeren was. Lucy was ook een slachtoffer en Terry had ervoor gezorgd dat ze in het ziekenhuis was beland. Maggie voelde zich verantwoordelijk, alsof ze iets had moeten doen. God weet dat ze het had geprobeerd. Toen Lucy haar verhaal over de lichamelijke en geestelijke mishandeling door haar echtgenoot stukje bij beetje had prijsgegeven tijdens hun vele geheime ontmoetingen, had Maggie iets moeten doen, ook al had ze absolute geheimhouding moeten beloven. Anders dan de meeste mensen wist Maggie precies wat er aan de hand was. Ze kende de situatie waarin Lucy verkeerde uit eigen ervaring en wist dat ze haar moest zien over te halen om professionele hulp te zoeken en Terry te verlaten. En dat was precies wat ze had geprobeerd.

Lucy weigerde echter bij hem weg te gaan. Ze zei dat ze nergens naartoe kon en niemand om onderdak durfde te vragen. Een veelgebruikt maar wel heel logisch excuus. Waar moet je heen wanneer je je hele leven achter je laat?

Maggie had geluk gehad. Haar vriendinnen hadden haar onvoorwaardelijk gesteund en een oplossing gevonden, al was het een tijdelijke. De meeste vrouwen in haar positie hadden minder geluk. Lucy had ook gezegd dat haar huwelijk nog zo pril was dat ze het nog een kans wilde geven, iets meer tijd wilde gunnen. Ze kon alles niet zomaar opgeven; ze wilde er harder aan werken. Eveneens een veelvoorkomende reactie, wist Maggie, maar ze kon er alleen maar op wijzen dat het niet beter zou worden, wat ze ook deed, dat Terry nooit zou veranderen en dat ze uiteindelijk toch zou vertrekken; dus waarom niet zo snel mogelijk, zodat ze zichzelf nog meer afranselingen kon besparen?

Maar nee, Lucy wilde het nog iets langer volhouden. In ieder geval nog even. Terry was achteraf altijd zo lief en bezorgd. Dan nam hij cadeaus en bloemen mee, beloofde dat hij het nooit meer zou doen en dat hij zou veranderen. Maggie werd misselijk toen ze dit hoorde. Eén keer had ze zelfs moeten overgeven toen Lucy was vertrokken.

Ze bleef echter naar Lucy luisteren. Wat kon ze anders doen? Lucy had een vriendin nodig en dat was Maggie, in voor- en tegenspoed.

En nu dit.

Maggie gooide de laatste broodkruimels in de vijver. Ze mikte op het kleinste en lelijkste jonge eendje van allemaal dat achteraan zwom en er tot nu toe niet in was geslaagd aan de schranspartij deel te nemen. Het haalde niets uit. Het brood kwam vlak bij zijn snavel terecht, maar voordat hij erbij kon waren de andere al naar hem toe gepeddeld om alles weg te pikken.

Banks wilde het interieur van The Hill 35 goed bekijken voordat de technische recherche het hele huis ondersteboven zou keren. Hij wist niet of hij er iets wijzer van zou worden, maar het was belangrijk dat hij zich de sfeer eigen maakte.

Op de begane grond was er behalve de keuken alleen nog een woonkamer, waarin een driedelige zithoek, stereo-installatie, televisie, video en kleine boekenkast stonden. Hoewel de inrichting dezelfde vrouwelijke hand verried als die van de gang – kanten gordijnen met sierstrookjes, koraalroze behang, hoogpolig tapijt en een crèmekleurig plafond met overdadige sierlijsten – getuigden de video's in het kastje onder de televisie van een mannelijke smaak: actiefilms, een eindeloze reeks tapes met *The Simpsons*, een serie horror- en sciencefictionfilms, waaronder de complete set *Alien*- en *Scream*-films, een paar klassiekers als *The Wicker Man*, de oorspronkelijke versie van *Cat People, Curse of the*

Demon en een cassette met David Cronenberg-films. Banks snuffelde nog wat rond, maar kon geen porno of zelfgemaakte opnames ontdekken. Misschien zou de technische recherche iets vinden wanneer ze het huis van onder tot boven onderzochten. De cd-collectie bestond uit verzamelcd's van de klassieke radiozender, een set met het beste van Mozart, maar ook rap-, heavy metal- en country&western-cd's. De boeken waren al even gevarieerd: handboeken over schoonheidsverzorging, verzamelbanden van *Reader's Digest*, boeken over handwerken, romans, occulte en waargebeurde misdaadromans van het nietsverhullende soort en sensatiebeluste biografieën van beroemde serie- en massamoordenaars. Een paar dingen verstoorden de orde in de kamer: de avondkrant van gisteren die over de salontafel lag uitgespreid en een paar video's die naast hun dozen lagen, maar verder was het er keurig opgeruimd. Er stonden het soort snuisterijen dat Banks' moeder nooit in huis had willen hebben omdat ze zo lastig af te stoffen waren: porseleinen beeldjes van sprookjesfiguren en dieren. In de eethoek stond een grote glazen kast die gevuld was met Royal Doulton-servies. Waarschijnlijk een huwelijkscadeau, dacht Banks.

Boven waren twee slaapkamers, waarvan de kleinste als werkkamer werd gebruikt, en een toilet en badkamer. Geen douchecabine, alleen een wasbak en badkuip. Zowel het toilet als de badkamer was brandschoon, het porselein glansde smetteloos en er hing een doordringende lavendelgeur. Banks bekeek de afvoerputjes nauwkeurig, maar zag alleen blinkend gepoetst roestvrij staal zonder een spoor van bloed of haar.

Dave Preece, de computerexpert, was in de werkkamer de computer aan het inspecteren. In een hoek stond een grote dossierkast, waarvan de inhoud naar het bewijsdepot in Millgarth zou worden overgebracht. 'Al iets gevonden, Dave?' vroeg Banks.

Preece duwde zijn bril over zijn neus en draaide zich om. 'Nog niets bijzonders. Een paar vaak bezochte pornosites, chatrooms, dat soort zaken. Niets illegaals zo te zien.'

'Blijf zoeken.'

Banks liep de grote slaapkamer in waar blauw de boventoon voerde. Azuur? Kobalt? Hemelsblauw? Annie Cabbot zou de tint precies weten te benoemen aangezien haar vader kunstenaar was, maar voor Banks was het gewoon blauw, net als de muren van zijn eigen woonkamer, maar dan een paar tinten donkerder. Op het grote tweepersoonsbed lag een luchtig opgeschud zwart dekbed. Aan het voeteneind stond een televisie op een kastje met daarin een verzameling softpornovideo's als je de etiketten mocht geloven, maar nog steeds niets wat illegaal of zelfgemaakt was, geen smerige rotzooi met kinderen of dieren. De Paynes hielden wel van een pornofilm. Waarom ook niet? Banks durfde te wedden dat in meer dan de helft van de huishoudens in het land wel eens naar porno werd gekeken. Maar die mensen gingen niet zo ver dat ze jonge meisjes ontvoerden en vermoordden. Een van de jonge agenten zou straks worden uitverkoren om de hele rij van begin tot eind te bekijken om zich ervan te vergewissen dat de inhoud overeenkwam met de titels.

Banks keek in de kledingkast: pakken, overhemden, jurken, schoenen, voornamelijk vrouwenschoenen, niets wat hij niet had verwacht. Alles zou door de technische recherche worden ingepakt en tot in de kleinste details worden onderzocht.

Ook in de slaapkamer stond een flink aantal snuisterijen: potjes van Limoges-porselein, speeldoosjes met sieraden, gelakte en met de hand beschilderde kistjes. Banks zag dat de muskusachtige geur van rozen en anijs afkomstig was van een schaal potpourri die op de wasmand onder het raam stond.

De slaapkamer keek uit op The Hill. Toen Banks de kanten gordijnen opzijschoof en uit het raam keek, kon hij de huizen zien die halfverborgen achter struiken en bomen op de heuvel uittorenden. Ook kon hij de bedrijvigheid beneden op straat gadeslaan. Hij draaide zich om en keek nogmaals de kamer rond. De bijna steriele ordelijkheid kwam hem deprimerend voor. Het geheel zou zo uit een postordercatalogus kunnen komen. Het hele huis, met uitzondering van de kelder natuurlijk, ademde dezelfde sfeer: mooi, modern, maar leeg. Typisch voor een jong stel uit de middenklasse.

Zuchtend liep hij weer naar beneden.

3

Kelly Diane Matthews verdween tijdens het nieuwjaarsfeest in Roundhay Park in Leeds. Ze was zeventien jaar, een meter zestig lang en woog nog geen vijfenveertig kilo. Ze woonde in Alwoodley en ging naar de Allerton-scholengemeenschap. Kelly had twee jongere zusjes: Ashley van negen en Nicola van dertien.

Het telefoontje kwam op 1 januari 2000 om elf minuten over negen 's ochtends binnen bij het plaatselijke politiebureau. Meneer en mevrouw Matthews vreesden dat hun dochter werd vermist. Ze waren zelf naar een ander feestje geweest en tegen drie uur 's nachts thuisgekomen. Ze hadden gemerkt dat Kelly nog niet thuis was, maar maakten zich daar geen zorgen over omdat ze met haar vriendinnen uit was en ze wisten dat nieuwjaarsfeesten vaak tot in de kleine uurtjes doorgingen. Ook wisten ze dat ze genoeg geld bij zich had om een taxi te nemen.

Ze vertelden de politie dat ze allebei moe en een beetje aangeschoten van hun eigen feestje waren teruggekeerd en direct naar bed waren gegaan. Toen ze de volgende ochtend wakker werden en ontdekten dat Kelly's bed onbeslapen was, begonnen ze zich zorgen te maken. Zoiets had ze nog niet eerder gedaan. Eerst belden ze de ouders van de twee vriendinnen met wie ze was meegegaan en die volgens hen allebei zeer betrouwbaar waren. Kelly's vriendinnen, Alex Kirk en Jessica Bradley, waren die nacht allebei kort na twee uur thuisgekomen. Toen hij dat hoorde, belde Adrian Matthews de politie. Agent Rearden, die het telefoontje aannam, stuurde onmiddellijk een agent naar het huis van de Matthews.

Kelly's ouders vertelden dat ze haar op 31 december rond zeven uur voor het laatst hadden gezien, toen ze op het punt stond om naar haar vriendinnen te gaan. Ze had een spijkerbroek gedragen, witte sportschoenen, een dikke, gebreide kabeltrui en een halflange suède jas.

Toen Kelly's vriendinnen later werden ondervraagd, vertelden ze dat ze elkaar tijdens het vuurwerk uit het oog hadden verloren, maar dat ze zich geen zorgen hadden gemaakt. Er waren tenslotte duizenden mensen aanwezig, de bussen reden volgens het nachtrooster en er waren meer dan voldoende taxi's beschikbaar.

Adrian en Gillian Matthews waren niet rijk, maar hadden wel een meer dan gemiddeld inkomen. Adrian beheerde het computernetwerk voor een grote detailhandelketen en Gillian was assistent-manager bij een hypotheekbank in het centrum. Ze hadden een negentiende-eeuws, halfvrijstaand huis in de buurt van Eccup Reservoir dat uitkeek op parken, golfbanen en het platteland in plaats van fabrieken, pakhuizen en grauwe woonwijken.

Volgens haar vrienden en leraren was Kelly een slim, karaktervol, betrouwbaar meisje dat altijd hoge cijfers haalde en zeker een beurs zou krijgen voor de universiteit van haar keuze, op dit moment Cambridge, waar ze rechten wilde gaan studeren. Kelly was eveneens de sprintkampioen van de school. Ze had lang goudblond haar en was dol op kleren, dansen, popmuziek en sporten. Ze luisterde ook graag naar klassieke muziek en speelde heel verdienstelijk piano.

Het werd de politieman die met het onderzoek was belast al snel duidelijk dat het hier waarschijnlijk niet een tiener betrof die van huis was weggelopen, en hij liet het hele park uitkammen. Toen de zoekactie na drie dagen nog niets had opgeleverd, werd deze gestaakt. Intussen had de politie honderden feestgangers ondervraagd. Sommigen meenden haar met een man te hebben gezien, anderen beweerden dat ze met een vrouw was weggegaan. Taxi- en buschauffeurs werden eveneens ondervraagd, maar zonder resultaat.

Een week na Kelly's verdwijning werd haar tas in het struikgewas rond het park gevonden. In de tas zaten haar sleutels, agenda, make-up, een haarborstel en een portemonnee met vijfendertig pond en wat kleingeld.

Haar agenda bevatte geen aanwijzingen. Het laatste wat ze erin had geschreven, op 31 december, was een lijstje met goede voornemens voor het nieuwe jaar:

1. Mama meer helpen in het huishouden
2. Elke dag piano studeren
3. Liever zijn voor mijn zusjes

Banks trok de beschermende kleding uit, leunde tegen zijn auto en stak een sigaret op. Hij vermoedde dat het een warme, zonnige dag zou worden, met slechts een enkele wolk die hoog in de lucht op een licht briesje langs de blauwe hemel zou glijden. Hij zou die dag grotendeels binnen moeten doorbrengen. Hij negeerde de nieuwsgierige voorbijgangers aan de overkant die bleven staan om te kijken en sloot zijn oren af voor het getoeter van de rij auto's bij The Hill, die inmiddels volledig voor het verkeer was afgesloten. De media waren nu ook gearriveerd. Banks zag dat verslaggevers vanachter de afzetting iets wijzer probeerden te worden.

Hij had van tevoren geweten dat het hierop of op iets soortgelijks zou uitdraaien, al vanaf het moment dat hij had ingestemd om als teamleider op te treden van de speciale eenheid die met het onderzoek naar de verdwijningen was belast. In totaal werden er vijf jonge vrouwen vermist, drie uit West Yorkshire en twee uit North Yorkshire. De assistent-hoofdcommissaris van West Yorkshire had de algehele leiding, maar hij zat op het regionale hoofdbureau in Wakefield, en Banks en Blackstone zagen hem zelden. Ze brachten rechtstreeks verslag uit aan het hoofd van de CID, commissaris Philip Hartnell, op het bureau Millgarth in Leeds, die officieel de leiding van het onderzoek had, maar hen in de praktijk hun gang liet gaan. De centrale meldkamer was eveneens in Millgarth gevestigd.

Banks en Blackstone hadden een uitgebreid team tot hun beschikking: verscheidene inspecteurs; een groot aantal agenten en brigadiers die uit de korpsen van beide graafschappen waren geselecteerd; ervaren civiele medewerkers; Stefan Nowak, die als coördinator fungeerde, en doctor Jenny Fuller, psychologisch adviseur, die aan de FBI-academie in Quantico een opleiding tot profiler had gevolgd. Jenny had ook bij Paul Britton in Leicester gestudeerd en werd beschouwd als een van de belangrijkste experts op het gebied van psychologie in combinatie met politiewerk.

Banks had tijdens zijn eerste zaak in Eastvale met Jenny Fuller samengewerkt en ze waren goede vrienden geworden. Bijna waren ze meer dan vrienden geweest, maar het leek alsof er steeds iets tussenkwam. En dat was waarschijnlijk maar beter ook, had Banks zichzelf voorgehouden, hoewel hij daar minder van overtuigd was wanneer hij haar zag. Jenny had volle, sensuele lippen en een slank, welgevormd figuur. Ze ging meestal gekleed in duur uitziende groene of roestkleurige zijde die om haar lichaam leek te golven. Het deed hem altijd denken aan de 'vloeibaarheid van haar kledij' zoals de dichter Herrick had geschreven. Banks had Herrick ontdekt in een poëziebloemlezing waar hij zich momenteel doorheen worstelde, omdat hij zichzelf op het gebied van de dichtkunst verontrustend onwetend vond.

Regels als die van Herrick bleven hem lang bij, net als die over de 'heerlijke wanorde die uit haar kleding sprak', waarbij hij altijd aan brigadier Annie Cabbot moest denken. Annie was op het eerste gezicht minder knap dan Jenny, en niet het type dat op straat werd nagefloten, maar ze bezat een stille, innerlijke schoonheid waartoe Banks zich enorm voelde aangetrokken. Helaas had hij Annie de laatste tijd door zijn nieuwe verantwoordelijkheden niet zo vaak kunnen zien en nu hij door deze zaak meer tijd doorbracht met Jenny, was hij zich gaan realiseren dat de oude gevoelens en de vonk die onmiddellijk tussen hen oversprong nooit helemaal waren verdwenen. Niet dat er ooit iets tussen hen geweest was, maar een paar keer was het bijna raak geweest.

Annie werd ook volledig in beslag genomen door haar werk. Ze had een inspecteursfunctie kunnen krijgen op het Bureau Intern Onderzoek van West Yorkshire, en ze had de baan direct aangenomen. Hij was niet ideaal en haar populariteit zou er niet groter door worden, maar het was een volgende stap op de ladder en Banks had haar aangemoedigd die kans te grijpen.

Karen Hodgkins stuurde haar kleine grijze Nissan voorzichtig door de opening die de politie in de afzetting voor haar had vrijgemaakt en haalde Banks uit zijn overpeinzingen. Ze stapte uit en liep naar hem toe. Karen had tijdens het onderzoek bewezen dat ze een energieke en ambitieuze werkkracht was, en Banks vermoedde dat ze het nog ver zou schoppen. Ze deed hem ergens denken aan Susan Gay, zijn voormalige partner die nu brigadier was in Cirencester, maar ze had wat minder scherpe kantjes en leek zekerder van zichzelf.

'Wat is de stand van zaken?' vroeg hij haar.

'Weinig verandering. Lucy Payne krijgt nog steeds pijnstillers toegediend. De dokter zegt dat we pas morgen met haar mogen praten.'

'Zijn de vingerafdrukken van Lucy en haar man genomen?'

'Ja.'

'En haar kleding?' Banks had voorgesteld de kleren die Lucy Payne had gedragen door het forensisch team te laten onderzoeken. Ze zou ze in het ziekenhuis voorlopig toch niet nodig hebben.

'Als het goed is, is alles nu in het lab.'

'Mooi. Wat had ze eigenlijk aan?'

'En nachtjapon en ochtendjas.'

'En Terence Payne? Hoe is het met hem?'

'Hij zweeft op het randje. Zelfs als hij uit coma komt, is de kans groot dat hij een kasplantje wordt. Zwaar hersenletsel, mogelijk blijvende schade. Ze hebben stukjes van zijn schedel in zijn hersenen aangetroffen. Het ziet ernaar uit dat... nou ja...'

'Ga door.'

'Volgens de behandelend arts heeft degene die hem onschadelijk heeft gemaakt buitensporig veel geweld gebruikt. Hij was erg verontwaardigd.'

'Is dat zo?' Jezus. Banks moest er niet aan denken dat er een rechtszaak tegen hen zou worden aangespannen als Payne het overleefde en een hersenbeschadiging had opgelopen. Daar moest commissaris Hartnell zich het hoofd maar over breken; daar waren commissarissen tenslotte voor. 'Hoe gaat het met agent Taylor?'

'Ze is nu thuis. Er is een vriendin bij haar. Een agente uit Killingbeck.'

'Goed, Karen, ik wil dat je voorlopig als contactpersoon met het ziekenhuis optreedt. Als er iets verandert in de toestand van de patiënten wil ik het onmiddellijk weten. Oké?'

'Oké.'

'Verder hebben we iemand nodig die als tussenpersoon met de familie fungeert.' Hij gebaarde naar het huis. 'Kimberleys ouders moeten op de hoogte worden gebracht voordat ze het op het nieuws horen. En ze moeten het lichaam identificeren.'

'Laat mij dat maar regelen.'

'Bedankt voor je aanbod, Karen, maar jij hebt je handen al meer dan vol. Bovendien is het een ondankbare taak.'

Karen Hodgkins liep terug naar haar auto. Eerlijk gezegd vond Banks dat Karen niet genoeg tact had om als contactpersoon met de familie op te treden. Hij zag het al voor zich: het ongeloof en verdriet van de ouders en de bruuske houding van Karen omdat ze zich met de situatie geen raad wist. Nee. Hij zou de mollige Jones eropaf sturen. Die mocht dan een beetje nonchalant zijn, hij leefde met mensen mee en wist de juiste toon te treffen. Hij had eigenlijk dominee moeten worden. Het probleem met een team dat uit verschillende korpsen was samengesteld, dacht Banks, was dat je nooit alle agenten persoonlijk kon leren kennen. Dat bemoeilijkte het verdelen van de opdrachten wel eens. In hun werk moest je de juiste persoon op de juiste plek hebben. Eén verkeerde beslissing kon het hele onderzoek verpesten.

Banks was niet gewend zo'n enorm team te leiden en de problemen met de coördinatie hadden hem al meer dan eens hoofdpijn bezorgd. Al die verantwoordelijkheden wogen toch al zwaar op zijn schouders. Hij had het idee dat hij niet in staat was om zoveel verschillende dingen tegelijkertijd te overzien. Het was al vaker voorgekomen dat hij persoonele situaties fout had ingeschat. De gedachte bekroop hem nu dat zijn omgang met zijn mensen nogal te wensen overliet. Het was veel gemakkelijker om met een klein team als Annie, Winsome Jackman en brigadier Hatchley samen te werken, omdat hij dan het kleinste detail in zijn hoofd kon opslaan. Zijn huidige baan had meer weg van het werk dat hij bij de Londense politie had verricht, alleen was hij daar slechts brigadier geweest en kréég hij opdrachten in plaats van ze te moeten geven. Ook toen hij daar uiteindelijk inspecteur werd had hij nooit zoveel verantwoordelijkheid gehad.

Banks had net een tweede sigaret opgestoken toen er opnieuw een auto door de afzetting kwam rijden. Nu sprong Jenny Fuller eruit, worstelend met een aktetas en een volgestouwde schoudertas. Zoals altijd deed ze gehaast alsof ze te laat was voor een belangrijke vergadering. Haar verwarde rode haar reikte tot haar schouders en haar ogen waren zo groen als gras na een zomerse regenbui. De sproeten, kraaienpootjes en iets scheefstaande neus die volgens haar haar gezicht verpestten, maakten haar juist aantrekkelijk.

'Goedemorgen, Jenny,' begroette Banks haar. 'Stefan zit binnen al te wachten. Ben je er klaar voor?'

'Wat is dit? Voorspel à la Yorkshire?'

'Nee. Dit betekent: ben je al wakker?'

Jenny glimlachte plichtmatig. 'Blij te zien dat je in vorm bent, zelfs op dit godvergeten tijdstip.'

Banks keek op zijn horloge. 'Ik ben al sinds halfvijf in de weer. Het is nu bijna acht uur.'

'Dat zeg ik,' zei ze. 'Een godvergeten tijdstip.' Ze wierp een blik op het huis en haar gezicht betrok. 'Het is erg, hè?'

'Heel erg.'

'Ga je met me mee naar binnen?'

'Nee. Ik heb genoeg gezien. Bovendien moet ik snel commissaris Hartnell van de situatie op de hoogte brengen, anders vergeeft hij het me nooit.'

Jenny haalde diep adem en vermande zich. 'Goed,' zei ze. 'Vooruit met de geit. Ik ben zover.'

Het kantoor van commissaris Philip Hartnell was zo groot als het iemand van zijn rang betaamde. Het was er ook vrijwel leeg. Hartnell was geen voorstander van het idee dat hij zich hier thuis moest voelen. Zijn werkplek was een kantoor en niet meer dan dat. Er lag uiteraard wel tapijt op de vloer, een commissaris had nu eenmaal recht op tapijt, en verder stond er een dossierkast, een boekenkast vol technische handleidingen en procedurele teksten, en een bureau met daarop een maagdelijk schone onderlegger, een gestroomlijnde zwarte laptop en een enkele vaalbruine dossiermap. Dat was alles. Geen foto's van zijn gezin, alleen een stadsplattegrond aan de muur en vanuit het raam uitzicht op het marktplein, het busstation en de kerktoren die boven de spoordijk uitstak.

'Ga zitten, Alan,' zei hij tegen Banks. 'Thee? Koffie?'

Banks streek met zijn hand over zijn hoofd. 'Een kop zwarte koffie graag.'

Hartnell bestelde telefonisch koffie en leunde achterover in zijn stoel die kraakte wanneer hij bewoog. 'Ik moet dit rotding toch eens laten smeren,' zei hij.

Hartnell was achter in de dertig, ongeveer tien jaar jonger dan Banks. Hij had geprofiteerd van een versneld promotiesysteem dat was opgezet om slimme jonge kerels als hij de kans te geven een hoge positie te bekleden voordat ze van ouderdom in elkaar stortten. Banks had die route niet gevolgd; hij was op de oude, moeizame manier hogerop geklommen en keek net als vele van zijn lotgenoten met de nodige achterdocht naar de snelle promotiemakers die van alles hadden geleerd en gedaan, behalve het essentiële vuile werk dat nu eenmaal bij het politievak hoorde.

Toch mocht Banks Phil Hartnell graag. Hij was intelligent en gemakkelijk in de omgang, en hij had hart voor zijn werk. De mannen die onder zijn leiding stonden liet hij zoveel mogelijk met rust zodat ze hun werk konden doen. Banks had hem tijdens het Kameleon-onderzoek al regelmatig in vergaderingen ontmoet en hoewel Hartnell een paar suggesties had gedaan, waaronder heel bruikbare, had hij zich er verder niet mee bemoeid of Banks' oordeel in twijfel getrokken. Uiterlijk was Hartnell een knappe, lange man met het gespierde, taps toelopende bovenlijf van iemand die graag aan gewichtheffen deed. Hij had de reputatie een rokkenjager te zijn, was nog vrijgezel en zou dat volgens de geruchten nog wel even blijven.

'Vertel me wat we kunnen verwachten,' zei hij tegen Banks.

'Een hoop ellende voorzover ik kan zien.' Banks vertelde wat ze tot nu toe in de kelder van The Hill 35 hadden gevonden en hoe de drie overlevenden eraantoe waren. Hartnell luisterde aandachtig met een vingertop tegen zijn lippen gedrukt.

'Er bestaat vrijwel geen twijfel dat hij de dader is? De Kameleon?'

'Vrijwel niet.'

'Dat is uitstekend. Dan hebben we tenminste iets om trots op te zijn. We hebben een seriemoordenaar van de straat gehaald.'

'Ons aandeel hierin is helaas minimaal geweest. Pure mazzel dat Payne zich schuldig heeft gemaakt aan huiselijk geweld en dat een ongeruste buurvrouw de politie heeft ingeschakeld.'

Hartnell vouwde zijn armen achter zijn hoofd. Er verscheen een lichtje in zijn blauwgrijze ogen. 'Weet je, Alan, wanneer het tegenzit en we geen enkele vooruitgang boeken, hoeveel manuren we er ook aan besteden, krijgen we zoveel shit over ons uitgestort dat we deze keer best een overwinning mogen claimen en er zelfs een beetje trots op mogen zijn. Dat hebben we zo langzamerhand wel verdiend.'

'Als u het zegt.'

'Ik meen het serieus, Alan.'

Ze namen een slok van hun koffie.

'We zitten misschien wel met een ander probleem,' ging Hartnell verder.

Banks knikte. 'Agent Taylor.'

'Inderdaad.' Hij tikte op de dossiermap. 'Agent in opleiding Janet Taylor.' Hij wendde zijn blik af naar het raam. 'Ik kende Dennis Morrisey trouwens. Niet goed, maar ik kende hem wel. Een betrouwbare vent. Ik had de indruk dat hij hier al jaren werkte. We zullen hem missen.'

'En Taylor?'

'Die ken ik minder goed. Zijn de standaardprocedures gevolgd?'

'Ja.'

'Ze heeft nog geen verklaring afgelegd?'

'Nee.'

'Goed.' Hartnell stond op, ging bij het raam staan en staarde enkele ogenblikken naar buiten. Zonder zich om te draaien vervolgde hij: 'Alan, je weet dat het Bureau Intern Onderzoek in dit soort gevallen iemand van buiten moet inschakelen, van een ander politiekorps. We moeten koste wat het kost de verdenking vermijden dat we iets in de doofpot stoppen en een van onze eigen mensen een voorkeursbehandeling geven. Het liefst zou ik dit natuurlijk zelf op me nemen. Dennis hoorde tenslotte bij ons team. Net als Taylor. Maar dat kan nu eenmaal niet.' Hij draaide zich om en liep terug naar zijn stoel. 'Kun je je voorstellen wat een buitenkans dit voor de media is, vooral als Payne sterft? Een heldhaftige agent weet een seriemoordenaar te pakken en wordt vervolgens zelf van excessief geweld beschuldigd. Zelfs als het hier doodslag uit noodweer betreft, hebben we de schijn tegen ons. Zeker nu dat Hadleigh-proces binnenkort gaat beginnen...'

'Dat is waar.' Net als bijna elke andere politieman had Banks meer dan eens te maken gehad met de woede-uitbarstingen van mannen en vrouwen die een crimineel zwaar hadden verwond of zelfs gedood om hun familie en eigendommen te beschermen en vervolgens zelf werden gearresteerd voor geweldpleging of moord. Op dit moment wachtte het land gespannen op de uitspraak over een boer, John Hadleigh, die met zijn geweer een ongewapende zestienjarige inbreker had gedood. Hadleigh woonde op een afgelegen boerderij in Devon en had een jaar eerder al eens te maken gehad met een inbraak in zijn woning, waarbij hij niet alleen was beroofd, maar ook in elkaar geslagen. De jonge inbreker had een ellenlang strafblad, maar dat deed niet ter zake. Wat er wel toe deed, was het feit dat de kogelwonden zich in zijn zij en in zijn rug bevonden, wat erop wees dat de jongen zich had omgedraaid en wilde wegrennen toen het vuur werd geopend. In zijn zak was een ongeopende stiletto aangetroffen. De zaak had al een aantal weken voor sensationele krantenkoppen gezorgd en zou binnen enkele dagen voor de jury verschijnen.

Een onderzoek hield niet automatisch in dat Janet Taylor haar baan zou kwijtraken of naar de gevangenis zou worden gestuurd. Gelukkig bestonden er nog hogere autoriteiten, zoals rechters en hoofdcommissarissen die in dergelijke zaken een beslissing namen, maar het zou ongetwijfeld van negatieve invloed zijn op haar carrière bij de politie.

'Voorlopig is het mijn probleem,' zei Hartnell en hij wreef over zijn voorhoofd. 'Er moet echter snel een knoop worden doorgehakt. Zoals ik al zei, zou ik dit het liefst hier hebben gehouden, maar dat kan niet.' Hij zweeg en keek Banks aan. 'Aan de andere kant komt Taylor van West Yorkshire en het lijkt mij niet meer dan redelijk dat we North Yorkshire als het dichtstbijzijnde andere korps beschouwen.'

Banks voelde zijn hart in zijn schoenen zinken.

'Dan houden we het toch nog min of meer onder ons, nietwaar?'

'Ik neem aan van wel, ja,' zei Banks.

'Bovendien is assistent-hoofdcommissaris McLaughlin een goede vriend van me. Misschien is het handig als ik hem hierover aanspreek. Hoe staat het met jullie Bureau Intern Onderzoek? Ken je daar iemand?'

Banks slikte moeizaam. Het maakte niet uit wat hij zei. Als de zaak werd voorgelegd aan het BIO van West Yorkshire zou die hoogstwaarschijnlijk toch wel op het bureau van Annie Cabbot belanden. Het was een kleine afdeling (Annie was de enige inspecteur) en Banks wist toevallig dat haar baas, hoofdinspecteur Chambers, een lui varken was dat enorm de pest had aan vrouwen die carrière maakten bij de politie. Annie was bovendien een nieuweling. Hij kon haar met geen mogelijkheid uit deze situatie redden. Banks zag al voor zich dat die rotzak zich in zijn handen wreef van plezier wanneer deze opdracht aan hem werd doorgespeeld.

'Denkt u niet dat het net even te dichtbij is?' vroeg hij. 'Misschien zou het beter zijn om naar Greater Manchester of Lincolnshire te gaan.'

'Geen sprake van,' zei Hartnell. 'Op deze manier ziet men dat we correct handelen, terwijl we toch alles onder controle houden. Je kent toch wel iemand op dat bureau, iemand die beseft dat het in zijn eigen belang is om je op de hoogte te houden?'

'Hoofdinspecteur Chambers heeft daar de leiding,' zei Banks. 'Ik weet zeker dat hij de juiste persoon op deze zaak zal zetten.'

Hartnell glimlachte. 'Goed, dan zal ik Ron vanochtend even bellen en eens zien waar dat toe leidt.'

'Uitstekend,' antwoordde Banks en hij dacht: ze vermoordt me, ze vermoordt me, ook al kon hij er weinig aan doen.

Jenny Fuller liep met brigadier Stefan Nowak op haar hielen door de kelderdeur naar binnen, keek met afschuw naar de obscene poster, maar zette toen haar persoonlijke gevoelens opzij en probeerde het als een stuk bewijsmateriaal te beschouwen. Dat was het namelijk ook. Het was de bewaker van de poort naar de duistere onderwereld waar Terence Payne zich kon wentelen in wat hij het liefste had in het leven: macht, seksueel overwicht, moord. Wanneer hij eenmaal deze obscene bewaker was gepasseerd, golden de normale gedragsregels niet langer.

Jenny en Stefan waren nu alleen in de kelder. Alleen met de doden. Ze voelde zich een voyeur. Ze zou het liefst Stefans hand vasthouden, maar deed het niet.

Achter haar deed Stefan het licht uit en Jenny maakte een sprongetje van schrik. 'Sorry. Het was eerst niet aan,' legde hij uit. 'Iemand van de ambulanceploeg heeft het licht aangedaan, zodat ze konden zien waarmee ze te maken hadden en daarna heeft niemand het meer uitgedaan.'

Jenny's hart begon weer normaal te kloppen. Ze kon de wierook ruiken tussen al die andere geuren waar ze liever niet bij stil wilde staan. Dit was de plek waar hij werkte: een gewijde plek, als een kerk. Sommige kaarsen waren inmiddels opgebrand en andere stonden flakkerend op het punt eveneens uit te gaan, maar een tiental brandde nog volop en door de spiegels werden hun vlammen vermenigvuldigd tot honderdtallen. Zonder het grote licht kon Jenny nauwelijks het lichaam van de dode agent op de grond ontwaren, en het kaarslicht verzachtte de klap die de aanblik van het meisjeslichaam teweegbracht. Het baadde haar huid in een roodgouden gloed en Jenny had gemakkelijk kunnen geloven dat Kimberley nog leefde als haar lichaam niet zo onnatuurlijk stil had gelegen en haar ogen niet bewegingloos naar de spiegel aan het plafond hadden gestaard.

Spiegels. Waar Jenny ook keek, overal ving ze haar eigen spiegelbeeld op of dat van Stefan en het meisje op de matras. Hij kijkt graag naar zichzelf terwijl hij bezig is, dacht ze. Zou dat misschien de enige manier zijn waarop hij zich echt voelde? Wanneer hij zichzelf dit zag doen? 'Waar is de camcorder?' vroeg ze.

'Luke Selkirk...'

'Nee, ik bedoel niet de politiecamera, maar die van hemzelf, van Payne.'

'We hebben geen camcorder gevonden. Hoezo?'

'Kijk naar de enscenering, Stefan. Dit is een man die zichzelf graag in actie ziet. Het zou me hogelijk verbazen als hij niet op de een of andere manier een visueel verslag heeft bijgehouden van zijn daden.'

'Nu je het zegt, ja,' zei Stefan.

'Dat soort dingen is vaste prik bij seksmoorden. Een soort aandenken. Een trofee. En meestal ook een visueel hulpstuk zodat hij de gebeurtenis opnieuw kan beleven voordat hij weer toeslaat.'

'Zodra het team klaar is met het huis weten we meer.'

Jenny volgde de lichtgevende tape die het pad markeerde naar de kleine bijkamer, waar de lichamen nog steeds onaangeraakt lagen te wachten op de technische recherche. In het schijnsel van Stefans zaklamp zag ze de tenen die uit de aarde omhoog staken en iets wat eruitzag als een vinger, misschien een neus en zelfs een knieschijf. Zijn menagerie des doods. Geplante trofeeën. Zijn tuin.

Stefan schuifelde ongemakkelijk naast haar en ze besefte dat ze zijn arm had vastgegrepen en haar nagels in zijn mouw had gedrukt. Ze liepen terug naar de in kaarslicht badende kelder. Toen Jenny naar de schrammen op Kimberleys lichaam stond te kijken, merkte ze dat de tranen over haar wangen liepen. Ze veegde met haar hand haar ogen droog en hoopte dat Stefan niets had gemerkt. Als hij al iets had gezien, dan was hij hoffelijk genoeg om er niets van te zeggen.

Plotseling wilde ze weg. Het was niet alleen de aanblik van Kimberley Myers op de matras, of de geur van wierook en bloed, de beelden die in de spiegels weerkaatsten en het kaarslicht, maar de combinatie van al deze elementen die haar een claustrofobisch en misselijk gevoel gaven terwijl ze daar met Stefan naar het afschuwelijke tafereel stond te kijken. Ze wilde hier niet met hem of met wie dan ook zijn. Het voelde obsceen. En het was iets obsceens dat een man een vrouw had aangedaan.

Ze probeerde te verbergen dat ze beefde en raakte Stefans arm aan. 'Ik heb hier voorlopig wel genoeg gezien,' zei ze. 'Laten we maar gaan. Ik zou nu graag de rest van het huis willen bekijken.'

Stefan knikte en liep terug naar de trap. Jenny had het onheilspellende gevoel dat hij precies wist wat er door haar heen ging. Verdomme, dacht ze, dat zesde zintuig waar ze nu heel goed zonder zou kunnen. Het leven was al gecompliceerd genoeg wanneer de gebruikelijke vijf op volle toeren draaiden.

'Annie. Al aan je nieuwe uniform gewend?'
'Als je mijn donkerblauwe, halflange rok, rode schoenen en witte zijden blouse een uniform wilt noemen, dan wel, ja. Wil je ook nog weten wat voor ondergoed ik draag?'
'Een heel verleidelijk aanbod. Ik neem aan dat je alleen in je kantoor zit?'
'Helemaal alleen.'
'Luister, Annie, ik moet je iets vertellen. Waarschuwen is eigenlijk een beter woord.' Banks zat voor het huis van de Paynes in zijn auto en belde via zijn mobiele telefoon. De lijkwagen van het mortuarium was met de eerste lichamen weggereden en Kimberleys verbijsterde ouders hadden haar lichaam geïdentificeerd. Tot dusver had de technische recherche nog twee andere lichamen ontdekt in de bijruimte in de kelder, beide in een zo ver gevorderde staat van ontbinding dat het onmogelijk was ze aan de hand van uiterlijke kenmerken te identificeren. Foto's van het gebit moesten worden gecontroleerd, het DNA getest en vergeleken met dat van de ouders. Dat zou de nodige tijd in beslag nemen. Een ander team was nog steeds bezig het huis centimeter voor centimeter uit te kammen en alles wat ze verder nog tegenkwamen – papieren, facturen, rekeningen, bonnetjes, brieven – werd ingepakt en meegenomen.
Toen hij had uitgelegd welke opdracht Annie in de nabije toekomst kon verwachten, luisterde Banks naar de stilte die erop volgde. Hij had besloten dat hij er het best een positieve draai aan kon geven en Annie ervan moest overtuigen dat deze taak haar op het lijf geschreven was. Hij had weinig hoop dat zijn aanpak succes zou hebben, maar het was het proberen waard. Hij telde zijn hartslag. Een. Twee. Drie. Vier. Toen barstte de bom.
'Wat? Is dit soms een of andere misselijke grap, Alan?'
'Het is geen grap.'
'Want in dat geval kun je maar beter nu meteen ophouden. Het is niet grappig.'
'Het is geen grap, Annie. Ik meen het serieus. En als je er even over nadenkt, zul je inzien dat het een goed idee is.'
'Al dacht ik er de rest van mijn leven over na, dan nog zou het nooit een goed idee zijn. Hoe durft hij... Je weet best dat ik hier onmogelijk zonder kleerscheuren vanaf kan komen. Als ik genoeg bewijzen vind die tegen haar getuigen, zal iedere agent en iedere burger mijn bloed wel kunnen drinken. En als ik niet genoeg materiaal vind, schreeuwen de media moord en brand vanwege een doofpotschandaal.'
'Dat doen ze heus niet. Heb je wel enig idee wat voor monster Terence Payne is? Ze staan straks te springen van blijdschap omdat er eindelijk

eens rekening is gehouden met het rechtvaardigheidsgevoel van de burger.'

'Ja, een paar misschien. Niet de kranten die jij en ik lezen.'

'Annie, je gaat er heus niet aan ten onder. Lang voordat dat stadium is bereikt, wordt de zaak overgedragen aan de aanklager. Je hoeft heus niet rechter, jury en beul tegelijk te zijn, hoor. Je bent slechts een nederige inspecteur die probeert de feiten boven tafel te krijgen. Hoe kan dat je nu schade berokkenen?'

'Heb jij soms voorgesteld die opdracht aan mij te geven? Heb jij Hartnell mijn naam doorgegeven en gezegd dat ik er het meest geschikt voor ben? Ik kan niet geloven dat jij me dit zou aandoen, Alan. Ik dacht dat je me wel mocht.'

'Dat is ook zo. En ik heb helemaal niets gedaan. Hartnell heeft het allemaal zelf bedacht. En jij en ik weten allebei donders goed wat er gebeurt wanneer dit zaakje op het bureau van hoofdinspecteur Chambers belandt.'

'Dan zijn we het in ieder geval ergens over eens. Moet je horen, die vette klootzak zit zich al de hele week te verbijten omdat hij nog geen lastige klus voor me heeft kunnen vinden. Jezus, Alan, kun je er niet wat aan doen?'

'Zoals?'

'Stel voor dat hij het overdraagt aan Lancashire of Derbyshire. Wat dan ook.'

'Dat heb ik al geprobeerd, maar hij was vastbesloten. Hij kent McLaughlin. Bovendien denkt hij dat ik op deze manier het onderzoek nog enigszins onder controle heb.'

'Nou, dan denkt hij dat mooi verkeerd.'

'Annie, je kunt hiermee iets goeds doen. Niet alleen voor jezelf, maar ook voor het algemeen belang.'

'Doe maar geen beroep op mijn geweten, want dat heb ik niet.'

'Waarom verzet je je zo heftig?'

'Omdat het een teringopdracht is en dat weet je net zo goed als ik. Doe alsjeblieft niet net alsof je het beste met me voor hebt.'

Banks liet een zucht ontsnappen. 'Ik wilde je alleen maar voorbereiden. Het spijt me dat je het slecht nieuws vindt, maar ik kan er ook niets aan doen.'

'Had me dan niet gebeld. Wat je eigenlijk wilt zeggen, is dat ik geen keus heb.'

'Je hebt altijd een keus.'

'Ja ja, een goede en een foute. Maak je maar geen zorgen, ik zal me gedragen. Wee je gebeente als je de gevolgen niet goed hebt ingeschat.'

'Neem nou maar van mij aan dat ik gelijk heb.'

'Ja hoor, net zoals je nog steeds respect voor me zult hebben wanneer ik met je naar bed ben geweest. Tuurlijk.'

'Luister eens, ik ga vanavond terug naar Gratly. Het zal wel laat worden, maar misschien heb je zin om langs te komen, of zal ik onderweg nog even bij jou aanwippen?'

'Waarom? Voor een vluggertje?'

'Zo vlug hoeft het nou ook weer niet. Ik slaap tegenwoordig zo slecht dat het wat mij betreft de hele nacht mag duren.'

'Mooi niet. Ik heb mijn schoonheidsslaapje hard nodig. Ik moet 's ochtends fris en vrolijk vroeg uit de veren om weer naar Leeds te rijden, of was je dat alweer vergeten? Dag, hoor.'

Banks hield het zwijgende toestel nog even tegen zijn oor gedrukt en stopte het toen terug in zijn zak. Jezus, dacht hij, dat heb je goed aangepakt, Alan. Je weet echt hoe je met mensen om moet gaan.

4

Samantha Jane Foster, achttien jaar, een meter vijfenzestig lang en zes-
enveertig kilo zwaar, was eerstejaars studente aan de universiteit van
Bradford. Haar ouders woonden in Leighton Buzzard, waar Julian
Foster werkte als beëdigd accountant en Teresa Foster als huisarts.
Samantha had een oudere broer, Alistair, werkloos, en een jonger zusje,
Chloe, dat nog op school zat.

Op de avond van zesentwintig februari bezocht Samantha een poëzie-
lezing in een pub vlak bij de universiteitscampus, waar ze rond kwart
over elf vertrok om naar haar kamer te gaan. Ze woonde in een zijstraat
van Great Hornton Road, nog geen halve kilometer verderop. Toen ze
in het weekend niet kwam opdagen voor haar zaterdagbaantje bij boekhandel Waterstone's in het centrum, begon een van haar collega's,
Penelope Hall, zich zorgen te maken en belde in haar lunchpauze naar
Samantha's kamer. Samantha was betrouwbaar, vertelde ze de politie
later, en als ze niet kwam werken omdat ze ziek was, zou ze zeker hebben gebeld, dat deed ze altijd. Deze keer had ze niets laten horen. Penelope was bang dat Samantha misschien ernstig ziek was en wist de
huurbaas zover te krijgen dat hij de deur naar Samantha's kamer voor
haar openmaakte. Niemand thuis.

Er bestond grote kans dat de politie van Bradford Samantha Fosters verdwijning niet direct serieus had genomen als een plichtsgetrouwe student de vorige avond even na middernacht niet een schoudertas had
ingeleverd die hij op straat had gevonden. Deze bevatte een poëziebloemlezing met de titel *New Blood*, een dunne gedichtenbundel met
de inscriptie 'Voor Samantha, tussen wier zijdezachte dijen ik graag mijn
hoofd zou laten rusten om met zilveren tong te liefkozen', van een datum voorzien door de dichter, Michael Stringer, die de avond ervoor
een lezing had gehouden in de pub; een notitieboekje vol poëtische aantekeningen, opmerkingen, observaties, en gedachten over het leven en
de literatuur, waaronder ook beschrijvingen van wat de wachtcomman-
dant als hallucinogene en buitenlichamelijke ervaringen bestempelde;
een halfleeg pakje Benson een rood pakje Rizzla-vloeitjes en een plastic

zakje met ongeveer vijf gram marihuana; een groene wegwerpaansteker; drie losse tampons; een sleutelring; een draagbare cd-speler met daarin een Tracy Chapman-cd; een toilettasje met make-up; en een portemonnee met vijftien pond in contant geld, een creditcard, een studentenkaart, bonnetjes voor boeken, cd's en diverse andere artikelen.

Omdat de twee gebeurtenissen (een weggegooide schoudertas en een vermist meisje) zo kort op elkaar volgden en omdat de jonge agent die op de zaak werd gezet zich herinnerde dat er op oudejaarsavond iets soortgelijks was gebeurd in het Roundhay Park in Leeds, werd nog diezelfde ochtend een grootscheeps onderzoek gestart, beginnend met telefoontjes naar Samantha's ouders en vrienden, die haar echter geen van allen hadden gezien of gehoord hadden dat er iets in haar plannen of vaste dagindeling was gewijzigd.

Michael Stringer, de dichter die in de pub uit eigen werk had voorgelezen, werd naar aanleiding van de inscriptie die hij in haar bundel had geschreven korte tijd als hoofdverdachte aangemerkt, maar een aantal getuigen kon melden dat hij in het centrum van de stad was blijven drinken en rond halfvier 's nachts naar zijn hotel moest worden teruggebracht. Het hotelpersoneel verzekerde de politie dat hij de volgende dag pas rond theetijd zijn gezicht weer had laten zien.

Navraag op de universiteit leverde een mogelijke getuige op, die gezien meende te hebben dat Samantha door een autoraampje met iemand had staan praten. Het meisje had in elk geval lang blond haar gehad en dezelfde kleren gedragen als Samantha toen ze uit de pub vertrok: spijkerbroek, hoge, zwarte laarzen en een lange, wapperende overjas. De auto had een donkere kleur gehad en de getuige herinnerde zich de drie laatste letters op het nummerbord omdat het haar eigen initialen waren: Kathryn Wendy Thurlow. Ze zei dat ze op dat moment geen reden had om aan te nemen dat er problemen waren, dus was ze de straat overgestoken en doorgelopen naar haar eigen flat.

De laatste twee letters van een nummerbord wijzen op de plaats van afgifte van het kenteken en WT duidde op Leeds. Aangezien Kathryn niet in staat was geweest een merk of kleur te noemen waardoor de zoektocht aanzienlijk zou zijn beperkt, had de kentekencentrale in Swansea een lijst afgegeven met meer dan duizend mogelijkheden, en de desbetreffende auto-eigenaren werden stuk voor stuk door de politie van Bradford ondervraagd. Dat had niets opgeleverd.

Al het speurwerk en alle ondervragingen die daarop volgden, brachten niets aan het licht over Samantha Fosters verdwijning en via de politietamtam werd het eerste gemor hoorbaar. Na twee verdwijningen binnen twee maanden tijd op nog geen twintig kilometer afstand van elkaar ontstond er weliswaar lichte paniek, maar niet voldoende om een alarmfase in werking te laten treden.

Samantha had niet veel vrienden, maar de vrienden die ze had waren trouw en toegewijd, met name Angela Firth, Ryan Conner en Abha Gupta, die alle drie kapot waren van haar verdwijning. Volgens hen was Samantha een heel serieus meisje dat zich regelmatig overgaf aan lange peinzende stiltes, bekendstond om haar filosofische uitspraken, en geen tijd had voor oppervlakkig geklets, sport en televisie. Ze benadrukten dat ze uiterst evenwichtig was en niet het type dat in een opwelling met een onbekende meeging, hoe vaak ze ook had gezegd dat je alles moest uitproberen wat het leven je te bieden had.

Toen de politie suggereerde dat Samantha wellicht onder invloed van drugs was geweest en was gaan zwerven, zeiden haar vrienden dat dit onwaarschijnlijk was. Ze gaven wel toe dat ze zo nu en dan een jointje rookte (ze zei dat het haar hielp bij het schrijven), maar ze gebruikte geen harddrugs; ook dronk ze niet veel en ze had die avond niet meer dan twee of drie glazen wijn gehad.

Ze had op dat moment geen vriendje en scheen er ook geen behoefte aan te hebben. Nee, ze was niet lesbisch, maar ze had wel eens gesproken over de mogelijkheid om seksuele relaties met andere vrouwen uit te proberen. Samantha mocht dan in bepaalde opzichten onconventioneel lijken, legde Angela uit, ze had meer gezond verstand dan de meeste mensen na een eerste ontmoeting vaak dachten; ze was gewoon niet zo frivool en ze had belangstelling voor dingen die andere mensen belachelijk of onbelangrijk vonden.

Volgens haar docenten was Samantha een excentrieke studente die vaak te veel tijd aan boeken besteedde die niet op de verplichte leeslijst stonden, maar een van haar mentors, die zelf al enkele gedichten had gepubliceerd, zei dat hij verwachtte dat ze ooit een uitstekend dichteres zou worden, als ze tenminste leerde zichzelf te beteugelen.

Samantha's belangstelling, zo vertelde Abha Gupta, ging uit naar kunst, poëzie, natuur, oosterse godsdiensten, bovennatuurlijke ervaringen en de dood.

Banks en Ken Blackstone reden naar The Greyhound, een rustieke pub met balken langs het lage plafond en rekken vol bierpullen. The Greyhound bevond zich in het dorpje Tong, ongeveer vijftien minuten van de plaats van het misdrijf. Het was bijna twee uur en geen van beiden had die dag iets gegeten. Banks had twee dagen geleden gehoord dat er sinds zaterdagochtend een vijfde tiener werd vermist en had al die tijd nauwelijks iets naar binnen kunnen krijgen.

De afgelopen twee maanden had hij wel eens gedacht dat zijn hersenen zouden ontploffen onder de druk van de enorme hoeveelheid details die hij erin meedroeg. Soms werd hij rond drie uur in de ochtend wakker en maalden de gedachten door zijn hoofd, waardoor hij niet verder kon slapen. Dan stond hij maar op om een pot thee te zetten en zat hij in zijn pyjama aan de grenen keukentafel aantekeningen te maken voor de dag die voor hem lag, terwijl de zon opkwam en haar honingkleurige licht door het hoge raam liet vallen of de regen tegen de ruiten sloeg.

Het waren eenzame, stille uren, en hoewel hij gewend was geraakt aan de eenzaamheid, deze soms zelfs met open armen verwelkomde, miste hij af en toe ook zijn oude leven met Sandra en de kinderen in hun twee-onder-een-kap in Eastvale. Sandra was echter vertrokken en stond op het punt om met Sean te trouwen, en de kinderen waren volwassen en hadden nu hun eigen leven. Tracy was tweedejaars aan de universiteit van Leeds en Brian toerde door het land met zijn rockband, die het ene succes na het andere behaalde na de overweldigend goede recensies van hun eerste cd. Banks had hen beiden de afgelopen maanden verwaarloosd, besefte hij, vooral zijn dochter.

Aan de bar bestelden ze de laatste twee porties lamsstoofschotel met rijst en twee glazen bier. Het was warm genoeg om aan een van de tafels buiten bij het cricketveld te gaan zitten. Een team van de plaatselijke vereniging was aan het trainen en het vertrouwde geluid van leer tegen wilgenhout vulde de stiltes in hun gesprek.

Banks stak een sigaret op en vertelde Blackstone over het besluit van Hartnell om het onderzoek naar Taylor uit te besteden aan North Yorkshire, en dat het ongetwijfeld op Annies tafel zou belanden.

'Dat zal ze leuk vinden,' zei Blackstone.

'Ze heeft haar gevoelens daarover luid en duidelijk kenbaar gemaakt.'

'Heb je het haar al verteld?'

'Ik heb geprobeerd het zo positief mogelijk te brengen zodat ze niet zo in de put zou zitten, maar ik geloof dat ik daarmee mezelf in de vingers heb gesneden.'

Blackstone glimlachte. 'Zijn jullie nog steeds samen?'

'Volgens mij wel, min of meer, maar de helft van de tijd weet ik het eerlijk gezegd niet. Ze is erg... ongrijpbaar.'

'Ach, het zoete mysterie dat vrouw heet.'

'Zoiets ja.'

'Misschien zijn je verwachtingen te hoog.'

'Hoezo?'

'Soms ziet een man die zijn vrouw is kwijtgeraakt meteen een vervangster in de eerste de beste die belangstelling voor hem toont.'

'Een huwelijk is wel het laatste wat ik nu wil, Ken.'

'Als jij het zegt.'

'Inderdaad. Ik heb er om te beginnen niet eens tijd voor.'

'Nu we het toch over het huwelijk hebben, welke rol speelt die Lucy Payne volgens jou eigenlijk in het geheel?' vroeg Blackstone.

'Ik heb nog geen idee.'

'Ze moet het hebben geweten. Ze woonde verdorie met die vent in één huis.'

'Misschien. Maar je hebt zelf de indeling van het huis gezien. Payne zou gemakkelijk iemand door de garage hebben kunnen binnensmokkelen en rechtstreeks naar de kelder hebben kunnen brengen. Als hij die op slot hield, hoefde niemand iets te weten. De geluidsisolatie was vrij goed.'

'Sorry hoor, maar ik geloof niet dat een vrouw met zo'n moordenaar kan samenwonen zonder dat ze iets doorheeft,' zei Blackstone. 'Hoe zou hij dat moeten klaarspelen? Hij kan moeilijk na het eten opstaan en zeggen dat hij nog even naar de kelder gaat om met dat tienermeisje te rommelen dat hij net heeft ontvoerd.'

'Hij hoeft haar helemaal niets te vertellen.'

'Ze moet op de hoogte zijn geweest, het kan niet anders. Zelfs als ze niet medeplichtig is, moet ze op zijn minst iets hebben vermoed.'

Iemand gaf de cricketbal een enorme tik en er klonk gejuich op het veld.

Banks drukte zijn sigaret uit. 'Waarschijnlijk heb je gelijk. Als er ook maar iets is wat Lucy Payne in verband brengt met wat er in de kelder is gebeurd, dan zullen we dat vinden. Voorlopig ligt ze nog wel even in het ziekenhuis. We moeten trouwens niet vergeten dat ze op de eerste plaats een slachtoffer is, totdat we het tegendeel kunnen bewijzen.'

De technische recherche had misschien nog wel weken nodig voor het onderzoek op The Hill 35, dat er voorlopig zou uitzien als een huis waar een ingrijpende verbouwing plaatsvond. Ze zouden metaaldetectors gebruiken, laserlampen, infrarood licht, UV-stralen, krachtige stofzuigers en pneumatische boren; ze zouden vingerafdrukken verzamelen, dode huidcellen, vezels, gedroogde uitwerpselen, haren, verfschilfers, bankafschriften, brieven, boeken en persoonlijke papieren; ze zouden de vloerbedekking lostrekken, gaten in de muren boren, de kelder- en garagevloer openbreken en de tuin omspitten. En alles wat ze op die manier verzamelden, misschien wel meer dan duizend bewijsstukken, zou worden gelabeld, in HOLMES worden ingevoerd en worden opgeslagen in het bewijsdepot in Millgarth.

Toen hun maaltijd werd gebracht, vielen ze gretig aan, terwijl ze af en toe een vlieg verjoegen. De stoofschotel was hartig en mild gekruid. Na een paar happen schudde Blackstone langzaam zijn hoofd. 'Vreemd dat Payne geen strafblad heeft, vind je ook niet? De meesten hebben wel iets vreemds uitgespookt in hun verleden. Potloodventen op een schoolplein of een beetje seksueel geweld hier of daar.'

'Met zijn baan is het risico te groot. Misschien heeft hij gewoon geluk gehad.'

Blackstone zweeg even. 'Of wij hebben ons werk niet goed gedaan. Herinner jij je die reeks verkrachtingen nog die een jaar of twee geleden in Seacroft heeft plaatsgevonden?'

'De Verkrachter van Seacroft? Ja, daar heb ik wel eens iets over gelezen.'

'We hebben hem nooit gepakt.'

'Denk je dat het Payne is?'

'Het zou kunnen. De verkrachtingen hielden zomaar op en vervolgens verdwenen er plotseling meisjes.'

'DNA?'

'Spermamonsters. De verkrachter van Seacroft kwam altijd klaar en gebruikte nooit een condoom.'

'Vergelijk ze dan met die van Payne. En zoek uit waar hij rond die tijd woonde.'

'O, dat doen we zeker. Trouwens,' vervolgde Blackstone, 'een van de agenten die Maggie Forrest heeft ondervraagd, die vrouw van wie de melding afkomstig is, had de indruk dat ze hem niet alles heeft verteld.'

'O. Wat zei hij precies?'

'Dat ze met opzet vaag bleef, niet het achterste van haar tong liet zien. Ze gaf toe dat ze de Paynes kende, maar zei dat ze niets over hen wist. Hoe dan ook, hij dacht dat ze niet de hele waarheid vertelde over haar relatie met Lucy Payne. Hij denkt dat ze elkaar veel beter kennen dan ze wilde toegeven.'

'Ik ga vandaag wel even met haar praten,' zei Banks en hij wierp een blik op zijn horloge. Hij keek op naar de blauwe lucht, naar de witte en roze bloesem die uit de bomen dwarrelde en naar de in het wit geklede mannen op het cricketveld. 'Jezus, Ken, ik zou hier de hele middag kunnen blijven zitten,' zei hij, 'maar ik moet maar eens terug naar het huis om te kijken hoe de zaken vorderen.'

Zoals ze al had gevreesd, was Maggie de rest van de dag niet in staat zich op haar werk te concentreren en bleef ze vanachter haar slaapkamerraam de bedrijvigheid van de politie gadeslaan, afgewisseld met luisteren naar de nieuwsberichten van het plaatselijke radiostation. De informatie was summier, totdat de commissaris die de leiding had over het onderzoek een persconferentie gaf, waarin hij bevestigde dat ze het lichaam van Kimberley Myers hadden gevonden en dat het er naar uitzag dat ze was gewurgd. Meer wilde hij niet loslaten, behalve dan dat de zaak werd onderzocht, de technische recherche ter plekke was en er binnenkort meer details zouden worden vrijgegeven. Hij benadrukte dat het onderzoek nog niet was afgerond en vroeg iedereen die Kimberley vrijdagavond na elf uur nog had gezien zich te melden.

Toen er even na halfdrie op haar deur werd geklopt en een bekende stem 'Ik ben het' riep, voelde Maggie een enorme opluchting. Om de een of andere reden had ze zich zorgen gemaakt over Claire. Ze wist dat ze op dezelfde school zat als Kimberley Myers en dat Terence Payne daar als leraar werkte. Ze had Claire sinds Kimberleys verdwijning niet meer gezien, maar vermoedde dat ze flink over haar toeren moest zijn. Ze waren ongeveer even oud en hadden elkaar beslist gekend.

Claire Toth kwam vaak even langs wanneer ze van school kwam, want ze woonde maar twee huizen verderop. Haar ouders werkten allebei en haar moeder kwam pas rond halfvijf thuis. Maggie vermoedde dat Ruth en Charles hadden gevraagd of Claire haar af en toe kon bezoeken om haar stiekem een beetje in de gaten te houden. Claire was nieuwsgierig geweest naar de nieuwe bewoner en was aanvankelijk alleen langsgekomen om haar even te begroeten. Later was ze geïntrigeerd geraakt door Maggies accent en werk, en kwam ze regelmatig op bezoek. Maggie vond het niet erg. Claire was een lieve meid en een verademing in haar eenzame bestaan, hoewel ze onophoudelijk kletste en Maggie vaak uitgeput achterliet wanneer ze weer vertrok.

'Ik heb me nog nooit zo afschuwelijk gevoeld,' zei Claire, die haar rugzak op de vloer van de woonkamer had gegooid en zichzelf in kleermakerszit op de bank liet zakken. Dit was vreemd, aangezien ze anders altijd rechtstreeks naar de keuken doorliep, waar Maggie haar melk en chocoladekoekjes voorzette. Ze schudde haar lange haren naar achteren en stopte een paar lokken achter haar oren. Ze had haar schooluniform aan, een groene blazer en rok, witte blouse en grijze kousen die tot haar enkels waren afgezakt. Ze had een paar puistjes op haar kin, zag Maggie: ongezond eten of de tijd van de maand.

'Je hebt het dus al gehoord?'

'Rond lunchtijd had iedereen op school het al gehoord.'

'Ken je meneer Payne?'

'Hij is mijn biologieleraar. En hij woont schuin tegenover ons. Hoe kon hij? Het is zo pervers. Als ik bedenk wat er door zijn hoofd moet zijn gegaan wanneer hij ons lesgaf over voortplantingsorganen en het ontleden van kikkers en dat soort dingen... getver.' Ze rilde.

'Claire, we weten helemaal nog niet of hij iets heeft gedaan. Het enige wat we zeker weten is dat meneer en mevrouw Payne ruzie hadden en dat hij haar heeft geslagen.'

'Ze hebben Kims lichaam toch gevonden? En als hij alleen maar zijn vrouw had geslagen, zouden er toch nooit zoveel agenten aan de overkant zijn?'

Als hij alleen maar zijn vrouw had geslagen. Maggie stond er vaak van te kijken hoe vanzelfsprekend mensen huiselijk geweld accepteerden, zelfs een kindvrouwtje als Claire. Goed, het klonk anders dan ze waarschijnlijk bedoelde en ze zou het verschrikkelijk vinden als ze alle details over Maggies leven in Toronto kende, maar toch, de woorden rolden zo gemakkelijk uit haar mond. Alleen maar zijn vrouw had geslagen. Een kleinigheid. Niet belangrijk.

'Je hebt gelijk,' zei ze. 'Er moet meer aan de hand zijn. Maar we weten nog helemaal niet of meneer Payne verantwoordelijk is voor wat er met Kimberley is gebeurd. Misschien heeft iemand anders het wel gedaan.'

'Nee. Hij is de dader. Hij heeft het gedaan. Hij heeft al die meisjes vermoord. Hij heeft Kim vermoord.'

Claire begon te huilen en Maggie voelde zich opgelaten. Ze pakte een doos tissues en ging naast haar op de bank zitten. Claire begroef haar gezicht tegen Maggies schouder en snikte; de stoere houding die zo kenmerkend was voor haar leeftijd was nergens meer te bekennen.

'Het spijt me,' snufte ze. 'Normaal gesproken ben ik niet zo'n baby.'

'Wat is er?' vroeg Maggie en ze streelde haar haar. 'Wat is er, Claire? Je kunt het me wel vertellen. Was Kim een vriendin van je?'

Claires lippen trilden. 'Ik voel me echt vreselijk.'

'Dat begrijp ik.'

'Dat is niet waar. Je kunt het onmogelijk begrijpen. Snap je dat dan niet?'

'Wat snap ik niet?'

'Dat het allemaal mijn schuld is. Dat het mijn schuld is dat Kim is vermoord. Ik had vrijdag bij haar moeten zijn. Ik had bij haar moeten zijn!'

En terwijl Claire haar gezicht opnieuw tegen Maggies schouder verborg, werd er op de deur geklopt.

Inspecteur Annie Cabbot zat achter haar bureau en vervloekte Banks nog steeds in gedachten; ze wilde dat ze de baan bij het Bureau Intern Onderzoek nooit had aangenomen, ook al was het de enige inspecteurspositie geweest die beschikbaar was toen ze haar examen had gehaald. Ze had natuurlijk als brigadier bij de CID kunnen blijven of een tijdje als inspecteur bij Verkeer kunnen gaan werken, maar ze had besloten dat een tijdelijke baan bij het BIO een mooie promotie was in afwachting van een geschikte positie bij de CID; Banks had haar verzekerd dat dat niet lang zou duren. Het West Yorkshire-korps was nog steeds onderhevig aan een structurele reorganisatie, waardoor er tijdelijk een personeelsstop was, en momenteel waren de wensen van de CID ondergeschikt aan de roep om meer blauw op straat en een lik-op-stuk-beleid. Hun tijd kwam nog wel. Op deze manier deed ze tenminste ervaring op in de rang van inspecteur.

Het enige goede aan haar nieuwe baan was haar kantoor. Het westelijke korps had het gebouw betrokken dat grensde aan het oude hoofdkantoor met gevels uit de Tudor-tijd; ze hadden een paar muren doorgebroken en het interieur vernieuwd. Hoewel Annie geen grote kamer voor zichzelf had zoals hoofdinspecteur Chambers, had ze wel een afgeschermde plek in de gemeenschappelijk ruimte, waardoor ze een zekere mate van privacy genoot en net als Banks' kantoor uitkeek op het marktplein.

Achter het matglas van haar werkplek zaten twee brigadiers en drie agenten, die samen met Annie en Chambers het hele BIOP van het West Yorkshire-korps vormden. Corrupte politiemensen waren in Eastvale tenslotte een zeldzaamheid en de ernstigste zaak waarover ze zich tot nu toe had gebogen, betrof een klacht over een agent die tijdens zijn rondes gratis geglaceerde cakejes had geaccepteerd van de Golden Grill. Ze had ontdekt dat hij een van de serveersters daar kende en de vrouw probeerde hem op die manier in haar netten te verstrikken. Een andere serveerster was jaloers geworden en had de zaak aan het Bureau Intern Onderzoek gemeld.

Annie stond bij het raam naar het drukke plein te kijken en bedacht dat het waarschijnlijk niet eerlijk was om de schuld bij Banks te leggen; misschien had ze dat gedaan vanwege het vage gevoel van onrust dat ze nu al over hun relatie had. Ze wist niet precies waarom, ze voelde zich alleen niet meer zo op haar gemak. Ze hadden elkaar de laatste tijd natuurlijk niet vaak kunnen zien vanwege de Kameleon-zaak, en Banks was soms zo moe dat hij al in slaap was gevallen voordat ze zelfs maar... Maar dat was niet het enige dat haar dwarszat; het was vooral de vanzelfsprekende vertrouwelijkheid die in hun relatie was geslopen. Wanneer ze bij elkaar waren, gedroegen ze zich steeds meer als een getrouwd stel en daar had Annie in elk geval geen behoefte aan. Het klonk misschien ironisch, maar vanzelfsprekendheid en vertrouwelijkheid gaven haar een ongemakkelijk gevoel. Het enige wat er nog aan ontbrak waren pantoffels en een open haard. Annies telefoon begon te rinkelen.

Het was hoofdinspecteur Chambers die haar in zijn kantoor naast het hare ontbood. Ze klopte aan en wachtte tot hij 'Binnen' riep voordat ze de deur opendeed, zoals hij graag zag. Chambers zat achter zijn rommelige bureau; hij was een enorme man en de vestknopen van zijn krijtstreeppak spanden om zijn borstkas en buik. Ze kon niet ontdekken of zijn das onder de vlekken zat of dat die er zo hoorde uit te zien. Hij had constant een spottende grijns op zijn gezicht en zodra ze binnenkwam, scheen hij haar met zijn varkensoogjes uit te kleden. Zijn huid had de kleur van biefstuk en zijn lippen waren vlezig, nat en rood. Annie had altijd het gevoel dat hij ging kwijlen en smakken zodra hij iets zei, maar tot nu toe was dat niet gebeurd. Nog niet één druppel speeksel had zijn weg gevonden naar het bureaublad. Hij sprak met een overdreven Brits accent, wat hij waarschijnlijk deftig vond klinken.

'Ah, inspecteur Cabbot. Neemt u plaats.'

'Dank u wel.'

Annie ging voorzichtig zitten en lette goed op dat haar rok niet te hoog over haar dijen opkroop. Als ze van tevoren had geweten dat ze bij Chambers zou worden geroepen, had ze die ochtend een lange broek aangetrokken.

'Ik heb zojuist een hoogst interessante opdracht ontvangen,' vervolgde Chambers. 'Werkelijk bijzonder interessant. Een die precies in jouw straatje past.'

Annie wist waar hij op doelde, maar wilde dat niet laten blijken. 'Een opdracht?'

'Inderdaad. Het wordt tijd dat je je hier eens gaat waarmaken, inspecteur. Hoe lang ben je nu al bij ons?'

'Twee maanden.'

'En wat heb je in al die tijd bereikt?'

'Ik heb de zaak van agent Chaplin en de geglaceerde cakejes opgelost, meneer. Op het nippertje een schandaal voorkomen. Ik heb een uiterst bevredigende oplossing gevonden, al zeg ik het zelf...'

Chambers liep rood aan. 'Tja, wellicht dat dit een positievere invloed op uw houding zal hebben, inspecteur.'

'Hoe bedoelt u?' Annie trok vragend haar wenkbrauwen op. Ze kon het niet laten Chambers uit te dagen. Hij vertoonde een soort arrogant, zelfgenoegzaam gedrag en vroeg erom op zijn plaats te worden gezet. Ze wist dat het nadelige gevolgen voor haar carrière kon hebben, maar Annie had zichzelf beloofd dat haar carrière haar niets waard was als deze ten koste zou gaan van haar principes, ook al was haar ambitie dan weer opgelaaid. Bovendien had ze een onverklaarbaar vertrouwen in het idee dat uitstekende politiemensen als Banks, hoofdinspecteur

Gristhorpe en assistent-hoofdcommissaris McLaughlin meer te zeggen hadden over haar toekomst dan idioten als Chambers, die, zo was algemeen bekend, een luie donder was en alleen nog maar de dagen tot zijn pensioen aftelde. Toch was ze in het begin met Banks ook niet zo voorzichtig geweest; het was dat het lot haar goedgezind was geweest en hij eerder gecharmeerd van haar was geweest en zich door haar brutale houding had laten verleiden in plaats van kwaad te worden. De arme Gristhorpe, was een heilige en Ron McLaughlin zag ze slechts zelden, dus ze kreeg bijna de kans niet hem tegen zich in het harnas te jagen.

'Ja,' vervolgde Chambers, die zich in zijn rol begon in te leven. 'Ik geloof dat dit heel wat meer van je zal vergen dan die geglaceerde cakejes. Misschien dat die brutale grijns van je ons voorlopig bespaard zal blijven.'

'Misschien kunt u me er iets meer over vertellen?'

Chambers wierp haar een dunne dossiermap toe. Voordat ze hem kon opvangen, gleed deze over de rand van het bureau via haar knieën op de vloer. Ze was niet van plan zich te bukken en hem op te rapen, omdat Chambers dan ongetwijfeld een blik op haar onderbroek kon werpen, dus liet ze hem liggen. Chambers kneep zijn ogen tot spleetjes en ze bleven elkaar een paar seconden aanstaren, maar ten slotte hees hij zich uit zijn stoel en raapte de map zelf op. Zijn gezicht liep rood aan van de inspanning. Hij legde de map met een harde klap voor haar op het bureau.

'Het schijnt dat een agent in opleiding in West Yorkshire iets te enthousiast is geweest met haar wapenstok en nu willen ze dat wij de zaak tegen het licht houden. Het probleem is dat de kerel die ze zo enthousiast heeft bewerkt een verdachte blijkt te zijn in de Kameleon-moordzaken, achter wie ze al een tijdje aan zitten. Zelfs jij zult ongetwijfeld beseffen dat dit de zaak in een ander daglicht plaatst.' Hij tikte op de map. 'De details staan allemaal hierin. Denk je dat je dit aankunt?'

'Geen enkel probleem,' antwoordde Annie.

'Integendeel,' zei Chambers. 'Ik denk dat je heel wat problemen zult tegenkomen. Deze zaak zal veel aandacht trekken en daarom zal ik de eindverantwoordelijkheid dragen en er mijn naam onder zetten. Ik ben ervan overtuigd dat je zult begrijpen dat we een eenvoudig inspecteurtje dat nog nat is achter de oren niet de leiding kunnen geven in zo'n belangrijke zaak.'

'Als dat zo is,' zei Annie, 'waarom leidt u het onderzoek dan niet zelf?'

'Omdat ik het daar te druk voor heb,' zei Chambers met een scheve grijns. 'Bovendien, waarom zou ik zelf zo hard lopen wanneer ik loopjongens te over heb?'

'Wat u zegt. Waarom zou u? Natuurlijk,' zei Annie, die wist dat Chambers nog in een papieren zak zou verdwalen en absoluut niet in staat was om een zaak tot een goed einde te brengen. 'Ik begrijp u uitstekend.'

'Dat dacht ik wel.' Chambers streek over een van zijn kinnen. 'En aangezien ik de eindverantwoordelijkheid heb, wil ik niet dat we het verpesten. Als er ook maar iemand moet worden opgeofferd in deze zaak, dan ben jij de eerste. Bedenk goed dat ik op het punt sta om met pensioen te gaan en me niet langer bekommer om promotiekansen. Jij daarentegen... Goed, ik denk dat je wel begrijpt waar ik naartoe wil.'

Annie knikte.

'Je brengt uiteraard direct aan mij verslag uit,' ging Chambers verder. 'Je rapporteert dagelijks, tenzij er belangrijke ontwikkelingen zijn, die meld je me namelijk ogenblikkelijk. Begrepen?'

'Ik had niet anders verwacht,' zei Annie.

Chambers keek haar achterdochtig aan. 'Op een goeie dag zal die brutale mond van jou je nog eens flink in de problemen brengen, jongedame.'

'Dat heeft mijn vader ook al eens gezegd.'

Chambers gromde en verschoof in zijn stoel. 'Dan is er nog iets.'

'O?'

'Ik kan de manier waarop deze opdracht aan mij is toegespeeld niet erg waarderen. Er zit een luchtje aan de hele zaak.'

'Hoe bedoelt u?'

'Het fijne weet ik er nog niet van.' Chambers fronste zijn wenkbrauwen. 'Plaatsvervangend hoofdinspecteur Banks van de CID is toch degene die ons team leidt in het onderzoek naar de Kameleon ?'

Annie knikte.

'Als ik me goed herinner, heb jij als brigadier met hem samengewerkt voordat je hier kwam. Klopt dat?'

Annie knikte nogmaals.

'Nu, misschien is het niets,' zei Chambers. Hij wendde zijn blik af en tuurde aandachtig naar een punt hoog op de muur achter haar. 'Dan zal ik wel paranoïde zijn, zoals ze hier zo plastisch weten uit te drukken. Aan de andere kant...'

'Ja?'

'Hou hem in de gaten. Ik wil je bij dezen op het hart drukken om op je hoede te zijn, want je weet nooit wat hij van je wil.'

Hij staarde bij die woorden naar haar borsten en Annie huiverde onwillekeurig. Ze liep naar de deur.

'Nog één ding, inspecteur Cabbot.'

Annie draaide zich om. 'En dat is?'

Chambers grijnsde zelfgenoegzaam. 'Pas maar op je tellen met die Banks. Hij schijnt een rokkenjager te zijn, maar dat had je waarschijnlijk al gehoord.'

Annie voelde dat ze bloosde toen ze het kantoor uitliep.

Banks liep achter Maggie Forrest aan naar de woonkamer met de donkere lambrisering en de sombere landschappen die in zware lijsten aan de muren hingen. De kamer lag op het westen en de namiddagzon wierp dansende schaduwen van verstrengelde bladeren op de verste muur. Het was geen vrouwelijke kamer, eerder een vertrek waar mannen zich terugtrokken om naar historische toneelstukken van de BBC te kijken, port te drinken en een sigaar te roken. Banks merkte dat Maggie zich er niet op haar gemak voelde, hoewel hij niet kon zeggen waar die indruk vandaan kwam. Omdat hij de sigarettenlucht in de kamer rook en een paar peuken in de asbak zag liggen, stak hij zelf een sigaret op, nadat hij eerst Maggie een Silk Cut had aangeboden. Ze pakte er een. Hij wierp een blik op het schoolmeisje dat met gebogen hoofd op de bank zat, haar blote knieën met een flinke korst van een recente valpartij stevig tegen elkaar gedrukt hield en een duim in haar mond. 'Stelt u ons niet even aan elkaar voor?' vroeg hij aan Maggie.

'Inspecteur...?'

'Banks. Plaatsvervangend hoofdinspecteur.'

'Hoofdinspecteur Banks, dit is Claire Toth, een buurmeisje.'

'Leuk om kennis met je te maken, Claire,' zei Banks.

Claire keek naar hem op en mompelde een begroeting, waarna ze een verfomfaaid pakje met tien Embassy Regals uit de zak van haar jasje tevoorschijn haalde en het voorbeeld van de volwassenen volgde. Banks voelde aan dat dit niet het juiste moment was voor een preek over de gevaren van roken. Er was duidelijk iets goed mis. Hij kon aan haar rode ogen en de vegen op haar gezicht zien dat ze had gehuild.

'Blijkbaar heb ik iets gemist,' zei hij. 'Kan iemand me even vertellen wat er aan de hand is?'

'Claire zit op dezelfde school als Kimberley Myers,' zei Maggie. 'Ze is natuurlijk hevig geschrokken.'

Claire schoof onrustig heen en weer en keek schichtig om zich heen. Ze nam korte, zenuwachtige trekjes van haar sigaret, die ze met twee gestrekte vingers recht voor haar mond hield om vervolgens met gekromde vingers weer los te laten en de rook uit te blazen. Ze leek niet te inhaleren en rookte waarschijnlijk alleen om er volwassen uit te zien, dacht Banks. Of misschien om zich volwassen te voelen, want God mocht weten welke emoties op dat moment in haar rondwoelden. En het zou alleen maar erger worden. Hij herinnerde zich hoe Tracy had gereageerd toen een paar jaar geleden een meisje uit Eastvale, Deborah Harrison, was vermoord. Ze hadden elkaar nauwelijks gekend en kwamen uit totaal verschillende milieus, maar ze waren ongeveer even oud en hadden elkaar verschillende keren gesproken. Banks had geprobeerd de waarheid zo lang mogelijk voor Tracy verborgen te houden, maar uiteindelijk was ze er natuurlijk toch achtergekomen en had ze voornamelijk behoefte gehad aan troostende woorden. Uiteindelijk was ze er overheen gekomen, maar dat lukte niet iedereen.

'Kim was mijn beste vriendin,' zei Claire. 'En ik heb haar in de steek gelaten.'

'Waarom denk je dat?' vroeg Banks.

Claire keek naar Maggie alsof ze toestemming vroeg. Maggie knikte bijna onmerkbaar. Ze was een aantrekkelijke vrouw, zag Banks, niet zozeer lichamelijk, met haar iets te lange neus en spitse kin, ook al bewonderde hij haar meisjesachtige uiterlijk en haar slanke, atletische gestalte. Het waren vooral de vriendelijke en intelligente ogen die hem fascineerden. Daarnaast had ze de gracieuze bewegingen van een kunstenaar, wat bleek uit zoiets eenvoudigs als de elegante manier waarop ze haar sigaret in de asbak aftipte.

'Ik had bij haar moeten blijven,' zei Claire. 'Maar dat heb ik niet gedaan.'

'Was jij ook op dat feest?' vroeg Banks.

Claire knikte en beet op haar lip.

'Heb je Kimberley daar ook gezien?'

'Kim. Ik noem haar altijd Kim.'

'Goed dan, Kim. Heb je Kim daar nog gezien?'

'We zijn er samen naartoe gegaan. Het was hier niet zo ver vandaan. Vlak bij het rugbyveld.'

'Ik weet waar het was,' zei Banks. 'In het kerkgebouw tegenover de Silverhill-scholengemeenschap, toch?'

'Ja.'

'Dus jullie zijn samen naar dat feest gegaan.'

'Ja, we zijn gaan lopen en... en...'

'Doe maar rustig aan,' zei Banks, die zag dat ze op het punt stond weer in tranen uit te barsten.

Claire nam een laatste trek van haar sigaret en drukte hem uit. Ze deed het niet goed en de as bleef nagloeien. Ze snufte luidruchtig. 'We zouden samen naar huis lopen. Er was immers gewaarschuwd om niet alleen... het was op de radio en televisie geweest en mijn vader had gezegd... we moesten voorzichtig zijn en bij elkaar blijven.'

Banks was degene die verantwoordelijk was voor de waarschuwingen. Hij wist dat die gemakkelijk tot paniek konden leiden en wilde uiteraard voorkomen dat er een soort wijdverspreide achtervolgingswaanzin zou ontstaan, zoals het geval was geweest aan het begin van de jaren tachtig, toen de Yorkshire Ripper het land in zijn ban hield. Tegelijkertijd wilde hij echter duidelijk maken dat jonge vrouwen na zonsondergang moesten oppassen. Je kon hen echter niet dwingen voorzichtig te zijn, tenzij je een avondklok instelde.

'Wat is er gebeurd, Claire? Ben je haar uit het oog verloren?'

'Nee, zo was het niet. Niet echt. U begrijpt het niet.'

'Leg het ons dan uit, Claire,' zei Maggie en ze hield haar hand vast. 'We willen het graag begrijpen. Vertel het ons maar.'

'Ik had bij haar moeten blijven.'

'Waarom was je niet bij haar?' vroeg Banks. 'Hebben jullie ruzie gehad?'

Claire zweeg en keek een andere kant op. 'Het ging om een jongen,' zei ze ten slotte.

'Was Kim samen met een jongen?'

'Nee, ik. Ik was met een jongen.' Tranen stroomden over haar gezicht, maar ze praatte verder. 'Nicky Gallagher. Ik was al wekenlang stapelverliefd op hem en toen vroeg hij of ik met hem wilde dansen. Hij zei dat hij me wel naar huis zou brengen. Kim wilde vlak voor elf uur al weg, want ze moest op tijd thuis zijn, en normaal gesproken zou ik met haar zijn meegegaan, maar Nicky... Hij wilde nog even blijven om te schuifelen... Ik dacht dat er genoeg mensen in de buurt waren... ik...' Ze barstte in snikken uit en legde haar hoofd op Maggies schouder.

Banks haalde diep adem. Claire's schuldgevoel en verdriet waren zo oprecht dat hij een brok in zijn keel kreeg. Maggie streelde haar haren en mompelde troostende woordjes, maar Claire bleef huilen. Ten slotte had ze geen tranen meer en snoot ze haar neus in een papieren zakdoekje. 'Het spijt me,' zei ze. 'Echt, ik meen het. Ik zou er alles voor over hebben om die avond over te doen en het dan anders aan te pakken. Ik haat Nicky Gallagher!'

'Claire,' zei Banks, die dit soort schuldgevoelens maar al te goed kende. 'Het is zijn schuld niet. En ook niet de jouwe.'

'Ik ben een egoïstisch kreng. Nicky heeft me naar huis gebracht. Ik dacht dat hij me misschien wel zou zoenen. Ik hoopte dat hij me zou zoenen. Ziet u nou wel? Ik ben ook nog een slet.'

'Doe niet zo raar,' zei Maggie. 'De hoofdinspecteur heeft gelijk. Het is jouw schuld niet.'

'Maar als ik...'

'Als, als, als,' zei Banks.

'Het is toch zo! Kim had niemand en moest alleen naar huis lopen, en toen heeft meneer Payne haar meegenomen. Ik durf te wedden dat hij vreselijke dingen met haar heeft gedaan voordat hij haar vermoordde. Dat doen ze toch altijd? Ik heb wel eens iets gelezen over mensen als hij.'

'Wat er die nacht ook is gebeurd,' zei Banks, 'jouw schuld is het niet.'

'Van wie dan wel?'

'Van niemand. Kim was gewoon op het verkeerde moment op de verkeerde plek. Voor hetzelfde geld was het...' Banks zweeg abrupt. Geen goed idee. Hij hoopte dat Claire zijn gedachtegang niet had gevolgd, maar zijn hoop was tevergeefs.

'Mij overkomen? Ja, dat weet ik heus wel. Was het maar zo.'

'Dat meen je niet, Claire,' zei Maggie.

'Dat meen ik wel. Dan zou ik hier niet mee hoeven te leven. Het kwam door mij. Omdat ze geen vijfde wiel aan de wagen wilde zijn.' Claire begon weer te huilen.

Banks vroeg zich af of het inderdaad ook Claire had kunnen overkomen. Ze was het juiste type: blond, met lange benen, zoals talloze andere jonge meisjes in het noorden van het land. Was Payne echt zo willekeurig te werk gegaan? Of had hij Kimberley Myers al veel langer op het oog gehad? Misschien had Jenny daar een theorie over.

Hij probeerde zich voor te stellen wat er was gebeurd. Payne had zijn auto ergens geparkeerd, waarschijnlijk in de buurt van de jongerenclub; hij had natuurlijk geweten dat er die avond een dansfeest werd gehouden, hij had geweten dat degene die hij had uitverkoren daar naartoe zou gaan. Hij kon er natuurlijk niet vanuit gaan dat ze alleen naar huis zou lopen, maar wie niet waagt, die niet wint. Er was altijd een kans. Het was natuurlijk een gok, maar dat was het hem wel waard. Zij was zijn diepste verlangen. De anderen waren slechts oefenmateriaal geweest. Dit was de enige ware, die ene die hij vanaf het begin had willen hebben, die ene die hij elke dag op school tegenkwam, die hem dag in dag uit kwelde met haar aanwezigheid.

Terence Payne zou net als Banks geweten hebben dat Kimberley tweehonderd meter verder door The Hill moest lopen dan haar vriendin Claire Toth, onder de spoorbrug door en langs het donkere, verlaten stuk weg daarachter, met aan de ene kant een braakliggend terrein en aan de andere kant alleen een methodistenkapel die op dat tijdstip ongetwijfeld in duisternis was gehuld. Toen Banks op zaterdagmiddag, de dag na Kimberleys verdwijning, dezelfde weg had genomen die ze na het feest naar huis moest hebben gevolgd en langs de kerk was gekomen, had hij gezien dat het een ideale plek was om iemand op te pikken.

Payne zou zijn auto vlak voor Kimberley hebben geparkeerd en was uitgestapt of had haar gegroet; de bekende, betrouwbare meneer Payne van school had haar weten over te halen om in te stappen, had haar toen met chloroform bedwelmd en via de garage naar de kelder gesmokkeld.

Banks bedacht dat Payne waarschijnlijk zijn geluk niet op kon toen hij zag dat Kimberley alleen naar huis ging. Hij had verwacht dat ze met Claire of met een stel anderen terug zou gaan en kon alleen maar hopen dat de anderen dichter bij school woonden dan Kimberley en dat ze het laatste, verlaten stuk in haar eentje achter zou blijven. Nu ze vanaf het begin alleen was, kon hij haar zelfs een lift aanbieden, zolang hij het tenminste voorzichtig aanpakte en niemand hen zag. Ze vertrouwde hem. Misschien had hij haar als vriendelijke buurman wel vaker een lift gegeven.

'Stap in, Kimberley, je weet best dat het niet veilig is om als meisje van jouw leeftijd op dit tijdstip alleen op straat te lopen. Ik breng je wel naar huis.'

'Ja, meneer Payne. Dank u wel, meneer Payne.'

'Je hebt geluk dat ik toevallig langsreed.'

'Ja, meneer.'

'Doe je gordel om.'

'Hoofdinspecteur?'

'Sorry,' zei Banks, die volledig in zijn fantasiewereld was opgegaan.

'Is het goed dat Claire naar huis gaat? Haar moeder zal nu wel thuis zijn.'

Banks keek naar het meisje. Haar wereld lag in scherven. Ze moest het hele weekend bang zijn geweest dat er zoiets was gebeurd. Met angst en beven moest ze het moment hebben afgewacht dat haar schuld werd ontdekt en haar nachtmerries werkelijkheid bleken. Er was geen reden haar nog langer hier te houden. Hij wist waar hij haar kon vinden wanneer hij haar nog eens nodig had.

'Nog één ding, Claire,' zei hij. 'Heb je meneer Payne op de avond van het feest gezien?'

'Nee.'

'Stond zijn auto bij de jongerenclub geparkeerd?'

'Die heb ik niet gezien.'

'Heb je iemand anders in de buurt zien rondhangen?'

'Nee. Maar ik heb er ook niet echt op gelet.'

'Heb je mevrouw Payne misschien nog gezien?'

'Mevrouw Payne? Nee. Hoezo?'

'Dat was alles, Claire. Ga maar naar huis.'

'Is er nog nieuws over Lucy?' vroeg Maggie, toen Claire was vertrokken.

'Ze maakt het goed. Ze zal volledig herstellen.'

'U wilde mij zeker spreken?'

'Inderdaad,' zei Banks. 'Een paar dingen uit het gesprek van vanochtend ophelderen, meer niet.'

'O?' Maggies vingers plukten onzeker aan de hals van haar T-shirt.

'Niets om u druk over te maken.'

'Wat is er dan?'

'Een van de agenten die u vanochtend heeft ondervraagd, had de indruk dat u niet alles verteld heeft over uw relatie met Lucy Payne.'

Maggie trok haar wenkbrauwen op. 'O nee?'

'Is zij een goede vriendin van u?'

'Ze is een vriendin, maar een goede, nee. Ik ken Lucy nog niet zo lang.'

'Wanneer hebt u haar voor het laatst gezien?'

'Gisteren. Ze kwam 's middags even langs.'

'Waar hebt u het toen zoal over gehad?'

Maggie keek naar haar handen die op haar schoot lagen. 'Niets bijzonders eigenlijk. U kent het wel: het weer, werk, dat soort dingen.'

Kimberley Myers lag naakt en vastgebonden in de kelder van het huis van de Paynes en Lucy was even aangewipt om over het weer te praten. Of ze was echt onschuldig, of het kwaad was dieper in haar geworteld dan Banks zich kon voorstellen. 'Heeft ze u wel eens aanleiding gegeven om te vermoeden dat er bij haar thuis iets mis was?' vroeg hij.

Maggie aarzelde even. 'Niet op de manier die u bedoelt, nee.'

'Wat bedoel ik dan?'

'Ik neem aan dat het te maken heeft met de moord? De moord op Kimberley Myers?'

Banks leunde achterover in zijn stoel en zuchtte. Het was een lange dag geweest en die was nog niet voorbij. Maggie was geen overtuigende leugenaar. 'Mevrouw Forrest,' zei hij, 'alles wat we momenteel over The Hill 35 te weten komen, kan belangrijk zijn. Ik bedoel echt letterlijk alles. Ik ben het met mijn collega eens en denk ook dat u iets voor ons achterhoudt.'

'Het heeft hier niets mee te maken.'

'Hoe kunt u dat nou weten!' viel Banks uit. Hij schrok toen ze achteruitdeinsde en ze haar armen om zichzelf heen sloeg met een angstige, onderdanige blik in haar ogen. 'Mevrouw Forrest... Maggie...' begon hij op verontschuldigende toon. 'Hoor eens, het spijt me, maar ik heb een zware dag achter de rug. Als ik een kwartje kreeg voor elke keer dat iemand zei dat zijn informatie niets met mijn onderzoek te maken had, zou ik nu stinkend rijk zijn. Ik weet dat iedereen geheimen heeft. Ik weet dat er dingen zijn waarover mensen liever niet praten. Maar er is een moord gepleegd. Kimberley Myers is dood. Agent Dennis Morrisey is dood. God weet hoeveel lijken we daar nog zullen vinden. En dan moet ik hier aanhoren dat je Lucy Payne kent en dat ze met je heeft gepraat over dingen die volgens jou niets met deze zaak te maken hebben. Alsjeblieft, Maggie. Maak het me nou niet zo moeilijk.'

De stilte leek eindeloos te duren, totdat Maggie eindelijk zei: 'Lucy werd mishandeld. Hij... haar man... sloeg haar.'

'Terence Payne mishandelde zijn vrouw?'

'Ja. Kijkt u daarvan op? Als hij in staat is om tienermeisjes te vermoorden, dan zal hij er ook niet tegenop zien om zijn vrouw in elkaar te slaan.'

'Heeft ze u dit zelf verteld?'

'Ja.'

'Waarom heeft ze er niets aan gedaan?'

'Dat is niet zo gemakkelijk als u denkt.'

'Ik zeg ook niet dat het gemakkelijk is. U weet trouwens helemaal niet wat ik denk. Wat hebt u haar aangeraden?'

'Ik heb natuurlijk gezegd dat ze hulp moest zoeken, maar ze twijfelde.'

Banks wist genoeg over huiselijk geweld om te weten dat de slachtoffers het vaak heel moeilijk vonden om de autoriteiten in te schakelen of ervandoor te gaan. Ze schaamden zich, waren ervan overtuigd dat het hun eigen schuld was, voelden zich vernederd en hielden het liever verborgen omdat ze dachten dat alles uiteindelijk wel goed zou komen. Veel van hen konden nergens naartoe, die hadden geen eigen leven en waren bang voor de buitenwereld, ook al werd de wereld binnenshuis door geweld geregeerd. Hij had de indruk dat Maggie Forrest uit eigen ervaring sprak. Het was de manier waarop ze was teruggedeinsd voor zijn uitval, de tegenzin waarmee ze over het onderwerp had gesproken, haar terughoudendheid. Het waren allemaal aanwijzingen.

'Heeft ze ooit het vermoeden uitgesproken dat haar man zich nog aan andere misdaden schuldig maakte?'

'Nooit.'

'Maar ze was wel bang voor hem?'

'Ja.'

'Bent u wel eens bij hen thuis geweest?'

'Ja. Een paar keer.'

'Is u daar iets vreemds opgevallen?'

'Nee. Niets.'

'Hoe gingen ze met elkaar om wanneer ze samen waren?'

'Lucy leek altijd zenuwachtig, gespannen. Ze wilde graag dat hij tevreden over haar was.'

'Hebt u ooit blauwe plekken bij haar gezien?'

'Ze veroorzaken heus niet altijd blauwe plekken. Lucy was bang voor hem, bang dat ze iets verkeerds zou doen. Dat bedoel ik.'

Banks maakte een paar aantekeningen. 'En dat is het?'

'Hoe bedoelt u?'

'Dat is het wat u voor ons wilde achterhouden, of is er nog meer?'

'Nee, dat was alles.'

Banks stond op en wilde vertrekken. 'Begrijpt u nu,' zei hij toen hij bij de deur stond, 'dat wat u me verteld heeft wel degelijk met de zaak te maken heeft? Heel veel zelfs?'

'Ik begrijp niet in welk opzicht.'

'Terence Payne heeft een zware hersenbeschadiging. Hij ligt in coma en zal misschien nooit meer bijkomen. En mocht dat wel gebeuren, dan kan hij zich misschien niets meer herinneren. Lucy Payne zal volledig herstellen. U bent de eerste die ons enige informatie over haar heeft verschaft en nog wel informatie die in haar voordeel kan werken.'

'Hoe dan?'

'Het draait in het geval van Lucy Payne om twee vragen. De eerste is: was ze erbij betrokken? En de tweede: was ze op de hoogte en heeft ze haar mond gehouden? Wat u me zojuist heeft verteld, is informatie die in haar voordeel spreekt. Door met mij te praten hebt u uw vriendin een grote dienst bewezen. Goedenavond, mevrouw Forrest. Ik zal ervoor zorgen dat een agent hier een oogje in het zeil houdt.'

'Waarom? Denkt u dat ik gevaar loop? U zei zelf dat Terry...'

'Niet dat soort gevaar. De pers. Ze kunnen zeer vasthoudend zijn en ik wil liever niet dat u hun vertelt wat u mij zojuist heeft verteld.'

5

Leanne Wray was zestien toen ze op vrijdag eenendertig maart uit East-vale verdween. Ze was een meter vijfenvijftig en woog slechts vieren-veertig kilo. Ze was enig kind en woonde met haar vader, buschauffeur Christopher Wray, en stiefmoeder, huisvrouw Victoria, in een rijtjes-huis even ten noorden van het centrum van Eastvale. Leanne zat op de scholengemeenschap in Eastvale.

Leannes ouders vertelden de politie later dat ze er geen kwaad in had-den gezien hun dochter die vrijdagavond naar de film te laten gaan, ook al waren ze op de hoogte van de verdwijning van Kelly Matthews en Samantha Foster. Ze ging tenslotte samen met een groep vrienden en ze hadden haar gezegd dat ze om halfelf thuis moest zijn.

Het enige waar Christopher en Victoria wellicht bezwaar tegen hadden gehad, als ze het tenminste hadden geweten, was de aanwezigheid van Ian Scott. Christopher en Victoria vonden het niet prettig dat Leanne met Ian omging. Om te beginnen was hij twee jaar ouder dan zij en op haar leeftijd was dat een groot leeftijdsverschil. Verder had Ian de repu-tatie een relschopper te zijn en was hij al tweemaal door de politie gear-resteerd: een keer voor autodiefstal en een keer omdat hij XTC had ver-kocht in Bar None. Bovendien was Leanne een heel knap meisje: slank, met een mooi figuur, prachtig goudblond haar, een bijna doorschij-nende huid en blauwe ogen met lange wimpers, en haar ouders meen-den dat een oudere jongen als Ian maar in één ding geïnteresseerd was. Dat hij een eigen flat bezat, was ook een punt in zijn nadeel.

Leanne vond het echter geweldig om met Ian en zijn vrienden om te gaan. Ians vriendin, die op de bewuste avond ook was meegeweest, heette Sarah Francis en was zeventien jaar oud; de vierde in het gezel-schap was Mick Blair, achttien en gewoon een vriend. Ze vertelden alle-maal dat ze na afloop van de film wat in het centrum hadden rondge-slenterd en een kop koffie hadden gedronken in El Toro, maar de politie ontdekte na enig speurwerk dat ze in werkelijkheid hadden zit-ten drinken in de Old Ship Inn, in een steegje tussen North Market Street en York Road. Ze hadden daarover gelogen omdat Leanne en

Sarah beiden nog te jong waren om alcohol te mogen drinken. Nadat er enige druk op hen was uitgeoefend, verklaarden ze dat Leanne om een uur of kwart over tien de pub had verlaten en te voet naar huis was gegaan, een wandeling van hooguit tien minuten. Ze was echter nooit aangekomen.

Hoewel Leannes ouders boos en bezorgd waren, belden ze pas de volgende ochtend de politie, en al snel draaide het onderzoek onder leiding van Banks op volle toeren. Eastvale werd volgehangen met posters van Leanne; iedereen die die avond in de bioscoop, de Old Ship Inn en het stadscentrum was geweest, werd ondervraagd. Dat leverde niets op. Ze speelden zelfs een reconstructie van de gebeurtenissen na, maar ook dat bleef zonder resultaat. Leanne Wray was in het niets verdwenen. Niemand had haar gezien nadat ze uit de Old Ship was weggegaan.

Haar drie vrienden zeiden dat ze naar een andere pub waren gegaan, The Riverboat, een drukke kroeg die tot laat openbleef, en ten slotte waren aanbeland in Bar None op het marktplein. De beveiligingscamera's toonden aan dat ze daar rond halfeen waren aangekomen. Ian Scotts flat werd uitvoerig onderzocht op mogelijk bewijs dat Leanne er was geweest, maar er werd niets aangetroffen. Als ze er al was geweest, dan had ze geen sporen achtergelaten.

In het huis van de Wrays stond het bol van de spanningen, ontdekte Banks al gauw, en volgens een schoolvriendin, Jill Brown, kon Leanne helemaal niet met haar stiefmoeder overweg. Ze hadden regelmatig ruzie. Ze miste haar eigen moeder, die twee jaar eerder aan kanker was overleden, en Leanne had haar vriendin verteld dat ze vond dat Victoria maar een baan moest gaan zoeken in plaats van 'op haar vader te teren' die toch al zo weinig verdiende. Ze hadden het financieel niet ruim, vertelde Jill. Leanne moest degelijke kleren dragen die lang meegingen. Toen ze zestien werd, kreeg ze een zaterdagbaantje in een kledingzaak in het centrum, waardoor ze met korting modieuzere kleren kon kopen.

Aanvankelijk bestond er nog een sprankje hoop dat Leanne was weggelopen vanwege de vervelende thuissituatie en op de een of andere manier de oproepen had gemist. Toen werd haar schoudertas gevonden in de struiken van een tuin waar ze op weg naar huis langs moest zijn gekomen. De eigenaars van het huis werden aan de tand gevoeld, maar bleken een gepensioneerd echtpaar van in de zeventig te zijn en werden al snel van alle verdenking vrijgesproken.

Na de derde dag nam Banks contact op met assistent-hoofdcommissaris Ron McLaughlin, waarna gesprekken volgden met commissaris Philip Hartnell van West Yorkshire. Binnen enkele dagen was task force Kameleon een feit en had Banks de leiding gekregen over de werkzaamheden in North Yorkshire. Dit betekende dat hij over meer middelen en meer manuren kon beschikken. Ze gingen er nu vanuit dat ze met een seriemoordenaar te maken hadden, wat onmiddellijk leidde tot de nodige speculaties in de pers.

Leanne was een middelmatige scholiere, vertelden haar leraren. Als ze beter haar best zou doen, kon ze gemakkelijk hogere cijfers halen, maar daar wilde ze geen tijd en energie aan besteden. Ze was van plan dat jaar van school te gaan en in een kleding- of muziekzaak te gaan werken. Ze was dol op popmuziek en haar favoriete band was Oasis. Haar vrienden vonden haar een wat verlegen, maar spontane meid, die snel lachte om de grappen van een ander en zich zelden overgaf aan zelfinspectie. Ze leed aan een lichte vorm van astma en had altijd een inhaler bij zich, die samen met andere persoonlijke bezittingen in haar schoudertas werd aangetroffen.

Was het tweede slachtoffer, Samantha Foster, een tikje excentriek geweest, Leanne Wray was een doodgewoon meisje uit de lagere middenklasse van Yorkshire.

'Ja hoor, ik wil best met u praten. Komt u binnen.'

Janet Taylor zag er helemaal niet uit alsof ze tot praten in staat was toen Banks die avond na zessen bij haar aanbelde, maar iemand die zich diezelfde ochtend nog een seriemoordenaar van het lijf had weten te houden en het hoofd van haar stervende partner in haar schoot had gewiegd, had het volste recht om er een beetje pips uit te zien. Janet was bleek, haar huid stond strakgespannen en ze was van top tot teen in het zwart gekleed.

Janets flat lag boven een kapperszaak aan Harrogate Road, niet ver van het vliegveld. Banks liep achter haar aan de smalle trap op. Ze bewoog zich lusteloos en tilde haar voeten niet goed op. Banks voelde zich bijna net zo uitgeput als Janet eruitzag. Hij was net bij de sectie op Kimberley Myers geweest en hoewel deze geen verrassingen had opgeleverd (dood door wurging met een wurgkoord), had dokter Mackenzie wel spermasporen in haar vagina, anus en mond gevonden. Met een beetje geluk kon via DNA de link worden gelegd met Terence Payne.

Janet Taylors woonkamer vertoonde alle tekenen van verwaarlozing die kenmerkend waren voor het huis van een alleenstaande agent. Banks herkende het maar al te goed. Hij probeerde zijn eigen woning zo goed mogelijk schoon te houden, maar dat was wel eens moeilijk als je je geen werkster kon veroorloven en je zelf bijna nooit tijd had. En in je weinige vrije uren was schoonmaken en opruimen wel het laatste waar je zin in had. Toch was de kleine kamer gezellig, ondanks de stoffige salontafel, het T-shirt en de bh die over de rug van een leunstoel hingen, de her en der rondslingerende tijdschriften en de halfvolle theekopjes. Er hingen drie ingelijste posters van oude Bogartfilms (*Casablanca*, *The Maltese Falcon* en *The African Queen*) en op de schoorsteen stonden een paar foto's, waaronder een van Janet die trots in haar uniform poseerde tussen een ouder echtpaar, haar ouders, veronderstelde Banks. De plant die in een pot in de vensterbank stond, was op sterven na dood. In een hoek flikkerde geluidloos een televisiescherm. Het was een lokaal nieuwsprogramma en Banks herkende de straat bij het huis van de Paynes.

Janet trok het T-shirt en de bh van de stoel. 'Gaat u zitten.'

'Mag het geluid even aan?' vroeg Banks. 'Wie weet horen we nog iets nieuws.'

'Tuurlijk.' Janet zette het volume harder, maar ze hoorden alleen maar een herhaling van commissaris Hartnells eerdere persverklaring. Toen het voorbij was, stond Janet op om het toestel uit te zetten. Ze bewoog zich nog steeds heel traag en sprak onduidelijk. Banks vermoedde dat dat werd veroorzaakt door de kalmerende middelen die ze ongetwijfeld had gekregen. Of anders door de halflege fles sterke drank die in de kast stond.

Er steeg een vliegtuig op van het vliegveld van Leeds en door het kabaal konden ze zich enkele minuten nauwelijks verstaanbaar maken. Het was warm in de kleine kamer en Banks voelde dat het zweet zich op zijn voorhoofd en onder zijn oksels begon te verzamelen.

'Daarom is het zo goedkoop,' zei Janet, toen het geluid was weggestorven. 'Ik heb er niet zoveel last van. Je raakt eraan gewend. Soms zit ik hier te luisteren en fantaseer ik dat ik erin zit en naar een of andere exotische bestemming onderweg ben.' Ze stond op, schonk zichzelf een klein glas gin in en voegde er wat tonic bij uit een openstaande fles Schweppes. 'Wilt u ook iets drinken?'

'Nee, bedankt. Hoe gaat het met je?'

Janet ging weer zitten en schudde haar hoofd. 'Het rare is dat ik dat niet eens weet. Ik voel me wazig, alsof ik net uit een verdoving ben bijgekomen en in watten ben verpakt. Of anders is het alsof ik droom en word ik morgenochtend wakker en zal alles anders zijn. Maar dat is natuurlijk niet zo, hè?'

'Waarschijnlijk niet,' zei Banks. 'Misschien is het dan nog wel erger.'

Janet lachte. 'In elk geval bedankt dat u me niet iets op de mouw probeert te spelden.'

Banks glimlachte. 'Graag gedaan. Luister, ik ben hier niet om je uit te horen over wat je hebt gedaan, maar ik moet wel weten wat er in dat huis is gebeurd. Denk je dat je in staat bent erover te praten?'

'Tuurlijk.'

Banks lette op haar lichaamstaal, zag dat ze haar armen over elkaar sloeg en zich in zichzelf terugtrok. Hij besefte dat ze het eigenlijk nog niet aankon, maar desondanks moest hij doorzetten.

'Ik voelde me net een misdadiger,' zei ze.

'Hoezo?'

'De manier waarop de dokter me onderzocht, mijn kleren in een plastic zak stopte en mijn vingernagels schoonschraapte.'

'Dat is nu eenmaal de procedure. Dat weet je zelf ook.'

'Dat weet ik wel. Maar als je aan de andere kant staat, voelt het helemaal niet zo.'

'Dat zal wel niet. Hoor eens, Janet, ik wil niet tegen je liegen. Dit zou wel eens een groot probleem kunnen worden. Mogelijk is het binnen de kortste keren voorbij en is het niet meer dan een storm in een glas water. Maar het zou ook nog heel lang kunnen blijven nawerken en problemen opleveren voor je carrière...'

'Ik ga er eigenlijk vanuit dat het met mijn carrière is gedaan.'

'Dat hoeft niet. Tenzij je dat liever wilt.'

'Ik moet toegeven dat ik er nog niet veel over heb nagedacht na... na wat er is gebeurd.' Ze lachte cynisch. 'Het rare is, als dit in Amerika was gebeurd, zou ik nu een held zijn.'

'Wat gebeurde er toen je de melding kreeg?'

Janet vertelde hem in korte, haperende zinnen over de auto die in brand had gestaan, de oproep en hoe ze vervolgens Lucy Payne bewusteloos in de gang hadden gevonden. Af en toe zweeg ze even om een slok te nemen, en een paar keer raakte ze de draad van haar verhaal kwijt en staarde ze naar het openstaande raam.

'Dacht je dat ze zwaar gewond was?'

'Ja, maar niet levensbedreigend. Ik ben toch maar bij haar gebleven terwijl Dennis boven rondkeek. Hij kwam terug met een deken en kussen, dat weet ik nog. Ik vond dat heel attent van hem. Het verbaasde me.'

'Was Dennis niet altijd even attent?'

'Zo zou ik hem in ieder geval nooit hebben omschreven, nee. We waren het vaak niet met elkaar eens, maar konden toch redelijk met elkaar overweg. Hij is geen kwaaie vent. Een beetje een ongelikte beer. En erg blij met zichzelf.'

'Wat deden jullie toen?'

'Dennis ging naar achteren, naar de keuken. Iemand had haar tenslotte neergeslagen en als het haar man was geweest, dan was de kans groot dat hij nog steeds ergens in huis was. Ja toch?'

'En jij bleef bij Lucy?'

'Dat klopt.'

'Wat gebeurde er toen?'

'Dennis riep me, dus ik liet haar alleen achter. Het bloeden was bijna helemaal opgehouden. De ambulance was bovendien al onderweg...'

'Had je het gevoel dat er gevaar dreigde in het huis?'

'Gevaar? Nee, op dat moment niet. Nou ja, niet meer dan je bij een geval van huiselijk geweld zou verwachten.'

'Goed. Waarom zijn jullie naar de kelder gegaan? Dachten jullie dat de echtgenoot zich daar misschien had verstopt?'

'Ja, dat moet haast wel.'

'Waarom had Dennis je geroepen?'

Janet zweeg en voelde zich duidelijk slecht op haar gemak.

'Janet?'

Ten slotte keek ze hem aan. 'Bent u er geweest? In die kelder?'

'Ja.'

'Die poster op de deur. Die vrouw.'

'Die heb ik gezien.'

'Dennis riep me om hem te laten zien. Dat vond hij nou een leuke grap. Dat bedoelde ik net. Grof macho-gedrag.'

'Ik begrijp het. Stond de deur open? De deur naar de kelder?'

'Nee, die was dicht. Maar er scheen licht onderdoor, een soort flakkerend licht.'

'Konden jullie horen of er iemand binnen was?'

'Nee.'

'Heeft een van jullie iets geroepen voordat jullie naar binnen gingen, dat jullie van de politie waren, bijvoorbeeld?'

'Dat weet ik niet meer.'

'Goed, Janet. Het gaat uitstekend. Ga door.'

Toen ze verderging, waren Janets knieën stijf tegen elkaar gedrukt en haar handen bewogen zenuwachtig op haar schoot. 'Zoals ik al zei, er scheen een flakkerend licht.'

'De kaarsen.'

Janet keek hem aan en rilde even. 'Er hing ook een afschuwelijke stank.'

'Wie is het eerste naar binnen gegaan?'

'Ik. Dennis trapte de deur in en deed een stap achteruit, maakte een buiging. Nam me een beetje in de zeik.'

'Wat gebeurde er toen?'

Ze maakte een schokkende beweging met haar hoofd. 'Het ging allemaal heel snel. Ik herinner me de kaarsen nog, de spiegels, het meisje, vreselijke tekeningen op de muren, allemaal dingen die ik vanuit mijn ooghoeken opving. Net beelden uit een droom. Een nachtmerrie.' Haar ademhaling versnelde en ze krulde zich op in haar leunstoel, met haar benen onder zich gevouwen en haar armen om haar lichaam geslagen. 'Toen viel hij ons aan. Dennis was vlak achter me. Ik kon zijn adem in mijn nek voelen.'

'Waar kwam hij vandaan?'

'Dat weet ik niet. Van achteren. Uit een hoek. Heel snel.'

'Wat deed Dennis toen?'

'Hij had geen tijd om iets te doen. Hij moet iets hebben gehoord of gevoeld, want hij draaide zich om. Ineens lag hij bloedend op de grond. Hij schreeuwde. Toen trok ik mijn wapenstok. Hij stak Dennis opnieuw en ik kreeg zijn bloed over me heen. Het was net alsof hij me niet zag, alsof het hem niets kon schelen, omdat hij me later wel te pakken zou krijgen. Toen hij achter mij aankwam, had ik mijn wapenstok in mijn handen en hij probeerde me te raken, maar ik kon hem afweren. Toen heb ik hem geslagen...' Ze begon te snikken en veegde met haar hand langs haar ogen. 'Het spijt me. Dennis, het spijt me zo.'

'Het is goed zo,' zei Banks. 'Rustig maar, Janet. Het gaat prima.'

'Hij lag met zijn hoofd op mijn schoot. Ik probeerde de ader dicht te drukken zoals ik op EHBO had geleerd. Maar het lukte niet. Ik had het nog nooit eerder gedaan, niet met een echt mens. Het bleef maar bloeden. Zo veel bloed.' Ze snufte en veegde neus af. 'Sorry.'

'Geeft niet. Even terug naar daarvoor. Wat deed je voordat je Dennis probeerde te redden?'

'Ik herinner me nog dat ik die man met handboeien aan een van de leidingen heb vastgemaakt.'

'Hoe vaak heb je hem geslagen?'

'Dat weet ik niet meer.'

'Meer dan één keer?'

'Ja. Hij kwam opnieuw op me af, dus sloeg ik hem weer.'

'En nog een keer?'

'Ja. Hij stond steeds weer op.' Ze begon weer te huilen. Toen ze was gekalmeerd, vroeg ze: 'Is hij dood?'

'Nog niet.'

'Die klootzak heeft Dennis vermoord.'

'Dat weet ik. En wanneer je partner wordt gedood, moet je daar iets aan doen, zo is het toch? Als je geen wraak neemt, is dat slecht voor de zaak, slecht voor alle agenten.'

79

Janet keek hem aan alsof hij gek was geworden. 'Wat?'

Banks keek naar Bogart in zijn rol van Sam Spade. De posters waren duidelijk alleen voor de sier en niet uit voorliefde voor de films zelf, en zijn onbenullige poging de boel een beetje op te vrolijken, viel volledig in het water.

'Laat maar,' zei hij. 'Ik vroeg me gewoon af wat er door je hoofd ging.'

'Niets. Ik had geen tijd om na te denken. Hij had op Dennis ingehakt en wilde hetzelfde doen met mij. Noem het maar zelfverdediging of wat dan ook, maar ik heb er op dat moment niet bij stilgestaan. Ik dacht echt niet bij mezelf dat ik hem eens flink zou meppen omdat hij anders weer zou opstaan en me zou aanvallen. Zo ging het helemaal niet.'

'Hoe ging het dan wel?'

'Dat heb ik toch al verteld. Ik heb de moordenaar ontwapend en hem aan een leiding vastgemaakt, en toen heb ik geprobeerd Dennis in leven te houden. Ik heb niet eens meer naar Payne omgekeken. Om eerlijk te zijn kon het me verdomd weinig schelen hoe hij eraantoe was. Het ging mij alleen om Dennis.' Janet zweeg en keek naar haar handen die om het glas geklemd waren. 'Weet u wat ik nog het ergste vind? Ik was net daarvoor gemeen tegen hem geweest. Alleen maar omdat hij die stomme seksgrappen van hem aan de brandweerman had zitten vertellen.'

'Wat bedoel je?'

'We hadden ruzie gehad, dat bedoel ik. Vlak voordat we bij het huis aankwamen. Ik heb gezegd dat zijn moedervlek wel eens huidkanker kon zijn. Dat was wreed van me. Ik weet dat hij een hypochonder is. Waarom zei ik dat in vredesnaam? Waarom ben ik zo'n vreselijk mens? Toen was het te laat. Ik kon hem niet meer zeggen dat ik het niet zo had bedoeld.' Ze huilde weer en Banks dacht dat het beter was als ze alles eruit gooide. Er zou meer dan één zitting voor nodig zijn om haar schuldgevoel kwijt te raken, maar het was in ieder geval een begin.

'Heb je al contact met de vakbond opgenomen?'

'Nog niet.'

'Doe dat dan morgen. Ze kunnen je helpen met adviezen, als je dat tenminste wilt, en...'

'Juridische steun?'

'Mocht het daar op uitdraaien, ja.'

Janet stond wankelend op en schonk nog wat voor zichzelf in.

'Weet je zeker dat dat verstandig is?' vroeg Banks.

Janet schonk een flinke borrel in en ging weer zitten. 'Wat moet ik anders doen? Moet ik bij Dennis' vrouw en kinderen gaan zitten? Moet ik ze gaan uitleggen wat er precies is gebeurd, dat het allemaal mijn schuld is? Of kan ik beter mijn hele flat kort en klein slaan, de stad ingaan en in een of andere pub ruzie zoeken met iemand, want daar heb ik op dit ogenblik het meeste behoefte aan. Ik denk dat dit het minst schadelijke alternatief is.'

Banks besefte dat ze gelijk had. Hij had dat gevoel zelf meer dan eens ervaren en ook toegegeven aan de drang om de stad in te gaan en ruzie te zoeken. Het had niet geholpen. Het zou hypocriet zijn om te zeggen dat hij er geen begrip voor had vergetelheid in de drank te zoeken. Er waren in zijn leven twee periodes geweest dat hij zelf op die manier troost had gezocht. De eerste keer was tijdens zijn laatste maanden in Londen, vlak voor zijn overplaatsing naar Eastvale, toen hij het gevoel had dat hij in sneltreinvaart op een burn-out afstevende; de tweede keer was net meer dan een jaar geleden, toen Sandra bij hem wegging.

Ze zeiden altijd dat het niet hielp, maar het hielp wel degelijk. Als je alles even wilde vergeten, was de fles het beste medicijn, behalve misschien heroïne, en dat had Banks maar niet uitgeprobeerd. Misschien had Janet Taylor gelijk en kon ze zich vanavond inderdaad maar het beste bezatten. Ze had verdriet en soms moest je daar in je eentje doorheen. Drank verdoofde de pijn eventjes. De kater die erop volgde was van later zorg.

'Gelijk heb je. Ik kom er zelf wel uit.' Banks boog zich impulsief naar voren en kuste Janet boven op haar hoofd voordat hij de kamer uitliep. Haar haar smaakte naar verbrand plastic en rubber.

Die avond zat Jenny Fuller in haar kantoor aan huis, waar ze alle dossiers en aantekeningen over het onderzoek in haar computer had opgeslagen omdat ze in Millgarth geen eigen werkruimte had. De kamer keek uit op een smalle groenstrook die aan de wijk East Side grensde. Tussen de donkere bomen door kon ze de lichtjes in de huizen zien.

Omdat ze nauw met Banks samenwerkte, had ze vaak moeten denken aan hun gezamenlijke voorgeschiedenis. Ze had hem ooit proberen te verleiden en dacht met schaamte terug aan dat moment. Hij had haar tactvol afgewezen omdat hij, zoals hij toen zei, gelukkig getrouwd was. Wel had hij zich tot haar aangetrokken gevoeld, dat wist ze zeker. Inmiddels was hij niet meer gelukkig getrouwd, maar nu had hij zijn 'vriendin', zoals ze Annie Cabbot was gaan noemen, hoewel ze haar nog nooit had ontmoet. Jenny bracht toen veel tijd in het buitenland door en was niet in de buurt toen Banks en Sandra uit elkaar gingen. Was ze er wel geweest... tja, dan was alles misschien anders gelopen. Nu had ze een eindeloze reeks hopeloze relaties achter de rug. De belangrijkste reden dat ze zoveel was weggeweest, moest ze uiteindelijk bij zichzelf toegeven, was dat ze Banks wilde ontlopen. Zijn nabijheid kwelde haar. Dan moest ze doen alsof hij haar koud liet en gedroeg ze zich onverschilliger dan ze zich voelde. En nu werkten ze nauw samen.

Met een zucht probeerde Jenny zich op haar werk te concentreren.

Vooralsnog had ze te weinig gegevens om een degelijke profielschets van de dader op te stellen die als basis voor het onderzoek kon dienen. Wat het inschakelen van psychologen en profilers betrof, bevond Engeland zich volgens Jenny nog steeds in de Middeleeuwen, vooral in vergelijking met de VS. Dit kwam deels doordat de FBI een nationale eenheid vormde met voldoende middelen om landelijke programma's te ontwikkelen, terwijl Groot-Brittannië uit meer dan vijftig zelfstandig opererende politiemachten bestond. Bovendien maakten profilers in de VS doorgaans deel uit van het politieapparaat en werden ze daardoor gemakkelijker geaccepteerd. In Groot-Brittannië werden profilers vaak onder particuliere psychologen of psychiaters gezocht, die vaak door de politie en ook het hele juridische systeem werden gewantrouwd. Klinisch psychologen met een adviserende taak hadden geluk als ze het aan een Engels hof tot de getuigenbank wisten te brengen, was Jenny's ervaring, en acceptatie als getuige-deskundige zoals in de VS was helemaal ver te zoeken. En mochten ze ooit tot de getuigenbank doordringen, dan werd hun verklaring door rechter en jury met de nodige achterdocht aangehoord en zou de verdediging een andere psycholoog oproepen die een totaal tegenovergestelde theorie zou verkondigen.

De Middeleeuwen.

Goed beschouwd was Jenny zich er terdege van bewust dat de politiemensen met wie ze werkte haar op zijn best als een veredeld soort helderziende beschouwden en dat ze haar hulp alleen inriepen omdat dat gemakkelijker was dan het niet te doen. Maar ze gaf de moed nog niet op. Hoewel ze best bereid was toe te geven dat daderprofilering meer met kunst dan met wetenschap te maken had en dat een profielschets zelden of nooit één specifieke dader zou kunnen aanwijzen, was ze ervan overtuigd dat deze wel het aantal verdachten kon beperken en het onderzoek in een bepaalde richting kon sturen.

Jenny hield er niet van om foto's op haar computerscherm te bestuderen, dus spreidde ze ze weer uit op haar bureau, hoewel ze ze inmiddels allemaal uit haar hoofd zou kunnen natekenen: Kelly Matthews, Samantha Foster, Leanne Wray, Melissa Horrocks en Kimberley Myers, allemaal aantrekkelijke blonde meisjes in de leeftijdscategorie van zestien tot achttien jaar.

De politie had naar Jenny's gevoel vanaf het begin te veel veronderstellingen als feitelijke waarheden geaccepteerd en de voornaamste daarvan was wel dat de vijf meisjes allemaal door dezelfde persoon of personen zouden zijn ontvoerd. Ze had Banks en zijn team al laten weten dat ze vrijwel even overtuigend kon aantonen dat de zaken niets met elkaar te maken hoefden te hebben, zelfs op basis van de minieme hoeveelheid informatie die ze tot haar beschikking had.

Er verdwijnen voortdurend jonge meisjes, had Jenny te berde gebracht; ze hebben bijvoorbeeld ruzie met hun ouders en lopen van huis weg. Banks had haar echter verteld over de gedetailleerde en ellenlange gesprekken met vrienden, familie, leraren, buren en kennissen, waaruit was gebleken dat alle meisjes, met uitzondering misschien van Leanne Wray, afkomstig waren uit een stabiel gezin en dat er, afgezien van de gebruikelijke ruzies over vriendjes, kleding, harde muziek en wat dies meer zij, voorafgaand aan hun verdwijning niets ongewoons of belangrijks in hun leven was voorgevallen. Banks had benadrukt dat het dit keer niet om het soort tieners draaide van wie je kon verwachten dat ze van huis wegliepen. Bovendien waren hun schoudertassen steeds dicht bij de plek teruggevonden waar de meisjes voor het laatst waren gezien. Nu de onopgeloste Yorkshire Ripper-zaak nog steeds als een molensteen om hun nek hing, nam het korps van West Yorkshire absoluut geen risico's meer.

Het aantal groeide, werd vier, toen vijf, en er werd geen enkel spoor van een van de meisjes aangetroffen, zelfs niet via de gebruikelijke kanalen: de landelijke hulplijn voor vermiste personen, reconstructies in het televisieprogramma *Crimewatch UK*, 'Vermist'-posters, oproepen in de media en inspanningen van de plaatselijke politiekorpsen.

Jenny liet zich ten slotte door Banks' argumenten overtuigen en ging er sindsdien van uit dat er verband bestond tussen de verdwijningen, maar ze hield intussen aantekeningen bij van de verschillen tussen de zaken. Al snel kwam ze tot de ontdekking dat de overeenkomsten de verschillen ruimschoots in aantal overtroffen.

Victimologie. Wat hadden ze met elkaar gemeen? De meisjes waren alle vijf jong, hadden lang blond haar, lange benen en een slank, gespierd lichaam. Dat was blijkbaar het type waar zijn voorkeur naar uitging, had Jenny gezegd.

Het was haar opgevallen dat het patroon bij slachtoffer nummer vier was geëscaleerd: tussen de slachtoffers een en twee zaten bijna twee maanden, tussen twee en drie vijf weken, maar tussen drie en vier slechts tweeënhalve week. Hij werd gulziger, had ze indertijd gedacht, wat inhield dat hij wellicht ook roekelozer zou worden. Jenny durfde ook haar hand eronder te verwedden dat er geestelijke desintegratie plaatsvond.

De misdadiger had goede plaatsen uitgezocht om toe te slaan. Openluchtfeesten, pubs, dansfeesten, clubs, bioscopen en popconcerten waren allemaal gelegenheden waar je veel jonge mensen zou aantreffen. En die moesten uiteindelijk allemaal op de een of andere manier naar huis. Ze wist dat het team hem de bijnaam 'Kameleon' had gegeven en hij moest inderdaad heel bedreven zijn in het benaderen van zijn slachtoffers zonder door iemand gezien te worden. Ze waren allemaal 's avonds of 's nachts ontvoerd in stille, slecht verlichte straten. Verder was hij erin geslaagd buiten het bereik van beveiligingscamera's te blijven die tegenwoordig overal in de stad hingen.

Een getuige had gemeld dat ze Samantha, het slachtoffer uit Bradford, met iemand had zien praten door het raampje van een donkere auto. Dat was de enige informatie die Jenny tot haar beschikking had over zijn mogelijke ontvoeringsmethode.

Het nieuwjaarsfeest, het popconcert in Harrogate, de bioscoop en de universiteitspub waren allemaal voor de hand liggende jachtgronden, maar de vraag die Jenny sinds zaterdagavond had beziggehouden, was hoe de moordenaar kon hebben geweten van het dansfeest van de jongerenclub waar Kimberley Myers was ontvoerd. Woonde hij er in de buurt? Was hij lid van de kerk? Was hij toevallig langsgekomen? Voorzover ze wist, werden dergelijke feesten niet buiten de directe kerkgemeenschap aangekondigd, misschien niet eens buiten de jongerenclub. Inmiddels wist ze natuurlijk meer: Terence Payne woonde even verderop in de straat en gaf les op de plaatselijke scholengemeenschap. Hij kende het slachtoffer.

Verder had ze die dag een aantal dingen gehoord die een verklaring gaven voor een aantal verwarrende feiten en vragen die de voorafgaande weken bij haar waren opgekomen. Van de vijf ontvoeringen hadden er vier plaatsgevonden op vrijdagavond of in de vroege uren van zaterdagochtend. Jenny was er dan ook van uitgegaan dat de moordenaar tijdens kantooruren gewoon werkte en de weekends aan zijn hobby besteedde. De uitzondering hierop, Melissa Horrocks, had haar dwars gezeten, maar nu ze wist dat Payne leraar was, verklaarde dit de ontvoering van dinsdag 18 april. Dat was in de paasvakantie geweest, toen Payne vrij had gehad.

Op basis van deze summiere informatie (die stamde van voor de verdwijning van Kimberley Myers) had Jenny verondersteld dat ze te maken hadden met een ontvoerder die toesloeg wanneer hij daar kans toe zag. Hij reed met zijn auto langs veelbelovende plaatsen op zoek naar een bepaald type slachtoffer en wanneer hij er een had gevonden, sloeg hij razendsnel toe. Niets wees erop dat de meisjes op de avond van hun ontvoering of daarvoor waren gestalkt, hoewel ze die mogelijkheid nog steeds niet helemaal kon afschrijven, maar ze was ervan overtuigd dat hij de directe omgeving nauwkeurig had bestudeerd, alle in- en uitgangswegen had opgemerkt, elke hoek en nis had onderzocht, alles vanuit elk standpunt en elke hoek had bekeken. Dit soort zaken bracht altijd een bepaald risico met zich mee. Net genoeg misschien voor de flinke stoot adrenaline die mede verantwoordelijk was voor de opwinding en de spanning. Inmiddels wist Jenny dat hij chloroform had gebruikt om zijn slachtoffers te verdoven; daardoor nam het risico af.

Tot nu toe had ze geen bewijsmateriaal van een van de plaatsen van misdrijf kunnen meenemen in haar overwegingen, omdat er geen plaats delict bekend was geweest. Jenny had aangegeven dat er talloze redenen konden zijn dat er geen lichamen waren gevonden. Ze konden zijn gedumpt op afgelegen plekken, in een bos begraven, of in zee of een meer gegooid. Toen het aantal verdwijningen echter toenam en de tijd verstreek zonder dat er ook maar één lichaam werd gevonden, neigde Jenny steeds meer naar de theorie dat de dader een verzamelaar was, iemand die zijn slachtoffers oppikt en koestert, en zich vervolgens van hen ontdoet zoals een vlinderverzamelaar zijn trofeeën vergast en vastspeldt.

Nu had ze echter de kleine kelderruimte gezien waar de moordenaar de lichamen of lichaamsdelen had begraven en dat had hij niet uit onbedachtzaamheid gedaan. Ze geloofde niet dat de tenen van één slachtoffer boven de aarde uitstaken omdat Terence Payne slordig was geweest; ze waren zichtbaar omdat hij dat gewild had, omdat dit deel uitmaakte van zijn fantasieën, omdat hij erop geilde zoals ze in de VS zouden zeggen. Ze vormden zijn verzameling, zijn prijzenkast. Zijn tuin.

Nu moest Jenny haar profielschets aanpassen en er al het nieuwe bewijsmateriaal in verwerken dat The Hill 35 de komende weken zou opleveren. Ze moest eveneens zoveel mogelijk te weten zien te komen over Terence Payne.

Dan was er nog iets. Jenny moest nu ook rekening houden met Lucy Payne.

Had Lucy geweten wat haar man uitspookte?

Het was heel goed mogelijk dat ze in ieder geval iets had vermoed.

Waarom had ze er met niemand over gesproken?

Uit angst of een misplaatst gevoel van loyaliteit misschien? Hij was tenslotte haar man. Als hij haar gisteravond met een vaas had geslagen, bestond er grote kans dat hij haar al eerder had geslagen en haar had duidelijk gemaakt welk lot haar te wachten stond als ze iemand de waarheid vertelde. Lucy zou dan een zwaar leven hebben gehad, maar Jenny geloofde wel dat ze het zou kunnen dragen. Er zijn genoeg vrouwen die zo'n zwaar leven accepteren.

Maar was Lucy er ook actief bij betrokken geweest?

Ook dat was mogelijk. Jenny had voorzichtig geopperd dat de ontvoeringsmethode erop wees dat de moordenaar mogelijk een handlanger had gehad, iemand die het meisje de auto in had gelokt of haar aandacht had afgeleid, zodat hij haar van achteren kon benaderen. Een vrouw zou bij uitstek geschikt zijn voor die rol en de ontvoering zelf een stuk gemakkelijker hebben gemaakt. Jonge meisjes die mannen met de nodige achterdocht bekijken, zullen eerder geneigd zijn door een autoraampje van een stilstaande auto met iemand te praten en deze persoon te helpen wanneer het een vrouw betreft.

Waren vrouwen in staat tot zoiets slechts?

Absoluut. En als ze ooit werden gepakt, was de volkswoede die zich tegen hen richtte vele malen groter dan bij een man. Dat kon je wel zien aan de manier waarop het volk had gereageerd op Myra Hindley, Rose-Mary West en Karla Homolka.

Was Lucy Payne inderdaad een moordenaar?

Banks was uitgeput toen hij die avond tegen middernacht het smalle pad naast Gratly Cottage inreed. Hij besefte dat hij beter in Leeds een hotelkamer had kunnen nemen zoals hij wel eerder had gedaan, of dat hij Ken Blackstones aanbod bij hem thuis op de bank te slapen had moeten accepteren, maar hij wilde die avond graag naar huis, ook al had Annie geweigerd bij hem te komen. Hij had niet tegen de rit naar huis opgezien. Het rijden hielp hem juist zich te ontspannen.

Er stonden twee boodschappen op zijn antwoordapparaat. De eerste was van Tracy, die vertelde dat ze het nieuws had gehoord en hoopte dat het goed met hem ging; de tweede was van Leanne Wrays vader Christopher, die de persconferentie op het avondjournaal had gezien en wilde weten of de politie het lichaam van zijn dochter in het huis van de Paynes had gevonden.

Banks besloot geen van beiden nu terug te bellen. Om te beginnen was het al veel te laat en bovendien wilde hij met niemand praten. Morgenochtend was vroeg genoeg. Nu hij eenmaal thuis was, vond hij het zelfs wel prettig dat Annie niet kwam. De gedachte aan gezelschap, zelfs dat van Annie, was hem vanavond net iets te veel en na alles wat hij vandaag had gezien en gehoord, was de gedachte aan seks even aanlokkelijk als een bezoek aan de tandarts.

In plaats daarvan schonk hij een flink glas Laphroaig voor zichzelf in en zocht hij een cd die bij zijn stemming paste. Normaal gesproken had hij geen enkele moeite om een keus uit zijn uitgebreide collectie te maken, maar vanavond keurde hij de ene cd na de andere af. Hij had geen zin in jazz of rock of andere heftige, primitieve muziek. Hij was evenmin in de stemming voor Wagner, Mahler of een van de romantici: Beethoven, Schubert, Rachmaninoff en alle anderen. De hele twintigste eeuw viel trouwens ook af. Ten slotte koos hij Rostropovich' uitvoering van de cellosuites van Bach.

Buiten de cottage boog de lage stenen muur tussen het zandpad en het beekje even af en hij vormde een reling om de kleine klif die als een balkon boven Gratly Falls hing: een waterval die uit een reeks trapsgewijs omlaag lopende plateaus bestond, elk niet meer dan een meter hoog, en die dwars door het dorp tot aan de kleine stenen brug stroomde waar het water zich verzamelde. Sinds hij de vorige zomer zijn intrek in de cottage had genomen, had Banks er een gewoonte van gemaakt om op het kleine terras de dag af te sluiten met een slaapmutsje en een sigaret voordat hij naar bed ging.

Het was een windstille avond en het rook naar hooi en warm gras. Onder hem lag The Dale in diepe rust. In een of twee boerderijen aan de overkant van de vallei brandde nog licht, en behalve de geluiden van schapen in de weide aan de andere kant van de beek en nachtdieren in het bos was alles stil. Hij kon in het duister nog net de contouren van de heuvels in de verte onderscheiden. Hij meende in de verte de spookachtige roep van een wulp te horen. Het licht van de nieuwe maan glinsterde zwakjes, maar er waren meer sterren dan hij in lange tijd bij elkaar had gezien. Terwijl hij stond te kijken, viel er een ster door het duister naar beneden en deze liet een dun, melkwit spoor achter.

Banks deed geen wens.

Hij voelde zich neerslachtig. De opluchting die hij had verwacht toen bleek dat ze de moordenaar hadden gepakt, was op de een of andere manier aan hem voorbijgegaan. Hij had niet het idee dat er iets was afgesloten, dat het kwaad onschadelijk was gemaakt. Hij had juist het onverklaarbare gevoel dat het kwaad zich eigenlijk nu pas begon te roeren. Hij probeerde het van zich af te zetten.

Naast hem klonk gemiauw en hij keek omlaag. Het was de magere rode kat uit het bos. Sinds de vorige lente was hij verschillende keren tevoorschijn gekomen wanneer Banks 's avonds laat alleen buiten zat. Toen hij voor de tweede keer kwam opdagen, had hij hem wat melk gegeven, die het dier gulzig had opgelebberd voordat het weer tussen de bomen was verdwenen. Hij had het nooit ergens anders of op een ander tijdstip gezien. Eén keer had hij zich zelfs op het bezoek voorbereid en had hij kattenvoer gekocht, maar de kat had het niet aangeraakt. Het enige wat het beestje deed was miauwen en de melk opdrinken, waarna het een paar minuten parmantig rondwandelde en ten slotte weer terugging naar waar het vandaan kwam. Banks haalde een schoteltje melk, zette het neer en schonk tegelijkertijd zijn eigen glas bij. De kattenogen glommen geel in het duister toen de kat naar hem opkeek voordat hij zich vooroverboog om te drinken.

Banks stak een sigaret op, leunde met zijn rug tegen de muur en liet zijn glas op de ruwe, stenen bovenkant rusten. Hij probeerde de verschrikkelijke beelden van die dag uit zijn hoofd te verdrijven. De kat wreef langs zijn been en rende weer het bos in. Rostropovich speelde verder en Bachs precieze, wiskundige geluidspatronen vormden een ongewoon contrast met de woeste, ruisende muziek van Gratly Falls, die recentelijk door de lentedooi was aangezwollen, en enkele ogenblikken ging Banks volledig in dit alles op.

6

Volgens haar ouders bevond hun zeventienjarige dochter Melissa Horrocks, die op achttien april niet was thuisgekomen van een popconcert in Harrogate, zich in een rebelse fase.

Steven en Mary Horrocks hadden slechts één kind, een onverwachte zegening toen Mary al halverwege de dertig was. Steven werkte bij de administratie van een plaatselijk zuivelbedrijf en Mary had een part-time baan bij een makelaarskantoor in de stad. Toen Melissa een jaar of zestien was, kreeg ze belangstelling voor het soort popmuziek waarbij satanisme een rol speelde.

Hoewel Steven en Mary van vrienden te horen hadden gekregen dat het allemaal heel onschuldig was, een soort uitlaatklep, en dat het wel weer over zou gaan, werden ze toch ongerust toen Melissa haar uiterlijk begon te veranderen en haar schoolwerk en sport verwaarloosde. Melissa verfde haar haar rood, nam een neuspiercing en droeg alleen nog maar zwarte kleren. De muur in haar slaapkamer hing vol met posters van magere, satanisch-uitziende popsterren als Marilyn Manson en occulte symbolen die haar ouders niet begrepen.

Ongeveer een week voor het concert had Melissa besloten dat ze haar rode haar toch niet mooi vond en het weer in de natuurlijke blonde staat teruggebracht. Banks bedacht later dat haar rode haar misschien haar redding kon zijn geweest. Ook vermoedde hij dat ze voor haar ontvoering niet was gestalkt, niet lang in ieder geval. De Kameleon zou nooit een roodharig meisje hebben achtervolgd.

Harrogate, een welvarende stad in het noorden van Yorkshire met zeventigduizend inwoners, stond bekend als één groot congrescentrum. Het was een geliefd woonoord voor gepensioneerden en niet bepaald een voor de hand liggende plek voor een concert van Beelzebub's Bollocks, maar de band was nieuw en had nog geen groot platencontract. Via het kleinere circuit probeerden ze naar grotere optredens toe te werken. Van gepensioneerde kolonels en bemoeizuchtige oude dametjes die gewoonlijk naar alle troep op televisie kijken om er vervolgens protestbrieven over te schrijven, waren de gebruikelijke oproepen voor een verbod gekomen, maar dat had uiteindelijk niets uitgehaald. Ongeveer vijfhonderd jongeren, waaronder Melissa en haar vriendinnen Jenna en Kayla, hadden hun weg gevonden naar het omgebouwde theater. Het concert was om halfelf afgelopen en de drie meisjes hadden na afloop buiten nog even over het optreden staan kletsen. Rond kwart voor elf hadden ze afscheid genomen en waren ze alle drie hun eigen weg gegaan. Het was een zwoele nacht geweest en Melissa had gezegd dat ze ging lopen. Ze woonde net buiten het centrum en het grootste deel van de wandeling leidde langs de drukke, goed verlichte Ripon Road. Twee mensen meldden zich later om te vertellen dat ze haar tegen elven op het kruispunt van West Park en Beech Grove in zuidelijke richting hadden zien lopen. Om thuis te komen moest ze op Beech Grove afslaan en honderd meter verderop een zijweg nemen, maar daar kwam ze nooit aan.

In eerste instantie klampte de politie zich nog vast aan de hoop dat Melissa van huis was weggelopen vanwege de voortdurende strijd tussen haar en haar ouders. Net als Jenna en Kayla verzekerden Steven en Mary Banks echter dat dit onmogelijk het geval kon zijn. De twee vriendinnen zeiden dat ze elkaar alles vertelden en waren ervan overtuigd dat zij het zouden hebben geweten als ze van plan was geweest ervandoor te gaan. Bovendien hadden ze afgesproken elkaar de volgende dag in Victoria Centre te ontmoeten.

Dan was er nog het satanische element, dat nooit lichtzinnig werd genegeerd wanneer er een meisje werd vermist. De bandleden werden ondervraagd, evenals de bezoekers voorzover die waren terug te vinden, maar ook dat leidde nergens toe. Zelfs Banks moest na bestudering van de verklaringen toegeven dat het een vrij tam, onschuldig evenement was geweest en dat de zwarte magie alleen voor de show was gebruikt, net als bij Black Sabbath en Alice Cooper in zijn jonge jaren.

Toen Melissa's zwarte leren schoudertas twee dagen na haar verdwijning ergens in de struiken werd gevonden – waarschijnlijk uit het raam van een rijdende auto geworpen, met al het geld er nog in – werd de zaak onder de aandacht van Banks' Kameleon-team gebracht. Net als Kelly Matthews, Samantha Foster en Leanne Wray was Melissa Horrocks in rook opgegaan.

Jenna en Kayla waren er kapot van. Vlak voordat Melissa de nacht was ingewandeld, hadden ze nog grappen staan maken over enge mannen, vertelde Kayla. Melissa had naar haar borst gewezen en gezegd dat het occulte symbool op haar T-shirt alle kwade geesten wel op afstand zou houden.

De recherchecommandokamer was die dinsdagochtend om negen uur stampvol. Meer dan veertig mensen zaten op de rand van de bureaus of leunden tegen de muren. Het was verboden te roken in het gebouw en daarom kauwden de meesten op kauwgom of speelden ze nerveus met paperclips of elastiekjes. De meesten van hen zaten al vanaf het begin bij de task force en hadden al heel wat in de zaak geïnvesteerd, zowel emotioneel als lichamelijk. Banks wist dat het huwelijk van in elk geval één onfortuinlijke politieman op de klippen was gelopen vanwege de uren die hij maakte. Het zou toch wel zijn gebeurd, had Banks zichzelf voorgehouden, maar een onderzoek als dit kon een relatie extra onder druk zetten als de spanningen toch al hoog waren opgelopen. Inmiddels had Banks zelf het gevoel onder hoogspanning te staan en hij vroeg zich af wat er zou gebeuren als hij de kritieke fase had bereikt.

Er werd nu in elk geval vooruitgang geboekt, hoe onduidelijk de situatie verder ook was, en er werd wild gespeculeerd. Iedereen wilde weten wat er was gebeurd. Er heerste een tweeslachtige sfeer: aan de ene kant zag het ernaar uit dat ze de dader te pakken hadden; aan de andere kant was iemand van hun team om het leven gekomen en stond zijn partner op het punt door de mangel te worden gehaald.

Toen Banks na weer een slapeloze nacht, ondanks een derde glas Laphroaig en een tweede cd met cellosonates van Bach, wat afgetobder dan normaal binnenkwam, verstomde het lawaai in de ruimte en wachtte iedereen gespannen op wat komen ging. Banks ging samen met Ken Blackstone naast het prikbord staan waar de foto's van de meisjes waren opgehangen.

'Goed,' zei hij. 'Ik zal mijn best doen om uit te leggen hoe we er momenteel voor staan. De technische recherche is nog steeds ter plaatse en het ziet ernaar uit dat dat nog wel even gaat duren. Tot nu toe zijn er drie lichamen gevonden in de achterkamer van de kelder en het lijkt erop dat er geen plaats is voor meer. Ze zijn in de achtertuin op zoek naar het vierde. De slachtoffers zijn nog geen van allen geïdentificeerd, maar brigadier Nowak heeft laten weten dat het allemaal jonge vrouwen zijn, dus we kunnen redelijkerwijs aannemen dat dit de meisjes zijn die worden vermist. Later vandaag kunnen we aan de hand van de gebitsidentificatie meer zekerheid geven. Dokter Mackenzie heeft gisteren aan het eind van de dag sectie verricht op Kimberley Myers en heeft ontdekt dat ze met chloroform is bedwelmd, maar dat de dood is veroorzaakt door obstructie van de nervus vagus door middel van wurging met een wurgkoord. In de wond zijn gele, plastic vezels aangetroffen, afkomstig van de waslijn.' Hij zweeg even, zuchtte diep en ging verder:

'Tevens was ze anaal en vaginaal verkracht en is ze gedwongen hem met de mond te bevredigen.'

'Is er al iets bekend over Payne?' vroeg iemand. 'Leeft die klootzak nog?'

'Het laatste wat ik heb gehoord is dat ze een herseneoperatie moesten uitvoeren. Terence Payne ligt nog steeds in coma en het is niet te voorspellen hoe lang dat nog zal duren of hoe het zal aflopen. Overigens weten we inmiddels dat Terence Payne in Seacroft heeft gewoond en gewerkt voordat hij twee jaar terug aan het begin van het nieuwe schooljaar in september naar west-Leeds is verhuisd. Hoofdinspecteur Blackstone vermoedt dat hij wel eens de verkrachter van Seacroft zou kunnen zijn, dus we laten zijn DNA testen. Ik wil dat een paar van onze mensen samen met iemand van de plaatselijke CID die zaak onder de loep nemen. Brigadier Stewart, kun jij dat regelen?'

'Geen probleem. Dat zal de CID van Chapeltown zijn.'

Chapeltown zou maar al te graag bereid zijn om mee te werken, vermoedde Banks. Het was voor hen een gemakkelijke manier om in één klap verschillende dossiers af te sluiten.

'We hebben ook het kenteken van Paynes auto gecheckt in Swansea. Hij was in het bezit van valse kentekenplaten. Zijn eigen kenteken eindigt op KWT, precies wat de ooggetuige in de zaak van de verdwijning van Samantha Foster heeft gemeld. De technische recherche heeft ze in de garage gevonden, waar ze waren verstopt. Dat betekent dat de CID van Bradford hem al eerder moet hebben ondervraagd. Ik neem aan dat hij daarna is overgestapt op de valse nummerborden.'

'Hoe staat het met Dennis Morrisey?' vroeg iemand.

'Uit het onderzoek dat dokter Mackenzie ter plekke heeft uitgevoerd, is gebleken dat agent Morrisey op de plaats delict is overleden aan bloedverlies als gevolg van een doorgesneden halsslagader en halsader. Later vandaag zal sectie worden verricht. Zoals jullie je wel zullen kunnen voorstellen, heeft zich inmiddels een flinke file gevormd in het mortuarium. Dokter Mackenzie zoekt nog assistenten. Is iemand van jullie misschien geïnteresseerd?'

Er ging een nerveus gelach op.

'En Taylor?' vroeg een van de agenten.

'Agent Taylor probeert zich staande te houden,' zei Banks. 'Ik heb haar gisteravond gesproken en ze was in staat me te vertellen wat er in de kelder is gebeurd. Zoals jullie waarschijnlijk al weten, zal haar aandeel in de gebeurtenissen worden onderzocht, dus laten we alsjeblieft proberen daar buiten te blijven.'

Een luid boegeroep steeg op uit de mensenmassa. Banks vroeg om stilte. 'Het moet nu eenmaal gedaan worden,' zei hij. 'Hoe onpopulair het ook is. Niemand van ons staat boven de wet. Laten we er ons echter niet door laten afleiden. Onze taak zit er nog lang niet op. Het forensisch onderzoek in het huis zal een enorme berg materiaal opleveren. Alles zal moeten worden gelabeld, verpakt en opgeborgen. HOLMES is nog steeds in werking, dus zullen de groene formulieren moeten worden ingevuld en in de databank ingevoerd.'

Banks hoorde Carol Houseman, de speciale HOLMES-medewerker, kreunen: 'Verdomme!'

'Het spijt me, Carol,' zei hij met een meelevende glimlach. 'Wat moet, dat moet. Er valt nog heel wat werk te doen. We moeten het bewijsmateriaal verzamelen. We moeten aantonen dat Terence Payne de moordenaar is van alle vijf de vermiste meisjes.'

'En zijn vrouw?' vroeg iemand. 'Zij moet er toch ook vanaf hebben geweten?'

Dat had Ken Blackstone ook al gezegd. 'Dat weten we niet,' antwoordde Banks. 'Op dit ogenblik wordt ze als slachtoffer beschouwd. De mogelijkheid dat ze erbij betrokken is geweest, zullen we nog moeten onderzoeken. Het is niet uitgesloten dat hij een handlanger heeft gehad. Het is de bedoeling dat ik haar later vanochtend te spreken krijg.' Banks wierp een blik op zijn horloge en richtte zich tot brigadier Filey. 'Ted, ik wil graag dat jij intussen een team samenstelt dat alle verklaringen doorneemt en iedereen opnieuw ondervraagt die we direct na de verdwijningen hebben gesproken. Familie, vrienden, getuigen, iedereen. Begrepen?'

'Ja, hoofdinspecteur,' zei Ted Filey.

Banks had er een hekel aan met zijn rang te worden aangesproken, maar hij zei er niets van. 'Zorg dat je een paar foto's krijgt van Lucy Payne en kijk of iemand zich herinnert haar te hebben gezien in verband met een van de verdwijningen.'

Er werd luid geroezemoesd en Banks maande hen opnieuw tot stilte. 'Voorlopig wil ik dat iedereen contact houdt met onze office-manager brigadier Grafton hier...' zei hij.

Er werd gejuicht en Ian Grafton begon te blozen.

'Hij is degene die de opdrachten verdeelt en dat zullen er heel wat zijn. Ik wil weten wat Terence en Lucy Payne bij hun ontbijt eten en hoe vaak ze naar de wc gaan. Doctor Fuller is van mening dat Payne een of ander visueel verslag van zijn daden heeft bijgehouden, waarschijnlijk video's en mogelijk foto's. Tot dusver zijn die niet op de plaats van het misdrijf gevonden, maar het is belangrijk dat we uitzoeken of de Paynes ooit videoapparatuur hebben gekocht of gehuurd.'

Banks merkte de sceptische blikken op toen de naam Fuller viel. Typerend voor die bekrompen manier van denken, dacht hij. Adviserend psychologen mochten dan misschien geen magische krachten bezitten en niet binnen enkele uren de naam van de moordenaar kunnen noemen, hij wist uit ervaring dat ze wel het aantal verdachten konden reduceren en de mogelijke woonplaats van de dader konden aanwijzen. Waarom zouden ze dan geen gebruik maken van hun diensten? In het beste geval zouden ze hen inderdaad kunnen helpen en in het slechtste geval was er geen man overboord. 'Bedenk goed,' vervolgde hij, 'dat er vijf meisjes zijn ontvoerd, verkracht en vermoord. Vijf meisjes. Ik hoef jullie niet te vertellen dat het net zo goed jullie eigen dochter had kunnen zijn. We geloven dat we de man te pakken hebben die hiervoor verantwoordelijk is, maar we weten nog niet zeker of hij alleen te werk is gegaan. En ongeacht de toestand waarin hij nu verkeert, we zullen onomstotelijk moeten bewijzen dat hij de dader is, dus ons team gaat er niet de kantjes vanaf lopen. Begrepen?'

De aanwezigen mompelden als één man 'Ja', waarna het gezelschap uiteenviel. Sommigen slenterden naar buiten om een sigaret te roken, anderen zochten hun plaats achter hun bureau weer op.

'Nog één ding,' zei Banks. 'Bowmore en Singh. In mijn kantoor. Nu meteen.'

Na een kort gesprek met Banks en commissaris Hartnell, die zijn blik onverholen en goedkeurend langs haar lichaam liet glijden, las inspecteur Annie Cabbot het dossier over Janet Taylor nog eens door terwijl ze zat te wachten in het kleine kantoor dat haar was toegewezen. Hartnell had besloten dat een kantoor een minder bedreigende omgeving vormde voor het inleidende gesprek dan een van de sombere verhoorkamers, zeker nu Janet Taylor uit eigen wil een verklaring kwam afleggen.

Annie was onder de indruk van Taylors staat van dienst. Het leed geen twijfel dat ze het binnen vijf jaar tot de rang van inspecteur zou schoppen, als ze tenminste van alle beschuldigingen werd vrijgesproken. Janet Taylor kwam uit de omgeving, uit Pudsey, en had een graad in de sociologie behaald aan de universiteit van Bristol. Ze was net drieëntwintig geworden, was ongetrouwd en woonde alleen. Janet had voor al haar toelatingsexamens hoge cijfers gekregen en blijk gegeven van een helder inzicht in de complexiteit van het politiewerk. Daarnaast bezat ze goede cognitieve vaardigheden en een opmerkelijk talent voor het oplossen van problemen. Ze was gezond en had als hobby's onder andere squash, tennis en computers opgegeven. Tijdens haar studie had ze 's zomers bij de bewakingsdienst van het White Rose Centre in Leeds gewerkt waar ze de camera's had beheerd, maar ze had ook in het winkelcentrum gepatrouilleerd. Daarnaast had Janet vrijwilligerswerk verricht voor de kerk.

Het klonk Annie allemaal nogal saai in de oren, maar zijzelf was dan ook opgegroeid in een kunstenaarscommune vol vreemde vogels, hippies en andere excentriekelingen. Annie was pas laat bij de politie terechtgekomen, en hoewel ze ook een universiteitsgraad had, was kunstgeschiedenis niet echt nuttig in haar huidige baan. Verder had ze het versnelde promotiesysteem niet gehaald vanwege een incident op haar vorige werkplek, waar drie collega's hadden geprobeerd haar te verkrachten na een feestje ter gelegenheid van haar promotie tot brigadier. Voordat ze hen van zich af had weten te slaan, was een van hen daadwerkelijk in zijn opzet geslaagd. Getraumatiseerd als ze was, had Annie het incident pas de volgende ochtend aangegeven, nadat ze uren in bad had doorgebracht en al het bewijsmateriaal had weggespoeld. Haar chef had het woord van de drie mannen laten prevaleren boven het hare. Hoewel ze hadden toegegeven dat de zaak een beetje uit de hand was gelopen en de flink aangeschoten Annie zelf had geprobeerd hen te verleiden, zeiden ze dat ze de zaak onder controle hadden weten te houden en dat er geen geslachtsverkeer had plaatsgevonden.

Annie had zich een tijd lang niets gelegen laten liggen aan haar carrière en niemand was verbaasder geweest dan zijzelf toen haar ambitie toch weer de kop opstak, wat inhield dat ze eerst de verkrachting en de nasleep ervan moest verwerken, wat gecompliceerder en traumatischer was dan iemand ooit kon beseffen. Nu was ze een volwaardig inspecteur die onderzoek verrichtte naar een politiek gevoelige zaak voor hoofdinspecteur Chambers, die deze opdracht angstvallig uit zijn buurt hield.

Na een korte tik op de deur kwam een jonge vrouw binnen met kort zwart haar dat er droog en lusteloos uitzag. 'Ze zeiden dat ik u hier kon vinden,' zei ze.

Annie stelde zichzelf voor. 'Ga zitten, Janet.'

Janet nam plaats op de harde stoel. Ze zag eruit alsof ze de hele nacht niet had geslapen, wat Annie geenszins verbaasde. Haar gezicht was bleek en ze had donkere kringen onder haar ogen. Janet Taylor zou een aantrekkelijke vrouw zijn wanneer slapeloosheid en angst haar niet in hun greep hielden. Ze had in elk geval prachtige grijsblauwe ogen en het soort jukbeenderen waar modellen hun carrière aan te danken hebben. 'Hoe gaat het met hem?' vroeg Janet.

'Wie?'

'U weet wel. Payne.'

'Nog steeds buiten bewustzijn.'
'Zal hij het overleven?'
'Dat kunnen ze nog niet zeggen, Janet.'
'O. Het is alleen dat... ehm... ik neem aan dat dat van invloed zal zijn op mijn positie.'
'Als hij doodgaat? Ja, dat is inderdaad van invloed. Maak je daar nog maar geen zorgen over. Ik wil graag dat je me precies vertelt wat er in de kelder van de Paynes is gebeurd en daarna wil ik dat je je verklaring opschrijft. Dit is geen officiële ondervraging, Janet. Ik weet zeker dat je in die kelder door een hel bent gegaan en niemand is van plan je als een misdadiger te behandelen. We moeten in dit soort gevallen nu eenmaal bepaalde procedures volgen en hoe eerder we die achter de rug hebben, hoe beter.' Annie was niet helemaal eerlijk, maar ze wilde Janet Taylor graag op haar gemak stellen. Ze wist dat ze bepaalde informatie uit haar moest trekken, dat ze haar enigszins onder druk moest zetten en haar af en toe misschien hard moest aanpakken. Dat was nu eenmaal haar ondervragingstactiek; tenslotte kwam onder druk pas vaak de waarheid boven tafel. Voorlopig zou ze het van de situatie laten afhangen, maar als ze druk op Janet Taylor moest uitoefenen, dan zou ze dat ook doen. Die verdomde Chambers en Hartnell ook. Als ze dan toch die klereopdracht moest vervullen, zou ze het goed doen.
'Maakt u zich geen zorgen,' zei Janet. 'Ik heb niets verkeerds gedaan.'
'Daar ga ik ook van uit. Vertel maar.'
Terwijl Janet Taylor op vlakke, afstandelijke toon haar verhaal deed alsof ze het al ontelbare keren had verteld, lette Annie ook op haar lichaamstaal. Janet schoof vaak op haar stoel heen en weer en wrong haar handen die op haar schoot lagen. Bij het vertellen van de ergste verschrikkingen sloeg ze haar armen over elkaar en werd haar stem nog vlakker en uitdrukkingslozer. Annie liet haar doorpraten en maakte aantekeningen. Toen Janet beschreef dat ze met Morriseys hoofd op haar schoot op de ambulance zat te wachten terwijl zijn warme bloed op haar dijen druppelde, sprongen er tranen in haar ogen.
Annie liet de daaropvolgende stilte even voortduren en vroeg toen of Janet iets wilde drinken. Ze vroeg om een glas water. Terwijl Annie het glas vulde onder de kraan, zei ze: 'Nog een paar dingetjes, Janet, dan laat ik je even alleen zodat je je verklaring kunt opschrijven.'
Janet gaapte. Ze sloeg haar hand voor haar mond, maar verontschuldigde zich niet. In een gewone situatie zou Annie die gaap hebben beschouwd als een teken van angst of nervositeit, maar Janet Taylor had een geldige reden om moe te zijn, dus schonk ze er deze keer niet zoveel aandacht aan.

'Waar dacht je aan toen dit alles gebeurde?' vroeg Annie.
'Waar ik aan dacht? Ik weet niet of ik wel iets dacht. Ik reageerde instinctief.'
'Herinnerde je je nog wat je bij de opleiding hebt geleerd?'
Janet Taylor lachte, maar het klonk geforceerd. 'De opleiding bereidt je niet voor op een situatie als deze.'
'En de training met de wapenstok?'
'Daar hoefde ik niet bij na te denken. Dat ging vanzelf.'
'Je voelde je bedreigd.'
'Ja natuurlijk, verdomme. Hij had Dennis vermoord en hij wilde mij ook vermoorden. Dat meisje op het bed had hij ook vermoord.'
'Hoe wist je dat ze dood was?'
'Wat?'
'Kimberley Myers. Hoe wist je dat ze dood was? Je zei dat het allemaal heel snel gebeurde, dat je alleen een glimp van haar had opgevangen voordat hij jullie aanviel.'
'Ik... ik denk dat ik daar gewoon van uitging. Ze lag daar tenslotte naakt op dat bed met die gele waslijn om haar hals. Haar ogen waren open. Het leek me de meest logische verklaring.'
'Goed,' zei Annie. 'Dus je hebt er nooit aan gedacht dat je haar moest proberen te redden, te reanimeren bijvoorbeeld?'
'Nee. Ik maakte me te veel zorgen over wat er met Dennis was gebeurd.'
'En met wat er daarna waarschijnlijk met jou zou gebeuren?'
'Ja.' Janet nam een slok water. Er druppelde wat langs haar kin op de voorkant van haar grijze T-shirt, maar ze scheen het niet te merken.
'Je trok dus je wapenstok. Wat gebeurde er toen?'
'Dat heb ik al verteld. Hij kwam op me af met een krankzinnige blik in zijn ogen.'
'En hij haalde met zijn hakmes naar je uit?'
'Ja. Ik wist hem met mijn wapenstok af te weren, precies zoals we hebben geleerd. Toen hij miste, zwaaide ik met mijn wapenstok in zijn richting en raakte ik hem voordat hij me opnieuw kon aanvallen.'
'Waar kwam die eerste klap terecht?'
'Op zijn hoofd.'
'Waar precies op zijn hoofd?'
'Dat weet ik niet. Dat kon me eerlijk gezegd niet schelen.'
'Je wilde toch dat hij werd uitgeschakeld?'
'Ik wilde voorkomen dat hij me zou vermoorden.'
'Dus je wilde hem ergens raken waar het effect had?'
'Tja, ik ben rechtshandig, dus ik neem aan dat ik hem aan de linkerkant

van zijn hoofd heb geraakt, ergens bij zijn slaap.'
'Viel hij op de grond?'
'Nee, maar hij was wel versuft. Hij kon zijn machete niet in de juiste positie krijgen om me nog eens aan te vallen.'
'Waar hem je hem toen geraakt?'
'Op zijn pols, denk ik.'
'Om hem te ontwapenen?'
'Ja.'
'Lukte dat?'
'Ja.'
'Wat deed je toen?'
'Ik schopte het mes in een hoek.'
'Wat deed Payne toen?'
'Hij greep mijn pols vast en schold me uit.'
'Je had hem op dat moment één keer op zijn linkerslaap geraakt en één keer op zijn pols?'
'Dat klopt.'
'Wat deed je toen?'
'Ik sloeg hem nog een keer.'
'Waar?'
'Op zijn hoofd.'
'Waarom deed je dat?'
'Om hem onschadelijk te maken.'
'Stond hij op dat moment rechtop?'
'Ja. Hij had op zijn knieën gelegen om de machete te zoeken, maar toen stond hij op en liep op me af.'
'Hij was inmiddels ongewapend?'
'Ja, maar hij was nog steeds groter en sterker dan ik. En hij had een dolgedraaide blik in zijn ogen, alsof hij nog heel veel kracht had.'
'Dus toen heb je hem opnieuw geslagen.'
'Ja.'
'Op dezelfde plek?'
'Dat weet ik niet. Ik heb mijn wapenstok op dezelfde manier gebruikt. Dus dat zal wel, ja, tenzij hij zich half had omgedraaid.'
'Had hij dat?'
'Ik dacht het niet.'
'Maar het is mogelijk? Je hebt dit immers zelf geopperd.'
'Ik denk wel dat het mogelijk is, ja.'
'Heb je hem ook op zijn achterhoofd geraakt?'
'Volgens mij niet.'
Janet begon te zweten. Annie kon de druppels op haar voorhoofd zien

en de donkere vlek onder haar armen. Ze wilde het haar niet nog moeilijker maken, maar ze had een opdracht en ze kon keihard zijn als het nodig was. 'Wat gebeurde er toen je Payne voor de tweede keer op zijn hoofd had geraakt?'

'Niets.'

'Hoe bedoel je, niets?'

'Niets. Hij kwam weer op me af.'

'Dus heb je hem weer geslagen.'

'Ja. Ik heb mijn wapenstok met beide handen vastgepakt, als een cricketbat, zodat ik hem harder kon raken.'

'Op dat moment had hij niets meer om zichzelf mee te verdedigen, klopt dat?'

'Alleen zijn armen.'

'Hief hij die op om de klap op te vangen?'

'Hij hield met een hand zijn pols vast. Ik denk dat die gebroken was. Ik had iets horen kraken.'

'Dus je kon hem zo hard slaan als je wilde?'

'Hij bleef op me afkomen.'

'Je bedoelt dat hij dichterbij kwam?'

'Ja, en hij bleef me uitschelden.'

'Wat zei hij?'

'Allerlei schunnigs. En intussen lag Dennis te kreunen en te bloeden. Ik wilde naar hem toe, kijken of ik iets kon doen, maar dat kon pas wanneer Payne zich niet meer bewoog.'

'Je had niet het idee dat je hem met je handboeien onder controle kon houden?'

'Absoluut niet. Ik had hem al twee of drie keer geraakt, maar dat leek geen enkel effect te hebben. Hij bleef maar op me afkomen. Als ik dichter bij hem was gaan staan, had hij me kunnen vastpakken en dan zou hij me zeker hebben gewurgd.'

'Zelfs met zijn gebroken pols?'

'Ja. Hij kon zijn arm nog wel om mijn nek leggen.'

'Goed.' Annie zweeg even om een paar aantekeningen te maken. Ze kon Janet Taylors angst bijna ruiken. Ze rekte het opschrijven van haar aantekeningen totdat Janet onrustig heen en weer schoof en met haar vingers begon te spelen, en vroeg toen: 'Hoe vaak denk je dat je hem in totaal hebt geraakt?'

Janet hield haar hoofd schuin. 'Ik weet het niet. Ik heb ze niet geteld. Ik moest vechten voor mijn leven, ik moest mezelf beschermen tegen een maniak.'

'Vijf keer? Zes keer?'

'Dat heb ik toch al gezegd. Ik weet het niet meer. Net zo vaak als nodig was. Tot hij niet meer op me afkwam. Hij bleef maar komen.' Janet barste in snikken uit en Annie liet haar begaan. Het was voor het eerst dat haar emoties door de shock heen braken en het zou haar goed doen. Na enkele minuten had Janet zichzelf weer onder controle en ze dronk nog wat water. Kennelijk schaamde ze zich dat ze zich in het bijzijn van een collega zo had laten gaan.

'Ik ben bijna klaar, Janet,' zei Annie. 'Dan laat ik je verder met rust.'

'Goed.'

'Je zei net dat hij uiteindelijk bleef liggen.'

'Ja. Hij viel tegen een muur en zakte op de vloer.'

'Bewoog hij zich toen nog wel?'

'Hij schokte een beetje en ademde heel zwaar. Er zat bloed aan zijn mond.'

'Laatste vraag, Janet. Heb je hem nog geslagen toen hij al op de vloer lag?'

Haar wenkbrauwen schoten angstig omhoog. 'Nee. Volgens mij niet.'

'Wat deed je toen?'

'Ik heb hem met handboeien aan de leiding vastgemaakt.'

'En toen?'

'Toen ben ik Dennis gaan helpen.'

'Weet je heel zeker dat je hem niet meer hebt geslagen toen hij eenmaal op de grond lag? Voor de zekerheid?'

Janet keek haar niet aan. 'Dat heb ik al verteld. Volgens mij niet. Waarom zou ik?'

Annie boog zich voorover en leunde met beide armen op haar bureau. 'Probeer het je te herinneren, Janet.'

Janet schudde haar hoofd. 'Dat heeft geen zin. Ik kan het me niet herinneren.'

'Goed,' zei Annie en ze stond op. 'Einde gesprek.' Ze schoof Janet een formulier en een pen toe. 'Schrijf maar op wat je mij hebt verteld, zo gedetailleerd mogelijk graag.'

'Wat gaat er nu verder gebeuren?'

'Wanneer je klaar bent, ga je lekker naar huis, meid, en je neemt een stevige borrel.'

Janet wist een zwak glimlachje te produceren toen Annie wegliep en de deur achter zich dichttrok.

Bowmore en Singh kwamen schichtig Banks' tijdelijke kantoor in het gebouw in Millgarth binnen.

'Ga zitten,' zei hij.

Ze namen plaats. 'Wat is er aan de hand?' vroeg Singh en hij probeerde zo luchtig mogelijk te klinken. 'Hebt u een klus voor ons?'

Banks leunde achterover in zijn stoel en vouwde zijn handen achter zijn hoofd. 'Zo zou je het kunnen noemen,' zei hij. 'Als jullie potloden slijpen en het legen van prullenbakken tenminste een klus noemen.'

Hun mond zakte open. 'Maar meneer,' begon Bowmore, maar Banks legde hem het zwijgen op.

'Een nummerbord dat eindigt op de letters KWT, klinkt dat jullie bekend in de oren?'

'Ehm...'

'KWT. Kathryn Wendy Thurlow.'

'Jawel, meneer,' zei Singh. 'Dat is het nummerbord dat de CID van Bradford in het onderzoek naar Samantha Foster van een getuige te horen kreeg.'

'Bingo,' zei Banks. 'Misschien heb ik het verkeerd, maar ik dacht dat Bradford ons kopieën heeft gestuurd van alle dossiers die ze hadden over de zaak Samantha Foster toen ons team hier werd opgezet.'

'Dat klopt.'

'En daarbij was een lijst met de namen van iedereen in de omgeving die een donkere auto heeft met een nummerbord dat eindigt op KWT.'

'Meer dan duizend namen.'

'Meer dan duizend. Is het werkelijk. De CID van Bradford heeft hen allemaal ondervraagd. En raad eens wie zich onder die duizend ook bevindt.'

'Terence Payne,' antwoordde Singh weer.

'Slimme jongen,' zei Banks. 'Welnu, toen de CID van Bradford nog aan de zaak werkte, zagen ze toen al een link met vergelijkbare misdaden?'

'Nee.' Dit keer was het Bowmore die antwoordde. 'Er werd wel een meisje vermist na het oudejaarsfeest in Roundhay Park, maar er was op dat moment geen reden om aan te nemen dat er verband bestond.'

'Juist,' zei Banks. 'Waarom denken jullie dat ik kort na het opzetten van deze task force opdracht heb gegeven het bewijsmateriaal van alle vorige zaken opnieuw te bekijken, inclusief het dossier over de verdwijning van Samantha Foster?'

'Omdat u vermoedde dat er verband bestond,' zei Singh.

'Niet alleen ik,' zei Banks. 'Maar je hebt gelijk; het ging op dat moment om drie meisjes. Toen vier. Ten slotte vijf. De mogelijkheid dat er verband bestond, werd steeds groter. En raad eens wie de opdracht kreeg om het bewijsmateriaal in de zaak Samantha Foster na te pluizen?'

Singh en Bowmore keken elkaar aan, fronsten hun wenkbrauwen en keken weer naar Banks. 'Wij,' zeiden ze in koor.

'Waaronder dus ook de lijst van auto-eigenaren die de CID van Bradford

uit Swansea had gekregen en die opnieuw moesten worden ondervraagd.'
'Meer dan duizend namen, meneer.'
'Klopt,' zei Banks, 'maar ik mag toch aannemen dat jullie van alle kanten hulp hebben gekregen, dat de opdracht is verdeeld en dat jullie onder andere de letter P kregen toegewezen? Want dat staat hier in mijn
dossier. De P van Payne.'
'Dat waren er nog steeds heel wat. We hebben ze nog niet allemaal gehad.'
'Jullie hebben ze nog niet allemaal gehad? Dit was begin april. Meer
dan een maand geleden. Jullie hebben de boel een beetje laten verslof-
fen, zie ik dat goed?'
'Het was bepaald niet onze enige opdracht,' zei Bowmore.
'Luister,' zei Banks, 'Ik ben niet in jullie smoesjes geïnteresseerd. Om
de een of andere reden hebben jullie verzuimd Terence Payne opnieuw
te ondervragen.'
'Dat zou toch helemaal niets hebben uitgehaald,' wierp Bowmore tegen. 'Ik bedoel, de CID van Bradford zag hem toch ook niet als voornaamste verdachte? Wat zou hij ons hebben verteld dat hij hun niet
had verteld? Hij zou heus niet ineens alles hebben opgebiecht alleen
omdat wij een babbeltje met hem kwamen maken.'
Banks streek met een hand over zijn haar en vloekte zachtjes. Hij was
geen autoritair type, integendeel, en hij had er een bloedhekel aan om
uitbranders uit te moeten delen, maar als iemand die had verdiend dan
waren het deze twee stomme idioten wel. 'Is dit soms jullie opvatting
van eigen initiatief?' vroeg hij. 'Want in dat geval doen jullie er verstandig aan je in het vervolg aan de procedures te houden en opdrachten uit
te voeren.'
'Maar meneer,' sputterde Singh, 'hij was leraar. Net getrouwd. Had een
mooi huis. We hebben alle verklaringen doorgelezen.'
'Het spijt me,' zei Banks hoofdschuddend. 'Wil je zeggen dat het aan
mij ligt?'
'Hoe bedoelt u?'
'Ik wist namelijk nog niet dat doctor Fuller ons al een soort daders-
profiel had gegeven.'
Singh grinnikte. 'Om eerlijk te zijn heeft ze ons nog helemaal niets gegeven.'
'Hoe kwamen jullie er dan bij dat jullie een pasgetrouwde onderwijzer
met een mooi huis wel van de lijst konden schrappen?'
Singh deed zijn mond open en weer dicht. Bowmore staarde naar zijn
schoenen.

'Ja?' herhaalde Banks. 'Ik wacht nog steeds.'

'Hoort u eens,' zei Singh, 'het spijt ons, maar we waren gewoon nog niet aan hem toegekomen.'

'Hebben jullie wel al met andere mensen op de lijst gesproken?'

'Een paar,' mompelde Singh. 'Degenen die door Bradford als mogelijke verdachten waren aangestreept. Er was één man met een eerdere veroordeling voor potloodventen, maar die had een waterdicht alibi voor Leanne Wray en Melissa Horrocks. Dat hebben we al gecontroleerd.'

'Dus wanneer jullie niets beters te doen hebben, nemen jullie eens de moeite om de namen te checken waar Bradford een kanttekening bij heeft gezet, ja?'

'Dat is niet eerlijk,' wierp Bowmore tegen.

'Niet eerlijk. Weet je wat niet eerlijk is, Bowmore? Het is verdomme niet eerlijk dat minstens vijf meisjes hoogstwaarschijnlijk door Terence Payne om het leven zijn gebracht. Dat is niet eerlijk.'

'Maar dat zou hij toch nooit tegenover ons hebben toegegeven,' protesteerde Singh.

'Jullie zijn toch van de politie? Heel simpel gezegd komt het hierop neer: als jullie naar het huis van Payne waren gegaan toen dat van jullie werd verwacht, vorige maand bijvoorbeeld, dan waren een of twee van die meisjes misschien nog in leven.'

'Daar kunt u ons de schuld niet van geven,' protesteerde Bowmore met rood aangelopen gezicht. 'Dat kan zomaar niet.'

'Is dat zo? Stel dat jullie iets verdachts hadden gezien of gehoord tijdens jullie verhoor in zijn huis? Stel nu eens dat jullie op scherp staande speurdersinstinct iets had opgepikt en jullie hadden gevraagd of je even mocht rondkijken?'

'Bradford heeft niet...'

'Het kan me godverdomme geen barst schelen wat Bradford wel of niet heeft gedaan. Zij onderzochten een op zichzelf staande zaak, de verdwijning van Samantha Foster. Jullie waren daarentegen bezig met een hele reeks ontvoeringen. Als jullie toen in die kelder waren gaan rondsnuffelen, dan hadden jullie de dader te pakken, geloof mij maar. Als jullie alleen maar zijn videoverzameling hadden bekeken, dan zou dat iets verdachts hebben opgeleverd. Als jullie zijn auto van dichtbij hadden bekeken, zou jullie het valse nummerbord zijn opgevallen. Het kenteken dat hij nu gebruikt, eindigt op NVG in plaats van KWT. Dan hadden er toch een paar belletjes moeten gaan rinkelen, denken jullie ook niet? In plaats daarvan besluiten jullie op eigen houtje dat deze opdracht geen haast heeft. God weet wat jullie zo oneindig veel interessanter vonden. Wat hebben jullie daarop te zeggen?'

Ze staarden allebei naar de grond.

'Helemaal niets?'

'Nee, meneer,' mompelde Singh.

'Zelfs als ik jullie het voordeel van de twijfel gun,' zei Banks, 'en aanneem dat jullie andere aanwijzingen hebben nagetrokken en niet de kantjes eraf hebben gelopen, dan nog hebben jullie prutswerk afgeleverd.'

'Hij heeft tegen de CID van Bradford ongetwijfeld gelogen,' sputterde Bowmore. 'Dan zou hij tegen ons toch ook gelogen hebben?'

'Je snapt het nog steeds niet, hè?' zei Banks. 'Ik heb het je net uitgelegd. Jullie worden geacht politieagenten te zijn. Je accepteert nooit iets zomaar omdat iemand het zegt. Misschien was iets in zijn lichaamstaal je opgevallen. Misschien had je hem wel op een leugentje betrapt. Misschien klopte een van zijn alibi's niet. Misschien had iets je achterdocht gewekt. Begrijp je nu waar ik naartoe wil? Jullie hadden minstens twee of drie aanwijzingen meer dan Bradford en jullie hebben het verknald. Nu haal ik jullie van de zaak af, allebei, en dit komt in jullie dossier te staan. Is dat duidelijk?'

Als blikken konden doden, was Banks ogenblikkelijk onder die van Bowmore bezweken; Singh stond op het punt om in tranen uit te barsten, maar Banks had op dat moment met geen van tweeën medelijden. Hij voelde een barstende hoofdpijn opkomen. 'En nu wegwezen,' zei hij. 'Ik wil jullie niet meer in de recherchecommandokamer zien.'

Maggie had zich verstopt in de veilige beschutting van Ruths studio. Een stralende lentezon scheen door het raam naar binnen en ze had het op een kier gezet om wat frisse lucht binnen te laten. Het was een ruime kamer aan de achterkant van het huis en hij was oorspronkelijk bedoeld als derde slaapkamer. Hoewel het uitzicht wel iets te wensen overliet (een armoedig steegje met bergen afval en daarachter de torenflats van de sociale woningbouw) voldeed de kamer verder perfect aan al haar wensen. Er was ook nog een zolderruimte die via een vlizotrap kon worden bereikt en die door Ruth als bergruimte werd gebruikt. Maggie had er niets opgeslagen. Ze ging er ook nooit naartoe, want ze had een hekel aan stoffige ruimtes vol spinrag. Bovendien was het kleinste stofdeeltje al voldoende om brandende ogen en een kriebelneus te veroorzaken.

De achterkamer op de eerste verdieping had in elk geval het voordeel dat ze niet voortdurend werd afgeleid door de bedrijvigheid op The Hill. De weg was weer opengesteld voor verkeer, maar op nummer vijfendertig was het nog steeds een komen en gaan van allerlei mensen. Ze kon het gebeurde natuurlijk niet helemaal uit haar hoofd zetten, hoewel ze die ochtend geen krant had gelezen en ze de radio op een klassieke zender had gezet waar nauwelijks nieuwsuitzendingen voorkwamen.

Ze was bezig met de illustraties voor een luxe uitgave van de sprookjes van Grimm en werkte momenteel aan voorlopige krabbels en schetsen. Ze had ze voor het eerst sinds haar jeugd weer herlezen en was tot de ontdekking gekomen dat het eigenlijk nogal nare, gruwelijke verhalen waren. Vroeger hadden ze haar heel ver weg geleken, maar nu deden de verschrikkingen en het geweld maar al te realistisch aan. Ze had zojuist een schets voor 'Repelsteeltje' gemaakt van de gemene dwerg die Anna hielp om goud te spinnen van stro in ruil voor haar eerste kind. Haar illustratie was iets te geïdealiseerd, besefte ze: een droevig kijkend meisje achter een spinnewiel, met op de achtergrond twee vurige ogen en de vervormde schaduw van een dwerg. Ze kon natuurlijk niet de scène gebruiken waarin hij zo hard met zijn voet stampte dat hij door de vloer zakte en zijn been losschoot toen hij probeerde zijn voet los te trekken. Geweld dat vanzelfsprekend was geworden, weliswaar zonder dat er bloed en ingewanden aan te pas kwamen, wat tegenwoordig in zoveel films wel gebeurde, maar niettemin geweld.

Nu was ze begonnen aan 'Raponsje' en haar eerste schetsen waren die van een jong meisje dat van haar echte ouders was weggenomen. Ze liet haar lange blonde haren uit de toren hangen waar ze door een heks gevangen werd gehouden. Aan het eind werd de heks opgevreten door een wolf.

Ze probeerde net het als een touw afhangende haar goed te krijgen toen de telefoon ging.

'Ja?'

'Margaret Forrest?' Het was een vrouwenstem. 'Spreek ik met Margaret Forrest?'

'Wie bent u?'

'Ben jij dat zelf, Margaret? Ik ben Lorraine Temple. Je kent me niet.'

'Wat wilt u van me?'

'Ik heb begrepen dat jij degene bent die gisterochtend vanaf The Hill het alarmnummer heeft gebeld? Over een geval van huiselijk geweld?'

'Wie bent u? Een journalist?'

'O, heb ik dat niet gezegd? Ja, inderdaad, ik schrijf voor de *Post*.'

'Ik mag helemaal niet met jullie praten. Laat me met rust.'

'Moet je horen, Margaret, ik zit even verderop in de straat. Ik bel je vanaf mijn mobieltje. De politie laat me niet in de buurt van jouw huis, dus ik vroeg me af of je iets met me zou willen drinken of zo. Het is toch bijna lunchtijd. Er is een aardige pub hier...'

'Ik heb u niets te zeggen, mevrouw Temple, dus het heeft geen enkele zin om iets af te spreken.'

'Jij bent toch wel degene die gisterochtend vroeg het alarmnummer heeft gebeld in verband met The Hill 35?'

'Jawel, maar...'

'Dan moet ik inderdaad jou hebben. Waarom dacht je meteen dat het om huiselijk geweld ging?'

'Het spijt me, ik snap het niet. Ik begrijp niet wat u bedoelt.'

'Had je iets gehoord? Geschreeuw? Brekend glas? Een klap?'

'Hoe weet u dit allemaal?'

'Ik vraag me gewoon af waarom je zo snel tot de conclusie kwam dat het om huiselijk geweld ging, dat is alles. Waarom dacht je bijvoorbeeld niet dat iemand met een inbreker aan het vechten kon zijn?'

'Ik begrijp niet waar u naartoe wilt.'

'Ach, kom nou toch, Margaret. Of heet je Maggie? Mag ik je Maggie noemen?'

Maggie zweeg. Ze had geen idee waarom ze het gesprek met Lorraine Temple niet meteen afkapte en ophing.

'Luister, Maggie,' ging Lorraine verder, 'maak het me nou niet zo moeilijk. Ik doe gewoon mijn werk. Was je bevriend met Lucy Payne, is dat het soms? Weet je misschien iets over haar achtergrond? Iets wat de rest van ons niet weet?'

'Ik kan niets zeggen,' zei Maggie en toen hing ze op. Toch liet het gesprek haar niet los. Ondanks wat Banks had gezegd, vermoedde ze dat de pers misschien eerder haar bondgenoot was dan haar vijand als ze een goede vriendin voor Lucy wilde zijn. Misschien zou ze toch met hen moeten gaan praten, steun voor Lucy mobiliseren. Medeleven van het publiek zou heel belangrijk zijn en daarbij konden de media haar helpen. Natuurlijk hing alles af van het standpunt dat de politie innam. Als Banks geloofde wat Maggie hem over de mishandeling had verteld en als Lucy het bevestigde, wat ze natuurlijk zou doen, dan zouden ze zich realiseren dat ze in de allereerste plaats een slachtoffer was en haar laten gaan zodra ze was hersteld.

Lorraine Temple gaf niet zo gemakkelijk op en belde een paar minuten later nog een keer. 'Toe, Maggie,' zei ze. 'Het kan toch geen kwaad?'

'Goed,' zei Maggie. 'Laten we maar wat gaan drinken. Over tien minuten. Ik weet welke plek je bedoelt. Het heet The Woodcutter. Onder aan The Hill. Ja toch?'

'Precies. Over tien minuten. Ik zal er zijn.'

Maggie hing op. Vervolgens zocht ze in de gouden gids het nummer van een bloemist in de buurt en liet hem bloemen bij Lucy in het ziekenhuis bezorgen.

Voordat ze de deur uitging, wierp ze een laatste blik op haar schets en ze merkte iets vreemds op. Het gezicht van Raponsje was niet het sprookjesachtige prinsessengezicht dat je in zoveel andere illustraties tegenkwam; het was een uniek, individueel gezicht, iets waar Maggie trots op was. Maar er was meer mee aan de hand deze keer. Raponsjes gezicht, dat half van de kijker was weggedraaid, leek op dat van Claire Toth, tot en met de twee puistjes op haar kin. Met gefronste wenkbrauwen pakte Maggie een vlakgom en ze gumde ze weg voordat ze naar haar afspraak met Lorraine Temple van de *Post* ging.

Banks had een bloedhekel aan ziekenhuizen en aan alles wat ermee te maken had. Dat had hij al sinds hij op negenjarige leeftijd zijn amandelen had moeten laten knippen. Hij had een hekel aan de geur, aan de kleur van de muren, de weergalmende geluiden, de witte uniformen, de bedden, thermometers, injectienaalden, stethoscopen, infusen en vreemde machines die hij achter halfgeopende deuren kon zien. Aan alles.

De waarheid was dat hij er al voor zijn amandeloperatie een hekel aan had. Toen zijn broer Roy werd geboren, was Banks vijf jaar en te jong om tijdens het bezoekuur het ziekenhuis in te mogen. Zijn moeder had problemen gehad tijdens de zwangerschap en ze had er een maand moeten blijven. Banks was naar zijn oom en tante in Northampton gestuurd en had naar een nieuwe school gemoeten. Hij had er zich nooit thuis gevoeld en als nieuweling had hij zich tegen meer dan één pestkop moeten verweren.

Hij herinnerde zich nog dat zijn oom hem op een donkere, gure winteravond naar het ziekenhuis had gereden en hem voor het raam omhoog had getild. Zijn moeder lag in een kamer op de begane grond, zodat hij het ijs met zijn wollen wanten van het raam had kunnen vegen, haar opgezwollen lichaam halverwege de zaal had zien liggen en naar haar had gezwaaid. Hij was heel verdrietig geweest. Het moet vreselijk zijn, dacht hij toen, als ze een moeder bij haar kind vandaan houden en ze in een kamer vol vreemde mensen moet slapen terwijl ze zich niet lekker voelt.

De operatie aan zijn amandelen had slechts bevestigd wat hij allang wist en nu hij ouder was, joeg een ziekenhuis hem nog steeds angst aan. Hij beschouwde het als een plek waar je heen ging om te sterven en waar alle goedbedoelde zorgen het onvermijdelijke alleen maar konden uitstellen. Banks was een ware Philip Larkin waar het ziekenhuizen betrof en kon alleen maar denken aan 'de verdoving waaruit niemand bijkwam'.

Lucy Payne lag in een bewaakte kamer. Haar echtgenoot was na een spoedoperatie waarbij botsplinters van zijn schedel uit zijn hersenen waren verwijderd naar de intensive care overgebracht. De agent die met een boek van Tom Clancy bij haar deur de wacht hield, meldde dat er behalve het ziekenhuispersoneel niemand naar binnen was geweest. Het was een rustige nacht geweest, zei hij. Sommige mensen hebben ook altijd geluk, dacht Banks toen hij naar binnen ging.

De dokter stond al op hem te wachten. Ze stelde zich voor als dokter Landsberg. Geen voornaam. Banks had haar er liever niet bij gehad, maar hij kon er verder niets aan veranderen. Lucy Payne was niet onder arrest, maar wel onder behandeling van deze arts.

'Ik ben bang dat u maar heel even met mijn patiënt mag praten,' zei ze. 'Ze heeft een hoogst traumatische ervaring achter de rug en ze moet zoveel mogelijk rusten.'

Banks keek naar de vrouw in het bed. De helft van haar gezicht en een oog gingen schuil onder een wit verband. Het oog dat hij wel kon zien, was net zo glanzend zwart als de inkt die hij het liefst voor zijn vulpen gebruikte. Haar huid was bleek en glad en haar ravenzwarte haar lag over het kussen en de lakens uitgespreid. Hij dacht aan het lichaam van Kimberley Myers dat met gespreide benen op de matras had gelegen.

Banks ging op een stoel bij haar bed zitten, dokter Landsberg bleef staan.

'Lucy,' zei hij, 'ik ben plaatsvervangend hoofdinspecteur Banks en heb de leiding in het onderzoek naar de vijf vermiste meisjes. Hoe voel je je?'

'Het gaat wel,' zei Lucy. 'Naar omstandigheden.'

'Heb je veel pijn?'

'Een beetje. Mijn hoofd doet zeer. Hoe gaat het met Terry? Wat is er met Terry gebeurd? Niemand wil me iets vertellen.' Door de medicijnen klonk haar stem onduidelijk alsof ze met dikke tong sprak.

'Misschien kun je me vertellen wat er gisteravond is gebeurd, Lucy. Kun je je nog iets herinneren?'

'Is Terry dood? Iemand zei dat hij gewond is.'

De mishandelde vrouw die zich zorgen maakt om de man die haar mishandelt. Het verbaasde Banks niet, het was het overbekende liedje dat hij al zo vaak had gehoord en in alle mogelijke varianten.

'Je echtgenoot is zwaar gewond, Lucy,' mengde dokter Landsberg zich nu in het gesprek. 'We doen wat we kunnen.'

Banks vervloekte haar in stilte. Hij wilde niet dat Lucy Payne wist in welke toestand haar echtgenoot verkeerde. Als ze dacht dat hij het niet zou overleven, kon ze Banks vertellen wat ze wilde omdat hij toch niet meer kon controleren of het waar was of niet.

'Kun je me vertellen wat er gisteravond is gebeurd?' vroeg Banks opnieuw.

Lucy kneep haar goede oog halfdicht; ze probeerde het zich voor de geest te halen of deed alsof. 'Ik weet het niet. Ik kan het me niet herinneren.'

Uitstekend antwoord, besefte Banks. Eerst afwachten wat er met Terry gebeurt voordat je iets zegt. Ze was slim, deze vrouw, zelfs in haar ziekenhuisbed en onder invloed van medicijnen.

'Moet ik een advocaat bellen?' vroeg ze.

'Waarom zou je een advocaat moeten bellen?'

'Het zou toch kunnen? Dat vragen ze op televisie toch ook altijd... als de politie met iemand praat...'

'We zijn niet op televisie, Lucy.'

Ze trok haar neus op. 'Dat weet ik ook wel. Ik bedoelde eigenlijk... ach, laat maar zitten.'

'Wat is het laatste wat je je kunt herinneren?'

'Ik weet nog dat ik wakker werd, opstond en mijn ochtendjas aantrok. Het was al laat. Of juist heel vroeg.'

'Waarom ben je opgestaan?'

'Dat weet ik niet. Ik zal wel iets gehoord hebben.'

'Zoals wat?'

'Een geluid. Ik weet het niet meer.'

'Wat deed je toen?'

'Dat weet ik niet. Ik herinner me alleen nog dat ik opstond, daarna pijn en toen werd alles donker.'

'Kun je je nog herinneren of je ruzie had met Terry?'

'Nee.'

'Ben je naar de kelder gegaan?'

'Ik denk het niet. Ik weet het niet meer. Misschien wel.'

Alle mogelijkheden gedekt. 'Ben je wel eens in de kelder geweest?'

'Dat was Terry's domein. Hij zou me hebben gestraft als ik daar kwam. Hij sloot de deur altijd af.'

Interessant, dacht Banks. Ze kon zich genoeg herinneren om afstand te nemen van wat ze in de kelder hadden aangetroffen. Had ze iets geweten? Het forensisch team zou in staat moeten zijn om te bevestigen of ze de waarheid sprak of niet, of ze ooit beneden was geweest of niet. Dat was een basisregel: wanneer je ergens komt, laat je iets achter en neem je iets mee.

'Wat deed hij daar beneden?' vroeg Banks.
'Dat weet ik niet. Het was zijn eigen privé-ruimte.'
'Dus je bent er nooit geweest?'
'Nee. Dat durfde ik niet.'
'Wat denk je dat hij daar beneden deed?'
'Geen idee. Video's kijken, boeken lezen.'
'In zijn eentje?'
'Een man heeft soms ook behoefte aan privacy, zei Terry altijd.'
'En jij respecteerde dat?'
'Ja.'
'En die poster op de deur? Heb je die wel gezien, Lucy?'
'Alleen vanaf de bovenste traptreden wanneer ik uit de garage kwam.'
'Hij laat weinig aan de verbeelding over, vind je niet? Wat vond jij ervan?'
Lucy produceerde een flauw glimlachje. 'Zo zijn mannen nu eenmaal toch? Die vinden zoiets prachtig.'
'Dus het deed je niets?'
'Nee.'
'Hoofdinspecteur,' onderbrak dokter Landsberg het gesprek, 'ik geloof dat het tijd wordt dat u vertrekt zodat mijn patiënt wat kan rusten.'
'Nog een paar vragen, dan ben ik klaar. Lucy, weet je nog wie je heeft verwond?'
'Ik... ik... dat moet Terry zijn geweest. Er was niemand anders.'
'Heeft Terry je wel eens eerder geslagen?'
Ze draaide haar hoofd opzij, zodat Banks alleen de kant van haar gezicht kon zien die in het verband zat.
'U maakt haar van streek, hoofdinspecteur. Ik sta er nu toch werkelijk op dat...'
'Lucy, heb je Terry wel eens samen gezien met Kimberley Myers? Je weet toch wie Kimberley Myers is?'
Lucy draaide zich weer om en keek hem aan. 'Ja. Dat is dat meisje dat wordt vermist.'
'Dat klopt. Heb je Terry wel eens samen met haar gezien?'
'Dat weet ik niet meer.'
'Ze was een leerling van Silverhill, waar Terry lesgaf. Heeft hij het wel eens over haar gehad?'
'Ik geloof van niet... Ik...'
'Je kunt het je niet herinneren.'
'Nee. Het spijt me. Wat is er? Wat gebeurt er allemaal? Mag ik Terry zien?'
'Ik ben bang dat dat voorlopig onmogelijk is,' zei dokter Landsberg.

Toen keek ze Banks aan. 'Ik moet u nu werkelijk vragen om te vertrekken. U kunt zelf wel zien hoe onrustig Lucy wordt.'

'Wanneer kan ik haar weer spreken?'

'Dat laat ik u wel weten. Binnenkort. Alstublieft.' Ze greep Banks' arm vast.

Banks wist wanneer hij moest ophouden. Bovendien leverde het gesprek niets op. Hij wist niet of Lucy de waarheid sprak toen ze zei dat ze het zich niet kon herinneren, of dat ze in de war was vanwege haar medicijnen.

'Rust maar goed uit, Lucy,' zei dokter Landsberg voordat ze weggingen.

'Meneer Banks?' zei Lucy met haar zachte onduidelijke stem.

'Ja?'

'Wanneer mag ik naar huis?'

Banks zag voor zich hoe dat huis erbij stond. Alsof het werd verbouwd. En zo zou het de komende maanden nog wel blijven. 'Dat kan ik niet zeggen,' zei hij. 'We laten het je weten.'

Buiten op de gang keek hij dokter Landsberg aan. 'Misschien kunt u me met iets helpen, dokter?'

'Ik kan het proberen.'

'Ze herinnert zich niets. Is dat symptomatisch?'

Dokter Landsberg wreef in haar ogen. Ze zag eruit alsof ze net zo weinig slaap kreeg als Banks zelf. 'Het zou kunnen,' zei ze. 'In dergelijke gevallen speelt posttraumatische stress vaak een rol en een van de gevolgen daarvan kan retrograde amnesie zijn.'

'Gelooft u dat dat bij Lucy het geval is?'

'Het is nog te vroeg om dat te kunnen zeggen en bovendien ben ik geen expert op dat gebied. U zou er met een neuroloog over moeten praten. Het enige wat ik u kan zeggen is dat we vrij zeker weten dat er geen blijvende schade aan de hersenen is toegebracht, maar emotionele stress is wel een factor om rekening mee te houden.'

'Is dit geheugenverlies selectief?'

'Hoe bedoelt u?'

'Ze herinnert zich wel dat haar man gewond is geraakt en dat hij degene was die haar heeft neergeslagen, maar verder niets.'

'Dat is heel goed mogelijk, ja.'

'Hoe groot is de kans dat het permanent is?'

'Niet zo heel groot.'

'Ze zou dus haar geheugen volledig kunnen terugkrijgen?'

'Op termijn.'

'Hoe lang kan dat duren?'

'Dat kan ik u onmogelijk zeggen. Misschien morgenochtend, misschien nooit. We weten zo weinig van de hersenen.'

'Dank u wel, dokter. U hebt me bijzonder goed geholpen.'

Dokter Landsberg keek hem niet-begrijpend aan. 'Graag gedaan,' zei ze. 'Hoofdinspecteur, ik hoop dat u het me niet kwalijk neemt, maar ik heb vlak voordat u kwam dokter Mogabe gesproken, de behandelend arts van Terence Payne.'

'Ja?'

'Hij maakt zich ernstig zorgen.'

'O?' Agent Hodgkins had dit een dag eerder al gemeld.

'Ja. Het lijkt erop dat zijn patiënt door een vrouwelijke agent in elkaar is geslagen.'

'Daar ga ik niet over,' zei Banks.

Dokter Landsberg sperde haar ogen wijdopen. 'U maakt zich er wel gemakkelijk van af. Het verontrust u niet?'

'Of het mij verontrust doet niet ter zake. Iemand anders leidt het onderzoek in die zaak en zal te zijner tijd ongetwijfeld met dokter Mogabe praten. Ik houd me bezig met de vijf dode meisjes en het echtpaar Payne. Tot ziens, dokter.'

Banks beende met luide stappen weg door de gang. Een verpleger duwde een brancard met een grauwe, gerimpelde oude man aan een infuus voorbij, zo te zien op weg naar een operatiekamer.

Banks rilde en versnelde zijn pas.

7

Rond lunchtijd die dinsdag was Maggie in The Woodcutter voor haar afspraak met Lorraine Temple.

Lorraine was een kleine, mollige brunette met een spontane uitstraling en een openhartig gezicht dat vertrouwen inboezemde. Ze was ongeveer even oud als Maggie, begin dertig, en droeg een zwarte spijkerbroek en een colbertje met daaronder een witte zijden bloes. Ze haalde koffie voor hen beiden en stelde Maggie eerst op haar gemak met een paar meelevende opmerkingen over de recente gebeurtenissen op The Hill voordat ze ter zake kwam. Ze had een blocnote bij zich in plaats van een recorder, zag Maggie tot haar opluchting. Om de een of andere reden had ze niet graag dat haar stem werd opgenomen.

'Gebruik je steno?' vroeg ze verbaasd, omdat ze dacht dat niemand dat tegenwoordig nog kende.

Lorraine keek haar glimlachend aan. 'Mijn eigen versie ervan. Wil je iets eten?'

'Nee, dank je wel. Ik heb geen trek.'

'Goed. Zullen we dan maar beginnen?'

Maggie wachtte gespannen op de vragen die gingen komen. Het was rustig in de pub, voornamelijk omdat het een doordeweekse dag was en het gebied aan de voet van The Hill nauwelijks toeristen of zakenlieden trok. Er waren wat industrieterreinen in de buurt, maar het was nog te vroeg voor de lunch. Uit de jukebox klonk niet al te harde popmuziek.

'Kun je me vertellen wat er is gebeurd?' was Lorraines eerste vraag.

Maggie dacht even na. 'Ik slaap niet zo goed en was misschien al wakker, of anders werd ik er wakker van, dat weet ik niet precies, maar ik hoorde geluiden aan de overkant van de straat.'

'Wat voor geluiden?'

'Ruziënde stemmen van een man en een vrouw. Toen het geluid van brekend glas en daarna een klap.'

'En je wist dat dit van de overkant kwam?'

'Ja. Toen ik uit het raam keek, zag ik dat er een lamp brandde en ik meende iemand te zien lopen.'

Lorraine zweeg even om aantekeningen te maken. 'Hoe wist je zo zeker dat het om huiselijk geweld ging?' vroeg ze, zoals ze eerder aan de telefoon had gevraagd.

'Dat kwam omdat eh... Ik...'

'Neem er maar rustig de tijd voor, Maggie. Ik wil je niet opjagen. Denk goed na. Probeer het je te herinneren.'

Maggie streek met een hand door haar haar. 'Helemaal zeker wist ik het natuurlijk niet,' zei ze. 'Ik denk vanwege de harde stemmen en zo...'

'Herkende je de stemmen?'

'Nee.'

'Maar had het niet evengoed iemand kunnen zijn die een inbreker had betrapt? Ik heb gehoord dat er veel wordt ingebroken in deze buurt.'

'Dat is zo.'

'Wat ik probeer te ontdekken, Maggie, is of er misschien een andere reden is dat jij dacht dat er sprake was van huiselijk geweld.'

Maggie zweeg even. Nu was het moment gekomen waarop ze een besluit moest nemen en dat bleek moeilijker dan ze dacht. Aan de ene kant wilde ze niet dat haar naam in de krant zou verschijnen voor het geval dat Bill erachter kwam, ook al betwijfelde ze dat hij naar Engeland zou komen om wraak te nemen. Een regionale krant als de *Post* had natuurlijk een beperkt bereik, maar als de landelijke pers het verhaal zou overnemen bestond er grote kans dat het in de *National Post* en de *Globe and Mail* in Canada zou worden afgedrukt.

Aan de andere kant had ze een doel voor ogen en moest ze zich concentreren op wat nu het belangrijkste was: de benarde situatie waarin Lucy zich bevond. De voornaamste reden om met Lorraine Temple te praten was om het beeld van Lucy als slachtoffer te benadrukken. Een preventieve aanval zogezegd: hoe eerder het publiek haar in die rol zou zien, hoe minder ze geneigd zouden zijn te denken dat ze het kwaad in eigen persoon was. Het enige wat de mensen tot nu toe wisten, was dat het lichaam van Kimberley Myers in de kelder van de Paynes was gevonden en dat een politieman was gedood, waarschijnlijk door Terence Payne. Iedereen wist echter dat ze bezig waren met graafwerkzaamheden en dat ze daar waarschijnlijk nog meer zouden aantreffen. 'Misschien wel,' zei ze.

'Zou je me daar iets meer over kunnen vertellen?'

Maggie nam een slokje koffie. Hij was lauw. In Toronto kwamen ze altijd nog een paar keer langs om je kopje bij te schenken. Hier niet. 'Ik had misschien goede redenen om aan te nemen dat Lucy Payne gevaar liep bij haar echtgenoot.'

'Heeft ze je dat verteld?'

'Ja.'

'Dat haar man haar mishandelde?'

'Ja.'

'Wat vind je zelf van Terence Payne?'

'Niets eigenlijk.'

'Mag je hem graag?'

'Niet echt.' Helemaal niet eigenlijk, bekende Maggie in stilte. Terence Payne joeg haar de rillingen over de rug. Ze wist niet hoe het kwam, maar wanneer ze hem zag aankomen, stak ze liever de straat over dan hem te moeten groeten en een babbeltje te maken over het weer, omdat hij haar dan de hele tijd zou aanstaren met die vreemde, lege, emotieloze blik.

Uiterlijk was hij knap en charmant en volgens Lucy was hij ook zeer geliefd op school, zowel bij de leerlingen als bij zijn collega's. Toch had hij iets waardoor hij Maggie afstootte, een soort innerlijke leegte die ze verontrustend vond. Bij de meeste mensen had ze het gevoel dat wat ze via een soort innerlijke radar of sonar naar hen uitstraalde op een of andere manier werd weerkaatst en als een lichtpuntje op haar scherm verscheen. Bij Terry was dat niet zo; daar verdween haar signaal in de uitgestrekte duisternis in zijn binnenste.

Ze had zich voorgehouden dat ze dit zichzelf had wijsgemaakt in reactie op een soort diepe angst of ontoereikendheid van haarzelf, dus had ze besloten hem omwille van Lucy niet te bekritiseren, maar het kostte haar grote moeite.

'Wat deed je toen Lucy je dit had verteld?'

'Ik heb geprobeerd haar over te halen om hulp te zoeken.'

'Heb je ooit zelf met mishandelde vrouwen gewerkt?'

'Nee, niet echt. Ik...'

'Ben je zelf het slachtoffer van mishandeling geweest?'

Maggies hoofd begon te tollen. Ze pakte haar sigaretten, bood Lorraine er een aan, maar die weigerde, en stak er toen zelf een op. Behalve met haar psychiater en Lucy Payne had ze hier met niemand over haar leven met Bill gesproken, over het patroon van geweld en berouw, van klappen en cadeaus. 'Ik ben hier niet gekomen om het over mezelf te hebben,' zei ze. 'Ik wil niet dat je over mij schrijft. Ik ben gekomen om over Lucy te praten. Ik weet niet wat er in dat huis is gebeurd, maar ik heb het gevoel dat Lucy net zo goed het slachtoffer is.'

Lorraine legde haar blocnote opzij en dronk haar kopje leeg. 'Je bent Canadees, hè?'

Maggie antwoordde verbaasd dat dat klopte.

'Waar kom je vandaan?'

'Toronto. Hoezo?'

'Nieuwsgierig, dat is alles. Een nicht van me woont daar. Zeg, dat huis waar je nu woont, dat is toch van Ruth Everett, die illustrator?'

'Ja, inderdaad.'

'Dat dacht ik al. Ik heb haar daar eens mogen interviewen. Ze lijkt me heel aardig.'

'Ze is een goede vriendin van me.'

'Mag ik vragen hoe je haar hebt ontmoet?'

'Via ons werk, op een conferentie een paar jaar geleden.'

'Dus jij bent ook illustrator?'

'Ja. Voornamelijk van kinderboeken.'

'Misschien kunnen we eens een artikel over jou en je werk plaatsen?'

'Ik ben niet zo bekend. Dat zijn illustratoren eigenlijk maar zelden.'

'Dat maakt niet uit. We zijn altijd op zoek naar plaatselijke bekendheden.'

Maggie voelde dat ze bloosde. 'Daar behoor ik helaas ook al niet toe.'

'Ik zal toch eens met mijn hoofdredacteur gaan praten als je er geen bezwaar tegen hebt.'

'Liever niet, als je het niet erg vindt.'

'Maar...'

'Nee, alsjeblieft! Afgesproken?'

Lorraine stak verontschuldigend een hand op. 'Goed. Ik heb nooit eerder meegemaakt dat iemand gratis publiciteit afwees, maar als je erop staat...' Ze stopte haar blocnote en potlood in haar schoudertas. 'Ik moet ervandoor,' zei ze. 'Bedankt voor het gesprek.'

Maggie kreeg een onheilspellend voorgevoel toen ze haar nakeek. Ze wierp een blik op haar horloge. Tijd voor een korte wandeling rond de vijver en dan terug naar huis om te werken.

'Nou, nou, jij weet hoe je een meisje moet verwennen,' zei Tracy, toen Banks haar later die middag naar de Macdonald's bracht op de hoek van Briggate en Boar Lane.

Banks schoot in de lach. 'Ik dacht dat alle kinderen gek waren op MacDonald's.'

Tracy gaf hem een por tussen zijn ribben. 'Ik ben inmiddels twintig, hoor.'

Heel even vreesde Banks dat hij haar verjaardag was vergeten. Maar nee, die was in februari, voordat de task force was opgezet, en hij had een kaart gestuurd, haar geld gegeven en haar mee uit eten genomen in Brasserie 44. Een heel duur etentje. 'Zelfs geen tiener meer,' zei hij. 'Zo is het.'

116

Tracy was nu een jonge vrouw, en een aantrekkelijke bovendien. Banks' hart brak bijna toen hij zag hoeveel ze op de Sandra van twintig jaar geleden leek: hetzelfde lenige figuur, dezelfde donkere wenkbrauwen, hoge jukbeenderen, het lange blonde haar in een paardenstaart. Ze had zelfs een paar van Sandra's gewoontes overgenomen: ze beet ook op haar onderlip wanneer ze geconcentreerd bezig was en wikkelde plukjes haar om haar vinger wanneer ze praatte. Ze kleedde zich zoals elke andere moderne student: blauwe spijkerbroek, wit T-shirt met het logo van een rockband, spijkerjack en rugzak, en ze bewoog zich zelfverzekerd en gracieus. Banks had haar die ochtend teruggebeld en ze hadden voor een late lunch afgesproken na haar laatste college die dag.

Ze gingen in de rij staan. Het was er stampvol met kantoormedewerkers, spijbelende schoolkinderen en moeders met kinderwagens en peuters.

'Wat wil je hebben?' vroeg Banks. 'Ik trakteer.'

'In dat geval wil ik een complete maaltijd. Big Mac, grote portie friet en een grote cola.'

'Weet je zeker dat dat genoeg is?'

'Misschien nog een toetje, maar dat zien we later wel.'

'Je zit straks onder de mee-eters.'

'Niet waar. Ik heb nooit mee-eters.'

'Je wordt er dik van.'

Ze sloeg grijnzend met haar hand op haar platte buik. Net als hij kon ze eten en drinken wat ze wilde zonder aan te komen.

Ze gingen met hun bestelling aan een plastic tafeltje bij het raam zitten. Het was een warme middag. De vrouwen droegen felgekleurde, mouwloze zomerjurken en de mannen hadden hun jasjes over hun schouders geslagen en de mouwen van hun overhemd opgerold.

'Hoe gaat het met Damon?' vroeg Banks.

'We hebben afgesproken elkaar tot na de tentamens niet meer te zien.'

Iets in Tracy's stem zei hem dat er meer aan de hand was. Relatieproblemen? Met Damon met zijn éénlettergrepige zinnen, die haar afgelopen november had meegesleept naar Parijs, waar Banks zelf met haar naartoe had zullen gaan in plaats van jacht te maken op de weggelopen dochter van hoofdcommissaris Riddle? Hij wilde haar niet dwingen erover te praten; dat zou ze wel uit zichzelf doen wanneer de tijd rijp was. Hij kon haar trouwens niet eens dwingen, al zou hij willen: Tracy was altijd zeer op haar privacy gesteld geweest en kon net zo koppig zijn als hij. Hij nam een hap van zijn Big Mac, waarbij de saus langs zijn kin droop. Hij veegde hem weg met een servetje. Tracy had haar burger al half op en ook haar frietjes verdwenen in sneltreinvaart.

'Het spijt me dat ik de laatste tijd zo weinig van me heb laten horen,' zei Banks. 'Ik heb het druk gehad.'

'Ik weet niet beter,' zei Tracy.

'Dat zal wel niet, nee.'

Ze legde een hand op zijn arm. 'Ik plaag je maar, pap. Ik heb geen klachten, hoor.'

'Lief van je om dat te zeggen, want je hebt genoeg reden tot klagen. Hoe gaat het verder met je, afgezien van Damon?'

'Prima. Ik studeer hard. Ze zeggen dat het tweede jaar moeilijker is dan het laatste.'

'Wat zijn je plannen voor deze zomer?'

'Ik ga misschien weer naar Frankrijk. De ouders van Charlotte hebben een huisje in de Dordogne, maar ze gaan dit jaar naar Amerika en hebben gezegd dat zij er met een paar vrienden in mag als ze dat wil.'

'Heb jij even mazzel.'

Tracy had haar Big Mac op en dronk van haar cola terwijl ze Banks oplettend bekeek. 'Je ziet er moe uit, pap,' zei ze.

'Dat ben ik ook.'

'Je werk?'

'Ja. Het is een zware verantwoordelijkheid. Houdt me 's nachts wakker. Ik weet niet of ik er wel de geschikte persoon voor ben.'

'Ik weet zeker dat je het prima doet.'

'Wat een vertrouwen. Ik weet het nog niet. Ik heb nog nooit zo'n groot onderzoek geleid en ik weet niet of ik het nog eens zou willen.'

'Jullie hebben hem toch te pakken gekregen,' zei Tracy. 'De Kameleon-moordenaar.'

'Daar ziet het wel naar uit.'

'Gefeliciteerd. Ik wist wel dat het je zou lukken.'

'Ik heb niets gedaan. Het is één grote reeks toevalligheden geweest.'

'Ja, maar het resultaat is toch hetzelfde?'

'Dat is zo.'

'Luister eens, pap, ik weet waarom je zo weinig van je hebt laten horen. Je hebt het druk gehad, dat is zo. Maar er is meer aan de hand, of zie ik het fout?'

Banks schoof zijn half opgegeten burger opzij en begon aan zijn friet. 'Hoe bedoel je?'

'Je weet best wat ik bedoel. Je hebt je waarschijnlijk persoonlijk verantwoordelijk gevoeld voor de ontvoering van al die meisjes, want dat doe je altijd. Heb ik gelijk?'

'Zo zou ik het niet willen zeggen.'

'Ik durf te wedden dat je je waakzaamheid geen moment durfde te laten verslappen omdat je dacht dat hij dan iemand anders te grazen zou kunnen nemen, een andere jonge vrouw, zoals ik.'

Banks had bewondering voor de scherpzinnigheid van zijn dochter. Die overigens ook blond haar had. 'Daar zit misschien een kern van waarheid in,' zei hij.

'Was het niet gruwelijk daar beneden?'

'Ik wil er niet over praten. Niet tijdens de lunch. En niet met jou.'

'Je denkt zeker dat ik net zo nieuwsgierig en sensatiebelust ben als al die krantenverslaggevers, maar ik maak me gewoon zorgen om je. Je bent niet van steen, weet je. Deze dingen vreten aan je.'

'Voor een dochter,' zei Banks, 'doe je een akelig goede imitatie van zeurende echtgenote.' De woorden waren zijn mond nog niet uit of hij had er al spijt van. De schaduw van Sandra stond onmiddellijk weer tussen hen in. Net als Brian had Tracy geprobeerd geen partij te kiezen bij de scheiding, maar anders dan Brian, die vanaf het begin een hekel had gehad aan Sean, Sandra's nieuwe vriend, kon Tracy redelijk goed met hem opschieten en dat had Banks gekwetst, ook al zou hij haar dat nooit hebben laten merken.

'Heb je mama de laatste tijd nog gesproken?' vroeg Tracy, zijn kritische opmerking negerend.

'Je weet best dat dat niet zo is.'

Tracy nam nog een slok cola, fronste haar wenkbrauwen op haar moeders manier en tuurde uit het raam.

'Hoezo?' vroeg Banks, die voelde dat de sfeer was veranderd. 'Is er soms iets wat ik moet weten?'

'Ik was met Pasen bij hen.'

'Dat weet ik. Heeft ze iets over me gezegd?' Banks wist dat hij de scheidingsprocedure ophield. Het was hem allemaal veel te snel gegaan en hij zag geen reden om zich te haasten. Sandra wilde natuurlijk met Sean trouwen. Jammer dan. Laat ze maar wachten.

'Dat is het niet,' zei Tracy.

'Wat dan wel?'

'Weet je het echt niet?'

'Als ik het wist, zou ik het heus wel zeggen.'

'Ach, shit.' Tracy beet op haar lip. 'Was ik hier maar nooit over begonnen. Waarom moet je het nu weer als eerste van mij horen?'

'Omdat je er zelf over bent begonnen. En vloek niet zo. Vertel op.'

Tracy keek naar het lege frietbakje en zuchtte diep. 'Goed dan. Ze heeft me gevraagd nog niets tegen je te zeggen, maar uiteindelijk krijg je het toch te horen. Maar je hebt er zelf om gevraagd.'

'Tracy!'

'Goed dan. Goed dan. Mama is in verwachting van Sean. Ze is drie maanden zwanger.'

Vlak nadat Banks Lucy Paynes kamer was uitgelopen, kwam Annie Cabbot met grote passen door de gang van het ziekenhuis voor haar afspraak met dokter Mogabe. Ze was absoluut niet tevreden geweest over Taylors verklaring en was van plan voorzover mogelijk de medische kant van de zaak te onderzoeken. Payne was natuurlijk niet overleden, dus er zou geen sectie worden verricht, nog niet, tenminste. Als hij inderdaad had gedaan wat men nu alleen nog maar vermoedde, mocht er wat Annie betreft best sectie op hem worden verricht terwijl hij nog in leven was.

'Binnen,' riep dokter Mogabe.

Annie ging naar binnen. Het kantoortje was klein en functioneel, bevatte een paar boekenkasten vol medische teksten, een dossierkast waarvan de bovenste lade niet meer dicht wilde en op het bureau de onvermijdelijke computer, een laptop. Aan de crèmekleurig geschilderde muren hingen diverse medische diploma's en oorkondes, en op het bureau stond een ingelijste foto. Een foto van zijn gezin, gokte Annie. Er lag geen schedel naast en er stond evenmin een geraamte in de hoek.

Dokter Mogabe was kleiner dan Annie zich had voorgesteld en zijn stem klonk een paar tonen hoger. Zijn huid was glanzend paarszwart en zijn korte, krullende haar was grijs. Ook had hij kleine handen, maar zijn vingers waren lang en spits; typisch de vingers van een hersenchirurg, dacht Annie, hoewel ze geen vergelijkingsmateriaal had. Bij de gedachte dat deze vingers rondwroetten in de grijze materie draaide haar maag zich om. De vingers van een pianist, besloot ze. Daar kon ze beter mee leven. Of de vingers van een kunstenaar, zoals die van haar vader.

Hij leunde voorover en vouwde zijn handen op het bureaublad. 'Ik ben blij dat u bent gekomen, inspecteur Cabbot,' zei hij met een stem die regelrecht tot Oxford was te herleiden. 'Als de politie niet uit zichzelf contact had opgenomen, zou ik me verplicht hebben gevoeld zelf het initiatief te nemen. Meneer Payne is op uiterst wrede wijze in elkaar geslagen.'

'We zijn iedereen graag van dienst,' zei Annie. 'Wat kunt u me over de patiënt vertellen? In lekentaal, alstublieft.'

Dokter Mogabe boog zijn hoofd. 'Maar natuurlijk,' zei hij, alsof hij al wist dat de elitaire, technische terminologie van zijn beroep niet besteed was aan een onnozele agent als Annie. 'Meneer Payne is opgenomen met ernstige hoofdwonden die tot hersenbeschadiging hebben geleid. Hij had eveneens een gebroken ellepijp. Tot dusverre hebben we

hem? tweemaal moeten opereren. Eenmaal om een subduraal hematoom te verwijderen. Dat is een...'
'Ik weet wat een hematoom is,' zei Annie.
'Mooi. De tweede keer om botsplinters van de schedel uit de hersenen
te verwijderen. Als u wilt, kan ik dat toelichten.'
'Graag.'
Dokter Mogabe stond op en begon met zijn handen op zijn rug gevouwen achter zijn bureau te ijsberen alsof hij college gaf. 'De menselijke
hersenen bestaan uit de grote hersenen, de kleine hersenen en de hersenstam. De grote hersenen liggen helemaal bovenaan, worden door
een diepe groef aan de bovenkant verdeeld in twee hemisferen en vormen zo de linker- en de rechterhersenhelft. Kunt u mij volgen?'
'Ik denk het wel.'
'Duidelijke groeven verdelen op hun beurt beide hemisferen in kwab-
ben. De voorhoofdskwab is de grootste. Daarnaast zijn er nog de wand-
beenkwab, de slaapkwab en de achterhoofdskwab. De kleine hersenen
bevinden zich onder aan de schedel, achter de hersenstam.'
Toen dokter Mogabe zijn verhaal had afgerond, ging hij weer zitten,
duidelijk erg tevreden over zichzelf.
'Hoe vaak is hij geslagen?' vroeg Annie.
'Het is moeilijk om in dit stadium een precies antwoord te geven,' antwoordde dokter Mogabe. 'Ik heb me vooral beziggehouden met het
redden van zijn leven, moet u weten. Ik heb geen autopsie verricht,
maar als ik een schatting zou moeten maken, zou ik zeggen: tweemaal
op de linkerslaap, wellicht drie. Deze klappen hebben de meeste schade
aangericht, waaronder een hematoom en botsplinters van de schedel.
Verder duidt het bewijs op een of twee klappen boven op de schedel,
waardoor deze deuken vertoont.'
'Boven op zijn hoofd?'
'De schedel is dat deel van het hoofd dat niet het gezicht is, ja.'
'Harde klappen? Alsof iemand er van dichtbij op heeft geslagen?'
'Dat is heel goed mogelijk. Daar kan ik echter niet over oordelen. Deze
klappen moeten hem hebben uitgeschakeld, maar waren niet levensbe-
dreigend. De bovenkant van de schedel is hard en hoewel hij hier en
daar gebroken is, was het bot niet versplinterd.'
Annie maakte een paar aantekeningen.
'Maar dat waren niet de gevaarlijkste verwondingen,' voegde dokter
Mogabe eraantoe.
'O?'
'Nee, de ernstigste verwonding werd veroorzaakt door een of meer
klappen tegen zijn achterhoofd, bij de hersenstam. Ziet u, deze bevat

de medulla oblongata ofwel het verlengde merg, het centrale gebied van de hersenen dat het hart, de bloedvaten en ademhaling reguleert. Elke zware verwonding hieraan kan dodelijk zijn.'

'Toch leeft meneer Payne nog.'

'Nauwelijks.'

'Hoe groot is de kans dat zijn hersens permanent beschadigd zijn?'

'Er is al permanente hersenbeschadiging vastgesteld. Mocht meneer Payne herstellen, dan is het heel wel mogelijk dat hij de rest van zijn leven in een rolstoel moet doorbrengen en vierentwintig uur per dag verzorging nodig heeft. Het enige goede hieraan is dat hij dat zelf waarschijnlijk niet zal doorhebben.'

'Kan die verwonding aan de medulla zijn veroorzaakt toen meneer Payne met zijn achterhoofd tegen de muur viel?'

Dokter Mogabe wreef bedachtzaam over zijn kin. 'Nogmaals, het is niet aan mij om het werk van de politie te doen, inspecteur, of dat van de patholoog. Het enige wat ik wil zeggen is dat deze verwondingen naar mijn mening zijn veroorzaakt door hetzelfde stompe voorwerp als de andere. Doet u daar verder maar mee wat u wilt.' Hij boog zich voorover. 'In de eenvoudigste lekentermen: deze man is heel hard op zijn hoofd geslagen, inspecteur. Heel hard. Ik hoop dat u net als ik van mening bent dat de dader voor het gerecht ter verantwoording dient te worden geroepen.'

Shit, dacht Annie en ze stopte haar aantekenboekje weg. 'Uiteraard, dokter,' zei ze en ze liep naar de deur. 'Mag ik u vragen me op de hoogte te houden van verdere ontwikkelingen?'

'Jazeker, daar kunt u van op aan.'

Annie keek op haar horloge. Tijd om terug te keren naar Eastvale om haar dagelijkse verslag voor hoofdinspecteur Chambers voor te bereiden.

Na zijn lunch met Tracy liep Banks als in een roes door het centrum van Leeds en dacht na over het nieuws dat ze hem had verteld. Het bericht over Sandra's zwangerschap deed hem meer pijn dan hij voor mogelijk had gehouden nu ze al zo lang uit elkaar waren. Hij had haar afgelopen november voor het laatst gezien, in Londen, waar hij toen op zoek was naar de weggelopen dochter van hoofdcommissaris Riddle, Emily. Nu hij eraan terugdacht, voelde hij zich opgelaten over de manier waarop hij die ontmoeting had aangepakt. Hij had vol vertrouwen aangenomen dat Sandra zou inzien dat ze een fout had gemaakt, dat ze Sean zou dumpen en zich in Banks' armen zou werpen, alleen omdat hij had gesolliciteerd naar een baan bij het landelijke misdaadbestrijdingteam, waardoor hij weer naar Londen zou kunnen verhuizen. Mis.

In plaats daarvan had ze Banks meegedeeld dat ze wilde scheiden, omdat Sean en zij wilden trouwen. Die louterende gebeurtenis had Sandra voorgoed uit zijn leven gebannen, dacht hij, net als het idee om over te stappen naar het landelijke bestrijdingsteam.

Totdat Tracy hem over de zwangerschap had verteld.

Banks had geen moment gedacht dat ze wilden trouwen omdat ze een baby wilden. Waar was Sandra in godsnaam mee bezig? Het idee dat Brian en Tracy een twintig jaar jonger halfbroertje of -zusje zouden krijgen, kwam hem volslagen onwerkelijk voor. Bovendien was de gedachte aan Sean als vader nog absurder, al had hij hem nooit ontmoet. Hij probeerde zich hun gesprekken voor te stellen die tot de beslissing hadden geleid, het vrijen, de moederlijke verlangens die na al die jaren weer bij Sandra waren opgedoken. Het was om misselijk van te worden.

Banks stond in Borders naar een kleurrijke display van bestsellers te staren en kon zich niet eens herinneren dat hij de boekhandel was binnengelopen. Zijn mobieltje ging. Hij liep naar buiten en nam op. Het was Stefan.

'Alan, we hebben de drie lichamen in de kelder geïdentificeerd. Mazzel gehad met die tandartsen. We doen nog een DNA-test natuurlijk om het materiaal met dat van de ouders te vergelijken.'

'Dat is geweldig,' zei Banks, die zijn sombere gedachten over Sandra en Sean onmiddellijk terzijde schoof. 'Wie zijn het?'

'Melissa Horrocks, Samantha Foster en Kelly Matthews.'

'Wat?'

'Ik zei...'

'Dat bedoel ik niet. Ik heb je wel gehoord. Ik dacht alleen...' Er liepen winkelende mensen langs hem heen en Banks wilde niet afgeluisterd worden. Eerlijk gezegd voelde hij zich nog steeds een beetje een sukkel wanneer hij in het openbaar een gesprek voerde op zijn mobieltje. Ooit had hij eens gezien hoe een vader in een restaurant in Helmthorpe zijn dochter op de speelplaats aan de overkant van de weg had gebeld toen het tijd werd om naar huis te gaan en vloekte omdat het meisje haar mobieltje had uitgezet, waardoor hij de weg moest oversteken om haar te halen. 'Het verbaast me een beetje, dat is alles.'

'Hoezo? Klopt er iets niet?'

'De volgorde,' zei Banks. 'Die klopt niet.' Hij begon zachter te praten en hoopte dat Stefan hem nog steeds kon verstaan. 'Met terugwerkende kracht: Kimberley Myers, Melissa Horrocks, Leanne Wray, Samantha

Foster en Kelly Matthews. Een van deze drie zou Leanne Wray moeten zijn. Waarom is zij er niet bij?'

Een klein meisje dat aan de hand van haar moeder in de winkelgalerij langs hem heen liep, wierp hem een nieuwsgierige blik toe. Banks zette zijn mobieltje uit en liep in de richting van Millgarth.

Jenny Fuller was verrast toen Banks die avond bij haar aanbelde. Het was lang geleden dat hij voor het laatst bij haar thuis was geweest. Ze hadden elkaar al vaak ontmoet, hadden regelmatig samen koffie of iets sterkers gedronken, hadden ook vaak samen geluncht of gedineerd, maar hier was hij slechts zelden geweest. Jenny had zich vaak afgevraagd of het iets met haar onhandige verleidingspoging van destijds te maken had.

'Kom binnen,' zei ze. Banks liep door de smalle gang achter haar aan naar de hoge woonkamer. Ze had de kamer sinds zijn laatste bezoek opnieuw behangen en geschilderd en zag dat hij met zijn typische speurdersblik de boel inspecteerde. Tja, de dure stereo-installatie was nog steeds dezelfde, net als de bank waarop ze hem ooit had proberen te verleiden.

Toen ze terugkwam uit Amerika had ze wel een televisie en een videorecorder gekocht, omdat ze daar aan tv-kijken gewend was geraakt, maar afgezien van het behang en de vloerbedekking was er weinig veranderd. Ze zag dat zijn blik bleef rusten op het schilderij van Emily Carr dat boven de open haard hing: een donkere, steile berg die dominant uitstak boven het dorpje op de voorgrond. Jenny was tijdens haar postdoctorale onderzoek in Vancouver verliefd geworden op het werk van Emily Carr en had de poster gekocht als aandenken aan de drie jaar die ze daar had doorgebracht. Drie gelukkige jaren, grotendeels tenminste.

'Wat wil je drinken?' vroeg ze.

'Hetzelfde als jij.'

'Ik wist wel dat ik op je kon rekenen. Het spijt me dat ik geen Laphroaig heb. Is rode wijn goed?'

'Uitstekend.'

Jenny schonk de wijn in terwijl Banks naar het raam liep. The Green zag er in het goudkleurige avondlicht redelijk vreedzaam uit: lange schaduwen, donkergroene bladeren, mensen die hun hond uitlieten, tieners die hand in hand liepen. Misschien moest hij denken aan de tweede keer dat hij haar kwam opzoeken, dacht Jenny met een rilling. Een door drugsgebruik doorgedraaide tiener, Mick Webster, had haar met een pistool gegijzeld en Banks was erin geslaagd de situatie te bezweren, maar het had weinig gescheeld of het was anders afgelopen. Jenny had doodsangsten uitgestaan. Sinds die dag had ze niet meer naar Tosca geluisterd die al die tijd op de achtergrond had gespeeld. Toen ze de wijn had ingeschonken, schudde ze de herinnering van zich af, ze zette een cd op met strijkkwartetten van Mozart en nam de glazen mee naar de bank.

'Cheers.' Ze proostten. Jenny had Banks nog nooit zo vermoeid gezien. Zijn gezicht was bleek en ingevallen en zijn pak slobberde om zijn lichaam. Zijn ogen lagen diep in hun kassen en waren minder levendig en doordringend dan gewoonlijk. Dat kwam natuurlijk omdat hij niet genoeg slaap kreeg sinds hij de leiding had gekregen over de task force, hield ze zichzelf voor. Ze wilde haar hand uitsteken om zijn gezicht aan te raken en alle zorgen weg te strelen, maar ze wilde niet opnieuw afgewezen worden.

'Waaraan heb ik dit bezoek te danken?' vroeg Jenny. 'Ik neem aan dat je hier niet alleen bent vanwege mijn onweerstaanbare aantrekkingskracht.'

Banks glimlachte. Zo zag hij er tenminste minder slecht uit, vond ze. 'Kon ik maar zeggen dat dat de enige reden was,' antwoordde hij, 'maar dan zou ik liegen.'

'God verhoede dat je ooit een leugen vertelt, Alan Banks. Een eerbare man als jij. Zou het werkelijk iets uitmaken als je je af en toe iets minder eerbaar gedraagt? De rest van de mensheid, ach, die laat nu eenmaal wel eens een onwaarheid vallen, maar jij, nee, jij zou je zelfs geen leugentje permitteren als je er iemand een plezier mee kon doen.'

'Jenny, ik kon gewoon niet wegblijven. Een onnoembare innerlijke kracht dreef me gewoon naar je huis, dwong me om je op te zoeken. Ik moest gewoon komen...'

Jenny begon te lachen en gebaarde hem met wuivende handen op te houden. 'Al goed, al goed. Zo is het wel weer genoeg. Eerbaar is toch beter.' Ze kamde met haar hand door haar haar. 'Hoe gaat het met Sandra?'

'Sandra is in verwachting.'

Jenny wendde haar hoofd af alsof ze was geslagen. 'Wat zeg je?'

'Ze is in verwachting. Het spijt me dat ik dit zo plompverloren zeg, maar ik kan geen betere manier bedenken.'

'Dat geeft niet. Ik weet alleen niet wat ik moet zeggen.'

'Dan ben je niet de enige.'

'Hoe voel je je?'

'Je klinkt net als een psycholoog.'

'Ik ben psycholoog.'

'Dat weet ik. Daarom hoef je nog niet zo te klinken. Hoe ik me voel? Dat weet ik nog niet. Welbeschouwd zijn het natuurlijk mijn zaken niet. Toen ze me die avond om een scheiding vroeg, heb ik erin toegestemd zodat ze met Sean kon trouwen.'

'Wilde ze daarom...?'

'Ja. Ze wilden trouwen, zodat het kind wettig zou zijn.'

'Heb je haar zelf gesproken?'

'Nee. Tracy heeft het me verteld. Sandra en ik... tja, we spreken elkaar niet zo vaak meer.'

'Dat is jammer, Alan.'

'Misschien wel, ja.'

'Is er nog steeds zoveel woede en verbittering tussen jullie?'

'Gek genoeg niet. O, ik weet dat het soms is overgekomen alsof ik vreselijk van slag ben, maar dat was gewoon de schok. Er kwam inderdaad ook veel woede bij kijken, maar het was een soort openbaring toen ze om de scheiding vroeg. Een opluchting. Toen besefte ik dat het echt voorbij was en dat ik gewoon verder moest met mijn leven.'

'En?'

'En dat probeer ik nu.'

'Maar soms word je nog wel eens door gevoelens overvallen? Besluipen ze je van achteren en krijg je een klap tegen je achterhoofd?'

'Zo zou je het wel kunnen zeggen.'

'Welkom bij het menselijke ras, Alan. Je zou inmiddels moeten weten dat je je gevoelens voor iemand niet zomaar kwijtraakt omdat je uit elkaar bent.'

'Voor mij was dit allemaal nieuw. Ze is de enige vrouw met wie ik lange tijd ben samen geweest. De enige die ik ooit echt wilde. Nu weet ik hoe het voelt. Ik wens ze uiteraard het allerbeste.'

'Weer een steek onder de gordel. Dat besef je toch wel, hè?'

Banks barste in lachen uit. 'Nee, echt, ik meen het.'

Jenny voelde dat hij haar niet alles vertelde, maar wist dat het geen zin had hem onder druk te zetten. Het was beter om over te gaan tot de orde van de dag, dacht ze. Als hij verder nog iets over Sandra kwijt wil, dan doet hij dat wel op het moment dat hij eraantoe is. 'Daarom ben je natuurlijk ook niet hier, of wel?'

'Niet echt, maar voor een deel misschien wel. Ik wil met je praten over de lopende zaak.'

'Nieuwe ontwikkelingen?'

'Eén.' Banks vertelde dat de drie lichamen waren geïdentificeerd en waarom er volgens hem iets niet klopte.

'Het is inderdaad vreemd,' beaamde Jenny. 'Ik zou ook een bepaalde

volgorde hebben verwacht. Zijn ze buiten nog steeds aan het graven?'
'Ja. Daar zijn ze nog wel even mee bezig.'
'Er was in die kleine kelder niet zo veel ruimte.'
'Dat is waar, net genoeg voor drie,' zei Banks, 'maar dat verklaart nog steeds niet waarom dit niet de meest recente drie zijn. Ik wil nog een paar andere dingen met je doornemen. Weet je nog dat je aan het begin zei dat de moordenaar misschien een handlanger zou kunnen hebben?'
'Het is een mogelijkheid, hoewel moordende echtparen een zeldzaam fenomeen zijn. Ik neem aan dat je denkt aan Lucy Payne?'
Banks nam een slokje wijn. 'Ik heb haar in het ziekenhuis bezocht. Ze... ze beweert dat ze zich bijna niets kan herinneren van wat er is gebeurd.'
'Dat is niet zo verbazingwekkend,' zei Jenny. 'Retrograde amnesie.'
'Dat zei dokter Landsberg ook. Het is niet dat ik er niet in geloof, ik heb het al eerder bij iemand meegemaakt, maar het komt haar nu alleen zo verdomd goed...'
'Zo verdomd goed van pas?'
'Dat wilde ik inderdaad zeggen, ja. Jenny, ik kon het gevoel niet van me afschudden dat ze op iets wacht, dat ze heel berekenend te werk gaat en op de een of andere manier de boel probeert te rekken.'
'Waarop zou ze wachten?'
'Om te zien uit welke hoek de wind waait, alsof ze pas kan bepalen wat ze moet zeggen als ze weet hoe het met Terry afloopt. Dat zou ook een heleboel verklaren.'
'Wat bijvoorbeeld?'
'De manier waarop de meisjes zijn ontvoerd. Een meisje dat in haar eentje naar huis loopt, blijft niet gauw stilstaan om een man in een auto de weg te wijzen, maar als het een vrouw was, zou ze er minder moeite mee hebben.'
'En de man?'
'Die zat misschien in elkaar gedoken op de achterbank met de chloroform in zijn hand te wachten? Kon via het achterportier tevoorschijn springen en haar de auto intrekken? Ik heb nog geen details. Het klinkt wel aannemelijk, of niet?'
'Ja, heel aannemelijk. Heb je enig bewijs dat op haar medeplichtigheid kan duiden?'
'Geen enkel. We zijn nog maar net begonnen. De technische recherche is nog bezig met het huis en de jongens in het lab werken aan de kleren die ze aanhad toen ze werd aangevallen. En zelfs dat levert niets op als ze straks beweert dat ze naar de kelder is gegaan, zag wat haar man had gedaan en schreeuwend is weggerend. Dat bedoelde ik toen ik zei dat ze

lijkt af te wachten totdat ze weet uit welke hoek de wind waait. Als Terence Payne overlijdt, gaat Lucy vrijuit. Als hij blijft leven, kan zijn geheugen onherroepelijk zijn aangetast. Hij is zwaargewond. En als hij herstelt, kan hij besluiten haar te beschermen door haar aandeel verborgen te houden.'

'Als ze inderdaad een aandeel in het geheel had. Ze kon er van tevoren natuurlijk niet vanuit gaan dat zijn geheugen zou worden aangetast of dat hij zou sterven.'

'Dat is waar. Misschien heeft het haar wel de perfecte kans gegeven om haar eigen betrokkenheid te verdoezelen. Jij hebt het huis toch ook van binnen bekeken?'

'Ja.'

'Wat is jouw indruk?'

Jenny nam een slokje wijn en dacht even na: het perfecte interieur, regelrecht uit een tijdschrift, de kleine snuisterijen, alles smetteloos schoon. 'Ik neem aan dat je doelt op de video's en de boeken?' vroeg ze.

'Ook. Daar zat zo te zien flink wat ruig spul bij, vooral in de slaapkamer.'

'Goed, ze zijn dus niet vies van porno. Nou en?' Ze trok haar wenkbrauwen op. 'Ik heb zelf ook een paar video's met softporno in mijn slaapkamer. O, je hoeft niet te blozen, Alan. Ik probeer je heus niet te verleiden. Ik wil je alleen duidelijk maken dat een paar video's met triootjes en een beetje lichte SM niet per se het bewijs zijn dat de bezitter een moordenaar is.'

'Dat weet ik ook wel,' zei Banks. 'Kan het met iets occults te maken hebben, gezien die kaarsen en wierook in de kelder?'

'Die werden misschien alleen gebruikt om de juiste sfeer te creëren.'

'Het wijst in de richting van een soort ritueel.'

'Mogelijk.'

'Ik vroeg me ook af of er verband zou kunnen bestaan met het vierde slachtoffer, Melissa Horrocks. Ze was een fan van die satanische rockmuziek. Je weet wel, Marilyn Manson en zo.'

'Misschien is ironie Payne niet geheel vreemd bij het kiezen van zijn slachtoffers. Hoor eens, Alan, zelfs al was Lucy een aanhanger van perverse seks en satanisme, dan bewijst dat toch verder niets?'

'Ik vraag niet om harde bewijzen. Op dit moment neem ik genoegen met alles wat ik krijgen kan.'

Jenny lachte. 'Laatste strohalmen?'

'Misschien wel. Ken Blackstone gaat ervan uit dat Payne misschien de verkrachter van Seacroft is.'

'De verkrachter van Seacroft?'

'Twee jaar geleden, tussen mei en augustus. Jij zat in Amerika. Een man heeft in Seacroft zes vrouwen verkracht. Hij is nooit gevonden. Nu blijkt dat Payne daar indertijd woonde toen hij vrijgezel was. Hij heeft Lucy daar in juli ontmoet en ze zijn begin september naar The Hill verhuisd toen hij een baan had gekregen bij Silverhill. De verkrachtingen hielden op.'

'Het zou niet de eerste keer zijn dat een seriemoordenaar als verkrachter is begonnen.'

'Inderdaad. Ze zijn trouwens bezig met DNA-onderzoek.'

'Steek gerust een sigaret op als je wilt,' zei Jenny. 'Ik heb heus wel gezien dat je zit te draaien.'

'Is dat zo? Graag dan, als je het niet vervelend vindt.'

Jenny gaf hem de asbak die ze in de kast had staan voor rokende bezoekers. Hoewel ze zelf niet rookte, was ze niet zo fanatiek als een paar vrienden van haar, bij wie nergens in huis gerookt mocht worden. Tijdens haar verblijf in Californië had ze zelfs een grotere hekel gekregen aan de nicotine-nazi's dan aan rokers.

'Wat wil je dat ik doe?' vroeg ze.

'Je werk,' antwoordde Banks. Hij boog zich naar haar toe. 'Zoals ik het nu zie, hebben we waarschijnlijk genoeg om Terry Payne tien keer veroordeeld te krijgen, als hij het tenminste overleeft. Lucy is degene in wie ik echt geïnteresseerd ben, en de tijd dringt.'

'Wat bedoel je daarmee?'

Banks nam een trek van zijn sigaret voordat hij antwoord gaf. 'Zolang ze in het ziekenhuis ligt, hebben we geen probleem, maar zodra ze daaruit wordt ontslagen, kunnen we haar slechts vierentwintig uur vasthouden. En ja, dat kan in dit geval tot zesennegentig uur worden verlengd, maar dan hebben we wel verdomd overtuigende bewijslast nodig, anders is ze vrij om te vertrekken.'

'Het is nog steeds heel goed mogelijk dat ze niets met de moorden te maken heeft gehad. Iets heeft haar die avond gewekt, haar man was weg, dus zocht ze het huis af. Ze zag licht branden in de kelder en toen...'

'Waarom was haar dan nooit eerder iets opgevallen, Jenny? Waarom was ze er dan nooit eerder geweest?'

'Daar was ze te bang voor. Ik krijg de indruk dat ze doodsbang was voor haar man. Moet je kijken wat er gebeurde toen ze inderdaad een keer naar beneden ging.'

'Dat weet ik. Kimberley Myers was echter het vijfde slachtoffer al. Het vijfde. Waarom heeft het zolang geduurd voordat Lucy iets merkte? Waarom ging ze nu pas op onderzoek uit? Ze zei dat ze nooit naar de kelder ging, dat ze dat niet durfde. Waarom was het deze keer dan anders?'

'Misschien wilde ze het de vorige keren niet weten. Je moet niet vergeten dat het ernaar uitziet dat Payne escaleerde en onder de druk bezweek. Misschien kon ze deze keer niet de andere kant opkijken.'

Jenny zag dat Banks nadenkend een trek van zijn sigaret nam en langzaam de rook uitblies. 'Denk je dat echt?' zei hij.

'Het zou toch kunnen? Als haar man zich voor die tijd vreemd gedroeg, heeft ze hem er misschien van verdacht een of ander afgrijselijk geheim te hebben en wilde ze doen alsof er niets aan de hand was. Dat doen de meesten als er iets ergs aan de hand is.'

'Alles onder het vloerkleed vegen?'

'Je kop in het zand steken. Ja. Waarom niet?'

'We zijn het er in elk geval over eens dat er verschillende verklaringen mogelijk zijn voor wat er is gebeurd. En misschien is Lucy Payne inderdaad onschuldig.'

'Waar wil je eigenlijk heen, Alan?'

'Ik wil dat je diep in Lucy Paynes achtergrond gaat graven. Ik wil dat je alles opdiept wat er over haar te vinden is. Ik wil...'

'Maar...'

'Nee, laat me uitpraten, Jenny. Ik wil dat je haar van binnen en buiten leert kennen, dat je alles te weten komt over haar achtergrond, haar jeugd, haar familie, haar dromen, haar verwachtingen, haar angsten.'

'Wacht even, Alan, niet zo snel. Waar moet dit allemaal toe leiden?'

'Misschien ontdek je iets wat op haar betrokkenheid duidt.'

'Of haar vrijspreekt?'

Banks hield zijn handen met open handpalmen voor zich uit. 'Prima, wat dan ook.'

'Er bestaat de kans dat ik niets bruikbaars vind.'

'Dan hebben we het in ieder geval geprobeerd.'

'Is dit eigenlijk geen taak voor de politie?'

Banks drukte zijn sigaret uit. 'Niet echt. Ik wil een evaluatie van je, een diepgravende psychologische profielschets van Lucy Payne. Uiteraard trekken we alle aanwijzingen die je opdiept zelf na. Ik vraag je niet om voor agentje te spelen.'

'Daar ben ik je dan zeer dankbaar voor.'

'Denk eens na, Jenny. Als ze schuldig is, is ze heus niet pas afgelopen oudejaarsavond haar man gaan helpen. Er moet een soort afwijkend gedragspatroon zijn, psychische stoornissen in haar verleden, iets abnormaals, ja toch?'

'Meestal wel. Maar ook als ik erachter kom dat ze vroeger in bed plaste, vuurtjes stookte of de vleugeltjes van vliegen uittrok, heb je nog steeds niets dat je in de rechtszaal tegen haar kunt gebruiken.'

'Wel als iemand gewond is geraakt bij zo'n vuurtje. Misschien ontdek je meer mysterieuze gebeurtenissen in haar leven die het onderzoeken waard zijn. Zodra je iets vindt, geef je dat aan ons door zodat we ermee aan de slag kunnen.'

'En als ik niets vind?'

'Dan komen we geen stap verder. Maar dat doen we nu ook niet.'

Jenny nam een slok wijn en dacht even na. Alan leek zo intens overtuigd dat ze zich geïntimideerd voelde en alleen daarom weigerde ze toe te geven. Toch kon ze niet ontkennen dat het raadsel van Lucy Payne haar als psychologe en als vrouw intrigeerde. Ze had nog niet eerder de kans gehad de psyche van een mogelijke seriemoordenaar van zo dichtbij te bestuderen en Banks had gelijk toen hij zei dat er iets te vinden moest zijn in Lucy Paynes verleden, als ze inderdaad betrokken was geweest bij de misdaden van haar man. Als Jenny diep genoeg kon graven, bestond er een kans dat ze iets in Lucy's verleden zou vinden.

Ze schonk hun glazen bij. 'Stel dat ik hiermee instem,' zei ze. 'Waar moet ik dan beginnen?'

'Hier,' zei Banks en hij haalde zijn notitieboekje tevoorschijn. 'Dit is iemand van het filiaal van de NatWest waar Lucy Payne werkt. Een van ons heeft al met de medewerkers gesproken. Er is er maar een die haar goed kent. Haar naam is Pat Mitchell. Verder zijn er nog Clive en Hilary Liversedge. Lucy's ouders. Ze wonen in de buurt van Hull.'

'Zijn ze al op de hoogte gesteld?'

'Ja, natuurlijk. Wat denk je wel niet van ons?'

Jenny trok een dunne, geëpileerde wenkbrauw op.

'Hoe reageerden ze?'

'Ze waren natuurlijk geschokt. Met stomheid geslagen zelfs. Volgens de agent die hen heeft ondervraagd hebben ze hem niet echt kunnen helpen. Ze hadden nauwelijks nog contact met Lucy na haar huwelijk met Terry.'

'Hebben ze haar opgezocht in het ziekenhuis?'

'Nee. Het schijnt dat de moeder te ziek is om te reizen en dat de vader tegen zijn zin als thuisverzorger fungeert.'

'En de ouders van Terry?'

'Voorzover we hebben kunnen nagaan,' zei Banks, 'zit zijn moeder al vijftien jaar in een psychiatrische inrichting.'

'Wat heeft ze?'

'Ze is schizofreen.'

'En de vader?'

'Die is twee jaar geleden overleden.'

'Waaraan?'

'Zware hartaanval. Hij was slager in Halifax, had een strafblad met seksuele misdrijven: potloodventen, gluren, dat soort zaken. Een vrij klassieke achtergrond voor iemand als Terry Payne, denk je ook niet?'

'Als er al zoiets bestaat.'

'Het wonderbaarlijke is dat Terry erin is geslaagd om leraar te worden.'

Jenny begon te lachen. 'O, ze zetten tegenwoordig iedereen maar voor de klas. Veel wonderbaarlijker is dat het hem gelukt is zo lang een baan te houden. En dat hij is getrouwd. Over het algemeen hebben seksmisdadigers als Terence Payne de grootste moeite een baan te houden en een relatie aan te gaan. Hem is het allebei gelukt.'

'Is dat van belang?'

'Het is intrigerend, dat zeker. Als ik een maand of wat geleden een profielschets had moeten maken, zou ik hebben gezegd dat jullie moesten uitkijken naar een man tussen de twintig en dertig, die waarschijnlijk alleen woonde en een of ander fabrieksbaantje had, of een hele trits van dergelijke baantjes had gehad. Nu blijkt maar weer hoe ver je ernaast kunt zitten.'

'Doe je het?'

Jenny speelde met de steel van haar glas. De Mozart-cd was afgelopen. Er reed een auto voorbij en op The Green blafte een hond. Ze had tijd genoeg om te doen wat Banks van haar vroeg. Ze moest op vrijdagochtend een college geven, maar dat was er een dat ze al honderden malen had gegeven en dat weinig voorbereiding vereiste. Verder had ze pas op maandag een reeks werkcolleges. Ze zou voldoende tijd kunnen vrijmaken. 'Ik zal zelf met Lucy moeten praten.'

'Dan kan geregeld worden. Je bent tenslotte officieel onze adviserend psycholoog.'

'Dat rolt wel heel gemakkelijk je mond uit nu je me nodig hebt.'

'Ik heb er altijd achter gestaan. Je moet je niet door een paar bekrompen...'

'Laat maar,' zei Jenny. 'Het is al duidelijk. Ik kan er heus wel tegen dat ik achter mijn rug word uitgelachen door een stel achterlijke dienders. Ik ben een grote meid. Wanneer kan ik met haar praten?'

'Liefst zo snel mogelijk, nu ze alleen nog maar getuige is. Geloof het of niet, maar advocaten van de verdediging hebben wel eerder aangevoerd dat psychologen verdachten zover hebben gekregen dat ze bekenden. Schikt het morgenochtend? Ik moet er zelf toch om elf uur zijn voor een sectie.'

'Heb jij even mazzel. Goed.'

'Als je wilt, kan ik je een lift geven.'

'Nee. Als ik met Lucy en haar vriendin heb gesproken, rijd ik door om haar ouders op te zoeken. Dan heb ik mijn eigen auto nodig. Ik zie je daar wel, goed?'

'Tien uur?'

'Uitstekend.'

Banks legde haar uit waar ze Lucy's kamer kon vinden. 'Ik zal haar ouders laten weten dat je komt.' Banks gaf haar een routebeschrijving.

'Dus je doet het?'

'Ik heb niet veel keus.'

Banks stond op, boog zich voorover en kuste haar vluchtig op de wang. Hoewel ze de wijn en sigarettenrook in zijn adem rook, maakte haar hart een sprongetje. Ze wilde dat zijn lippen iets langer op haar huid hadden gelegen, dichter bij haar eigen lippen waren gekomen. 'Hé! Nog één keer,' zei ze, 'en ik laat je oppakken wegens seksuele intimidatie.'

8

Banks en Jenny liepen de volgende ochtend even na tienen de kamer van Lucy Payne in. Deze keer stond er tot Banks' opluchting geen dokter bij haar bed. Lucy lag tegen de kussens geleund in een modetijdschrift te lezen. Door de luxaflex viel wat ochtendzonlicht dat een streepjespatroon op Lucy's gezicht en de witte beddenlakens wierp. Haar lange, glanzende haar lag rond haar vale gezicht op het kussen gespreid. Haar blauwe plekken hadden een donkerder tint dan de dag ervoor, wat inhield dat ze al wegtrokken. De helft van haar hoofd was nog altijd in verband gewikkeld. Haar goede oog keek donker en glanzend naar hen op. Banks stelde Jenny aan haar voor als doctor Fuller.

Lucy keek op en er kwam iets van een glimlach op haar gezicht. 'Is er al nieuws?' vroeg ze.

'Nee,' antwoordde Banks.

'Hij gaat dood, hè?'

'Waarom denk je dat?'

'Dat voel ik gewoon.'

'Zou dat wat uitmaken, Lucy?'

'Wat bedoelt u?'

'Je weet heel goed wat ik bedoel. Als Terry doodgaat, zou het dan verschil uitmaken in wat je ons vertelt?'

'Waarom zou het?'

'Zeg jij het maar.'

Lucy zweeg even. Banks zag dat ze fronste en nadacht over hoe ze hierop moest reageren. 'Als ik u zou vertellen wat... eh... wat er was gebeurd... als ik nu eens wist... u weet wel... over Terry en die meisjes en alles... wat zou er dan met mij gebeuren?'

'Ik ben bang dat je iets duidelijker zult moeten zijn, Lucy.'

Haar tong gleed langs haar lippen. 'Ik kan het niet beter uitleggen. Nu nog niet. Ik moet aan mezelf denken. Ik bedoel, als ik me iets zou herinneren dat me in een kwaad daglicht stelt, wat zou u dan doen?'

'Dat hangt ervanaf wat het is, Lucy.'

Lucy zei niets meer.

Jenny ging op de rand van het bed zitten en streek haar rok glad. Banks gaf haar een teken dat ze de ondervraging van hem kon overnemen.

'Kun je je al iets meer herinneren van wat er is gebeurd?' vroeg ze.

'Bent u psychiater?'

'Ik ben psycholoog.'

Lucy keek Banks aan. 'Ze kunnen me toch niet dwingen om aan allerlei tests mee te doen, hè?'

'Nee,' zei Banks. 'Niemand kan je daartoe dwingen. Dat is ook niet de reden dat dokter Fuller hier is. Ze wil graag even met je praten. Ze is hier om je te helpen.' En het salaris wordt door ons op haar rekening gestort, voegde hij er in stilte aan toe.

Lucy wierp een blik op Jenny. 'Ik weet het niet...'

'Je hebt toch niets te verbergen, Lucy?' vroeg Jenny.

'Nee. Ik ben gewoon bang dat ze dingen over me gaan verzinnen.'

'Wie zou er dingen over je verzinnen?'

'Artsen. Politiemensen.'

'Waarom zouden ze dat doen?'

'Dat weet ik ook niet. Omdat ze denken dat ik slecht ben.'

'Niemand gelooft dat je slecht bent, Lucy.'

'Je vraagt je natuurlijk af waarom ik bij Terry ben gebleven.'

'Waarom ben je bij hem gebleven?' vroeg Jenny.

'Ik was bang voor hem. Hij zei dat hij me zou vermoorden als ik bij hem wegging.'

'Heeft hij je ook mishandeld?'

'Ja.'

'Fysiek?'

'Soms sloeg hij me. Ergens waar de blauwe plekken niet zichtbaar zouden zijn.'

'Tot afgelopen maandagochtend.'

Lucy tastte naar het verband. 'Ja.'

'Waarom was het deze keer anders, Lucy?'

'Dat weet ik niet. Ik kan het me nog steeds niet herinneren.'

'Dat geeft niet,' ging Jenny verder. 'Ik ben hier niet om je te dwingen iets te zeggen wat je niet wilt zeggen. Rustig maar. Heeft je man je ook op andere manieren mishandeld?'

'Hoe bedoel je dat?'

'Emotioneel, bijvoorbeeld.'

'Bedoel je of hij me kleineerde, me vernederde waar andere mensen bij waren?'

'Dat is precies wat ik bedoel, ja.'

'Dan is het antwoord ja. Als ik bijvoorbeeld iets had gekookt wat niet zo lekker was, of als ik zijn overhemd verkeerd had gestreken en zo. Hij was erg veeleisend als het op zijn overhemden aankwam.'

'Wat deed hij wanneer zijn overhemden verkeerd waren gestreken?'

'Dan liet hij me alles opnieuw doen, niet één keer, maar vaker. Eén keer heeft hij me zelfs met het strijkijzer gebrand.'

'Waar?'

Lucy keek haar niet aan. 'Waar niemand het kon zien.'

'Ik ben een beetje nieuwsgierig naar de kelder, Lucy. Hoofdinspecteur Banks heeft me verteld dat je hebt gezegd dat je daar nooit kwam.'

'Misschien ben ik er die ene keer wel geweest... u weet wel, toen hij me pijn deed.'

'Op maandagochtend?'

'Ja.'

'Maar je kunt het je niet herinneren?'

'Nee.'

'Je bent daar ook nooit eerder geweest?'

Lucy's stem klonk vreemd klaaglijk. 'Nee. Nooit. Sinds de verhuizing niet.'

'Hoe lang na de verhuizing was het dat hij je verbood er te komen?'

'Dat weet ik niet meer. Niet zo lang. Toen hij klaar was met de verbouwing.'

'Welke verbouwing?'

'Hij zei dat hij er zijn eigen kamer had gebouwd, een speciale plek voor hem alleen.'

'Ben je nooit nieuwsgierig geweest?'

'Niet echt. Bovendien was de deur altijd op slot en hij had de sleutel. Hij zei dat hij me in elkaar zou slaan als hij merkte dat ik beneden was geweest.'

'En jij geloofde hem?'

Ze keek Jenny aan met haar donkere oog. 'O, ja. Het zou niet de eerste keer zijn geweest.'

'Heeft je man het ooit met je over pornografie gehad?'

'Ja. Soms nam hij video's mee naar huis die hij van Geoff had geleend, een van de andere leraren. Die bekeken we wel eens samen.' Ze keek naar Banks. 'Die hebt u vast wel gezien. Ik neem tenminste aan dat jullie in ons huis zijn geweest en alles ondersteboven hebben gehaald.'

Banks herinnerde zich de banden. 'Had Terry een camcorder?' vroeg hij. 'Heeft hij zelf ook opnames gemaakt?'

'Nee, volgens mij niet,' zei ze.

Jenny nam het gesprek weer over. 'Naar wat voor soort video's keek hij graag?' vroeg ze.

'Mensen die seks hadden. Meisjes samen. Soms mensen die waren vastgebonden.'

'Je zei net dat jullie soms ook samen naar een video keken. Vond je dat prettig? Wat voor effect hadden ze op jou? Heeft hij je gedwongen ernaar te kijken?'

Lucy schoof onrustig onder de dunne lakens heen en weer. 'Ik vond er niet zoveel aan,' zei ze met een hese, kleine-meisjesstem. 'Soms had ik toch... u weet wel... vond ik ze toch wel opwindend.' Ze bewoog zich opnieuw onrustig.

'Heeft je man je ook seksueel misbruikt? Moest je wel eens dingen doen die je niet wilde?' vroeg Jenny.

'Nee,' zei ze. 'Alles was heel gewoon.'

Banks begon zich af te vragen of Paynes huwelijk met Lucy deel uitmaakte van de façade die zijn ware aard voor de buitenwereld moest verbergen. Het had tenslotte gewerkt bij Singh en Bowmore, die niet eens de moeite hadden genomen hem opnieuw te ondervragen. Misschien zocht hij zijn perversere gerief wel ergens anders, bij prostituees bijvoorbeeld. Dat moest zeker onderzocht worden.

'Weet je of hij ooit met andere vrouwen is meegegaan?' vroeg Jenny, alsof ze Banks' gedachten had geraden.

'Daar heeft hij het nooit over gehad.'

'Maar je vermoedde het wel?'

'Ik dacht dat hij dat misschien wel eens deed, ja.'

'Prostituees?'

'Dat weet ik niet. Ik dacht er liever niet over na.'

'Gedroeg hij zich wel eens vreemd?'

'Hoe bedoelt u dat?'

'Was je wel eens geschokt door iets wat hij deed, heb je je ooit afgevraagd waar hij nu weer mee bezig was?'

'Niet echt. Hij was verschrikkelijk opvliegend als hij zijn zin niet kreeg. En tijdens de schoolvakanties zag ik hem soms dagenlang niet.'

'Je wist niet waar hij dan was?'

'Nee.'

'Dat heeft hij je ook nooit verteld?'

'Nee.'

'Was je dan niet nieuwsgierig?'

Ze leek terug te deinzen op het bed. 'Met nieuwsgierigheid bereikte je nooit iets bij Terry. Nieuwsgierigheid is niet goed voor de mens, zei hij altijd, en als je je kop niet houdt, ga je er nog dood aan.' Ze schudde haar hoofd. 'Ik weet niet wat ik verkeerd heb gedaan. Alles ging goed. Ik had een heel gewoon leven. Tot ik Terry ontmoette. Toen begon alles fout te gaan. Waarom ben ik ook zo stom geweest? Ik had beter moeten weten.'

'Wat had je beter moeten weten, Lucy?'

'Wat voor man hij was. Wat voor monster hij was.'

'Dat wist je toch. Je zei zelf dat hij je sloeg, je vernederde, ook waar anderen bij waren. Je wist het dus. Wil je me nu wijsmaken dat je dacht dat dat allemaal heel normaal was? Dat je dacht dat iedereen zo leefde?'

'Nee, natuurlijk niet. Maar hij was ook niet het soort monster dat hij nu volgens u is.' Lucy wendde haar blik af.

'Wat is er, Lucy?' vroeg Jenny.

'U zult wel denken dat ik zwak ben, omdat ik heb toegestaan dat hij dat allemaal deed. Een verschrikkelijk mens. Maar dat ben ik helemaal niet. Ik ben heel aardig. Iedereen zegt dat ik heel aardig ben. Ik was bang. Vraagt u het maar aan Maggie. Zij begrijpt me.'

Banks greep in. 'Maggie Forrest? Je buurvrouw?'

'Ja.' Lucy keek zijn kant op. 'We hebben het er wel eens over gehad... over... over mannen die hun vrouw mishandelen en zij probeerde me over te halen bij Terry weg te gaan, maar ik was veel te bang. Misschien had ik er na een tijdje de moed voor gevonden. Dat weet ik nu niet. En nu is het te laat. Alstublieft, ik ben moe. Ik wil niet verder praten. Ik wil alleen nog maar naar huis en verdergaan met mijn leven.'

Banks vroeg zich af of hij Lucy moest vertellen dat ze voorlopig niet naar huis zou kunnen, dat haar huis momenteel veel weg had van een archeologische opgraving en de komende weken, zo niet maanden, in handen zou blijven van de politie. Hij besloot geen moeite te doen. Ze zou er zelf snel genoeg achter komen.

'Dan gaan we maar,' zei Jenny en ze stond op. 'Doe maar rustig aan, Lucy.'

'Zouden jullie iets voor me willen doen?' vroeg Lucy, toen ze bij de deur stonden.

'Wat?' vroeg Banks.

'Thuis staat een juwelenkistje op de toilettafel in de slaapkamer. Het is een gelakt Japans doosje, zwart met allerlei mooie bloemen die er met de hand zijn opgeschilderd. Al mijn lievelingsdingen zitten erin: oorbellen die ik tijdens onze huwelijksreis op Kreta heb gekocht, een gouden ketting met een hartje die Terry voor me heeft gekocht toen we ons verloofden. Die dingen zijn van mij. Zou u het voor me willen meenemen, alstublieft?'

Banks probeerde zijn woede te verbergen. 'Lucy,' zei hij zo rustig mogelijk. 'We denken dat diverse jonge meisjes seksueel zijn misbruikt en daarna vermoord in de kelder van jouw huis en het enige waaraan jij kunt denken zijn je sieraden?'

'Dat is niet waar,' zei Lucy bijna verongelijkt. 'Ik vind het heel erg wat er met die meisjes is gebeurd, natuurlijk, maar het is niet mijn schuld. Ik begrijp niet waarom ik mijn juwelenkistje niet mag hebben. Het enige wat ik tot nu toe heb gekregen zijn mijn handtas en portemonnee en zelfs die zijn eerst door iemand onderzocht, dat heb ik heus wel gemerkt.'

Banks liep achter Jenny aan de gang op en ze liepen samen naar de lift. 'Rustig blijven, Alan,' zei Jenny. 'Lucy distantieert zich momenteel van alles. De emotionele betekenis van het gebeurde dringt nog niet tot haar door.'

'Dat zal dan wel,' zei Banks en hij wierp een blik op de klok aan de muur. 'Dat is verdomme allemaal heel mooi en prachtig. Ik moet nu naar dokter Mackenzie en toekijken hoe hij sectie verricht op het volgende slachtoffer, maar ik zal mijn uiterste best doen eraan te denken dat dit allemaal niet Lucy Paynes schuld is en dat ze er wonderwel in slaagt zich van alles te distantiëren. Bedankt, hoor.'

Jenny legde een hand op zijn arm. 'Ik begrijp dat het frustrerend voor je is, Alan, maar daar schiet je niets mee op. Je kunt haar niet dwingen. Ze laat zich niet dwingen. Een beetje geduld.'

De lift stopte en ze stapten in. 'Een gesprek voeren met die vrouw is zoiets als water proberen op te vangen in een vergiet,' zei Banks.

'Het is inderdaad een vreemde vrouw.'

'Is dat je mening als psycholoog?'

Jenny grinnikte. 'Daar denk ik nog even over na. Ik neem contact met je op zodra ik met haar collega en haar ouders heb gesproken. Dag.' Ze waren aangekomen op de begane grond en ze liep snel naar de parkeerplaats. Banks haalde diep adem en drukte de knop in voor het souterrain.

Het ging vandaag een stuk beter met Raponsje, vond Maggie en ze deed een stap achteruit om haar werk te bewonderen. Ze zag er tenminste niet meer uit alsof je met een ruk aan haar haren haar hele hoofd van haar schouders zou trekken en ze leek ook niet langer op Claire Toth. Anders dan gebruikelijk was Claire gisteren na school niet langsgekomen en Maggie vroeg zich af wat daarvoor de reden was geweest. Misschien had ze geen zin in een gezellig praatje na alles wat er was gebeurd. Misschien wilde ze even alleen zijn om haar gevoelens op een rijtje te krijgen. Maggie besloot dat ze met haar psychiater, doctor Simms, over Claire zou praten om te zien of er iets moest worden gedaan. Ze had een afspraak voor morgen waaraan ze zich ondanks alle gebeurtenissen van deze week wilde houden.

Lorraine Temples artikel had niet in de ochtendkrant gestaan, zoals Maggie eigenlijk had verwacht. Ze nam aan dat de journaliste meer tijd nodig had om de feiten te controleren en er een geheel van te maken. Ze hadden tenslotte gisteren pas met elkaar gesproken. Misschien zou het een groot thema-artikel over mishandelde vrouwen worden in de zaterdagkrant.

Ze boog zich over haar schetsblok en werkte verder aan de schets. Ze moest de bureaulamp aandoen omdat de lucht die ochtend bewolkt en somber was.

Een paar minuten later ging de telefoon. Maggie legde haar potlood neer en nam op.

'Maggie?'

Ze herkende de zachte, hese stem. 'Lucy? Hoe gaat het met je?'

'Het gaat al veel beter, echt waar.'

Maggie wist even niet wat ze moest zeggen. Ze voelde zich opgelaten. Hoewel ze bloemen bij haar had laten bezorgen, Lucy had verdedigd tegen de politie en met Lorraine Temple over haar had gesproken, besefte ze opeens dat ze elkaar nauwelijks kenden en een heel verschillend leven leidden. 'Het is fijn om je stem te horen,' zei ze. 'Ik ben blij te horen dat het beter gaat.'

'Ik wilde je alleen maar bedanken voor de bloemen,' vervolgde Lucy. 'Ze zijn prachtig. Het was erg aardig van je om eraan te denken.'

'Dat was wel het minste wat ik kon doen.'

'Weet je, jij bent de enige die zich nog om me bekommert. Verder heeft iedereen me al afgeschreven.'

'Ik weet zeker dat dat niet zo is, Lucy.'

'Jawel, echt waar. Zelfs mijn vriendinnen van het werk.'

Hoewel Maggie het bijna niet kon opbrengen, moest ze het uit beleefdheid wel vragen. 'Hoe gaat het met Terry?'

'Dat willen ze me niet vertellen, maar ik geloof dat hij ernstig gewond is. Ik denk zelfs dat hij doodgaat. Ik denk dat de politie mij daar de schuld van wil geven.'

'Waarom denk je dat?'

'Dat weet ik niet.'

'Zijn ze bij je geweest?'

'Twee keer. Net waren ze nog met zijn tweeën hier. Eentje was een psycholoog. Ze heeft me van alles gevraagd.'

'Waarover?'

'Over wat Terry met me heeft gedaan. Over ons seksleven. Ik voelde me zo stom. Ik voel me zo alleen en ik ben bang, Maggie.'

'Luister, Lucy, als er iets is wat ik voor je kan doen...'

'Dank je wel.'

'Heb je al een advocaat?'

'Nee. Ik ken niet eens een advocaat.'

'Luister, Lucy. Als de politie je weer komt lastigvallen, houd dan je mond. Zeg gewoon helemaal niets. Ik weet uit eigen ervaring hoe ze je woorden kunnen verdraaien en iets onbetekenends tot enorme proporties kunnen opblazen. Zal ik iemand voor je zoeken? Een vriendin van Ruth en Charles hier in de stad is advocaat. Julia Ford. Ik heb haar wel eens ontmoet en ze lijkt me heel aardig. Zij zal wel weten wat je moet doen.'

'Ik heb niet zoveel geld, Maggie.'

'Maak je maar geen zorgen. Daar zoeken we samen met haar wel een oplossing voor. Zal ik haar bellen?'

'Ja, dat is goed. Als je zeker weet dat dat het beste is.'

'Geloof me maar. Ik zal haar direct bellen en vragen of ze bij je wil langsgaan, goed?'

'Goed.'

'Weet je zeker dat ik verder niets voor je kan doen?'

Maggie hoorde een verslagen lachje aan de andere kant van de lijn. 'Misschien kun je voor me bidden. Ik weet het niet meer, Maggie. Ik weet niet wat ze met me van plan zijn. Voorlopig is het genoeg om te weten dat er nog iemand aan mijn kant staat.'

'Je kunt op me rekenen, Lucy, als je dat maar weet.'

'Dank je. Ik ben moe. Ik moet nu gaan.'

En Lucy hing op.

Nadat hij gezien had hoe dokter Mackenzie sectie had verricht op het treurige hoopje botten en rottend vlees dat ooit een jong, levendig meisje was geweest, vol hoop, dromen en geheimen, voelde Banks zich twintig jaar ouder, maar niets wijzer. Het meest recente lichaam was het eerst op tafel gekomen, omdat dokter Mackenzie meende dat dit hem het meest zou kunnen vertellen, wat Banks heel logisch in de oren klonk. Het lichaam had natuurlijk al ongeveer drie weken gedeeltelijk onder een dunne laag aarde in de kelder van de Paynes gelegen, schatte dokter Mackenzie, waardoor huid, haren en nagels loszaten en gemakkelijk te verwijderen waren. Insecten hadden zich niet onbetuigd gelaten en veel van het vlees was al verdwenen. De resterende huid was op verschillende plaatsen opengebarsten en had spiermassa en vetweefsel blootgelegd. Niet veel vet, want Melissa Horrocks had minder dan vijfenveertig kilo gewogen.

Banks vertrok voordat dokter Mackenzie het werk had afgerond, niet omdat de aanblik hem te gruwelijk was, maar omdat alles veel tijd in beslag zou nemen en hij nog een aantal zaken te regelen had. Het zou minimaal twee dagen duren, had dokter Mackenzie gezegd, voordat hij een rapport zou kunnen schrijven, omdat de twee andere lichamen in nog veel verder gevorderde staat van ontbinding verkeerden. Iemand van het team zou bij de rest aanwezig moeten zijn, maar dit was een klus die Banks met genoegen aan iemand anders overliet.

Na de aanblik, geluiden en geuren van de ruimte waarin Mackenzie de sectie had verricht, vormde het saaie kantoortje van de Silverhill-scholengemeenschap een aangename opluchting. De rector, John Knight, was een veertiger met een wijkende haargrens, gebogen schouders en roos op de kraag van zijn jasje.

Nadat hij enkele algemene details over Paynes staat van dienst had genoteerd, vroeg Banks of er ooit problemen waren geweest met Payne.

'Nu u het zegt, we hebben een paar keer klachten over hem ontvangen,' gaf Knight toe.

Banks trok vragend zijn wenkbrauwen op. 'Van leerlingen?'

Knight liep rood aan. 'Lieve help, nee. Zo bedoelde ik het absoluut niet. Hebt u enig idee wat er vandaag de dag gebeurt als er ook maar het geringste vermoeden bestaat dat er zoiets speelt?'

'Nee,' zei Banks. 'Toen ik op school zat, sloegen onderwijzers ons bont en blauw met alles wat ze maar te pakken konden krijgen. En sommigen beleefden daar een enorm plezier aan.'

'Die dagen zijn gelukkig verleden tijd.'

'Wat voor problemen waren er met Terence Payne?'

Knight zuchtte. 'Ach, kleine dingetjes. Op zich niets belangrijks, maar als je alles bij elkaar optelt...'

'Kunt u een voorbeeld geven?'

'Te laat komen. Vaak afwezig zonder geldige reden. Leraren mogen dan een riant aantal vakantiedagen hebben, hoofdinspecteur, er wordt wel van hen verwacht dat ze tijdens schooldagen aanwezig zijn, tenzij ze ernstig ziek zijn, uiteraard.'

'Juist, ja. En verder?'

'Slordigheden. Examens die niet op tijd waren nagekeken. Projecten die niet werden begeleid. Terry heeft een opvliegend karakter en kan erg tegendraads zijn als je hem ter verantwoording roept.'

'Hoe lang is dit al zo?'

'Pas sinds nieuwjaarsdag.'

'En daarvoor?'

'Waren er geen problemen. Terence Payne is een uitstekende leraar, hij weet waar hij het over heeft en is blijkbaar populair bij de leerlingen.

Geen van ons kan geloven wat er is gebeurd. We zijn allemaal met stomheid geslagen. Werkelijk verbijsterd.'

'Kent u zijn vrouw?'

'Nee, eigenlijk niet. Ik heb haar één keer ontmoet tijdens een kerstfeestje voor het personeel. Mooie vrouw. Een tikje afstandelijk, wellicht, maar zeer charmant.'

'Heeft Terry een collega die Geoff heet?'

'Ja. Geoffrey Brighouse. Leraar scheikunde. Die twee schenen het goed met elkaar te kunnen vinden. Ze gingen regelmatig samen een biertje drinken.'

'Wat kunt u me over hem vertellen?'

'Geoff werkt hier nu ongeveer zes jaar. Betrouwbare, degelijke vent. Geeft nooit problemen.'

'Zou ik hem kunnen spreken?'

'Maar natuurlijk.' Knight keek op zijn horloge. 'Hij zou nu in het scheikundelab moeten zijn om zich voor te bereiden op de volgende les. Als u mij wilt volgen...'

Ze liepen naar buiten. Het werd steeds benauwder, de bewolking nam toe en het zag ernaar uit dat het ging regenen. Afgezien van de laatste paar dagen had het sinds begin april bijna elke dag een uur of wat geregend.

De Silverhill-scholengemeenschap was een van de weinige gotische, uit rode baksteen opgetrokken schoolgebouwen die de oorlog hadden doorstaan en nog niet waren gezandstraald en omgebouwd tot kantoren of luxe appartementen. Groepjes tieners hingen rond op het geasfalteerde speelplein. Ze leken allemaal bedrukt, dacht Banks en er hing een mistroostige, angstige, verwarde sfeer op het plein. Het waren geen gemengde groepen, zag Banks; de meisjes stonden in hun eigen hoekje alsof ze troost en zekerheid bij elkaar zochten; ze keken naar de grond en schuifelden met hun voeten op het asfalt toen Banks en Knight voorbijliepen. De jongens waren iets levendiger; ze spraken in elk geval met elkaar en sommigen waren aan het stoeien.

'Het is al zo sinds het nieuws bekend werd gemaakt,' zei Knight, alsof hij Banks' gedachten had gelezen. 'Mensen beseffen niet hoe ingrijpend en langdurig de gevolgen zullen zijn voor deze school. Sommige leerlingen komen er misschien nooit overheen. Het zal hun leven altijd blijven beïnvloeden. Het is niet alleen dat we een geliefde leerlinge hebben verloren, het ziet er bovendien naar uit dat een leraar die we vertrouwden verantwoordelijk is voor die vreselijke daden.'

'Natuurlijk,' zei Banks. 'En vreselijk beschrijft bij lange na niet wat er is gebeurd. Maar zegt u dat alstublieft niet tegen de media.'

'Over mijn lippen komt geen woord. Ze zijn hier trouwens al geweest.'
'Dat verbaast me niet.'
'Ik heb hun niets verteld. Er valt eigenlijk ook niets te vertellen. We zijn er. Het Bascombe-gebouw.'

Het Bascombe-gebouw was een moderne, uit beton en glas bestaande vleugel die later aan het hoofdgebouw moest zijn toegevoegd. Bij de deur hing een plaquette aan de muur met de inscriptie: 'Ter nagedachtenis aan Frank Edward Bascombe, 1898-1971.'

'Wie was hij?' vroeg Banks toen ze naar binnen liepen.

'Een leraar aan deze school tijdens de oorlog,' legde Knight uit. 'Leraar Engels. Dit was vroeger onderdeel van het hoofdgebouw, maar dat werd in oktober 1944 door een bom getroffen. Frank Bascombe was een held. Hij wist twaalf kinderen en een andere leraar uit het gebouw te krijgen. Twee leerlingen kwamen om. Hierheen.' Hij deed de deur naar het scheikundelab open, waar een jonge man met een stapel aantekeningen aan de leraarstafel voor in het lokaal zat. Hij keek op. 'Geoff, dit is hoofdinspecteur Banks. Hij wil je graag even spreken.' Hij trok de deur weer achter zich dicht en liep weg.

Banks was al minstens dertig jaar niet meer in een scheikundelab geweest en hoewel deze ruimte veel meer en veel modernere apparatuur bevatte dan hij zich van zijn eigen schooltijd herinnerde, was er toch weinig veranderd: de hoge labtafels, de bunsenbranders, reageerbuisjes, pipetten en bekers; de met glazen deuren afgesloten kast tegen de muur die vol stond met stopflesjes met zwavelzuur, natriumfosfaat en dergelijk spul. Prachtige herinneringen. Zelfs de geur was hetzelfde: zurig, alsof er iets lag te rotten.

Banks moest denken aan de scheikundeset die zijn ouders hem op zijn dertiende met Kerst hadden gegeven, aan het kaliumaluminiumsulfaatpoeder, het blauwe kopersulfaat en de felpaarse korrels kaliumpermanganaat. Hij had ze maar al te graag door elkaar gegooid om te zien wat er zou gebeuren, zonder acht te slaan op de instructies of veiligheidsmaatregelen. Hij had eens een vreemd brouwseltje boven een kaars in de keuken verhit, waarop de reageerbuis was ontploft en de hele keuken onder de rotzooi kwam te zitten. Zijn moeder was door het lint gegaan.

Brighouse, die geen witte jas droeg, maar een licht colbert en grijze flanellen broek, kwam naar hem toe en stak zijn hand uit. Hij was van ongeveer dezelfde leeftijd als Payne, met bleekblauwe ogen, blond haar en een rode huid, alsof hij te lang in de zon had gezeten. Zijn handdruk was stevig en kort. Hij zag dat Banks zijn lab bekeek.

'Haalt zeker de nodige herinneringen boven?' vroeg hij.

'Een paar.'

'Toch wel leuke, hoop ik?'

Banks knikte. Scheikunde was een van zijn favoriete vakken geweest, ook al was de leraar, 'Titch' Barker, de hardhandigste rotzak van de hele school geweest. Hij gebruikte de rubberen verbindingsstukken van de bunsenbranders om leerlingen te slaan. Een keer had hij Banks' hand boven een brander gehouden en gedaan alsof hij hem wilde aansteken. Banks had de sadistische glans in zijn ogen gezien en geweten hoeveel moeite het hem had gekost het niet echt te doen.

'Vandaag gaan we met natrium aan de slag,' zei Brighouse.

'Sorry?'

'Natrium. Omdat het zo instabiel reageert in de open lucht. Is altijd een succes. De jongeren van tegenwoordig moet je met wat technisch vuurwerk verleiden om hun belangstelling vast te houden. Gelukkig is daar bij scheikunde meer dan voldoende gelegenheid voor.'

'Aha.'

'Gaat u zitten.' Hij wees op een hoge kruk bij de dichtstbijzijnde tafel. Banks nam plaats achter een rek met reageerbuisjes en een bunsenbrander. Brighouse ging tegenover hem zitten.

'Ik weet niet of ik u kan helpen,' begon Brighouse. 'Ik ken Terry natuurlijk wel. We zijn collega's en tot op zekere hoogte ook bevriend. Ik kan echter niet zeggen dat ik hem goed ken. Hij is nogal gesloten.'

'Lijkt me logisch,' zei Banks. 'Als je bedenkt wat hij thuis allemaal uitspookte.'

Brighouse knipperde met zijn ogen. 'Tja... wat u zegt.'

'Meneer Brighouse...'

'Geoff. Zegt u alstublieft Geoff.'

'Goed, Geoff,' zei Banks, die er altijd de voorkeur aan gaf mensen bij hun voornaam aan te spreken, omdat het hem een soort overmacht gaf over een verdachte, wat Geoff Brighouse in zijn ogen zeker was. 'Hoe lang ken je Terence Payne al?'

'Sinds hij hier kwam werken, een jaar of twee geleden.'

'Daarvoor heeft hij lesgegeven in Seacroft. Klopt dat?'

'Ja. Ik geloof het wel.'

'Kende je hem toen al?'

'Nee. Mag ik trouwens vragen hoe het met hem is?'

'Hij ligt nog steeds op de intensive care, maar klampt zich uit alle macht vast aan het leven.'

'Mooi. Ik bedoel... shit, wat is dit moeilijk. Ik kan het nog steeds niet geloven. Wat moet ik in godsnaam zeggen? Hij is wel een vriend van me, ondanks alles wat hij...' Brighouse duwde een vuist tegen zijn mond en beet op een knokkel. Hij leek plotseling op het punt te staan in tranen uit te barsten.

'Ondanks alles wat hij heeft gedaan?'

'Dat wilde ik inderdaad bijna zeggen, maar... Ik ben een beetje in de war. Het spijt me.'

'Het zal nog wel even duren. Ik begrijp het wel. Toch moet ik intussen alles over Terence Payne te weten zien te komen. Wat deden jullie zoal samen?'

'We gingen meestal naar een pub. Niet dat we zoveel dronken. Ik niet tenminste.'

'Payne wel?'

'De laatste tijd pas.'

'Heb je hem erover aangesproken?'

'Een paar keer. Wanneer hij in zijn auto stapte.'

'Wat heb je toen gedaan?'

'Ik heb geprobeerd hem zijn sleutels af te pakken.'

'Wat gebeurde er toen?'

'Hij werd razend. Heeft me zelfs een keer geslagen.'

'Terence Payne heeft je geslagen?'

'Ja. Maar toen was hij bezopen. Als hij bezopen is, kan hij heel opvliegend zijn.'

'Heeft hij je ooit verteld waarom hij zoveel dronk?'

'Nee.'

'Heeft hij je ooit in vertrouwen genomen over persoonlijke problemen?'

'Nee.'

'Weet je of er meer problemen waren, afgezien van zijn drankgebruik?'

'Zijn inzet voor zijn werk werd minder.'

Dat had Knight ook gezegd. Net als het drankmisbruik was dit waarschijnlijk eerder een symptoom dan het echte probleem. Jenny Fuller zou het wellicht kunnen bevestigen, maar Banks vond het logisch dat een man die deed wat Payne had gedaan behoefte had aan een vorm van vergetelheid. Het leek bijna alsof hij gepakt wilde worden, alsof hij wilde dat alles voorbij was. Hij wist dat hij al in het politiesysteem zat vanwege zijn valse kentekenbewijs; dan was de ontvoering van Kimberley Myers wel een erg stomme zet. Als Bowmore en Singh er niet waren geweest, had hij misschien veel eerder Banks' aandacht getrokken. Zelfs als er uit een tweede ondervraging niets nieuws was gekomen, zou zijn naam uit HOLMES zijn opgedoken zodra Carol Houseman de nieuwe data had ingevoerd: dat Kimberley Myers een leerling van Silverhill was, waar Payne lesgaf, en dat hij geregistreerd stond als de eigenaar van een auto met een nummerbord dat eindigde op KWT, ondanks het valse nummerbord met NVG.

'Heeft hij het ooit over Kimberley Myers gehad?' vroeg Banks.

'Nee. Nooit.'

'Heeft hij het ooit over jonge meisjes in het algemeen gehad?'

'Hij praatte wel eens over meisjes, maar niet speciaal over jonge.'

'Hoe praatte hij over vrouwen? Met genegenheid? Vol verachting? Begerig? Kwaad?'

Brighouse dacht even na. 'Nu ik eraan denk,' zei hij, 'heb ik altijd gedacht dat Terry een beetje dominant klonk wanneer hij over vrouwen praatte.'

'Hoezo?'

'Nou ja, als hij een meisje wel zag zitten, in een pub of zo, dan had hij het steeds over dat hij haar wel zou willen naaien, dat hij haar wel op een bed zou willen vastbinden en haar neuken tot ze niet meer kon. Zoiets. Niet dat ik nou zo... ik bedoel, ik ben heus niet preuts of zo, maar soms ging hij wel wat ver.'

'Is dat niet gewoon lomp mannengedrag?'

Brighouse trok een wenkbrauw op. 'Zou u denken? Ik weet het niet. Ik wil alleen maar zeggen dat hij erg grof en neerbuigend over vrouwen sprak.'

'Over mannengedrag gesproken: heb je Terry wel eens video's geleend?'

Brighouse keek hem niet aan. 'Hoezo? Wat voor video's bedoelt u?'

'Pornovideo's.'

Banks zag dat Brighouse nog roder werd dan hij al was.

'Een beetje soft spul. Niets illegaals. Niets dat je niet in elke winkel kunt huren. Ik heb hem trouwens ook andere video's geleend. Oorlogsfilms, horror, sciencefiction. Terry is een filmfanaat.'

'Geen zelfgemaakte filmpjes?'

'Natuurlijk niet. Wie denkt u wel dat ik ben?'

'Heeft Terry een camcorder?'

'Niet dat ik weet.'

'Jij misschien?'

'Nee. Ik weet amper hoe ik met een gewoon fototoestel moet omgaan.'

'Ben je vaak bij hem thuis geweest?'

'Een paar keer.'

'Ooit in de kelder geweest?'

'Nee. Hoezo?'

'Weet je dat heel zeker, Geoff?'

'Ja, natuurlijk, verdomme. U denkt toch niet...'

'Je beseft toch wel dat we de hele kelder van de Paynes aan een grondig forensisch onderzoek onderwerpen?'

'Wat wilt u daarmee zeggen?'

'De eerste regel over een plaats delict luidt dat iedereen die er ooit is geweest iets achterlaat en iets meeneemt. Als je er bent geweest, zullen we dat ontdekken. Ik wil niet dat je verdacht lijkt omdat je me simpelweg niet hebt verteld dat je daar voor iets heel onschuldigs bent geweest, bijvoorbeeld om samen naar een pornovideo te kijken.'

'Ik ben nooit daar beneden geweest.'

'Goed. Het is maar dat je het weet. Hebben jullie wel eens samen vrouwen opgepikt?'

Brighouse wendde zijn blik af en staarde naar de bunsenbrander terwijl hij aan het rekje met reageerbuisjes peuterde dat voor hem stond.

'Meneer Brighouse? Geoff? Het kan belangrijk zijn.'

'Ik zie niet in waarom.'

'Laat mij dat maar beoordelen. En je hoeft je niet schuldig te voelen dat je een vriend verraadt. Die vriend ligt in een coma in het ziekenhuis. Zijn vrouw ligt in hetzelfde ziekenhuis met een paar schrammen en blauwe plekken die hij haar heeft bezorgd. En in de kelder van zijn huis hebben we het lichaam gevonden van Kimberley Myers. Kun je je Kimberley nog herinneren? Je hebt haar waarschijnlijk lesgegeven. Ik was er zojuist bij toen sectie werd verricht op een van zijn eerdere slachtoffers en ik voel me nog steeds niet helemaal lekker. Meer hoef je niet te weten en neem van mij aan dat je dat ook niet wilt.'

Brighouse haalde diep adem. 'Nou, goed dan, ja, we hebben wel eens een vrouw opgepikt. Eén keer.'

'Vertel me precies wat er toen is gebeurd.'

'Niets. Nou ja, u weet wel...'

'Nee, dat weet ik dus niet. Ik wil het van jou horen.'

'Ja, maar luistert u nou eens, dit is nogal...'

'Het kan me niet schelen hoe gevoelig dit ligt. Ik wil weten hoe hij zich bij die vrouw gedroeg. Ga verder. Zie het maar als een vertrouwelijk gesprek met je huisarts over de druiper die je ergens hebt opgelopen.'

Brighouse slikte moeizaam. 'Het was tijdens een conferentie in Blackpool. In april, nu net een jaar geleden.'

'Voordat hij getrouwd was?'

'Ja. Hij kende Lucy wel, maar ze waren toen nog niet getrouwd. Pas in mei.'

'Ga verder.'

'Er valt niet zoveel te vertellen. Er was een aantrekkelijke jonge lerares uit Aberdeen en op een avond hadden we met zijn allen wat gedronken aan de bar en wat geflirt en zo. Nou ja, na een paar glazen gin leek ze wel zin te hebben, dus zijn we naar onze kamer gegaan.'

'Met jullie drieën?'

'Ja. Terry en ik hadden samen een kamer. Als hij haar had versierd, zou ik heus niet zijn meegegaan, hoor, maar ze liet duidelijk merken dat ze er geen bezwaar tegen had. Het was juist haar idee. Ze zei dat ze altijd al eens een triootje had willen proberen.'

'En jij?'

'Ik had er ook wel eens over gefantaseerd, ja.'

'Wat gebeurde er toen?'

'Wat denkt u nou zelf? Seks, natuurlijk.'

'Vond ze het prettig?'

'Tja, zoals ik al zei, het was vooral haar idee geweest. Ze was aangeschoten. Dat waren we allemaal. Ze had er geen bezwaar tegen. Ze had er juist wel zin in. Pas later...'

'Wat was er later?'

'Nou ja, dat begrijpt u toch zelf ook wel.'

'Nee, dat begrijp ik nu juist helemaal niet.'

'Nou, Terry stelde voor een Griekse sandwich te doen. Ik weet niet of u...'

'Ik weet wat een Griekse sandwich is. Ga verder.'

'Ze weigerde.'

'Wat gebeurde er toen?'

'Terry kan heel overtuigend zijn.'

'Hoe? Met geweld?'

'Nee. Hij geeft gewoon nooit op. Hij blijft herhalen wat hij wil en uiteindelijk geven de meeste mensen maar toe.'

'Jullie kregen dus jullie Griekse sandwich?'

Brighouse keek omlaag en wreef met zijn vingers over de ruwe, bekraste tafel. 'Ja.'

'En ze deed uit zichzelf mee?'

'Zo ongeveer. Ik bedoel: niemand heeft haar gedwongen. Niet fysiek. We dronken nog wat en Terry bleef maar op haar inpraten, over hoe fijn het zou zijn en zo en uiteindelijk...'

'Wat gebeurde er na afloop?'

'Niets eigenlijk. Ze maakte geen stennis of zo. De sfeer was natuurlijk wel verpest. Ze huilde een beetje, ze scheen zich gebruikt te voelen. Ik kon zien dat ze er weinig plezier aan had beleefd.'

'Maar jullie hielden niet op?'

'Nee.'

'Schreeuwde ze? Zei ze dat jullie moesten ophouden?'

'Nee. Ze maakte wel geluidjes, maar... nou ja, ze was van nature al schreeuwerig aangelegd. Ik was zelfs even bang dat de mensen in de kamer naast ons zouden komen aankloppen om te vragen of het wat zachter kon.'

'Wat gebeurde er toen?'

'Ze ging terug naar haar eigen kamer. We dronken nog iets en toen ben ik bewusteloos geraakt. Ik neem aan dat Terry hetzelfde is overkomen.'

Banks nam rustig de tijd om iets in zijn notitieboekje op te schrijven. 'Ik weet niet of het tot je is doorgedrongen, Geoff, maar wat je me zojuist hebt verteld, duidt op medeplichtigheid aan verkrachting.'

'Niemand heeft haar verkracht! Ik heb het u toch uitgelegd. Ze wilde het zelf.'

'Zo klinkt het anders niet. Twee mannen. Zij in haar eentje. Ze had geen keus. Ze heeft duidelijk gezegd dat ze geen zin had in het voorstel van Terence Payne, maar hij heeft het doorgedrukt.'

'Hij heeft haar gewoon overgehaald.'

'Lul niet, Geoff. Hij heeft haar verzet gebroken. Dat zei je zelf. Bovendien durf ik te wedden dat ze bang was voor wat er zou gebeuren als ze hem zijn zin niet gaf.'

'Niemand heeft haar met geweld bedreigd.'

'Misschien niet met zoveel woorden, nee.'

'Hoor eens, misschien zijn we een beetje te ver gegaan...'

'En is het uit de hand gelopen?'

'Misschien een beetje.'

Banks zuchtte. Dat excuus had hij al zo vaak gehoord wanneer mannen geweld tegen vrouwen gebruikten. Het was hetzelfde excuus dat de belagers van Annie Cabbot hadden aangevoerd. Hij walgde van Geoffrey Brighouse, maar kon er weinig aan doen. De gebeurtenis had meer dan een jaar geleden plaatsgevonden, voorzover hij wist had de vrouw geen aanklacht ingediend en bovendien lag Terence Payne in het ziekenhuis voor zijn leven te vechten. Toch was het de moeite waard om het op te schrijven en het in de toekomst te gebruiken.

'Het spijt me,' zei Brighouse. 'U begrijpt me toch wel? Ze heeft niet gezegd dat we moesten ophouden.'

'Ik denk dat ze daar weinig kans toe kreeg, zo vastgedrukt tussen twee flinke kerels als Terry en jij.'

'Ja, maar tot die tijd had ze genoten.'

Ga verder met de ondervraging, maande Banks zichzelf, voordat je hem op zijn gezicht gaat timmeren. 'Is er vaker zoiets gebeurd?'

'Nee. Dat was de enige keer. Misschien zult u het niet geloven, hoofdinspecteur, maar na die nacht schaamde ik me een beetje, ook al had ik niets fouts gedaan, en ik was niet van plan me nogmaals door Terry in zo'n positie te laten manoeuvreren. Dus heb ik geprobeerd dergelijke situaties te vermijden.'

'Is Payne zijn vrouw sindsdien trouw gebleven?'

'Dat heb ik niet gezegd.'

'Wat bedoel je daarmee?'

'Alleen maar dat we samen geen meisjes meer hebben opgepikt. Hij vertelde me wel eens dat hij naar de hoeren was geweest.'

'Wat deed hij met hen?'

'Wat denkt u?'

'Heeft hij geen details beschreven?'

'Nee.'

'Heeft hij wel eens in seksuele termen over zijn vrouw gesproken?'

'Nee. Nooit. Hij was wat haar aanging heel bezitterig en gesloten. Hij had het zelden over haar. Het was net of ze deel uitmaakte van een heel ander leven. Terry is verschrikkelijk handig in het opdelen in vakjes.'

'Daar begint het inderdaad op te lijken. Heeft hij ooit voorgesteld om jonge meisjes te ontvoeren?'

'Denkt u nu werkelijk dat ik me met zoiets zou inlaten?'

'Dat weet ik niet, Geoff. Vertel jij het me maar. Hij heeft met je gesproken over het vastbinden van meisjes en hen neuken totdat ze niet meer konden, en hij heeft in ieder geval die lerares in Blackpool verkracht, of ze nu eerder die avond uit zichzelf seks met jullie wilde of niet. Eerlijk gezegd weet ik nog niet wat ik van jouw aandeel in dit alles moet denken, Geoff.'

Brighouse had al zijn kleur inmiddels verloren en zat te trillen op zijn stoel. 'U denkt toch niet dat ik...? Maar...'

'Waarom niet? Er is geen enkele reden waarom jij niet met hem zou hebben kunnen samenwerken. Met zijn tweeën was het een stuk gemakkelijker om het slachtoffer te ontvoeren. Is hier in het lab ergens chloroform?'

'Chloroform? Jawel. Hoezo?'

'Achter slot en grendel?'

'Ja, natuurlijk.'

'Wie heeft de sleutel?'

'Ik. Terry. Keith Miller, meneer Knight. Ik kan verder niemand bedenken. Waarschijnlijk de conciërge en misschien ook de schoonmakers.'

'Wiens vingerafdrukken zullen we op de fles aantreffen, denk je?'

'Geen idee. Ik kan me in ieder geval niet herinneren wanneer ik dat spul voor het laatst heb gebruikt.'

'Wat heb je afgelopen weekend gedaan?'

'Niets bijzonders. Thuisgebleven. Proefwerken nagekeken. Een beetje gewinkeld in de stad.'

'Heb je momenteel een vriendin, Geoff?'

'Nee.'

'Nog iemand gesproken in het weekend?'

'Een paar buren in de gang en in het trappenhuis. O ja, en zaterdag-avond ben ik naar de film geweest.'

'Alleen?'

'Ja.'

'Wat heb je gezien?'

'De nieuwe James Bond, in het centrum. Daarna ben ik naar mijn stamkroeg gegaan.'

'Heeft iemand je daar gezien?'

'Ja, een paar vaste klanten. We hebben nog gedart.'

'Tot hoe laat ben je daar gebleven?'

'Tot sluitingstijd.'

Banks krabde over zijn wang. 'Ik weet het niet, Geoff. Alles bij elkaar is het niet bepaald een sluitend alibi, vind je wel?'

'Ik wist niet dat ik dat nodig zou hebben.'

De deur van het lab ging open en twee jongens staken hun hoofd om de hoek. Geoff Brighouse keek opgelucht op zijn horloge en zei met een zwak lachje: 'Tijd voor de les, ben ik bang.'

Banks stond op. 'Geeft niet, Geoff. Ik wil het onderwijs van onze jon-geren niet in de war sturen.'

Brighouse gebaarde dat de jongens konden binnenkomen. Ze werden op de voet gevolgd door een aantal anderen die naar de krukken bij de tafels liepen. Hij liep met Banks naar de deur.

'Ik wil dat je naar Millgarth komt en een verklaring aflegt,' zei Banks voordat hij vertrok.

'Een verklaring? Ik? Waarom?'

'Een formaliteit, meer niet. Daar vertel je precies hetzelfde als je mij zo-juist hebt verteld. Verder moeten we exact weten waar je was en wat je deed op de tijdstippen dat die vijf meisjes werden ontvoerd. Details, ge-tuigen, alles. Bovendien hebben we een scan nodig van je vingerafdruk-ken en een DNA-monster. Vanmiddag na school is uitstekend. Een uur of vijf maar? Meld je bij de balie en vraag naar agent Younis. Hij ver-wacht je.' Banks overhandigde hem een kaartje en schreef er de naam op van de intelligente, maar uiterst strikte jonge agent die hij ter plekke had uitverkoren om Brighouses officiële verklaring af te nemen. Younis was actief bij zijn lokale methodistenkerk en in moreel opzicht nogal conservatief. 'Tot ziens,' zei Banks en hij liet Geoff Brighouse verbou-wereerd achter.

9

Toen Jenny zich bij de bank meldde, nam Pat Mitchell haar mee naar het restaurant in het winkelcentrum aan de overkant van de weg. Pat was een levendige brunette met glanzende bruine ogen. Aanvankelijk kon ze alleen maar verbijsterd haar hoofd schudden en zeggen: 'Ik kan het nog steeds niet geloven. Ik kan gewoon niet geloven dat dit echt gebeurt.'

Jenny, goed bekend met het verschijnsel ontkenning, mompelde meelevend en gaf Pat de tijd tot zichzelf te komen.

'Hoe goed ken je Lucy?' vroeg Jenny toen Pat was opgehouden met huilen.

'Vrij goed. Al vier jaar, zolang ze hier bij de bank werkt. Ze had toen nog een flatje in een zijstraat van Tong Road. We zijn bijna even oud. Hoe is het met haar? Hebt u haar gesproken?' Er blonken nog steeds tranen in Pats grote, bruine ogen.

'Vanochtend nog,' antwoordde Jenny. 'Ze maakt het goed.' Fysiek wel in elk geval. 'Wat was ze voor iemand toen je haar voor het eerst ontmoette?'

Pat begon te glimlachen. 'Ze was grappig, je kon met haar lachen.'

'Wat bedoel je daarmee?'

'Ach, gewoon, ze wilde plezier hebben, lol maken.'

'En wat beschouwde zij als lol?'

'Naar clubs gaan, pubs, feestjes, dansen, jongens versieren.'

'Alleen maar versieren?'

'Lucy was toen... nou ja, een beetje vreemd wat jongens betreft. De meesten schenen haar snel te vervelen. Ze ging een paar keer met ze uit en dumpte ze vervolgens.'

'Waarom deed ze dat, denk je?'

Pat liet de thee in haar kopje ronddraaien en keek ernaar alsof ze haar toekomst erin wilde lezen. 'Geen idee. Het was alsof ze op iemand wachtte.'

'De ware Jacob?'

Pat begon te lachen. 'Zoiets, ja.' Jenny kreeg de indruk dat ze onder andere omstandigheden veel sneller en vaker zou lachen.

'Heeft ze je ooit verteld hoe haar ware Jacob eruitzag?'
'Nee. De jongens uit de buurt voldeden gewoon niet aan haar eisen. Ze vond ze stom en zei dat ze alleen maar aan voetbal en seks konden denken. In die volgorde.'
'Wat zocht ze dan? Een rijke man? Een avontuurlijke? Een gevaarlijke?'
'In geld was ze niet zo geïnteresseerd. Gevaarlijk? Dat durf ik niet te zeggen. Misschien wel. Ze hield wel van een beetje spanning. Toen wel. Ze kon ook wel eens te ver gaan.'
Jenny maakte een paar aantekeningen. 'Hoe? Op welke manier?'
'Ach, het is eigenlijk niets. Ik had het niet moeten zeggen.'
'Je kunt het me rustig vertellen, hoor.'
Pat begon zachter te praten. 'U bent toch psychiater?'
'Psycholoog.'
'Van hetzelfde laken een pak. Als ik u iets vertel, blijft het dan tussen ons? Komt niemand te weten dat u het van mij hebt? Ik wil niet dat Lucy denkt dat ik mijn mond voorbij heb gepraat.'
Hoewel Jenny vaak geldige redenen had om dossiers van haar patiënten pas na een gerechtelijk bevel te overhandigen, werkte ze in haar huidige hoedanigheid voor de politie en kon ze geen bescherming van privacy garanderen. Aan de andere kant had ze Pats verhaal nodig en Lucy zou er waarschijnlijk toch nooit achterkomen. 'Ik zal mijn best doen. Ik beloof het.'
Pat beet op haar onderlip en dacht even na; toen boog ze zich voorover en greep met beide handen haar theekopje vast. 'Ze wilde een keer naar zo'n club in Chapeltown.'
'Een West-Indiase club?'
'Ja. Nette meisjes zouden zich daar nog niet in de buurt vertonen, maar Lucy leek het wel spannend.'
'Is ze gegaan?'
'Ja, met Jasmine, een Jamaicaanse van het filiaal in Boar Lane. Er is natuurlijk helemaal niets gebeurd. Ik denk dat ze toen wel drugs heeft geprobeerd.'
'Waarom? Heeft ze er iets over gezegd?'
'Een paar vage opmerkingen. En ze keek erbij alsof ze meer wist dan wij, alsof zij er in levenden lijve was geweest en de rest van ons het alleen maar op televisie had gezien.'
'Is er verder nog iets?'
'Ja.' Nu Pat op dreef was, leek ze met geen mogelijkheid meer te stoppen. 'Ze heeft me ooit verteld dat ze eens voor prostituee heeft gespeeld.'
'Wat?'

'Echt waar.' Pat keek om zich heen om zich ervan te overtuigen dat niemand belangstelling voor hen had en vervolgde op zachtere toon: 'Een paar jaar geleden, voordat Terry op het toneel verscheen. We hadden het er een keer over op een avond in de pub omdat we er een zagen, een prostituee dus, en we vroegen ons af hoe het zou zijn als je het voor het geld deed. Gewoon voor de grap natuurlijk. Lucy zei dat ze het wel eens zou willen proberen en ze zou het ons nog laten weten.'

'En deed ze dat?'

'Jawel. Dat vertelde ze mij tenminste. Een week later zei ze dat ze de dag ervoor dellerige kleding had aangetrokken, netkousen, hoge hakken, een zwart leren minirok en een laag uitgesneden blouse, en dat ze toen in de bar van een motel aan de snelweg was gaan zitten. Ze zei dat het niet lang had geduurd voordat er een man op haar afkwam.'

'Heeft ze je verteld wat er is gebeurd?'

'Niet met zoveel woorden. Lucy weet heel goed wanneer ze iets moet achterhouden. Om een beter effect te krijgen. Ze zei wel dat ze met elkaar hadden gepraat, heel zakelijk en beleefd en zo, en dat ze toen een financiële afspraak hadden gemaakt en naar zijn kamer waren gegaan.'

'Geloofde je haar?'

'Niet meteen. Eigenlijk is het toch te gek voor woorden, vindt u niet? Maar...'

'Uiteindelijk begon je het te geloven?'

'Tja, zoals ik al zei, Lucy weet je altijd te verrassen en ze is gek op spanning en opwinding. Ik denk dat het geld dat ze me liet zien de doorslag gaf.'

'Ze heeft je het geld laten zien?'

'Ja. Tweehonderd pond.'

'Dat had ze net zo goed bij de bank kunnen opnemen.'

'Dat is waar, ja, maar toch... Dat is het enige dat ik erover weet.'

Jenny maakte nog een paar aantekeningen. Pat hield haar hoofd schuin om te zien wat ze opschreef. 'Die baan van u zal wel heel fascinerend zijn,' zei ze.

'Soms wel, soms niet.'

'Net als die vrouw die op televisie was. *Prime Suspect*.'

'Ik ben niet van de politie, Pat. Ik werk alleen maar voor hen als adviserend psycholoog.'

Pat trok haar neus op. 'Toch lijkt het me een spannend leven. Misdadigers vangen en zo.'

Spannend was niet het eerste woord dat bij Jenny opkwam, maar ze besloot Pat maar in die waan te laten. Net als bij de meeste mensen kon het ook bij haar waarschijnlijk weinig kwaad. 'En toen Lucy Terry had ontmoet?'

'Toen veranderde ze. Zo gaat het nou eenmaal. Waarom zou je anders trouwen? Als het je niet verandert, bedoel ik.'

'Ik snap wat je bedoelt. In welk opzicht veranderde ze?'

'Ze werd afstandelijker, bleef vaker thuis. Terry is een beetje een huismus, dus uitgaan was er niet meer bij. Hij is ook nogal jaloers, dus moest ze op haar tellen passen wanneer ze jongens stond te versieren. Niet dat ze dat nog deed toen ze eenmaal getrouwd waren, hoor. Terry, Terry, Terry, dat was het enige waar je haar nog over hoorde.'

'Waren ze erg verliefd?'

'Smoorverliefd. Dat zei ze tenminste en ze leek me heel gelukkig. Meestal tenminste.'

'Kun je iets verder terug in de tijd? Was jij erbij toen ze elkaar voor het eerst ontmoetten?'

'Ze zegt van wel, maar ik kan het me absoluut niet meer herinneren.'

'Wanneer was dat?'

'Bijna twee jaar geleden. In juli. Een warme, broeierige avond. We waren met een stel meiden naar een pub in Seacroft waar je ook kan dansen.'

'Wat kun je je nog herinneren van die avond?'

'Ik weet nog dat Lucy alleen wegging. Ze zei dat ze niet genoeg geld had voor een taxi en ze wilde de laatste bus niet missen. De laatste bus vertrekt daar vrij vroeg. Ik weet nog dat ik tegen haar zei dat ze voorzichtig moest zijn. De Verkrachter van Seacroft was toen nog actief.'

'Wat zei ze toen?'

'Ze keek me alleen even aan en ging toen weg.'

'Heb je Terry die avond daar gezien? Heb je gezien dat hij met haar stond te kletsen?'

'Hij zat in zijn eentje aan de bar, maar ik kan me niet herinneren of ik hen heb zien praten.'

'Wat zei Lucy later?'

'Dat ze even met hem had staan kletsen toen ze drankjes bestelde aan de bar en dat ze hem knap vond. Toen ze wegging, was ze hem weer tegengekomen en zijn ze samen naar een andere pub gegaan. Ik weet het niet meer zo precies. Ik was een beetje boven mijn theewater. Wat er toen verder ook is gebeurd, het betekende het eind van de oude Lucy. Vanaf dat moment was ze volkomen anders. Ze had bijna geen tijd meer voor haar oude vrienden.'

'Ben je ooit bij hen op bezoek geweest? Voor een etentje bijvoorbeeld?'

'Een paar keer, samen met Steve, mijn verloofde.' Ze liet haar ring met

een fonkelende diamant zien. 'In augustus gaan we trouwen. De huwelijksreis is al geboekt. We gaan naar Rhodos.'

'Kon je het goed vinden met Terry?'

Pat huiverde. 'Nee. Ik mag hem niet. Ik heb hem nooit gemogen. Steve
vond hem wel oké, maar... Daarom gaan we er eigenlijk ook niet meer
naartoe. Er is iets met hem... En Lucy was net een zombie wanneer hij
in de buurt was. Of anders gedroeg ze zich alsof ze aan de drugs was.'

'Wat bedoel je daarmee?'

'Nou ja, zo zeg je dat toch? Ik weet heus wel dat ze geen drugs gebruikt,
maar zo gedroeg ze zich wel: heel opgewonden en druk, en ze sprong
van de hak op de tak.'

'Heb je ooit gezien dat ze werd mishandeld?'

'Dat hij haar sloeg en zo, bedoelt u?'

'Ja.'

'Nee. Nooit. Ik heb ook nooit blauwe plekken of zo gezien.'

'Is Lucy recent nog veranderd?'

'Hoezo?'

'Is ze meer in zichzelf gekeerd, maakt ze een angstige indruk?'

Pat beet op haar duim en antwoordde niet direct. 'Nu u het zegt, ze is
de afgelopen maanden inderdaad veranderd,' zei ze ten slotte. 'Ik kan
niet zeggen wanneer het precies is begonnen, maar ze leek zenuwachti-
ger, afwezig, alsof ze problemen had.'

'Heeft ze je in vertrouwen genomen?'

'Nee. We waren inmiddels nogal uit elkaar gegroeid. Heeft hij haar echt
mishandeld? Ik kan me niet voorstellen dat een vrouw als Lucy zoiets
zou toestaan, u wel?'

Jenny had daar minder moeite mee, maar het had geen zin om te proberen Pat daarvan te overtuigen. Als Lucy had aangevoeld dat haar
vriendin zo op haar probleem zou reageren, dan was het geen wonder
dat ze zich tot een buurvrouw als Maggie Forrest had gewend, die tenminste met haar meeleefde.

'Heeft Lucy je wel eens verteld over haar verleden, haar jeugd?'

Pat wierp een blik op haar horloge. 'Nee. Ik weet alleen dat ze uit de
buurt van Hull komt en een vrij saai leven heeft gehad. Ze kon niet
wachten om weg te komen en heeft weinig meer van zich laten horen,
zeker toen ze Terry eenmaal had ontmoet. Hoor eens, ik moet nu echt
terug. Ik hoop dat ik u heb kunnen helpen.' Ze stond op.

Jenny stond eveneens op en ze gaven elkaar een hand. 'Dank je wel. Je
hebt me uitstekend geholpen.' Toen Pat weg was, keek ook Jenny op
haar horloge. Ze had genoeg tijd om naar Hull te rijden en te horen
wat Lucy's ouders te vertellen hadden.

Banks was al enige dagen niet op zijn kantoor in Eastvale geweest. Toen hij laat in de middag na afloop van zijn gesprek met Geoff Brighouse eindelijk tijd had om langs te gaan, was zijn postvak dan ook volgestouwd met verslagen, memo's, verzoeken, telefonische boodschappen en circulaires. Hij besloot er wat van weg te werken en daarna met Annie Cabbot iets te gaan drinken in de Queen's Arms om het onderzoek naar Janet Taylor te bespreken.

Nadat hij een berichtje voor Annie had afgegeven met het verzoek zich om zes uur te melden in zijn kantoor, deed hij de deur achter zich dicht en liet de stapel papier op zijn bureau vallen. Hij had zelfs zijn kalender nog niet van april naar mei omgezet, zag hij, en hij sloeg de pagina met een foto van de stenen brug in Linton om naar die met de kathedraal van York, met op de voorgrond een waas van roze en witte meibloesem. Het was donderdag 11 mei. Moeilijk te geloven dat er pas drie dagen waren verstreken sinds de gruwelijke ontdekking op The Hill 35. De sensatiebladen hadden het huis inmiddels vol leedvermaak omgedoopt tot 'Huis der Gruwelen' en 'Paynes huis van Pijn'. Ze hadden op de een of andere manier beslag weten leggen op foto's van zowel Terry als Lucy Payne. De ene was zo te zien afkomstig van een klassenfoto en de andere van een 'medewerker-van-de-maand'-prijs die aan Lucy was uitgereikt door het filiaal van de NatWest waar ze werkte. Beide foto's waren van slechte kwaliteit en je moest weten wie ze waren om ze te kunnen herkennen.

Banks zette zijn computer aan, beantwoordde de e-mails die hij een antwoord waard achtte en werkte zich vervolgens door de papierstapel heen. Zo te zien was er weinig gebeurd tijdens zijn afwezigheid. De belangrijkste zaak betrof een reeks overvallen op postkantoren, waar één man het personeel en de klanten terroriseerde met een lang mes en een spuitbus met ammoniak. Er was tot nu toe niemand gewond geraakt, maar dat wilde niet zeggen dat het zo zou blijven. De afgelopen maand hadden er in West Yorkshire vier van dergelijke overvallen plaatsgevonden. Brigadier Hatchley was bezig zijn bonte verzameling aan informanten te bezoeken. Na de overvallen betrof het ernstigste misdrijf de diefstal van een schildpad die in een kartonnen doos in de tuin had liggen slapen en samen met een Raleigh-fiets en een grasmaaier was ontvreemd.

Hij zette de radio aan en herkende een pianosonate uit Schuberts latere periode. Hij voelde een stekende pijn tussen zijn ogen en masseerde de pijnlijke plek zachtjes. Toen dat niet hielp, nam hij een paar paracetamoltabletten uit zijn bureaula en slikte die weg met wat lauwe koffie. Hij duwde de papieren opzij en liet de muziek over zich heen spoelen.

Hij had tegenwoordig weer vaker last van hoofdpijn. Hij werd 's nachts ook vaak wakker en ging met ongekende tegenzin naar zijn werk. Hetzelfde had hij meegemaakt vlak voordat hij van Londen naar Yorkshire was vertrokken en op het punt had gestaan een burn-out te krijgen. Hij vroeg zich af of het weer dezelfde kant opging. Hij besloot toch maar eens een afspraak met zijn huisarts te maken zodra hij er de tijd voor had.

Het gerinkel van de telefoon stoorde hem in zijn overpeinzingen. Geërgerd nam hij de hoorn op. 'Banks,' gromde hij.

'Met Stefan. Je had gevraagd of ik je op de hoogte wilde houden.'

'Ja, Stefan. Nieuwe ontwikkelingen?' Banks hoorde stemmen op de achtergrond. Millgarth waarschijnlijk. Of het huis van de Paynes.

'Een goed bericht. Ze hebben Paynes vingerafdrukken aangetroffen op de machete waarmee Morrisey is vermoord en het lab heeft gemeld dat er gele plastic vezels van de waslijn onder de nagels van Lucy Payne zijn aangetroffen. Daarnaast zijn er sporen van Kimberley Myers' bloed op de mouw van haar ochtendjas gevonden.'

'Bloedsporen van Kimberley op de ochtendjas van Lucy Payne?'

'Ja.'

'Dus ze is wel in de kelder geweest,' zei Banks.

'Daar lijkt het op, ja. Ze kan de aanwezigheid van de vezels natuurlijk altijd verklaren door te zeggen dat ze die waslijn voor haar wasgoed heeft gebruikt. Er hangt net zo'n waslijn in hun achtertuin. Ik heb hem zelf gezien.'

'Maar het bloed?'

'Dat is lastiger,' zei Stefan. 'Het was niet veel, maar het bewijst in elk geval dat ze beneden is geweest.'

'Bedankt, Stefan. Dat is goed om te weten. Al iets bekend over Terence Payne?'

'Hetzelfde. Bloed en gele vezels. En een grote hoeveelheid bloed van Morrisey.'

'En de lichamen?'

'Er lag er nog een in de tuin, bijna een skelet. Dat brengt het totaal op vijf.'

'Bijna een skelet? Hoe lang duurt zoiets meestal?'

'Hangt af van de temperatuur en de insecten,' zei Stefan.

'Zou het binnen een maand kunnen zijn gebeurd?'

'Zou kunnen, maar het is de afgelopen maand niet zo warm geweest.'

'Maar het is mogelijk?'

'Het is mogelijk, ja.'

Leanne Wray was op eenendertig maart verdwenen, iets meer dan een maand geleden, dus er bestond de mogelijkheid dat dit haar stoffelijke resten waren.

'Trouwens,' ging Stefan verder, 'we zijn nog niet klaar in de tuin. Ze graven heel langzaam en voorzichtig om te voorkomen dat ze de botten beschadigen of verplaatsen. Ik heb geregeld dat morgen een botanist en een entomoloog van de universiteit komen kijken. Zij zouden ons op weg moeten kunnen helpen met het tijdstip van overlijden.'

'Heb je kleding aangetroffen bij de slachtoffers?'

'Nee. Helemaal niets van persoonlijke aard.'

'Zorg dat dat lichaam wordt geïdentificeerd, Stefan, en laat het me direct weten zodra je iets hebt gevonden.'

'Komt in orde.'

Banks beëindigde het gesprek, liep naar het open raam en stak een verboden sigaret op. Het was een warme, benauwde middag en er hing een soort spanning in de lucht die erop duidde dat er een onweersbui op komst was. Kantoormedewerkers keken naar de lucht en staken hun paraplu op voordat ze naar huis liepen. Winkeliers sloten hun zaak en haalden de zonwering op. Banks moest weer aan Sandra denken, die in het wijkcentrum in North Market Street had gewerkt. Vaak hadden ze afgesproken iets in de Queen's Arms te gaan drinken voordat ze naar huis gingen. Een mooie tijd. Voor hem, tenminste. Nu was ze in verwachting van Seans baby.

De pianomuziek van Schubert speelde verder, het serene, weemoedige begin van de sonate in Bes. Banks' hoofdpijn begon al wat te zakken. Het belangrijkste dat hij zich van Sandra's zwangerschappen kon herinneren was dat ze het vreselijk had gevonden en niet bepaald een stralende aanstaande moeder was geweest. Ze had veel last gehad van misselijkheid en hoewel ze bijna niet rookte en vrijwel geen alcohol dronk, was ze met hem naar de Queen's Arms blijven gaan. Ook was ze galeries en toneelstukken blijven bezoeken, had samen met haar vrienden dingen ondernomen.

Toen ze zeven maanden zwanger was van Tracy, was ze gevallen op het ijs en had ze haar been gebroken, waardoor ze de rest van haar zwangerschap in het gips had gezeten. Het ergst voor haar was geweest dat ze niet naar buiten had gekund met haar camera en opgesloten moest zitten in hun piepkleine flatje in Kennington, terwijl Banks tot in de kleine uurtjes doorwerkte en bijna nooit thuis was. Ach, misschien zou Sean haar meer tot steun zijn. Wie weet hoe alles gelopen was als Banks zelf wat vaker thuis was geweest...

Hij kreeg echter de kans niet om die gedachtegang voort te zetten en op dat ene plekje in de hel te belanden dat volgens hem gereserveerd was voor echtgenoten en vaders die hun gezin verwaarloosden. Annie Cabbot klopte op zijn deur, stak haar hoofd om de hoek en bood hem de gelegenheid tijdelijk te ontsnappen aan het schuldgevoel en de zelfverwijten die tegenwoordig steeds vaker aan hem knaagden.

'Zes uur had je toch gezegd?'

'Ja. Sorry, Annie. Ik zat met mijn gedachten mijlenver weg.' Banks voelde in zijn jasje of hij zijn portefeuille en sigaretten bij zich had en wierp nog een laatste blik op het papierwerk dat op zijn bureau lag. Ze konden allemaal de boom in. Als ze van hem verwachtten dat hij twee banen tegelijkertijd aankon, dan moesten ze ook maar even op hun papierhandel wachten.

Jenny reed behoedzaam door de stortbui, keek naar het woud van hijskranen dat oprees van de Goole Docks en vroeg zich voor de zoveelste keer af waarom ze in vredesnaam naar Engeland was teruggekomen. Naar Yorkshire. Het had in ieder geval niets te maken met familiebanden. Jenny was enig kind en haar ouders waren twee gepensioneerde academici die in Sussex woonden. Haar ouders waren altijd volledig in hun werk opgegaan, haar vader als historicus en haar moeder als fysicus, en Jenny had het grootste deel van haar jeugd doorgebracht met een eindeloze reeks au pairs die de plaats van haar ouders hadden moeten innemen. Gezien hun aangeboren academische afstandelijkheid had Jenny daardoor vaak het gevoel gehad dat ze eerder een experiment was geweest dan een dochter.

Niet dat het haar raakte (ze wist tenslotte niet beter) en bovendien had ze haar eigen leven op dezelfde manier geleefd: als een experiment. Soms keek ze terug en dan leek alles zo oppervlakkig en egoïstisch dat ze bijna in paniek raakte.

In december zou ze veertig worden. Ze was nog steeds single (was ook nooit getrouwd geweest) en hoewel ze inmiddels licht gebruikt, beschadigd en kapot was, telde ze wel degelijk nog mee. Ze was nog steeds knap en had een goed figuur, hoewel ze steeds meer wondermiddeltjes nodig had en steeds harder moest zwoegen in de sportzaal van de universiteit om de extra pondjes weer kwijt te raken die haar voorliefde voor lekker eten en goede wijn haar bezorgde. Ook had ze een goede baan, werd ze gerespecteerd, en had ze diverse publicaties op haar naam staan.

Waarom voelde ze zich af en toe dan zo leeg? Waarom had ze altijd het gevoel dat ze snel ergens zijn moest zonder er ooit aan te komen? Zelfs nu de regen tegen de voorruit roffelde en de ruitenwissers op de hoogste stand heen en weer zwiepten, reed ze negentig kilometer per uur.

Opnieuw bekroop haar het gevoel dat ze ergens te laat voor was.

Het hield op met regenen. Op Classic FM werd Elgars *Enigma Variaties* gedraaid. In noordelijke richting stond een krachtcentrale met zijn enorme koelwatertorens tegen de horizon geplakt en de stoom die hij uitblies was nauwelijks te onderscheiden van de laaghangende bewolking. Ze had bijna het einde van de snelweg bereikt.

Ach, hield ze zichzelf voor, ze was teruggekomen naar Yorkshire omdat ze op de vlucht was voor haar erbarmelijk slechte relatie met Randy. De geschiedenis bleef zich herhalen. Ze had in West Hollywood een mooi appartement tegen een zeer schappelijke prijs kunnen huren van een schrijver die genoeg geld had verdiend om een huis in Laurel Canyon te kopen. Ze had op loopafstand gewoond van een supermarkt en de restaurants en clubs aan de Santa Monica Boulevard. Ze gaf college aan de UCLA, deed onderzoek, en ze had Randy. Randy had echter de gewoonte om met knappe, eenentwintigjarige doctoraalstudentes het bed in te duiken.

Na een inzinking had Jenny een eind aan de relatie gemaakt en was ze met hangende pootjes teruggekeerd naar Eastvale. Misschien verklaarde dat waarom ze altijd zo'n haast had, dacht ze: wanhopig op zoek naar een thuis, waar dat ook mocht zijn, wanhopig op de vlucht voor een slechte relatie, alleen om weer een nieuwe te beginnen. Het was maar een theorie. Bovendien zat Alan in Eastvale. Als hij een van de redenen was geweest dat ze was weggebleven, kon hij dan ook een van de redenen zijn dat ze was teruggekomen? Bij die gedachte wilde ze liever niet al te lang stilstaan.

De M62 ging over in de A63 en al snel ving Jenny een glimp op van de Humber-brug aan haar rechterkant, die zich koninklijk uitstrekte over de weidse riviermonding en naar de nevels en moerassen in Lincoln-shire en Little Holland. Op het moment dat enkele zonnestralen het rafelige wolkendek doorboorden, bereikte de 'Nimrod-variatie' zijn indrukwekkende climax.

Bij de eerste de beste parkeergelegenheid raadpleegde Jenny haar plattegrond. De wolken werden nu uiteengedreven en lieten steeds meer zonlicht door, maar er lagen nog steeds talloze plassen op de wegen waar passerende auto's en vrachtwagens hoge waterfonteinen veroorzaakten.

Lucy's ouders woonden langs de A164 in de richting van Beverley, dus ze hoefde niet het centrum van Hull door. Ze reed verder door de westelijke voorsteden en vond al snel de woonwijk die ze zocht. Het huis van Clive en Hilary Liversedge was een goed onderhouden twee-onder-één-kap met een erker in een rustige straat. Nogal saaie plek voor een jong meisje, dacht Jenny. Haar eigen ouders waren in haar jeugd talloze keren verhuisd. Ze was in Durham geboren, opgegroeid in Bath, en had in Bristol, Exeter en Norwich gewoond, allemaal universiteitssteden waar het leven bruiste.

Een kleine, mollige man met een grijze snor deed de deur open. Hij droeg een groen, openhangend vest en een donkerbruine broek die strak onder zijn ronde bierbuik was gesnoerd en met bretels werd opgehouden.

'Clive Liversedge?'

'Kom binnen, mevrouwtje,' zei hij. 'U bent vast dokter Fuller.'

'Dat ben ik inderdaad.' Jenny volgde hem door de nauwe gang naar een keurige woonkamer met gestreept behang, een driedelige zithoek van rood velours, en een elektrische kachel met namaakkooltjes. Ze kon zich Lucy absoluut niet in deze omgeving voorstellen.

Hilary Liversedge, Lucy's invalide moeder, deed met haar bleke huid en donkere kringen onder haar ogen aan een wasbeer denken. Ze lag op de bank met een wollen deken over haar benen. Haar magere armen zagen er slap en gerimpeld uit. Ze bewoog zich niet toen Jenny binnenkwam, maar haar ogen waren levendig en alert.

'Hoe gaat het met Lucy?' vroeg Clive Liversedge. 'Ze zeiden dat het niet ernstig was. Is alles goed met haar?'

'Ik heb haar vanochtend gesproken,' zei Jenny, 'en ze maakt het goed.'

'Arme meid,' zei Hilary. 'Als je nagaat wat ze allemaal heeft meegemaakt. Zegt u maar tegen haar dat ze hier van harte welkom is en gerust kan komen logeren wanneer ze uit het ziekenhuis komt.'

'Ik ben hier omdat ik graag wat meer over Lucy wil weten,' begon Jenny. 'Hoe was ze als jong meisje?'

De Liversedges keken elkaar aan. 'Heel gewoon,' zei Clive.

'Normaal,' zei Hilary.

Tuurlijk, dacht Jenny. Alle normale meisjes trouwen met een seriemoordenaar. Zelfs als Lucy niet betrokken was geweest bij de moorden, moest er iets vreemds met haar aan de hand zijn, iets wat niet helemaal normaal was. Jenny had het die ochtend tijdens hun gesprekje in het ziekenhuis al gevoeld.

'Hoe was ze op school?'

'Heel slim,' antwoordde Clive.

'Ze had een prachtige eindlijst. Mooie cijfers,' voegde Hilary eraantoe.

'Ze had gemakkelijk naar de universiteit gekund,' besloot Clive.

'Waarom heeft ze dat niet gedaan?'

'Ze had er geen zin in,' zei Clive. 'Ze wilde wat van de wereld zien en een eigen inkomen hebben.'

'Is ze ambitieus?'

'Ze is niet inhalig, als u dat bedoelt,' antwoordde Hilary. 'Natuurlijk wil ze vooruit in de wereld, net als iedereen, maar ze gelooft niet dat ze een universiteitsdiploma nodig heeft om dat te bereiken. Die diploma's worden toch maar overschat, vindt u ook niet?'

'Dat zou kunnen,' zei Jenny, die zelf niet alleen was afgestudeerd maar ook gepromoveerd. 'Ging ze graag naar school? Hield ze van leren?'

'Dat zou ik niet zeggen,' zei Hilary. 'Ze deed wat nodig was om een voldoende te halen, maar ze was geen studiebol.'

'Was ze populair op school?'

'Ze kon volgens mij goed overweg met de andere kinderen, ja. We hebben in ieder geval geen klachten over haar gehad.'

'Ze was geen pestkop en werd zelf ook niet gepest?'

'Ach, alleen die ene keer met dat meisje, maar dat is met een sisser afgelopen,' zei Clive.

'Iemand die Lucy pestte?'

'Nee. Iemand die had geklaagd dat Lucy haar pestte. Die zou haar hebben bedreigd en geld hebben geëist.'

'Wat is er toen gebeurd?'

'Niets. Het was haar woord tegen dat van Lucy.'

'En u geloofde Lucy?'

'Ja.'

'Dus er werd helemaal niets aan gedaan?'

'Nee. Ze konden niets bewijzen.'

'Was dat de enige keer dat er zoiets voorviel?'

'Ja.'

'Deed ze wel eens mee aan naschoolse activiteiten?'

'Ze hield niet zo van sporten, maar ze heeft meegedaan in een paar toneelstukken van school. Ze was echt goed, hè liefje?'

Hilary Liversedge knikte instemmend.

'Was het een wild kind?'

'Ze kon erg ondernemend zijn en als ze eenmaal iets in haar hoofd had dan kreeg je het er niet meer uit, maar echt wild zou ik haar niet willen noemen.'

'En thuis? Hoe ging dat met jullie drieën?'

Ze keken elkaar weer aan. Het was een heel gewoon gebaar, maar het bracht Jenny toch van haar stuk. 'Prima. Heel rustig. Veroorzaakte nooit problemen,' zei Clive.

'Wanneer is ze het huis uitgegaan?'

'Toen ze achttien was. Ze had die baan gekregen bij de bank in Leeds. We hebben haar niet tegengehouden.'

'Niet dat we dat hadden gekund,' voegde Hilary eraantoe.

'Hebt u haar de laatste tijd vaak gezien?'

Hilary's gezicht stond plotseling somber. 'Ze zei dat ze niet zo vaak bij ons kon komen als ze zou willen.'

'Wanneer hebt u haar voor het laatst gezien?'

'Met kerst,' antwoordde Clive.

'Afgelopen kerst?'

'Het jaar daarvoor.'

Pat Mitchell had inderdaad gelijk gehad: Lucy en haar ouders waren uit elkaar gegroeid. 'Een maand of zeventien geleden dus.'

'Dat zou goed kunnen.'

'Heeft ze u in al die tijd wel gebeld of geschreven?'

'Ze stuurt ons prachtige brieven,' zei Hilary.

'Wat vertelt ze u dan over haar leven?'

'Ze schrijft over haar werk en het huis. Gewoon normale, dagelijkse dingen.'

'Heeft ze u geschreven hoe het met Terry ging op school?'

De blik die deze keer werd gewisseld, sprak boekdelen. 'Nee,' zei Clive. 'En we hebben er ook niet naar gevraagd.'

'We waren het er niet mee eens dat ze bleef hangen aan de eerste de beste jongen op wie ze verliefd werd,' zei Hilary.

'Heeft ze andere vriendjes gehad behalve Terry?'

'Nooit serieus.'

'En u vond dat ze een betere man kon krijgen?'

'We willen niet beweren dat er iets mis is met Terry. Hij is best aardig en hij heeft een goede baan met mooie vooruitzichten.'

'Maar?'

'Het leek wel alsof hij alles overnam, zo is het toch, Clive?'

'Ja. Het was allemaal erg vreemd.'

'Wat bedoelt u daarmee?' vroeg Jenny.

'Het was net of hij niet wilde dat ze ons bezocht.'

'Heeft hij of zij daar ooit iets over gezegd?'

Hilary schudde haar hoofd. 'Niet met zoveel woorden, maar we hadden wel die indruk.'

Jenny maakte een aantekening. Dit zou een stadium van een sadistisch getinte seksuele relatie kunnen zijn waarover ze in Quantico had gehoord. De sadist, in dit geval Terry Payne, begint zijn partner te vervreemden van haar familie. Pat Mitchell had op soortgelijke wijze beschreven hoe Terry Lucy bij haar vrienden weghield.

'Ze waren heel erg op zichzelf,' zei Clive.

'Wat vond u van Terry?'

'Er was iets vreemds aan hem, maar ik kon niet precies zeggen wat.'
'Wat voor soort vrouw is Lucy?' vervolgde Jenny. 'Is ze normaal gesproken goed van vertrouwen? Naïef? Afhankelijk?'
'Zo zou ik haar niet willen beschrijven, jij wel, Hilary?'
'Nee,' antwoordde Hilary. 'Om te beginnen is ze heel onafhankelijk. Koppig, ook. Neemt altijd zelf een beslissing en voert die dan ook uit. Zoals toen ze niet naar de universiteit wilde en in plaats daarvan een baan vond. Als ze eenmaal iets had besloten, ging ze er ook voor. Het was hetzelfde toen ze met Terry trouwde. Liefde op het eerste gezicht, zei ze.'
'Ik begrijp dat u niet naar het huwelijk bent geweest?'
'Hilary kan niet meer zover reizen,' zei Clive. Hij liep naar zijn vrouw toe en streek zacht over haar arm. 'Hè, liefje?'
'We hebben een telegram en een cadeau gestuurd,' zei Hilary. 'Een prachtig Royal Doulton-servies.'
'Denkt u dat Lucy gebrek aan zelfvertrouwen of zelfachting heeft?'
'Het hangt ervan af wat u bedoelt. Wat betreft haar werk heeft ze zelfvertrouwen genoeg, maar met mensen is dat minder. Bij vreemden is ze vaak heel stil en teruggetrokken. Ze houdt niet van grote gezelschappen, maar ze ging wel vaak uit met een klein groepje vriendinnen.'
'Zou u zeggen dat ze van nature solistisch is ingesteld?'
'Tot op zekere hoogte, ja. Ze is erg gesteld op haar privacy en vertelde ons nooit wat er aan de hand was of wat er in haar hoofd omging.'
Jenny vroeg zich af of ze moest vragen of Lucy als kind de vleugels van insecten had uitgetrokken, in haar bed had geplast of de plaatselijke school in brand had gestoken, maar wist niet hoe ze het in moest kleden. 'Was ze als klein kind al zo?' vroeg ze. 'Of kwam haar behoefte aan alleen zijn pas op latere leeftijd?'
'Dat kunnen we helaas niet zeggen,' zei Clive en hij wierp een blik op zijn vrouw. 'Toen kenden we haar nog niet.'
'Wat bedoelt u?'
'Nou, Lucy was niet onze dochter, niet onze natuurlijke dochter. Hilary kon geen kinderen krijgen. Ze heeft een hartkwaal. Altijd gehad. De dokter zei dat een bevalling haar dood kon zijn.' Hilary klopte zachtjes op haar hartstreek en keek Jenny bedroefd aan.
'Toen hebt u Lucy geadopteerd?'
'Nee, nee. We hebben haar als pleegkind opgenomen. Lucy was ons pleegkind. Het derde en laatste, bleek achteraf. Ze is het langste bij ons gebleven en we zijn haar als ons eigen kind gaan beschouwen.'
'Ik begrijp het niet. Waarom hebt u dit niet aan de politie verteld?'
'Ze hebben er niet naar gevraagd,' zei Clive, alsof dat alles verklaarde.

Jenny was met stomheid geslagen. Dit was een essentieel stukje informatie in de puzzel en niemand in het hele team had dit ontdekt. 'Hoe oud was ze toen ze bij u kwam?' vroeg ze.

'Twaalf,' zei Clive. 'Het was in maart 1990. Ik herinner het me nog als de dag van gisteren. Wist u dat niet? Dan weet u zeker ook niet dat Lucy een van de Zeven van Alderthorpe was.'

Annie leunde op haar gemak achterover in haar harde houten stoel en strekte haar benen voor zich uit. Banks had haar vanaf het begin benijd om de vanzelfsprekende manier waarop ze zich vrijwel overal volledig thuis scheen te voelen. Ze nam een slok van haar Theakston's bitter en begon bijna te spinnen. Toen keek ze Banks glimlachend aan.

'Ik heb je de hele dag zitten vervloeken,' zei ze. 'Een plekje voor je in de hel gereserveerd.'

'Ik dacht al, wat heb ik het toch warm.'

'Je zou volledig in de as moeten liggen, dat heb je verdiend.'

'Oké, oké, je hebt gelijk, is het nu goed? Wat had hoofdinspecteur Chambers te melden?'

Annie wuifde achteloos met haar hand. 'Wat ik al had verwacht. Dat het afgelopen is met mijn carrière als er ook maar iets fout gaat. O ja, en hij heeft me ook voor jou gewaarschuwd.'

'Voor mij?'

'Ja. Hij zei dat je zou proberen informatie uit me los te peuteren en drukte me op het hart terughoudend te zijn. Waarbij hij trouwens net iets te lang naar mijn borsten keek.'

'Verder nog iets?'

'Ja. Hij zei dat je een rokkenjager bent. Is dat zo?'

Banks schoot in de lach. 'Zei hij dat echt?'

Annie knikte.

Het was druk in de Queen's Arms: de vaste meute die na het werk even kwam uitblazen en toeristen die een schuilplaats zochten. Banks en Annie hadden geluk gehad dat er bij het raam nog een tafeltje vrij was. Banks luisterde naar het getik van de regen tegen het raam tijdens de stiltes die in hun gesprek vielen.

'Wat vind je van Janet Taylor?' vroeg Banks. 'Ik ben benieuwd naar je eerste indruk.'

'Ik vind haar aardig en ik heb medelijden met haar. Ze is nog in opleiding, heeft weinig ervaring en raakt dan verzeild in een onmogelijke situatie. Ze deed wat haar op dat moment het meest logische leek.'

'Maar?'

'Ik laat mijn oordeel heus niet beïnvloeden door mijn emoties. Ik heb

167

nog niet alles op een rijtje, maar ik vermoed dat Janet Taylor in haar verklaring heeft gelogen.'

'Opzettelijk gelogen of kan ze het zich niet allemaal herinneren?'

'Ik denk dat we haar het voordeel van de twijfel moeten gunnen. Ik heb zelf natuurlijk nooit in zo'n situatie gezeten en ik kan me niet eens voorstellen hoe het voor haar geweest moet zijn. Dat neemt niet weg dat ze Payne volgens dokter Mogabe minstens zeven of acht keer met haar wapenstok heeft geslagen, ook toen hij niet meer in staat was haar aan te vallen.'

'Hij was sterker dan zij. Misschien was het nodig hem eronder te krijgen. De wet geeft ons enige armslag wat betreft toelaatbaar geweld bij een arrestatie.'

Annie schudde haar hoofd en sloeg haar benen over elkaar. Banks' oog viel op het dunne gouden kettinkje rond haar enkel. 'Ze was helemaal over de rooie, Alan. Dit gaat veel verder dan zelfverdediging en toelaatbaar geweld. En er is nog iets.'

'Wat?'

'Ik heb met de verplegers en het ambulancepersoneel gesproken die als eerste ter plekke waren. Ze hadden natuurlijk geen idee wat zich daar had afgespeeld, maar ze hadden al gauw in de gaten dat er iets heel akeligs en bizars was gebeurd.'

'Ja?'

'Een van hen zei dat hij naar Taylor was gelopen terwijl ze Morrisey in haar armen wiegde. Ze keek toen naar Payne en zei: "Is hij dood? Heb ik die schoft vermoord?"'

'Dat zou van alles kunnen betekenen.'

'Precies. Voor een advocaat kan dit betekenen dat ze vanaf het begin van plan is geweest hem te doden en dat ze vroeg of ze in haar opzet was geslaagd. Dat zou dan duiden op voorbedachte rade.'

'Het kan evengoed een heel onschuldige vraag zijn geweest.'

'Je weet net zo goed als ik dat er absoluut niets onschuldigs is aan deze zaak. Vooral nu de zaak Hadleigh elke dag in het nieuws is. Vergeet bovendien niet dat Payne ongewapend was en op de grond lag toen ze hem de laatste klappen verkocht.'

'Hoe weten we dat zo zeker?'

'Volgens haar eigen verklaring had Taylor zijn pols al gebroken en de machete buiten zijn bereik geschopt. En gezien de hoek waaronder de slagen zijn toegebracht en de kracht waarmee ze werden toegediend, moet ze boven hem hebben uitgetorend. We weten dat ze kleiner was dan hij. Payne is een meter tachtig en Taylor een meter vijfenzestig.'

Banks nam een lange trek van zijn sigaret, liet tot zich doordringen wat Annie had gezegd en bedacht dat het geen leuke klus zou zijn dit aan Hartnell te melden. 'Hij vormde dus geen directe bedreiging voor haar?' vroeg hij.

'Mogelijk niet.' Annie schoof heen en weer in haar stoel. 'Mogelijk ook wel,' gaf ze toe. 'Ik wil niet beweren dat zelfs de meest ervaren politieman hier niet hysterisch van zou worden. Maar eerlijk gezegd heb ik het vermoeden dat ze alle controle over zichzelf is kwijtgeraakt. Eigenlijk wil ik graag zelf even op de plek van het misdrijf rondkijken.'

'Geen probleem, hoewel ik betwijfel of daar nog veel te zien valt nu de technische recherche er al drie dagen bezig is. Wanneer wil je erheen?'

'Morgenochtend. Daarna ga ik nog even bij Janet Taylor langs.'

'Als je wilt, kunnen we er samen naartoe,' zei Banks. 'Ik ga weer met Lucy Payne praten voordat ze verdwijnt.'

'Wordt ze dan uit het ziekenhuis ontslagen?'

'Dat zal niet lang meer duren. Haar verwondingen zijn niet ernstig en bovendien hebben ze het bed nodig.'

Annie zweeg even en zei toen: 'Ik ga liever alleen.'

'Goed. Wat je wilt.'

'O, kijk niet zo teleurgesteld, Alan. Het is niets persoonlijks. Het zou de verkeerde indruk kunnen wekken als we samen komen.'

'Je hebt gelijk,' gaf Banks toe. 'Als je zaterdagavond niets te doen hebt, heb je dan zin om samen wat te eten en...?'

Annies mondhoeken krulden naar boven en er verscheen een lichtje in haar donkere ogen. 'Samen te eten en...?'

'Dat weet je best.'

'Nee, hoor. Vertel op.'

Banks keek om zich heen om er zeker van te zijn dat niemand hen afluisterde en boog zich toen voorover. Voordat hij iets kon zeggen gingen de klapdeuren open en kwam agent Winsome Jackman binnen. Iedereen keek om: sommigen omdat ze zwart was, anderen omdat ze beeldschoon was. Winsome had dienst en Banks en Annie hadden haar laten weten waar ze hen kon vinden.

'Het spijt me dat ik u moet storen,' zei ze, maar ze trok wel een stoel bij en ging zitten.

'Dat geeft niet,' zei Banks. 'Wat is er?'

'Een zekere agent Karen Hodgkins van de task force heeft zojuist gebeld.'

'Ja?'

Winsome keek naar Annie. 'Het gaat over Terence Payne,' zei ze. 'Hij is een uur geleden in het ziekenhuis overleden zonder nog bij kennis te zijn geweest.'

'Shit,' zei Annie.

'Tja, dan wordt het leven toch weer een beetje interessanter,' zei Banks.

'Vertel eens wat meer over de Zeven van Alderthorpe,' zei Banks later die avond thuis aan de telefoon. Hij had net Duke Ellingtons *Black, Brown and Beige* opgezet en zich met een flink glas Laphroaig in een leunstoel genesteld, toen Jenny belde. Hij zette de muziek zachter en greep zijn sigaretten. 'Ik kan me vaag herinneren dat ik er indertijd iets over heb gehoord,' vervolgde hij, 'maar veel weet ik er niet meer van.'

'Ik weet alleen wat de Liversedges me hebben verteld,' zei Jenny.

'Ga verder.'

Banks hoorde papieren ritselen aan de andere kant van de lijn. 'Op elf februari 1990,' begon Jenny, 'deden politie en maatschappelijk werkers rond zonsopgang een inval in het dorp Alderthorpe, vlak bij Spurn Head aan de oostkust van Yorkshire. De inval volgde op diverse beschuldigingen van kindermisbruik en satanische rituelen; bovendien liep er een onderzoek naar een als vermist opgegeven kind.'

'Van wie waren de beschuldigingen afkomstig?' vroeg Banks.

'Dat weet ik niet,' zei Jenny. 'Dat heb ik niet gevraagd.'

'Goed. Ga verder.'

'Ik ben geen politieagent, Alan. Ik weet niet welke vragen ik in zo'n situatie moet stellen.'

'Ik weet zeker dat je je uitstekend hebt geweerd. Ga door.'

'Ze hebben zes kinderen uit twee verschillende gezinnen meegenomen en onder toezicht van de kinderbescherming geplaatst.'

'Wat was er eigenlijk precies aan de hand?'

'In eerste instantie was het allemaal vrij vaag. Onzedelijk gedrag, rituele muziek, dans en kleding.'

'Zo kun je het hoofdbureau van politie op zaterdagavond ook beschrijven. En verder?'

'Ja, nu wordt het pas echt interessant, want dit geval heeft uiteindelijk geleid tot een proces en tot veroordeling van de verdachten. De Liversedges wisten me te vertellen dat er sprake was van martelingen, dat kinderen werden gedwongen om urine te drinken en uitwerpselen te... Jezus, Alan, ik ben echt geen watje, maar hier word ik kotsmisselijk van.'

'Doe maar rustig aan.'

'Ze werden vernederd en soms fysiek verwond,' vervolgde Jenny. 'Ze werden dagenlang in een kooi opgesloten zonder eten en drinken en als lustobject gebruikt in satanische rituelen. Een meisje met de naam Kathleen Murray werd dood aangetroffen. Ze was gemarteld en seksueel misbruikt.'

'Hoe is ze overleden?'

'Ze was gewurgd. Ook was ze zwaar mishandeld en half uitgehongerd.'

'En dat is allemaal in de rechtszaak bewezen?'

'De moord wel, ja. Dat satanische gedoe is tijdens het proces niet ter sprake gebracht. Ik neem aan dat de aanklager het te veel hocus-pocus vond.'

'Hoe is het dan in de publiciteit gekomen?'

'Een paar kinderen hebben het later verteld toen ze in een pleeggezin waren geplaatst.'

'Lucy?'

'Nee. Volgens de Liversedges heeft Lucy nooit iets gezegd over wat er was gebeurd. Ze wilde alles vergeten.'

'Waren er meer van dit soort processen?'

'Nee. Er waren wel vergelijkbare gevallen in Cleveland, Rochdale en op de Orkney-eilanden, en binnen de kortste keren stonden de kranten er vol van. Dat veroorzaakte een vloedgolf van protesten in het hele land. Een epidemie van kindermishandeling. Vragen in de Kamer, de hele rataplan.'

'Nu weet ik het weer,' zei Banks.

'De meeste aanklachten werden ongegrond verklaard en niemand wilde het nog hebben over die ene zaak die wel echt had plaatsgevonden. Niet dat Alderthorpe de enige was. In 1989 was er een soortgelijk proces in Nottingham dat eveneens tot veroordelingen leidde, maar er werd nauwelijks ruchtbaarheid aan gegeven. Toen verscheen het Butler-Schloss-rapport en werd de Kinderwet herzien.'

'Wat is er gebeurd met Lucy's echte ouders?'

'Die kregen gevangenisstraf. De Liversedges hadden geen idee of ze nog steeds vastzitten of niet. Ze hebben niet gevolgd wat er na de rechtszaak met hen is gebeurd.'

Banks nipte aan zijn Laphroaig en mikte zijn sigarettenpeuk in de lege haard. 'Lucy is dus bij de Liversedges gebleven?'

'Ja. Ze heeft haar naam overigens ook aangepast. Eigenlijk heet ze Linda. Linda Godwin. Na al die publiciteit wilde ze een andere naam. De Liversedges hebben me verzekerd dat het allemaal legaal en volgens de regels is gegaan.'

Van Linda Godwin via Lucy Liversedge naar Lucy Payne, dacht Banks. Interessant.

'Toen ze me dit allemaal hadden verteld,' ging Jenny verder, 'hebben ze uiteindelijk toegegeven dat het leven met Lucy minder "normaal" en "gewoon" was geweest dan ze aanvankelijk hadden beweerd.'

'O?'

'Ze kon zich moeilijk aanpassen. Niet echt een verrassing. De eerste twee jaar, tussen haar twaalfde en veertiende, was Lucy een ideaal kind: rustig, welgemanierd en gevoelig. Ze hadden zich bezorgd afgevraagd of ze niet getraumatiseerd was.'

'Wat deden ze toen?'

'Lucy is een tijdje bij een kinderpsychiater onder behandeling geweest.'

'En verder?'

'Tussen haar veertiende en zestiende kwam ze in opstand en werd ze mondiger. Ze weigerde nog langer naar de psychiater te gaan. Problemen met jongens, het vermoeden dat ze al seks had en toen dat geval van pesterij.'

'Pesterij?'

'Ja. Aanvankelijk deden ze voorkomen dat het een los incident was geweest dat met een sisser was afgelopen, maar later gaven ze toe dat ze vaker problemen op school had gehad. Lucy treiterde jongere meisjes en maakte hun hun lunchgeld afhandig. Het komt vaker voor.'

'Maar in Lucy's geval?'

'Het was slechts een fase. De Liversedges hebben de handen ineengeslagen met de schoolleiding en ook de psychiater verscheen weer even ten tonele. Toen ging Lucy zich weer netjes gedragen. De twee eropvolgende jaren, van haar zestiende tot haar achttiende, was ze rustiger en trok ze zich in zichzelf terug. Ze deed eindexamen, haalde mooie cijfers en kreeg een baan bij de NatWest-bank in Leeds. Dat was vier jaar geleden. Toen ze eenmaal uit huis was, had ze nog maar heel weinig contact met haar pleegouders en ik kreeg de indruk dat ze er niet rouwig om waren.'

'Waarom?'

'Geen idee. Noem het maar intuïtie, maar ik kreeg het gevoel dat ze uiteindelijk bang werden voor Lucy omdat ze hen zo gemakkelijk kon manipuleren.'

'Interessant. Ga verder.'

'Toen ze Terence Payne had ontmoet, zagen ze haar nog minder. Toen ze dat vertelden, dacht ik aanvankelijk dat hij haar misschien bij haar familie en vrienden heeft weggehouden, maar ik geloof inmiddels dat het net zo aannemelijk is dat ze zelf voor dat isolement heeft gekozen. Die vriendin van haar werk, Pat Mitchell, zei hetzelfde. Dat ze door haar relatie met Terry echt is veranderd en dat ze haar oude leven en gewoontes heeft opgegeven.'

'De vraag is dus of ze volledig door hem werd overheerst, of dat ze een nieuw leven had gevonden waaraan ze zelf de voorkeur gaf?'

'Ja.' Jenny vertelde hem over die keer dat Lucy zich als prostituee had voorgedaan.

Banks dacht even na. 'Interessant,' zei hij. 'Heel interessant. Helaas bewijst het niets.'

'Dat zei ik toch al? Hoe vreemd ze ook zijn mag, het is geen reden om haar te arresteren. Anders zou de helft van de bevolking nu achter de tralies zitten.'

'Meer dan de helft zelfs. Wacht eens even, Jenny. Je hebt een aantal aanwijzingen gevonden die de moeite van het natrekken waard zijn.'

'Zoals?'

'Stel bijvoorbeeld dat Lucy zelf meedeed aan het misbruik in Alderthorpe? Ik heb indertijd eens gelezen dat er gevallen waren waarin oudere slachtoffers hun eigen jongere broers en zusjes ook misbruikten.'

'Wat zou dat betekenen, zelfs als we dat na al die tijd zouden kunnen bewijzen?'

'Dat weet ik niet, Jenny. Ik denk alleen even hardop. Wat ben je nu van plan?'

'Ik ga morgen praten met iemand van het maatschappelijk werk en wil proberen wat namen los te krijgen van de maatschappelijk werkers die er indertijd bij betrokken zijn geweest.'

'Uitstekend. Zodra ik even tijd heb, zal ik proberen via het bureau iets te vinden. Er moeten rapporten en dossiers van zijn. En daarna?'

'Daarna wil ik wat rondneuzen in Alderthorpe en met mensen praten die zich de zaak herinneren.'

'Wees voorzichtig, Jenny. Het is daar waarschijnlijk nog steeds een heel gevoelig onderwerp, zelfs na al die tijd.'

'Ik zal voorzichtig zijn.'

'Het is trouwens niet onmogelijk dat iemand indertijd aan de aandacht van de politie is ontsnapt en zich nu zorgen gaat maken over nieuwe onthullingen.'

'Nu voel ik me pas echt veilig en beschermd.'

'De andere kinderen...'

'Ja?'

'Wat weet je over hen?'

'Niets eigenlijk, behalve dat ze allemaal tussen de acht en twaalf jaar waren.'

'Enig idee waar ze nu zijn?'

'Nee. De Liversedges weten het in elk geval niet, want dat heb ik hun namelijk wél gevraagd.'

'Rustig maar, ik bedoel er niets mee. Je wordt nog wel eens een echte inspecteur.'

'Nee, liever niet.'

'We moeten ze zien op te sporen. Zij kunnen ons misschien veel meer vertellen over Lucy Payne dan wie dan ook.'

'Goed. Ik zal eens kijken hoeveel die maatschappelijk werkers willen loslaten.'

'Niet zoveel, denk ik. Je zult meer kans hebben bij iemand die inmiddels met pensioen is of op een heel andere baan is overgestapt. Zo iemand zal uit de school klappen niet echt als verraad beschouwen.'

'Hé, ik dacht dat ik hier de psycholoog was. Laat dat soort denkwerk nu maar aan mij over, oké?'

Aan de andere kant van de lijn begon Banks te lachen. 'Het grote grijze gebied waar politiewerk en psychologie in elkaar overlopen.'

'Probeer daar die domme collega's van je maar eens van te overtuigen.'

'Bedankt, Jenny. Je hebt het geweldig gedaan.'

'En ik ben pas begonnen.'

'Hou me op de hoogte.'

'Beloofd.'

Toen Banks ophing, zong Mahalia Jackson net "Come Sunday". Hij zette het geluid harder en nam zijn glas mee naar buiten, naar het kleine balkon boven de Gratly Falls. Het regende niet meer. De zon was net ondergegaan en het donkerrode, paarse en oranje kleurenpalet in het westen vervaagde langzaam, terwijl het duister wordende oosten van blauw in inktzwart veranderde. Recht tegenover hem, aan de andere kant van het water, stonden schapen te grazen op een veld met hoge, oude bomen waar roeken in nestelden. Daarachter daalde de valleihelling af tot de rivier de Swain. Banks kon de tegenoverliggende heuvel op bijna twee kilometer afstand zien liggen, steeds donkerder in het avondlicht en oprijzend tot aan de lange, skeletachtige mond van Crow Scar. Rechts van hem zag hij de kerktoren van Helmthorpe.

Hij keek op zijn horloge. Het was nog vroeg genoeg om naar beneden te wandelen, in de Dog and Gun een paar biertjes te drinken en wat te kletsen met een paar dorpsbewoners. Hij besloot echter dat hij geen behoefte had aan gezelschap; hij had te veel aan zijn hoofd. Sinds hij de leiding had gekregen in het onderzoek naar de Kameleon was hij steeds eenzelviger geworden, besefte hij. Hij liep naar binnen om nog een glas whiskey in te schenken en zijn sigaretten te pakken en ging daarna weer naar buiten om van het laatste avondlicht te genieten.

10

De vrijdagochtend begon slecht voor Maggie. Ze had de hele nacht last gehad van nachtmerries waaruit ze schreeuwend wakker werd. Het kostte haar de grootste moeite daarna weer in slaap te vallen, ook vanwege de spookachtige geluiden en stemmen die ze vanaf de overkant opving. Sliep de politie dan nooit?

Toen ze was opgestaan om een glas water te halen, had ze uit het slaapkamerraam gekeken en gezien dat kartonnen dozen in een busje werden geladen dat met draaiende motor stond te wachten. Vervolgens werd elektronische apparatuur het huis binnengebracht en even later meende Maggie een spookachtig schijnsel te zien achter de gesloten gordijnen van nummer 35. In de voortuin werd nog steeds gegraven op een met zeildoek afgeschermde plek die van binnenuit werd verlicht. Op het scherm zag Maggie slechts de vervormde schaduwen van de mannen die er aan het werk waren, die ze terugzag in haar volgende nachtmerrie. Uiteindelijk wist ze nauwelijks nog of ze droomde of waakte.

Even na zevenen stond ze op en liep naar de keuken, waar ze met een kop thee haar zenuwen enigszins wist te kalmeren. Ze was van plan die dag weer aan Grimm te werken, misschien aan 'Hans en Grietje' nu de schetsen voor 'Raponsje' tot haar volle tevredenheid waren.

Ze hoorde de krant door de brievenbus glijden, raapte hem op van de mat in de gang en ging ermee aan de keukentafel zitten.

Het artikel van Lorraine Temple stond breed uitgemeten op de voorpagina, naast een nog groter artikel over het overlijden van Terence Payne. Er stond ook een foto van Maggie bij. Die was zonder haar medeweten genomen toen ze net buiten het tuinhek stond. Dat moest gebeurd zijn toen ze onderweg was naar de pub waar ze met Lorraine had afgesproken, besefte ze, want op de foto droeg ze de spijkerbroek en het katoenen jack die ze dinsdag had aangehad.

'Paynes Huis van Pijn: een buurvrouw vertelt' luidde de kop. Het artikel beschreef gedetailleerd hoe Maggie verdachte geluiden had gehoord aan de overkant van The Hill en de politie had gebeld. Vervolgens meldde Lorraine Temple, die Maggie aanduidde als Lucy's 'vriendin', wat Maggie haar had verteld over Lucy als slachtoffer van huiselijk geweld, dat ze bang was geweest voor haar man. Tot zover was het allemaal nog min of meer waarheidsgetrouw. Het venijn zat echter in de staart. Volgens bronnen in Toronto, schreef Lorraine Temple vervolgens, was Maggie Forrest zelf op de vlucht voor een gewelddadige echtgenoot: een advocaat uit Toronto, William Burke. Het artikel verhaalde gedetailleerd over de periode die Maggie in het ziekenhuis had doorgebracht en over alle gerechtelijke bevelen die hadden moeten voorkomen dat Bill bij haar in de buurt kwam. Lorraine Temple omschreef Maggie als een schichtige, eenzelvige vrouw en vermeldde daarbij ook dat ze onder behandeling was van een plaatselijke psychiater, doctor Simms, die 'geen commentaar' had gehad.

Lorraine eindigde met de suggestie dat Maggie misschien wat lichtgelovig was geweest, wellicht vanwege haar eigen psychologische problemen, en dat haar overtuiging dat Lucy net als zij een slachtoffer was, haar idee van de waarheid waarschijnlijk had beïnvloed. Lorraine kon natuurlijk niet rechtstreeks beweren dat Lucy ergens schuldig aan was, dat zou laster zijn, maar ze deed een aardige poging om haar lezers te laten geloven dat Lucy door leugens en manipulaties een zwakke vrouw als Maggie om haar vinger had kunnen winden. Het was baarlijke nonsens, natuurlijk, maar desondanks heel effectief.

Hoe had Lorraine dit kunnen doen? Nu zou iedereen het weten.

Elke keer dat Maggie door de straat liep om boodschappen te doen of een bus naar de stad te pakken, zouden buren en winkeliers haar met andere, medelijdende of misschien ook beschuldigende ogen bekijken. Sommige mensen zouden haar blik vermijden en misschien niet eens meer met haar willen praten omdat ze zo nauw betrokken was bij de gebeurtenissen op nummer 35. Misschien zou Claire nu helemaal niet meer bij haar langskomen, hoewel ze sinds het bezoek van die politieman toch al niet meer was geweest, en Maggie maakte zich ernstige zorgen over haar.

Misschien zou Bill er zelfs achterkomen.

Het was natuurlijk allemaal haar eigen schuld. Ze had er zelf voor gekozen. Ze had die arme Lucy een dienst willen bewijzen, steun en medeleven bij het publiek willen oproepen, maar het had totaal anders uitgepakt. Het was stom van haar geweest om Lorraine Temple te vertrouwen. Eén rotartikel als dit was voldoende om haar nieuwe, broze bestaan aan te tasten. Zo eenvoudig was het. Het was niet eerlijk, zei Maggie huilend tegen zichzelf aan de ontbijttafel. Het was gewoon niet eerlijk.

Na een korte maar intense nachtrust, die misschien vooral te danken was aan de genereuze hoeveelheden Laphroaig en Duke Ellington van de vorige avond, was Banks die vrijdagochtend om halfnegen in zijn kantoor in Millgarth. Het eerste bericht kwam van Stefan Nowak, die meldde dat de skeletachtige overblijfselen die in de tuin van de Paynes waren opgegraven niet die van Leanne Wray waren. Als Banks na al die tijd nog enige hoop had gehad dat Leanne in leven was, zou hij een vreugdedansje hebben uitgevoerd, maar nu wreef hij slechts gefrustreerd over zijn voorhoofd. Het zag ernaar uit dat het weer een van die dagen zou worden. Hij toetste het nummer van Stefans mobiele telefoon in en kreeg hem meteen aan de lijn. Het klonk alsof Stefan midden in een ander gesprek verwikkeld was, maar hij mompelde iets tegen degene die bij hem was en richtte zijn aandacht toen volledig op Banks.

'Sorry,' zei hij.

'Problemen?'

'De gebruikelijke chaos rond het ontbijt. Ik probeerde net het huis uit te komen.'

'Even over de identiteit...'

'Zo duidelijk als wat gezien de gebitsidentificatie. DNA zal wat langer in beslag nemen. Dit kan onmogelijk Leanne Wray zijn. Ik sta op het punt om naar The Hill terug te gaan. De jongens zijn nog altijd aan het graven.'

'Wie kan het dan verdomme zijn?'

'Geen idee. Het enige wat we weten is dat het een jonge vrouw is van rond de twintig die er al een paar maanden moet hebben gelegen en die veel roestvrij staal in haar gebit heeft, waaronder een kroon.'

'Wat houdt dat in?' vroeg Banks en hij probeerde de vage herinnering te grijpen die door zijn hoofd zweefde.

'Mogelijk van Oost-Europese afkomst. Daar maken ze nog vaak gebruik van roestvrij staal.'

Dat was het. Banks herinnerde zich dat een forensisch tandarts hem eens had verteld dat de Russen roestvrij staal gebruiken. 'Oost-Europees?'

'Het is mogelijk.'

'Goed. Is er een kansje dat de DNA-vergelijking tussen Payne en de verkrachter van Seacroft voor het weekend is afgerond?'

'Ik zal vanochtend contact opnemen en kijken of ik ze kan opjutten.'

'Goed. Bedankt. Ga zo door, Stefan.'

'Komt in orde.'

Banks hing op en de vragen tolden door zijn hoofd. Direct na oprichting van het team had Hartnell een speciale eenheid in het leven geroepen die alles moest bijhouden wat vermiste personen ('mispers' in poli- tiejargon) in het hele land betrof, met name waar het om verdwenen blonde tienermeisjes ging. Het team had elke dag tientallen zaken tegen het licht gehouden, maar niet een had voldaan aan de criteria uit het Kameleon-onderzoek, afgezien dan van een meisje in Cheshire, dat na twee dagen springlevend en vol spijt was opgedoken na een kort verblijf bij haar vriendje, en het treurige geval van een jong meisje in Lincoln dat, zo bleek later, was overreden en geen identificatie bij zich had ge- had. En nu vertelde Stefan doodleuk dat ze waarschijnlijk een dood meisje van Oost-Europese afkomst in de tuin hadden gevonden.

Banks kreeg niet de kans erover na te denken, want de deur van zijn kantoor ging open en Filey legde een exemplaar van de *Post* op zijn bu- reau.

Annie parkeerde haar paarse Astra langs de stoeprand en liep met haar hand boven haar ogen tegen het ochtendzonlicht naar The Hill 35. Tape en schragen schermden het gedeelte van het trottoir af dat grensde aan de muur van de voortuin, zodat voetgangers een omweg over het asfalt moesten maken om erlangs te kunnen. Een paar mensen bleven even staan om een blik te werpen over het tuinhek, maar de meeste sta- ken over en wendden hun ogen af. Ze zag dat een oudere vrouw zelfs een kruis sloeg.

Annie liet haar pasje aan de dienstdoende agent zien, zette haar hand- tekening in het logboek en liep over het tuinpad naar het huis. Weinig op haar gemak duwde ze de voordeur open die op een kier stond en liep naar binnen.

De gang was verlaten en het was er zo stil dat Annie dacht dat ze de enige aanwezige was. Toen riep iemand iets en dreunde het geluid van een pneumatische boor vanuit de kelder. Het was warm, benauwd en stoffig in het huis en Annie moest drie keer niezen voordat ze verder op onderzoek kon gaan.

Haar zenuwen maakten langzaam maar zeker plaats voor beroepsma- tige nieuwsgierigheid. De vloerbedekking was weggehaald, zodat de ka- le betonnen vloeren en houten traptreden zichtbaar waren, en ook alle meubels en zelfs de lichtaansluitingen in de woonkamer waren verdwe- nen. Op diverse plaatsen waren gaten in de muren geboord, ongetwij- feld om te controleren of er geen lichamen in waren verborgen. Annie rilde even en moest denken aan 'The Cask of Amontillado' van Poe, het engste verhaal dat ze ooit had gelezen.

Overal in huis waren met tape paden uitgezet waar ze zich niet buiten mocht begeven. Het deed haar denken aan het bezoek aan het huis van de Brontës of de cottage van Wordsworth, waar je alleen vanachter een koord naar het antieke meubilair mocht kijken.

De keuken, waar drie technisch rechercheurs bezig waren met het aanrecht en de afvoer, was al net zo onttakeld: losgewrikte tegels, kale plekken waar fornuis en koelkast hadden gestaan, lege kastjes en overal poeder voor het nemen van vingerafdrukken. Een van de rechercheurs vroeg haar op korzelige toon wat ze hier kwam doen. Ze liet hem haar pasje zien, waarop hij verderging met zijn werk. De pneumatische boor was opgehouden en Annie hoorde nu het geluid van een stofzuiger, een merkwaardig huiselijk geluid temidden van alle chaos, hoewel ze wist dat het stofzuigen een veel onheilspellender doel had dan het verwijderen van stof.

Ze vatte de stilte in de kelder op als een teken dat ze naar beneden kon. Toen ze de trap afliep, zag ze door de openstaande deur naar de garage dat deze inmiddels net zo kaal was als de rest van het huis. De auto was verdwenen, die werd ongetwijfeld in de politiegarage uit elkaar gehaald, en de met olievlekken besmeurde vloer was opengebroken.

Ze voelde dat ze gespannen werd toen ze de kelderdeur naderde en haalde gejaagd adem. Op de deur hing een obscene poster van een naakte vrouw met wijd gespreide benen. Ze hoopte maar dat de technische recherche die daar niet had laten hangen omdat ze het leuk vonden. Geen wonder dat Janet Taylor meteen al van slag was, dacht ze, langzaam verder lopend, zoals Janet en Dennis vermoedelijk ook hadden gedaan. Jezus, ze had zelf ook een angstig voorgevoel, ook al wist ze dat de enige mensen die ze er zou aantreffen van de technische recherche waren. Janet en Dennis hadden helemaal niet geweten wat hun te wachten stond. Wat het ook was, ze hadden nooit kunnen aanvoelen wat hun zou overkomen. Annie wist veel meer dan zij en haar verbeelding draaide alleen daarom al op volle toeren.

Ga die deur door, het is hier veel koeler, probeer te voelen hoe het was, ondanks de twee technisch rechercheurs en het felle licht... Janet ging als eerste naar binnen, op de voet gevolgd door Dennis. De kelder was kleiner dan ze had verwacht. Het moet allemaal heel snel zijn gebeurd. Kaarslicht. Een gedaante die uit de schaduw tevoorschijn springt, met een machete zwaait, inhakt op de hals en arm van Dennis Morrisey omdat hij het dichtst bij hem staat. Dennis valt op de grond. Janet heeft haar wapenstok al in de hand en staat klaar om de eerste klap af te weren. Zo dichtbij dat ze Paynes adem kan ruiken. Misschien kan hij niet geloven dat een vrouw, zwakker en kleiner dan hij, hem zo gemakkelijk aankan. Voordat hij van de schok is bekomen, haalt Janet opnieuw uit en treft hem op zijn linkerslaap. Verblind door de pijn en misschien ook door bloed valt hij achterover tegen de muur. Dan voelt hij een scherpe pijn in zijn pols en moet hij de machete loslaten. Hij hoort hem over de grond glijden, maar weet niet waar naartoe. Hij springt overeind en valt haar aan. Janet is nu razend, wetend dat haar partner op de grond ligt dood te bloeden. Steeds opnieuw hakt ze op hem in, totdat het voorbij is en ze Dennis kan helpen. Payne kruipt in de richting waar hij de machete vermoedt, het bloed druipt van zijn gezicht. Ze slaat hem opnieuw. En nog een keer. Hoeveel kracht heeft hij nu nog over? vraagt Annie zich af. Toch zeker niet genoeg meer om Janet te kunnen overmeesteren? Hoe vaak slaat ze hem nog wanneer hij al bewegingloos op de grond ligt, vastgeketend aan de leiding?

Annie zuchtte toen een technisch rechercheur zijn boor oppakte.

'Gaat dat ding zo meteen weer aan?' vroeg ze.

Een van de mannen grinnikte. 'Wilt u oorbeschermers?'

'Nee, ik ga liever weg voordat jullie weer beginnen. Kunnen jullie nog een minuutje wachten?'

'Geen probleem.'

Annie bekeek de kinderlijke poppetjes en occulte symbolen op de muren en vroeg zich af in hoeverre ze deel uitmaakten van Paynes fantasieën. Banks had haar verteld dat de plek verlicht was geweest door tientallen kaarsen, maar die waren nu weg, net als de matras waarop ze het lichaam hadden gevonden. Een van de rechercheurs lag op zijn knieën naar iets op de betonnen vloer bij de deur te kijken.

'Wat is er?' vroeg Annie hem. 'Iets gevonden?'

'Geen idee,' zei hij. 'Een paar krasjes in het beton, heel klein, maar ze zien er vrij regelmatig uit.'

Annie knielde naast hem. Ze zag niets, totdat hij op de cirkeltjes wees die in het beton waren gekrast. Het waren er drie, op gelijke afstand van elkaar.

'Ik moet ze vanuit verschillende hoeken belichten,' zei hij half in zichzelf. 'Misschien met infrarood om het contrast te vergroten.'

'Het zou van een driepoot kunnen zijn,' zei Annie.

'Wat? Jezus, ja... Daar zeg je zowat. Luke Selkirk en die rare assistent van hem zijn hier al geweest. Misschien hebben zij die krassen gemaakt.'

'Denk je niet dat ze iets professioneler te werk zouden zijn gegaan?'

'Dat moet ik ze dan maar even vragen.'

Annie liet hem verdergaan met zijn werk en liep door de deur achter in de ruimte. De grond was hier in vierkante stukken verdeeld en de aarde was omgespit. Ze wist al dat hier drie lichamen waren gevonden. Ze volgde het uitgezette pad naar de deur, deed deze open en liep de trap op die naar de achtertuin leidde. Roodwitte tape weerhield haar ervan vanaf de bovenste treden de tuin in te lopen, maar ze hoefde ook niet verder. Net als de achterkamer in de kelder was de verwilderde tuin in vierkante stukken verdeeld en met touw afgezet. De meeste vakken waren van gras, onkruid en een laag aarde ontdaan, maar andere, verder naar achteren, waren nog volop begroeid. Bij de achtermuur lag een opgerold waterdicht laken dat de tuin gisteren tegen de regen had beschermd.

Dit was precisiewerk, wist Annie, die ooit had toegekeken bij de opgraving van een skelet in het dorp Hobb's End. Oude botten konden heel snel beschadigd raken. Ze zag het gat, ongeveer een meter diep, waar een lichaam was opgegraven. Bij een ander gat stonden twee mannen met een troffel aarde te verwijderen, die door een derde man werd gezeefd alsof hij op zoek was naar goud.

'Wat is het?' vroeg Annie vanaf de bovenste trede van de keldertrap.

Een van de mannen keek naar haar op. Ze had Stefan Nowak niet onmiddellijk herkend. Niet dat ze hem zo goed kende, want zolang werkte hij nog niet bij het hoofdbureau van de westelijke divisie in Eastvale, maar Banks had hen ooit aan elkaar voorgesteld. Volgens assistent-hoofdcommissaris Ron McLaughlin was Stefan de man die North Yorkshire tegenstribbelend en wel de eenentwintigste eeuw kon intrekken. Annie vond hem vrij afstandelijk, zelfs een tikje mysterieus, alsof hij een diep geheim of een zware last uit het verleden met zich meetorste. Hij was lang, meer dan een meter tachtig, elegant en knap, met zijn scherpe gelaatstrekken. Ze wist dat hij oorspronkelijk uit Polen kwam en had zich vaak afgevraagd of hij misschien een prins was of een graaf of zoiets. De meeste Polen die ze had ontmoet, beweerden dat ze van graven of prinsen afstamden en ze zag iets koninklijks en statigs in Stefans lichaamshouding.

'Jij bent toch Annie?' zei hij. 'Brigadier Annie Cabbot?'

'Inmiddels inspecteur, Stefan. Hoe gaat het?'

'Ik wist niet dat je aan deze zaak meewerkte.'

'Een van de zaken,' legde Annie uit. 'Terence Payne. Ik werk voor Bureau Intern Onderzoek.'

'Ik kan me niet voorstellen dat de aanklager dit zou willen doorzetten,' zei Stefan. 'Een typisch geval van doodslag uit noodweer, zou ik zeggen.'

'Ik hoop dat zij er ook zo over denken, maar zeker weten doe ik het niet. Ik wilde de plek even met eigen ogen zien.'

'Het ziet ernaar uit dat we nog een lichaam hebben gevonden. Wil je even kijken?'

Annie dook onder de tape door. 'Oké.'

'Voorzichtig,' waarschuwde Stefan. 'Binnen de afzetting blijven.'

Annie deed wat hij zei. Toen ze bij het deels opgegraven graf stond, kon ze delen van een skelet onderscheiden: een deel van de schedel, van de schouder en de linkerarm.

'Hoe lang ligt dit hier al?' vroeg ze.

'Moeilijk te zeggen,' antwoordde Stefan. 'Meer dan een paar maanden.' Hij stelde de twee andere mannen voor die zich over het graf gebogen hadden. De een was botanist, de ander entomoloog. 'Deze heren zouden ons daar verder mee moeten kunnen helpen. Verder komt dokter Ioan Williams van de universiteit ons binnenkort helpen.'

Annie herinnerde zich de jonge dokter met het lange haar en de uitstekende adamsappel nog van de Hobb's End-zaak.

'Ik weet dat dit mijn zaak niet is,' zei Annie, 'maar hebben jullie nu niet een lichaam te veel?'

Stefan keek haar aan vanonder de hand die hij beschermend boven zijn ogen hield tegen de zon. 'Inderdaad,' zei hij. 'Een lelijke spaak in het wiel, vind je niet?'

'Zeker.'

Annie liep terug naar haar auto. Het had geen zin hier langer rond te hangen. Bovendien had ze afgesproken bij een sectie aanwezig te zijn.

'Wat moet dit verdomme voorstellen?' zei Banks. 'Ik had je toch gezegd dat je niet met de pers moest praten?'

'Ik hoor nu pas voor het eerst dat we in een politiestaat leven,' zei Maggie Forrest, die met over elkaar geslagen armen en boze, met tranen gevulde ogen voor hem stond. Ze bevonden zich in haar keuken, waar Banks dreigend met de *Post* stond te zwaaien en Maggie bij het afwassen van de ontbijtspullen was gestoord. Zodra hij het artikel in Millgarth onder ogen had gekregen was hij naar The Hill gereden.

'Schei uit met die puberale onzin over politiestaten. Heb je enig idee wat voor wespennest je hiermee misschien hebt wakker gepord?'

'Ik heb geen idee waar u het over heeft. Ik wilde alleen maar Lucy's kant van het verhaal vertellen, maar die vrouw heeft alles wat ik heb verteld verdraaid.'

'Ben je werkelijk zo naïef dat je dat niet hebt zien aankomen?'

'Er is een verschil tussen naïef en bezorgd, maar een cynicus als u ziet dat waarschijnlijk niet.'

Banks zag dat Maggie stond te beven van woede of angst en vroeg zich af of hij haar niet te hard had aangepakt. Hij wist dat ze door haar man was mishandeld, dat ze kwetsbaar was en waarschijnlijk doodsbang voor die man in haar keuken die tegen haar stond te schreeuwen. Het was inderdaad niet erg tactvol van hem, maar die vrouw irriteerde hem mateloos. Hij ging aan de keukentafel zitten. 'Maggie,' zei hij zachtjes, 'het spijt me, maar je hebt hiermee waarschijnlijk heel wat problemen veroorzaakt.'

Maggie leek zich enigszins te ontspannen. 'Ik zie niet in waarom.'

'De publieke opinie is wispelturig en daarop inspelen is spelen met vuur. Voor hetzelfde geld vreten ze jou op in plaats van een ander.'

'Hoe krijgen de mensen anders te horen wat Lucy heeft moeten doorstaan? Zelf zal ze er geen woord over zeggen, dat kan ik u wel vertellen.'

'Niemand weet wat er precies is gebeurd bij Lucy thuis. Het enige wat je nu doet, is haar kans op een eerlijk proces in gevaar brengen als...'

'Proces? Waarom zou zij terecht moeten staan?'

'Ik wilde zeggen: als het ooit zover komt.'

'Het spijt me, maar dat ben ik niet met u eens.' Maggie zette de waterkoker aan en ging tegenover Banks zitten. 'Mensen moeten op de hoogte worden gebracht van het bestaan van huiselijk geweld. Dat mag nooit om welke reden dan ook verborgen worden gehouden. En al helemaal niet als de politie dat zegt.'

'Dat ben ik met je eens. Hoor eens, ik snap dat je bevooroordeeld bent ten opzichte van ons, maar...'

'Bevooroordeeld? Luister eens, door jullie toedoen ben ik in het ziekenhuis terechtgekomen.'

'Je moet begrijpen dat wij in veel van dit soort zaken eenvoudigweg niet mogen ingrijpen. We moeten ons baseren op de feiten en ons houden aan de beperkingen die de wet ons oplegt.'

'Voor mij reden te meer om het voor Lucy op te nemen. U bent tenslotte niet hier om haar te helpen, of wel soms?'

'Ik ben hier omdat ik de waarheid boven tafel wil krijgen.'

'Wat een buitengewoon loffelijk streven.'

'Wie is hier nu cynisch?'

'Iedereen weet dat het de politie te doen is om veroordelingen, dat ze het niet zo nauw nemen met de waarheid of met rechtvaardigheid.'

'Veroordelingen zijn goed zolang ze de slechteriken van de straat weten te houden. Vaak is dat echter niet het geval. Rechtvaardigheid laten we over aan de rechtbanken, maar wat de rest betreft heb je ongelijk. Ik kan natuurlijk alleen voor mezelf spreken, maar ik ben echt uit op de waarheid. Ik werk sinds het begin van april dag en nacht aan deze zaak en net als bij elke andere zaak wil ik weten wat er is gebeurd, wie het heeft gedaan en waarom. En je moet goed beseffen dat door dit artikel de waarheid, wat die ook zijn mag, misschien wordt verdraaid.'

'Dat is mijn schuld niet, dat heeft zij gedaan. Die Lorraine Temple.'
Banks sloeg met zijn hand op de tafel en had daar onmiddellijk spijt van toen Maggie verschrikt opsprong. 'Mis,' zei hij. 'Ze deed gewoon haar werk. Je kunt het leuk vinden of niet, maar daar komt het op neer. Het is haar werk om ervoor te zorgen dat er kranten worden verkocht. Je ziet het helemaal verkeerd, Maggie. Jij gelooft dat de pers er is om de waarheid te onthullen en de politie om leugens te verkondigen.'
'U brengt me in de war.' Het water kookte en Maggie stond op om thee te zetten. Ze vroeg niet of Banks een kopje wilde, maar toen de thee klaar was, schonk ze automatisch voor hem in. Hij bedankte haar.
'Wat ik probeer te zeggen, Maggie, is dat je Lucy misschien meer kwaad dan goed doet door met de pers te praten. Kijk maar naar wat er is gebeurd. Je zegt dat alles verkeerd is opgevat en dat de krant bijna ronduit beweert dat Lucy net zo schuldig is als haar man. Daarmee help je haar echt niet.'
'Dat heb ik toch al uitgelegd. Ze heeft mijn woorden verdraaid.'
'En ik probeer je duidelijk te maken dat je dat had kunnen verwachten. Zoals het nu is, is het een beter artikel.'
'Waar moet ik dan naartoe om de waarheid te vertellen? Of te zoeken?'
'Jezus, Maggie, als ik dat wist...'
Voordat Banks zijn zin kon afmaken, ging zijn mobieltje. Dit keer was het de agent die de wacht hield in het ziekenhuis. Lucy Payne was zojuist uit het ziekenhuis ontslagen en er was een advocaat bij haar.
'Weet jij iets over die advocaat?' vroeg Banks aan Maggie, toen hij het telefoongesprek had beëindigd.
Ze glimlachte schaapachtig. 'Ja, eigenlijk wel.'
Banks zei niets, bang dat hij opnieuw zijn zelfbeheersing zou verliezen. Zonder zijn thee te hebben aangeraakt nam hij haastig afscheid en hij liep snel naar zijn auto. Hij bleef zelfs niet stilstaan om even met Annie Cabbot te praten die net uit nummer 35 naar buiten kwam. Hij wuifde even, sprong in zijn Renault en scheurde weg.

Lucy Payne zat op het bed haar teennagels zwart te lakken toen Banks binnenkwam. Ze wierp hem een ondoorgrondelijke blik toe en trok toen zedig haar rok over haar dijen omlaag. Het verband was van haar hoofd gehaald en de blauwe plekken leken goed te genezen. Ze had haar lange zwarte haar zo geschikt dat het de plek bedekte die de dokter had moeten kaalscheren voor de hechtingen.
Er was nog een vrouw in de kamer. Bij het raam stond de advocaat. Een tengere vrouw met oplettende, lichtbruine ogen en chocoladebruin haar dat bijna net zo kort was geknipt als dat van Banks. Ze was gekleed

in een grijs mantelpak met een dunne krijtstreep, en een witte blouse met ruches. Ze droeg een donkere panty en glimmende zwarte pumps. Ze liep met uitgestoken hand naar hem toe. 'Julia Ford. Ik ben Lucy's advocaat. Ik geloof niet dat we elkaar al kennen.'

'Aangenaam,' zei Banks.

'Ik begrijp dat dit niet de eerste keer is dat u met mijn cliënt praat, is het wel, hoofdinspecteur?'

'Nee,' zei Banks.

'En de vorige keer was u in het gezelschap van een psycholoog, doctor Fuller?'

'Doctor Fuller is de adviserend psycholoog voor de Kameleon-task force,' zei Banks.

'Voorzichtig, hoofdinspecteur, ga vooral voorzichtig te werk. Ik heb goede redenen om te claimen dat alles wat doctor Fuller uit mijn cliënt heeft losgekregen onrechtmatig verkregen bewijsmateriaal is.'

'We waren niet uit op bewijsmateriaal,' zei Banks. 'Lucy werd gehoord als getuige en als slachtoffer. Niet als verdachte.'

'Een uiterst vage grens, hoofdinspecteur, zeker wanneer er nog van alles kan veranderen. En nu?'

Banks wierp een blik op Lucy, die verder was gegaan met het lakken van haar teennagels en uiterlijk onbewogen naar de woordenwisseling had geluisterd. 'Ik besefte niet dat je een advocaat nodig dacht te hebben, Lucy,' zei hij.

Lucy keek op. 'Het is in mijn eigen belang. Ze hebben me vanochtend ontslagen. Zodra het papierwerk is afgehandeld, mag ik naar huis.'

Banks keek geërgerd naar Julia Ford. 'Ik hoop dat u haar niet heeft aangemoedigd in deze illusie?'

Julia trok haar wenkbrauwen op. 'Ik heb geen flauw idee waar u het over hebt.'

Banks keerde zich weer naar Lucy. 'Je kunt niet naar huis, Lucy,' legde hij uit. 'Je huis wordt momenteel steen voor steen afgebroken door forensische experts. Heb je enig idee wat zich daar heeft afgespeeld?'

'Natuurlijk weet ik dat,' zei Lucy. 'Terry heeft me geslagen. Hij heeft me bewusteloos geslagen en ervoor gezorgd dat ik naar het ziekenhuis moest.'

'Nu is Terry dood.'

'Ja. Nou en?'

'Dat verandert de zaak natuurlijk.'

'Hoort u eens,' zei Lucy. 'Ik ben mishandeld en ik heb net mijn man verloren. Wilt u me nu vertellen dat ik ook mijn huis kwijt ben?'

'Voorlopig wel.'

'Wat moet ik dan? Waar moet ik dan naartoe?'

'Je zou bijvoorbeeld naar je pleegouders kunnen gaan, Linda.'

Banks zag dat de naam haar niet was ontgaan.

'Ik heb blijkbaar geen keus.'

'Maar misschien is dat een probleem van later zorg,' vervolgde Banks. 'We hebben sporen van Kimberley Myers' bloed gevonden op de mouwen van je ochtendjas en een paar gele vezels onder je vingernagels. Je zult een en ander eerst moeten verklaren voordat je ergens heen kunt.'

Lucy keek geschrokken op. 'Wat wilt u daarmee zeggen?'

Julia Ford kneep haar ogen tot spleetjes en keek naar Banks. 'Wat hij bedoelt, Lucy, is dat hij je voor ondervraging meeneemt naar het politiebureau.'

'Mag hij dat zomaar doen?'

'Ik ben bang van wel, Lucy.'

'En kan hij me daar ook vasthouden?'

'Dat kan hij inderdaad als hij niet tevreden is over je antwoorden. Vierentwintig uur. Er gelden echter strikte regels. Je hoeft je nergens zorgen over te maken.'

'Betekent dat dat ik een hele dag in een cel moet zitten?'

'Wees maar niet bang, Lucy,' zei Julia. Ze liep naar haar toe en legde haar hand op haar arm. 'Er zal je niets overkomen. Die tijd ligt nu achter je. Er zal goed voor je worden gezorgd.'

'Maar ik moet wel de cel in!'

'Mogelijk. Dat hangt ervan af.'

'Ik heb helemaal niets gedaan!' Ze keek Banks met woedend fonkelende ogen aan. 'Ik ben juist het slachtoffer. Waarom moet u mij hebben?'

'Niemand moet jou hebben, Lucy,' zei Banks. 'We hebben alleen nog een heleboel vragen en denken dat jij ons aan antwoorden kunt helpen.'

'Ik zal uw vragen heus wel beantwoorden. Ik zal niet weigeren om mee te werken. Daarvoor hoeft u me echt niet mee te nemen naar het politiebureau. Bovendien heb ik ze allemaal al beantwoord.'

'O nee. We moeten nog veel meer weten en er moeten bepaalde formaliteiten en procedures worden gevolgd. Bovendien ligt de zaak anders nu Terry dood is, nietwaar?'

Lucy keek hem niet aan. 'Ik heb geen flauw idee wat u bedoelt.'

'Je kunt nu immers vrijuit spreken. Je hoeft niet langer bang voor hem te zijn.'

'O, nu begrijp ik het.'

'Wat dacht je dan dat ik bedoelde, Lucy?'

'Niets bijzonders.'

'Dat je je verhaal zou kunnen aanpassen? Alles kon ontkennen?'

'Dat zei ik toch al. Niets bijzonders.'

'Alleen moet je wel dat bloed verklaren. En de gele vezels. We weten dat je in de kelder bent geweest. We kunnen het bewijzen.'

'Daar weet ik niets meer van. Ik weet het gewoon niet.'

'Komt dat even goed uit. Vind je het niet erg dat Terry dood is, Lucy?'

Lucy stopte haar nagellak in haar handtas. 'Ja, natuurlijk vind ik het erg. Maar hij mishandelde me. Hij is degene die me het ziekenhuis heeft ingeslagen, hij is degene die me al die moeilijkheden met de politie heeft bezorgd. Het is mijn schuld niet. Niets is mijn schuld. Ik heb niets verkeerds gedaan. Waarom moet ik er dan onder lijden?'

Banks schudde zijn hoofd en stond op. 'Misschien kunnen we maar beter gaan.'

Lucy keek naar Julia Ford.

'Ik ga met je mee,' zei Julia. 'Ik zal erbij zijn wanneer je wordt ondervraagd en ik blijf in de buurt voor het geval je me nodig hebt.'

Lucy glimlachte zwakjes. 'Je komt zeker niet bij me in mijn cel?'

Julia beantwoordde haar glimlach en keek toen naar Banks. 'Ik ben bang dat ze geen tweepersoonscellen hebben, Lucy.'

'Dat klopt,' zei Banks. 'Hou je van meisjes, Lucy?'

'Dat was niet nodig, hoofdinspecteur,' zei Julia Ford. 'En ik zou graag zien dat u uw verdere vragen bewaart voor de verhoorkamer.'

Lucy keek Banks alleen woedend aan.

'Bovendien,' vervolgde Julia Ford tegen Lucy, 'moeten we niet zo pessimistisch zijn. Zover is het nog lang niet.' Ze keek weer naar Banks. 'Misschien is het mogelijk dat we via een zijuitgang vertrekken, hoofdinspecteur? U hebt ongetwijfeld de aanwezigheid van de pers ook opgemerkt.'

'Het is belangrijk nieuws,' zei Banks. 'Maar inderdaad, het is een goed idee. Ik heb er ook een.'

'Ja?'

'We kunnen Lucy voor ondervraging naar Eastvale brengen. U en ik weten allebei dat het in Millgarth storm zal lopen zodra de pers erachterkomt dat ze zich daar bevindt. Op deze manier kunnen we totale chaos hopelijk vermijden, voorlopig althans.'

Julia Ford dacht even na en keek toen naar Lucy. 'Dat is inderdaad een goed idee,' zei ze.

'Ga je met me mee naar Eastvale? Ik ben zo bang.'

'Natuurlijk.' Julia keek Banks aan. 'Ik weet zeker dat de hoofdinspecteur wel een goed hotel kan aanbevelen.'

'Hoe heeft ze in hemelsnaam ontdekt dat ik bij u onder behandeling ben?' vroeg Maggie die middag aan het begin van haar sessie aan Susan Simms.

'Dat zou ik niet weten, maar je kunt er zeker van zijn dat ik het aan niemand heb verteld.'

'Dat weet ik,' zei Maggie. 'Dank u wel.'

'Het is een kwestie van professionele ethiek. Er wordt in dit artikel gesuggereerd dat je Lucy Payne steunt; is dat waar?'

Maggie voelde opnieuw woede in zich opkomen toen ze terugdacht aan haar gesprek met Banks die ochtend. Ze was nog steeds van slag. 'Ik geloof inderdaad dat Lucy het slachtoffer is van mishandeling.'

Doctor Simms zweeg even en staarde uit het raam. Toen zei ze: 'Wees voorzichtig, Margaret. Wees alsjeblieft voorzichtig. Je lijkt me momenteel heel gespannen. Zullen we dan maar beginnen? Ik geloof dat we het de laatste keer over je familie hebben gehad?'

Maggie kon het zich nog goed herinneren. Het was hun vierde sessie geweest en ze hadden voor het eerst gesproken over Maggies achtergrond en familie. Dat had haar verbaasd. Ze had verwacht dat er vanaf het begin freudiaanse vragen over de relatie met haar vader zouden worden gesteld, ook al had doctor Simms benadrukt dat ze geen aanhanger was van freudiaanse methodes.

Ze zaten in een klein kantoor dat uitkeek op Park Square, een vredig en fraai stukje achttiende-eeuws Leeds. Vogels zongen tussen de roze en witte bloesem in de bomen en studenten zaten op het gras te lezen of van de zon te genieten. De broeierige, benauwde atmosfeer was grotendeels verdwenen en de lucht was fris en aangenaam. Doctor Simms had het raam opengezet en Maggie kon de bloemen ruiken die buiten in de vensterbank stonden. Boven de boomtoppen kon ze nog net de punt van de koepel van het gemeentehuis onderscheiden en de prachtige gevels van de huizen aan de overkant van het plein.

Het was net de praktijkkamer van een huisarts, vond Maggie, in de oude stijl dan, met een groot bureau, diploma's aan de muur, neonlampen, dossier- en boekenkasten. Er stond geen sofa. Maggie en doctor Simms zaten in leunstoelen, niet direct tegenover elkaar, maar haaks, waardoor oogcontact mogelijk maar niet verplicht was. Ruth had doctor Simms aanbevolen en tot dusver was het een gouden greep gebleken. Ze was halverwege de vijftig en stevig gebouwd. Ze droeg altijd ouderwetse kleding in Laura Ashley-stijl en haar blauwgrijze krullen en golven stonden stijf van de haarlak. Hoewel ze net zo vriendelijk en meelevend was als Maggie had gehoopt, kon ze ook heel stekelig zijn, vooral wanneer Maggie (die ze om onverklaarbare reden altijd met Margaret aansprak) zich achter een emotionele muur verschanste of begon te jammeren.

'Er kwam in mijn jeugd geen geweld voor bij ons thuis. Mijn vader was streng, maar hij heeft nooit zijn vuisten of riem gebruikt om ons te straffen. Bij mijn zus Fiona niet en bij mij evenmin.'

'Hoe werden jullie dan wel gestraft?'

'O, gewoon, dan mochten we niet uit, of we kregen geen zakgeld, of hij stak een preek af, dat soort dingen.'

'Schreeuwde hij wel eens?'

'Nee. Ik heb hem nooit tegen iemand horen schreeuwen.'

'Had je moeder een opvliegend karakter?'

'Lieve hemel, nee. Ze werd natuurlijk wel eens kwaad en schreeuwde soms wanneer Fiona of ik lastig waren, of als we niet wilden luisteren of onze kamer niet opruimden, maar dat was altijd zo weer voorbij.'

Doctor Simms leunde met haar kin op haar gesloten vuist. 'Goed. Zullen we weer teruggaan naar Bill?'

'Wat u wilt.'

'Nee, Margaret. Het gaat er niet om wat ik wil. Het gaat erom wat jij wilt.'

Maggie schoof onrustig heen en weer in haar stoel. 'Goed dan.'

'Je hebt me tijdens een eerdere sessie verteld dat je al signalen had opgevangen van zijn agressieve karakter voordat jullie waren getrouwd. Kun je me daar iets meer over vertellen?'

'Ja, maar dat was nooit tegen mij gericht.'

'Tegen wie dan wel? De wereld in het algemeen misschien?'

'Nee. Tegen andere mensen. Mensen die er een rommeltje van maakten. Obers bijvoorbeeld, of bezorgers.'

'Sloeg hij hen in elkaar?'

'Hij wond zich enorm op, werd razend en maakte ze uit voor idioten en achterlijke klungels. Ik bedoelde eigenlijk dat hij veel agressie kwijt kon in zijn werk.'

'Aha. Hij is toch advocaat?'

'Ja. Hij werkt bij een grote firma. En hij wilde heel graag partner worden.'

'Heeft hij die drang om zich te bewijzen van nature?'

'Ja, heel sterk. Op school blonk hij uit in rugby en hij had later misschien prof kunnen worden als hij niet tijdens een wedstrijd een knieband had gescheurd. Hij loopt nog steeds een beetje mank, maar hij vindt het vreselijk als iemand er een opmerking over maakt. Hij kan nog wel meespelen in het softballteam van het bedrijf. Ik snap alleen niet wat dit ermee te maken heeft.'

Doctor Simms boog zich naar haar toe. 'Margaret, ik wil dat je inziet waar die woedeaanvallen en geweldsuitbarstingen van je man vandaan komen. Jij hebt ze niet veroorzaakt, dat deed hij zelf. Ze werden ook op geen enkele manier door jouw achtergrond veroorzaakt, maar door de zijne. Pas wanneer je dat inziet, wanneer je beseft dat het zijn probleem is en niet het jouwe, kun je jezelf ervan overtuigen dat het niet jouw schuld was, en zul je de kracht en de moed kunnen vinden om door te gaan en het leven te leiden dat je werkelijk wilt in plaats van het schaduwbestaan van nu.'

'Dat heb ik toch allang ingezien,' wierp Maggie tegen. 'Ik weet toch al dat het zijn agressie was en niet de mijne.'

'Ja, maar je voelt het nog niet.'

'Is dat zo?' vroeg Maggie. 'Nee, waarschijnlijk hebt u gelijk.'

'Weet je iets van poëzie, Margaret?'

'Niet veel. We hebben op school natuurlijk wel wat geleerd en een vriend van me op de kunstacademie heeft wel eens gedichten voor me geschreven. Vreselijk gezemel eigenlijk. Hij wilde me gewoon het bed in krijgen.'

Doctor Simms begon te lachen. 'Samuel Taylor Coleridge heeft ooit een gedicht geschreven dat "Melancholie: Een ode" heet. Dat gaat gedeeltelijk over zijn onvermogen om iets te voelen. Als hij beschrijft hoe hij naar de wolken, de maan en de sterren kijkt, eindigt hij als volgt: Ik zie, maar voel niet hoe schoon zij allen zijn. Ik denk dat dat ook op jou van toepassing is, Margaret. En ik denk ook dat jij dat wel weet. Iets verstandelijk begrijpen is geen garantie voor emotionele acceptatie. Ondanks je creatieve talenten ben je ook heel intellectueel. Als ik een aanhanger van Jung was, wat ik overigens niet ben, zou ik je waarschijnlijk als het introverte, bedachtzame type classificeren. Vertel me nu maar eens iets meer over die aanbidder.'

'Er is niet zoveel te vertellen.' Ergens op de gang ging een deur open en dicht. Twee mannenstemmen klonken op en stierven weg. Wat overbleef was het vogelgezang en het verkeerslawaai in de verte op The Headrow en Park Lane. 'Je zou kunnen zeggen dat hij me overrompelde,' vervolgde ze. 'Het is een jaar of zeven geleden en ik was nog jong, net afgestudeerd aan de kunstacademie. Ik was nog nat achter de oren, hing met kunstzinnige types rond in kroegen, pubs en barretjes om over filosofie en zo te praten. Ik wist zeker dat er op een dag een rijke weldoener zou verschijnen die mijn talent naar waarde wist te schatten. Ik had een paar relaties gehad, maar was daar niet echt gelukkig van geworden. En toen ontmoette ik die lange, donkere, intelligente, knappe man die me mee wilde nemen naar concerten en dure restaurants. Het ging me niet om het geld of de restaurants. Ik was niet gewend aan luxe. Het ging me vooral om zijn stijl, zijn flair. Hij imponeerde me.'

'En bleek hij de weldoener uit je dromen?'

Maggie staarde naar de kale plekken op de knieën van haar spijkerbroek. 'Niet echt. Bill was nooit zo geïnteresseerd in kunst. O, we hadden abonnementen op concerten, op het ballet, de opera... En toch had ik...'

'Toch had je wat?'

'Ik weet het niet. Misschien ben ik niet helemaal eerlijk. Ik denk dat ik het gevoel had dat het allemaal om zakelijke belangen draaide. Je moest gezien worden. Het is hetzelfde wanneer je naar een skybox van een cliënt gaat. Hij was altijd opgewonden wanneer we bijvoorbeeld naar de opera gingen. Dan had hij uren nodig om zijn smoking aan te trekken en gepaste kleding voor mij uit te kiezen, en dan gingen we van tevoren altijd iets drinken in de ledenbar waar alle collega's, cliënten en plaatselijke hotemetoten zaten. Ik had de indruk dat de muziek zelf hem geen bal interesseerde.'

'Waren er aan het begin van jullie relatie al problemen?'

Maggie speelde met de saffier van de ring aan haar vinger, de 'vrijheidsring' die ze had gekocht nadat ze Bills trouwring en verlovingsring in Lake Ontario had gegooid. 'Ach,' zei ze, 'achteraf is het natuurlijk gemakkelijk om dingen als problemen te identificeren. Is het gemakkelijk om te beweren dat je het hebt zien aankomen of had moeten zien aankomen, omdat je weet hoe het uiteindelijk heeft uitgepakt. Terwijl ze op het moment zelf helemaal niet zo vreemd leken.'

'Probeer het eens.'

'Ik denk dat Bills jaloezie het grootste probleem was.'

'Jaloezie ten opzichte van wat?'

'Bijna alles eigenlijk. Hij was erg bezitterig, vond het niet prettig wanneer ik op feestjes met andere mannen praatte, dat soort dingen. Maar hij was voornamelijk jaloers vanwege mijn vrienden.'

'De kunstenaars?'

'Ja. Hij vond ze maar een stel klaplopers, sukkels, en hij had ergens het idee dat hij me uit hun klauwen had gered.' Ze lachte. 'En zij van hun kant hadden geen zin om te moeten omgaan met advocaten in Armani-pakken.'

'Bleef je je vrienden wel zien?'

'Ja, hoor. Soms.'

'Wat vond Bill daarvan?'

'Hij maakte ze steeds belachelijk, deed alsof ze achterlijk waren en bekritiseerde ze onophoudelijk. Hij noemde ze nepintellectuelen, hersenloze idioten en luiwammesen. Als we toevallig een vriend van mij tegenkwamen, deed Bill alsof hij lucht was. Dan staarde hij omhoog, schuifelde hij ongeduldig met zijn voet, keek hij steeds op zijn Rolex en floot hij een deuntje. Ik zie het nog voor me.'

'Heb je het voor hen opgenomen?'

'Ja. Een tijdje. Uiteindelijk leek het allemaal zo nutteloos.' Maggie zweeg even en vervolgde toen: 'Vergeet niet dat ik tot over mijn oren verliefd was op Bill. Hij nam me mee naar filmpremières. Weekendjes in New York, logeren in het Plaza, ritjes met paard en wagen door Central Park, cocktailparty's met effectenmakelaars en directeuren, noem maar op. Het was allemaal heel romantisch. We zijn zelfs een keer naar L.A. gevlogen voor de première van een film waaraan zijn bedrijf had meegewerkt. We zijn toen naar een feest geweest waar Sean Connery ook was. Kunt u het zich voorstellen? Ik heb Sean Connery ontmoet!'

'Kon je dit snelle leven aan?'

'Redelijk goed. Ik kon met iedereen praten: zakenmensen, advocaten, ondernemers, mensen die het hadden gemaakt. De meesten waren meer in cultuur geïnteresseerd dan ik had kunnen denken. Sommigen sponsorden ook kunstcollecties. Mijn vrienden dachten dat iedereen in een pak saai en conservatief was, en bovendien een kunstbarbaar. Dat vond ik nogal kinderachtig. Ik denk dat Bill me beschouwde als een goede aanwinst voor zijn carrière, maar mijn vrienden vond hij schorem dat mijn leven en het zijne zou verpesten als we niet uitkeken. Bovendien was ik veel meer op mijn gemak in zijn wereld dan hij in de mijne. Ik had toch al een beetje het gevoel dat ik wel de hongerende kunstenaar had uitgehangen, maar nooit echt was geweest.'

'Wat bedoel je daarmee?'

'Mijn vader is een invloedrijke architect en we hadden altijd al in hogere kringen vertoefd. We hadden al heel wat van Noord-Amerika gezien vanwege de opdrachten die hij overal aannam. Soms mocht ik tijdens schoolvakanties met hem mee. Mijn vader houdt van kunst, maar is erg conservatief. En we waren zeker niet arm. Naarmate de tijd verstreek, was ik het steeds vaker met Bill eens. Hij wist al mijn argumenten een voor een omver te halen. Ten slotte zag ik in dat mijn vrienden alleen maar van uitkering naar uitkering zwierven, zonder dat ze ook maar een poging deden iets nuttigs te doen voor de maatschappij, omdat dan hun geliefde kunst in het gedrang zou komen. De grootste zonde in onze vriendengroep was verraad.'

'En daar had jij je schuldig aan gemaakt?'

Maggie staarde even uit het raam. Ze had het plotseling koud en sloeg haar armen om zich heen. 'Ja,' zei ze. 'Dat denk ik wel. Voor mijn vrienden was ik verloren. Ik was bezweken voor de verleidingen van het geld. Allemaal vanwege Bill. Op een van die bedrijfsfeestjes ontmoette ik een uitgever die een illustrator zocht voor een kinderboek. Ik heb hem mijn werk laten zien en hij vond het geweldig. Ik kreeg de opdracht en die leidde weer tot andere.'

'Wat vond Bill van je succes?'

'Aanvankelijk was hij opgetogen. Trots dat de uitgever mijn werk goed had gevonden, trots toen het boek werd gepubliceerd. Hij heeft het voor al zijn neefjes en nichtjes gekocht, voor de kinderen van cliënten en die van zijn baas. Tientallen exemplaren. En hij vond het leuk dat dit door zijn toedoen was gebeurd. Hij herinnerde me er voortdurend aan dat dit nooit was gebeurd als ik bij die nietsnutten van vrienden van mij was blijven hangen.'

'Aanvankelijk, zei je. En later?'

Maggie voelde dat ze dieper wegdook in haar stoel en dat haar stem zwakker klonk. 'Later was het anders. Toen we eenmaal getrouwd waren en Bill nog steeds geen partner was geworden, begon hij mij mijn succes kwalijk te nemen. Hij noemde mijn tekenwerk een 'leuke hobby' en vond dat ik er maar mee moest stoppen en kinderen moest krijgen.'

'Wilde jij geen kinderen?'

'Dat was het niet. Ik had geen keus. Ik kan geen kinderen krijgen.'

Maggie voelde dat ze net als Alice in het konijnenhol wegzakte en dat het duister haar aan alle kanten omsloot.

'Margaret! Margaret!'

Ze hoorde de stem van doctor Simms wel, maar hij klonk van heel ver. Met grote moeite wist ze zich naar het licht te werken en ze kwam naar adem happend boven, als een drenkeling uit het water.

'Margaret, gaat het een beetje?'

'Ja. Het gaat wel... Ik... Het lag niet aan mij,' zei ze, terwijl de tranen over haar wangen stroomden. 'Ik ben niet degene die geen kinderen kan krijgen. Het ligt aan Bill. Het heeft iets met zijn zaad te maken.'

Doctor Simms gaf Maggie de gelegenheid haar tranen te drogen en tot zichzelf te komen.

Daarna moest Maggie erom lachen. 'Hij moest een paar keer in een tupperwarebakje masturberen en dat wegbrengen om het te laten testen. Dat was zo... nou ja, tupperware, dat hoorde thuis in de keuken van *Leave It To Beaver.*'

'Sorry?'

'Een oude Amerikaanse televisieserie. Mama thuis, papa op kantoor, thee met koekjes na school. Gelukkige gezinnetjes. Ideale kindertjes.'

'Op die manier. En een kind adopteren?'

Maggie was nu weer helemaal terug in het licht. Alleen was het te fel. 'Nee,' zei ze. 'Dat wilde Bill niet. Dan zou het niet echt zijn kind zijn, ziet u. Net zomin als een kind dat ik met het sperma van een ander via kunstmatige inseminatie zou krijgen.'

'Hebben jullie erover gepraat?'

'In eerste instantie wel. Totdat hij ontdekte dat het probleem bij hem lag en niet bij mij. Als ik daarna nog eens over kinderen begon, sloeg hij me.'

'Begon hij je rond deze tijd ook je succes te benijden?'

'Ja. Hij ging zelfs zover dat hij de boel saboteerde, zodat ik mijn deadline niet zou halen. Dan gooide hij bijvoorbeeld verf of kwasten weg, verstopte hij een illustratie of een pakje voor de koerier, wiste hij per ongeluk beelden uit het computerbestand, of vergat hij me te vertellen dat er een belangrijk telefoontje was geweest.'

'Dus in die tijd wilde hij kinderen, maar hij had ontdekt dat hij die niet kon verwekken. Daarbij wilde hij partner worden bij zijn firma. Dat ging ook niet door?'

'Nee. Maar dat is nog geen reden om me zo te behandelen.'

Doctor Simms glimlachte. 'Zo is het, Margaret. Zo is het maar net. Wel een explosieve combinatie, denk je niet? Ik zoek geen excuses, maar kun je je voorstellen dat de zware druk waaronder hij stond zijn gewelddadigheid kan hebben aangewakkerd?'

'Ik zag het toen niet aankomen. Hoe had ik het moeten zien?'

'Nee, dat kon je ook niet. Achteraf is dat altijd gemakkelijker zoals je al zei.' Ze leunde achterover, sloeg haar benen over elkaar en keek naar de klok. 'Ik denk dat dit wel genoeg is voor vandaag.'

Dit was het moment. 'Ik wilde u wat vragen,' zei Maggie abrupt. 'Het gaat niet over mij.'

Doctor Simms trok haar wenkbrauwen op en wierp een snelle blik op haar horloge.

'Het duurt maar heel even. Echt.'

'Goed,' zei doctor Simms. 'Wat wilde je vragen?'

'Het gaat over een vriendin van me. Nou ja, niet echt een vriendin, want het is eigenlijk nog maar een kind, maar ze komt vaak uit school nog even langs voordat ze naar huis gaat.'

'Ja?'

'Ze heet Claire, Claire Toth. Claire was bevriend met Kimberley Myers.'

'Ik weet wie Kimberley Myers was. Ik heb over haar in de krant gelezen. Ga verder.'

'Ze waren bevriend. Ze zaten op dezelfde school. Allebei kenden ze Terence Payne. Hij was hun biologieleraar.'

'Ja. Ga door.'

'Claire voelde zich verantwoordelijk voor Kimberley. Ze zouden die avond samen naar huis gaan, maar toen vroeg een jongen Claire ten dans. Een jongen die ze erg aardig vond, dus...'

'Dus is haar vriendin alleen naar huis gegaan. En nu is ze dood.'

'Ja,' zei Maggie.

'Je zei dat je me iets wilde vragen.'

'Ik heb Claire niet meer gesproken sinds ze me dit afgelopen maandagmiddag heeft verteld. Ik maak me zorgen over haar. Wat kan zoiets bij een jong meisje aanrichten?'

'Ik ken haar niet, dus dat is moeilijk te zeggen,' zei doctor Simms. 'Dat hangt af van haar innerlijke kracht, van haar zelfvertrouwen, van de steun van haar familie. Verder heb ik het idee dat hier twee verschillende dingen spelen.'

'O?'

'Ten eerste de omgang van het meisje met de misdadiger en één slachtoffer in het bijzonder, ten tweede haar verantwoordelijkheidsgevoel en schuldgevoel. Wat het eerste betreft, kan ik je een aantal algemene tips geven.'

'Alstublieft.'

'Eerst wil ik graag weten hoe jij je hieronder voelt.'

'Ik?'

'Ja.'

'Ik... dat weet ik nog niet. Bang, denk ik. Minder goed van vertrouwen. Hij was tenslotte mijn buurman. Ik weet het niet. Ik heb nog niet alles kunnen verwerken.'

Doctor Simms knikte. 'Je vriendin waarschijnlijk evenmin. Op dit moment zal ze vooral verwarring voelen. Alleen is ze jonger dan jij en heeft ze vermoedelijk minder innerlijke kracht. Ze zal in elk geval wantrouwender zijn ten opzichte van andere mensen. Deze man was tenslotte haar leraar, iemand die werd gerespecteerd, iemand met gezag. Aantrekkelijk, goedgekleed, met een mooi huis en een knappe, jonge vrouw. Hij zag er helemaal niet uit als het monster dat we meestal met een dergelijke misdaad associëren. Verder zal ze last hebben van een soort achtervolgingsangst en is ze bang om alleen over straat te gaan. Misschien mag ze van haar ouders niet meer uitgaan. Soms nemen ouders in dit soort situaties de macht in handen, vooral wanneer ze zich schuldig voelen omdat ze hun kind hebben verwaarloosd.'

'Dus misschien willen haar ouders niet dat ze me komt bezoeken?'

'Het is een mogelijkheid.'

'En verder?'

'De aard van de misdaad zal zeker van invloed zijn op de ontluikende seksualiteit van een kwetsbaar jong meisje. In welk opzicht is moeilijk te zeggen. Iedereen reageert anders. Sommige meisjes gaan zich misschien kinderlijker gedragen en zullen hun seksualiteit onderdrukken omdat ze denken dat dat enige bescherming biedt. Andere meisjes worden juist losbandig omdat ingetogen gedrag de slachtoffers immers ook niet heeft geholpen. Ik kan je niet zeggen welke kant het zal uitgaan.'

'Ik weet zeker dat Claire zich niet losbandig zal gedragen.'

'Misschien heeft ze zich in zichzelf teruggetrokken en is deze zaak een obsessie voor haar geworden. Het belangrijkste is dat ze haar gevoelens niet probeert te onderdrukken, maar dat ze zich bewust wordt van wat er is gebeurd. Ik weet dat het moeilijk is, dat is het zelfs voor volwassenen, maar daarbij kunnen we haar helpen.'

'Hoe?'

'Door de invloed die het op haar uitoefent te accepteren, maar haar er ook van te overtuigen dat dit een afwijking is, dat dit niet tot de natuurlijke orde der dingen behoort. De gevolgen zijn ongetwijfeld ingrijpend en van lange duur, maar ze zal moeten leren zich aan te passen aan haar veranderde wereldbeeld.'

'Hoe bedoelt u dat?'

'Iedereen zegt altijd dat tieners zich onsterfelijk voelen, maar dat gevoel is bij jouw vriendin nu misschien met wortel en tak uitgerukt. Het is moeilijk je daaraan aan te passen, te wennen aan het idee dat wat een goede bekende van je is overkomen, ook jou kan overkomen. De echte schok moet ze trouwens nog krijgen.'

'Wat kan ik doen?'

'Waarschijnlijk niets,' zei doctor Simms. 'Maar mocht ze uit zichzelf naar je toe komen, dan kun je haar aanmoedigen erover te praten. Maar dring er niet op aan en vertel haar niet wat ze moet voelen.'

'Zou ze naar een psycholoog moeten?'

'Waarschijnlijk wel. Het is aan haar om dat te beslissen. Of aan haar ouders.'

'Zou u iemand kunnen aanbevelen voor het geval dat ze geïnteresseerd zijn?'

Doctor Simms schreef een naam op een stukje papier. 'Ze is heel goed,' zei ze. 'Ga nu maar. Mijn volgende patiënt wacht.'

Nadat ze een nieuwe afspraak hadden gemaakt, liep Maggie naar buiten. Het verdoofde gevoel was weer terug, het gevoel dat de wereld zich op een afstand bevond, achter spiegels en filters, aan de verkeerde kant van een telescoop. Ze voelde zich een buitenaards wezen in menselijke gedaante. Ze wilde terug naar de plek waar ze vandaan kwam, maar ze wist niet meer waar dat was.

Ze liep naar City Square, langs het standbeeld van de zwarte prins en de nimfen met hun toortsen, leunde met haar rug tegen een muur bij de bushalte op Boar Lane en stak een sigaret op. Een oudere vrouw die naast haar stond, keek haar nieuwsgierig aan. Waarom, vroeg Maggie zich af, voelde ze zich na een sessie bij doctor Simms altijd zoveel ellendiger dan ervoor?

De bus kwam eraan. Maggie trapte haar sigaret uit en stapte in.

11

De rit naar Eastvale verliep vlot. Banks had Millgarth om een burgerauto met chauffeur gevraagd en was met Julia Ford en Lucy Payne door
een zijuitgang vertrokken. Ze waren geen enkele verslaggever tegengekomen. Tijdens de rit had Banks voorin naast de bestuurder gezeten,
een jonge vrouwelijke agent, en Julia Ford en Lucy Payne achterin.
Niemand had iets gezegd. Banks was in gedachten bij de ontdekking
van nog een lichaam in de achtertuin van de Paynes, zoals Stefan
Nowak hem telefonisch had gemeld toen ze uit het ziekenhuis vertrokken. En zo te horen was ook dit niet het stoffelijk overschot van Leanne
Wray.

Af en toe ving Banks in de achteruitkijkspiegel een glimp van Lucy op
die uit het raam zat te staren. Hij kon niets aan haar gezicht aflezen.
Voor alle zekerheid namen ze de ingang aan de achterkant van het politiebureau van Eastvale. Banks leidde Lucy en Julia naar een verhoorkamer en liep zelf naar zijn kantoor, waar hij bij het raam een sigaret opstak en zich voorbereidde op de komende ondervraging. Tijdens de rit
hiernaartoe was hij zo in gedachten verzonken geweest dat hij nauwelijks had opgemerkt dat het een prachtige dag was.

Op het met keien geplaveide marktplein stonden talloze auto's en bussen geparkeerd. Vaders en moeders slenterden rond met kinderen aan
de hand, de vrouwen met een vest losjes om hun schouders geslagen
voor het geval er een kille wind opstak, de mannen met een paraplu
in de hand voor als het mocht gaan regenen. Waarom durven wij Engelsen toch nooit te geloven dat het mooi weer blijft? vroeg Banks zich
af. We gaan altijd uit van het ergste.

De verhoorkamer rook naar ontsmettingsmiddel omdat de vorige on-
dervraagde, een dronken, zeventienjarige joyrider, een afhaalpizza over
de vloer had uitgekotst. Het was een kale, sombere ruimte waar het
weinige licht door een hoog getralied raam naar binnen viel. Banks
duwde een cassette in de recorder, controleerde of alles werkte en sprak
vervolgens de belangrijkste formaliteiten in: tijd, datum en de namen
van de aanwezigen.

'Goed, Lucy,' zei hij ten slotte. 'Zullen we maar beginnen?'

'Wat u wilt.'

'Hoe lang woon je al in Leeds?'

'Wat?'

Banks herhaalde zijn vraag. Lucy keek verward en zei: 'Vier jaar ongeveer. Sinds ik bij de bank werk.'

'Je kwam uit Hull, waar je bij je pleegouders Clive en Hilary Liversedge
woonde?'

'Ja, dat weet u dus al.'

'Ik wil alleen je achtergrond even in kaart brengen, Lucy. Waar woonde
je daarvoor?'

Lucy speelde met haar trouwring. 'Alderthorpe,' zei ze zacht. 'Spurn
Road 4.'

'En je ouders?'

'Ja.'

'Wat ja?'

'Ja, die woonden daar ook.'

Banks zuchtte. 'Speel alsjeblieft geen spelletjes met me, Lucy. Dit is een
ernstige aangelegenheid.'

'Dacht u nou heus dat ik dat niet wist?' zei Lucy vinnig. 'U sleept me
helemaal voor niets vanuit het ziekenhuis hiernaartoe en dan gaat u vragen zitten stellen over mijn jeugd. U bent toch geen psychiater.'

'Het interesseert me, dat is alles.'

'Nou, zo interessant was het anders niet. Ja, ze hebben me misbruikt,
en ja, toen ben ik in een pleeggezin geplaatst. De Liversedges hebben
me heel goed behandeld, maar het waren niet mijn echte ouders. Toen
ik oud genoeg was, wilde ik in mijn eentje de wereld in, mijn jeugd achter me laten en mijn eigen weg vinden. Is daar iets verkeerd aan?'

'Nee,' zei Banks. Hij had graag meer willen weten over Lucy's jeugd,
vooral over de gebeurtenissen die zich rond haar twaalfde hadden afgespeeld, maar hij besefte dat er weinig kans bestond dat hij dat van haar
te horen zou krijgen. 'Is dat de reden dat je je naam hebt veranderd van
Linda Godwin in Lucy Liversedge?'

'Ja. Allerlei verslaggevers bleven me lastigvallen. De Liversedges hebben
het toen met de autoriteiten geregeld.'

'Waarom besloot je naar Leeds te verhuizen?'

'Omdat ik daar een baan had gevonden.'

'Was het de eerste baan waarop je solliciteerde?'

'Die ik echt wilde? Ja.'

'Waar woonde je toen?'

'Ik had eerst een flatje in de buurt van Tong Road. Toen Terry die baan

bij Silverhill kreeg, hebben we het huis aan The Hill gekocht. Dat huis waar ik volgens u niet naar terug mag. Ik mag zeker wel de hypotheek blijven doorbetalen terwijl uw mannen het in een ruïne veranderen?'
'Zijn jullie daar gaan samenwonen voordat jullie waren getrouwd?'
'We hadden al besloten dat we zouden trouwen. Het was zo'n mooi aanbod dat we gek zouden zijn geweest als we het hadden afgeslagen.'
'Wanneer ben je met Terry getrouwd?'
'Vorig jaar. Tweeëntwintig mei. We waren al sinds de zomer ervoor bij elkaar.'
'Waar heb je hem ontmoet?'
'Doet dat er toe?'
'Ik ben gewoon nieuwsgierig. Er steekt toch geen kwaad in deze vraag?'
'In een pub.'
'Welke pub?'
'Dat weet ik niet meer. Hij was heel groot en er speelde een band.'
'Waar was dat?'
'Seacroft.'
'Was hij daar alleen?'
'Ik denk het wel. Hoezo?'
'Heeft hij jou versierd?'
'Zo zou ik het niet willen zeggen. Ik weet het niet meer.'
'Ben je ooit in zijn flat blijven slapen?'
'Ja, natuurlijk. We waren verliefd. We zouden gaan trouwen. We hadden ons al verloofd.'
'Toen al?'
'Het was liefde op het eerste gezicht. U gelooft me misschien niet, maar het was echt zo. We kenden elkaar pas twee weken toen hij een verlovingsring voor me kocht. Die kostte bijna duizend pond.'
'Had hij andere vriendinnen?'
'Niet toen ik hem leerde kennen.'
'Daarvoor?'
'Ik neem aan van wel. Ik heb daar niet zo moeilijk over gedaan. Ik ging ervan uit dat hij een normaal leven had geleid.'
'Normaal?'
'Waarom niet?'
'Heb je ooit sporen van andere vrouwen in zijn flat aangetroffen?'
'Nee.'
'Wat deed je helemaal in Seacroft als je in de buurt van Tong Road woonde? Dat is nogal een eind uit de buurt.'
'We hadden daar een cursus van een week gevolgd en een van de meiden zei dat je er leuk kon stappen.'

'Had je iets gehoord over de man die in die tijd de verkrachter van Seacroft werd genoemd?'

'Ja. Wie niet.'

'En toch gingen jullie naar Seacroft.'

'Als je je door angst laat leiden durf je helemaal je huis niet meer uit.'

'Dat is waar,' zei Banks. 'Dus je hebt nooit vermoed dat de man die je had ontmoet de verkrachter van Seacroft zou kunnen zijn?'

'Terry? Nee, natuurlijk niet. Waarom zou ik?'

'Was er helemaal niets in Terry's gedrag dat je aanleiding gaf om je zorgen te maken?'

'Nee. We waren verliefd.'

'Hij mishandelde je toch? Dat heb je zelf toegegeven in ons vorige gesprek.'

Ze keek hem niet aan. 'Dat was pas veel later.'

'Hoeveel later?'

'Dat weet ik niet meer. Rond kerst misschien.'

'Afgelopen kerst?'

'Ja. Rond die tijd. Maar het was lang niet altijd zo. En daarna was hij altijd ontzettend lief. Dan voelde hij zich verschrikkelijk schuldig en kocht hij cadeautjes voor me. Bloemen. Armbanden. Kettinkjes. Ik wou dat ik die nu bij me had, als herinnering aan hem.'

'Binnenkort, Lucy. Dus hij maakte het altijd weer goed nadat hij je had geslagen?'

'Ja, dan was hij dagenlang heel lief voor me.'

'Dronk hij de afgelopen maanden meer dan daarvoor?'

'Ja. Hij ging ook meer uit. Ik zag hem minder vaak.'

'Waar ging hij dan naartoe?'

'Geen idee. Dat zei hij nooit.'

'Heb je het hem nooit gevraagd?'

Lucy draaide hem de kant van haar gezicht toe waarop de blauwe plekken en kneuzingen nog zichtbaar waren. Banks begreep de hint.

'Volgende vraag, hoofdinspecteur,' zei Julia Ford. 'Mijn cliënt raakt duidelijk overstuur van dit soort vragen.'

Jammer dan, had Banks willen zeggen, maar hij had nog zoveel andere vragen te stellen. 'Goed.' Hij keek Lucy weer aan. 'Heb je iets te maken met de ontvoering, de verkrachting en de dood van Kimberley Myers?'

Lucy staarde hem aan, maar hij kon in haar donkere ogen niets ontdekken; als de ogen de spiegel van de ziel waren, dan waren Lucy Paynes ogen van spiegelglas en droeg haar ziel een zonnebril. 'Nee, niets,' zei ze.

'Melissa Horrocks?'

'Nee. Ik heb er niets mee te maken gehad, met geen van allen.'

'Hoeveel waren het er, Lucy?'

'Dat weet u best.'

'Ik wil dat jij het me vertelt.'

'Vijf. Dat heb ik tenminste in de krant gelezen.'

'Wat hebben jullie met Leanne Wray gedaan?'

'Ik begrijp u niet.'

'Waar is ze, Lucy? Waar is Leanne Wray? Waar hebben Terry en jij haar begraven? Waarom was zij anders dan de anderen?'

Lucy keek ontzet naar Julia Ford. 'Ik snap niet wat hij bedoelt,' zei ze. 'Laat hem alsjeblieft ophouden.'

'Hoofdinspecteur,' zei Julia, 'mijn cliënt heeft al duidelijk aangegeven dat ze er niets van weet. U kunt maar beter verdergaan met een andere vraag.'

'Heeft je man het ooit over een van deze meisjes gehad?'

'Nee, nooit.'

'Ben je wel eens in de kelder geweest, Lucy?'

'Dat hebt u me allemaal al eens gevraagd.'

'Ik geef je de gelegenheid om je antwoord te wijzigen nu alles wordt vastgelegd.'

'Ik heb u al gezegd dat ik me dat niet kan herinneren. Misschien wel, maar ik weet het niet meer. Ik heb retrograde amnesie.'

'Wie heeft je dat verteld?'

'De dokter die me in het ziekenhuis heeft behandeld.'

'Dokter Landsberg?'

'Ja. Het maakt deel uit van mijn posttraumatische shock.'

Dit was nieuw voor Banks. Dokter Landsberg had tegen hem gezegd dat ze geen expert was op dat gebied. 'Als je het je wel zou kunnen herinneren, hoe vaak zou je dan in de kelder geweest kunnen zijn?'

'Eén keer.'

'Wanneer was dat?'

'Op die dag dat alles is gebeurd. Toen ik in het ziekenhuis werd opgenomen. Afgelopen maandag, heel vroeg in de ochtend.'

'Dus je geeft toe dat je er geweest zou kunnen zijn?'

'Als u het zegt. Ik weet het niet meer.'

'Ik ben niet degene die dat zegt, Lucy. Het is wetenschappelijk bewezen. Het lab heeft sporen van Kimberley Myers' bloed gevonden op de mouwen van jouw ochtendjas. Hoe is dat daar terechtgekomen?'

'Dat... dat weet ik niet.'

'Het kan er maar op twee manieren zijn terechtgekomen: voordat ze in de kelder kwam of daarna. Welk van de twee is het, Lucy?'

'Het moet erna zijn geweest.'

'Hoezo?'

'Omdat ik haar daarvoor nooit heb gezien.'

'Ze woonde bij jullie in de buurt. Heb je haar nooit op straat zien lopen?'

'Dat wel, ja. Maar ik heb haar nooit gesproken.'

Banks zweeg even en verschoof de papieren die voor hem lagen. 'Je geeft nu dus toe dat je misschien in de kelder bent geweest?'

'Ik herinner me dat niet.'

'Wat denk je dat er hypothetisch gesproken gebeurd zou kunnen zijn?'

'Misschien heb ik iets gehoord.'

'Wat bijvoorbeeld?'

'Geen idee.' Lucy zweeg en legde haar hand in haar hals. 'Geschreeuw misschien.'

'Het enige geschreeuw dat Maggie Forrest hoorde, was dat van jou.'

'Misschien kon je het alleen horen als je in huis was. Misschien kwam het uit de kelder. Toen Maggie mij hoorde, was ik in de gang.'

'Dat weet je nog wel? Dat je in de gang was?'

'Ja, heel vaag.'

'Ga verder.'

'Misschien heb ik iets gehoord en ben ik naar beneden gegaan om te kijken wat het was.'

'Ook al wist je dat het Terry's privé-kamer was en dat hij je zou vermoorden als je daar naar binnen ging?'

'Ja. Misschien was ik erg ongerust.'

'Hoe kwam dat?'

'Door wat ik had gehoord.'

'De kelder is goed geïsoleerd en geluiddicht, Lucy. Toen de politie arriveerde, was de deur dicht.'

'Dan weet ik het ook niet. Ik probeer alleen maar een reden te bedenken.'

'Wat zou je daar hebben gevonden als je naar beneden was gegaan?'

'Dat meisje. Misschien ben ik naar haar toe gegaan om te kijken of ik iets kon doen.'

'Hoe verklaar je de gele vezels?'

'Wat is daarmee?'

'Ze waren afkomstig van de plastic waslijn die rond Kimberley Myers' nek was gewikkeld. De patholoog heeft vastgesteld dat wurging met die waslijn de doodsoorzaak is geweest. Er zaten ook vezels in Kimberleys hals.'

'Dan heb ik zeker geprobeerd die los te trekken.'

'Herinner je je dat je dat hebt gedaan?'

'Nee, ik probeer me voor te stellen wat er gebeurd zou kunnen zijn.'

'Ga verder.'

'Toen moet Terry me gevonden hebben en me naar boven hebben gejaagd en geslagen.'

'Waarom heeft hij je dan niet teruggesleept naar de kelder en jou ook vermoord?'

'Dat weet ik niet. Hij was mijn man. Hij hield van me. Hij kon me toch niet zomaar vermoorden zoals...'

'Zoals die meisjes?'

'Hoofdinspecteur,' onderbrak Julia hem, 'het doet hier niet ter zake wat meneer Payne al of niet heeft gedaan. Mijn cliënt zegt dat ze misschien in de kelder is geweest en mogelijk daarbij haar man verraste die... die daar bezig was, waardoor ze hem wellicht heeft geïrriteerd. Dat verklaart dan wat u hebt ontdekt. Dat zou voldoende moeten zijn.'

'Je hebt me toch verteld dat Terry je zou vermoorden als je ooit in de kelder zou komen? Waarom deed hij dat dan niet?' hield Banks vol.

'Dat weet ik toch niet. Misschien was hij het wel van plan. Misschien moest hij eerst nog iets anders doen.'

'Zoals?'

'Hoe moet ik dat nu weten?'

'Kimberley vermoorden?'

'Misschien wel.'

'Was ze dan nog niet dood?'

'Dat weet ik niet.'

'Haar lichaam verbergen?'

'Dat zou kunnen. Ik heb geen flauw idee. Ik was bewusteloos.'

'Ach, kom nou toch, Lucy!' zei Banks. 'Straks wil je nog dat ik geloof dat jij het hebt gedaan terwijl je slaapwandelde. Jij hebt Kimberley Myers vermoord, geef het maar toe, Lucy. Je bent naar de kelder gegaan, zag haar daar liggen en hebt haar toen gewurgd.'

'Niet waar! Waarom zou ik zoiets doen?'

'Omdat je jaloers was. Terry verkoos Kimberley boven jou. Hij wilde haar houden.'

Lucy sloeg met haar vuist op tafel. 'Dat is niet waar! U verzint maar wat!'

'Waarom liet hij haar dan naakt en vastgebonden op die matras liggen? Om haar biologieles te geven? Hij heeft haar herhaaldelijk verkracht, vaginaal, anaal en oraal. Vervolgens heeft hij of iemand anders haar gewurgd met een gele waslijn.'

Lucy verborg haar gezicht in haar handen en begon te snikken.

'Zijn die gruwelijke details werkelijk noodzakelijk?' vroeg Julia Ford.

'Hoezo?' vroeg Banks. 'Bang voor de waarheid?'

'Het gaat gewoon een beetje te ver.'

'Een beetje te ver? Ik zal je eens vertellen wat een beetje te ver gaat.' Banks wees naar Lucy. 'Kimberleys bloed op de mouwen van haar ochtendjas. Gele vezels onder haar vingernagels. Zij heeft Kimberley Myers vermoord.'

'Allemaal indirect bewijs,' zei Julia Ford. 'Lucy heeft u al verteld hoe dat gebeurd zou kunnen zijn. Ze kan het zich niet herinneren. Dat is niet haar schuld. Die arme meid heeft een trauma.'

'Dat, of anders is ze een verdomd goede actrice,' zei Banks.

'Alstublieft, hoofdinspecteur!'

Banks wendde zich weer tot Lucy. 'Wie zijn die andere meisjes, Lucy?'

'Ik weet niet waar u het over heeft.'

'We hebben in de achtertuin twee ongeïdentificeerde lichamen gevonden. Geraamtes, kan ik beter zeggen. Dat zijn er bij elkaar zes, inclusief Kimberley. Het onderzoek betrof vijf vermiste personen en die hebben we nog niet eens allemaal gevonden. Deze twee zijn bij ons onbekend. Wie zijn het?'

'Ik zou het niet weten.'

'Ben je ooit met je man in de auto op pad gegaan om een meisje op te pikken?'

Lucy zweeg verbluft bij die abrupte verandering van onderwerp, maar al gauw vond ze haar stem terug en zei: 'Nee.'

'Je wist dus helemaal niets van die vermiste meisjes?'

'Nee. Alleen wat ik in de krant had gelezen. Dat heb ik u al verteld. Ik ben niet in de kelder geweest en Terry heeft het me zeker niet verteld. Hoe had ik het dan moeten weten?'

'Daar zeg je zowat.' Banks krabde langs het kleine litteken naast zijn rechteroog. 'Eerlijk gezegd vraag ik me af hoe het mogelijk is dat je niets hebt gemerkt. De man met wie je samenleeft, je eigen echtgenoot, heeft voorzover we nu weten zes jonge meisjes ontvoerd, mee naar huis genomen en god weet hoe lang in de kelder opgesloten gehouden, waar hij hen heeft verkracht en gemarteld, en ten slotte heeft hij ze in de tuin of in de kelder begraven. En al die tijd heb jij in hetzelfde huis gewoond, slechts één, hooguit twee verdiepingen van de kelder verwijderd. En dan moet ik geloven dat je al die tijd van niets wist, zelfs nooit iets hebt geroken? Zie ik eruit alsof ik achterlijk ben, Lucy? Ik begrijp niet hoe je het niet hebt kunnen weten.'

'Ik heb u toch al gezegd dat ik nooit in de kelder kwam.'

'Heb je nooit gemerkt dat je man midden in de nacht niet in bed lag?'

'Nee. Ik slaap altijd heel diep. Ik denk dat Terry me slaappillen heeft gegeven in mijn chocolademelk. Daarom heb ik natuurlijk nooit iets gemerkt.'

'We hebben in jullie huis geen slaappillen gevonden, Lucy.'

'Dan waren ze zeker op. Vandaar misschien dat ik maandagochtend wakker werd en dacht dat er iets aan de hand was. Of anders is hij het vergeten.'

'Had een van jullie een doktersrecept voor slaappillen?'

'Ik niet. Van Terry weet ik het niet. Misschien heeft hij ze van een drugshandelaar gekocht.'

Banks noteerde dat de kwestie van de slaappillen moest worden uitgezocht. 'Waarom denk je dat hij vergeten is je de pillen toe te dienen? Waarom ben je deze keer wel naar de kelder gegaan?' vervolgde hij. 'Wat was er deze keer anders? Was het omdat Kimberley te dicht bij jullie in de buurt woonde? Terry moet hebben geweten dat hij een groot risico nam toen hij haar ontvoerde. Werd hij door haar geobsedeerd, Lucy? Was dat het? Waren de anderen slechts plaatsvervangsters om op te oefenen totdat hij niet langer kon wachten en die ene moest ontvoeren die hij altijd al had gewild? Hoe voelde jij je daaronder, Lucy? Dat Terry de voorkeur gaf aan Kimberley boven jou, boven de vrijheid, boven het leven zelf?'

Lucy legde haar handen op haar oren. 'Hou op! Gelogen, het is allemaal gelogen! Ik begrijp niet wat u bedoelt. Ik begrijp niet wat er allemaal gebeurt. Waarom hebt u het op mij gemunt?' Ze keek naar Julia Ford. 'Haal me hier onmiddellijk uit. Alsjeblieft! Ik hoef hier toch niet naar te blijven luisteren?'

'Nee,' zei Julia Ford en ze stond op. 'Je kunt weg wanneer je wilt.'

'Dat denk ik niet.' Banks stond eveneens op en haalde diep adem. 'Lucy Payne, ik arresteer u op verdenking van medeplichtigheid aan de moord op Kimberley Myers.'

'Dit is absurd,' protesteerde Julia Ford. 'U maakt misbruik van de wet.'

'Ik geloof het verhaal van uw cliënt niet,' zei Banks. Hij keek weer naar Lucy. 'Je hoeft niets te zeggen, Lucy, maar als je nu iets achterhoudt wat je later in de rechtbank als bewijs wilt aanvoeren, kan dat tegen je worden gebruikt. Begrijp je dat?'

Banks hield de deur open en twee agenten in uniform kwamen binnen om haar mee te nemen naar de arrestantenbewaking. Toen ze vlak bij haar waren, verschoot ze van kleur.

'Alstublieft,' zei ze bleekjes. 'Ik kom terug wanneer u wilt. Alstublieft, ik smeek het u, sluit me niet alleen op in een donkere cel!'

Voor het eerst kreeg Banks de indruk dat Lucy Payne echt bang was.

Hij dacht aan wat Jenny hem had verteld over de Zeven van Alderthorpe. Dagenlang in een kooi opgesloten zonder eten en drinken. Hij aarzelde even, maar er was geen weg terug. Hij dwong zichzelf te denken aan het beeld van Kimberley Myers die met wijd gespreide benen op het bed in de donkere kelder van Lucy Payne had gelegen. Niemand had haar een kans gegeven. 'Het is niet donker in de cellen, Lucy,' zei hij. 'Ze zijn goed verlicht en zeer comfortabel. Ze krijgen steevast vier sterren toebedeeld in de gids voor accommodatie op het politiebureau.' Julia Ford wierp hem een minachtende blik toe. Lucy schudde haar hoofd. Banks knikte naar de bewakers. 'Neem haar mee.'

Hij had het gered, ook al was het op het nippertje, en het schonk hem minder voldoening dan hij had verwacht. Maar hij had Lucy Payne de komende vierentwintig uur waar hij haar hebben wilde. Vierentwintig uur om keihard bewijsmateriaal tegen haar te vinden.

Het enige wat Annie voelde toen ze het lichaam van Terence Payne op de stalen autopsietafel zag liggen, was onverschilligheid. Dit was slechts de huls, de bedrieglijke menselijke buitenkant van een afwijkend wezen, een wisselkind, een demon. Nu ze erover nadacht, wist ze niet eens meer zeker of ze zelfs dat nog geloofde. Het kwaad in Terence Payne had te veel menselijke trekjes gehad. Door de eeuwen heen hadden mannen vrouwen altijd al verkracht en verminkt, of het nu ging om plundertochten in oorlogstijd, duister genot in achterafsteegjes en louche hotelletjes, in de afzondering van het platteland of de salons van de rijken. Er was geen demon in mensengedaante voor nodig om te doen wat mannen van nature al zo goed konden.

Ze richtte haar aandacht op het tafereel voor haar: dokter Mackenzies nauwgezette bestudering van Terence Paynes schedel. Identificatie en tijdstip van overlijden hadden in dit geval geen probleem opgeleverd: Payne was de vorige avond om dertien over acht dood verklaard door dokter Mogabe in het ziekenhuis in Leeds. Uiteraard zou dokter Mackenzie zijn werk grondig doen. Zijn assistent had het wegen en meten al voor zijn rekening genomen, en de foto's en röntgenfoto's waren al gemaakt. Volgens Annie was Mackenzie het soort dokter dat zelfs een uitgebreide sectie zou verrichten op iemand die voor zijn eigen ogen was neergeschoten. Zich er gemakzuchtig vanaf maken met veronderstellingen was beneden zijn waardigheid.

Het lichaam was schoongemaakt en klaar om opengesneden te worden. Zodra Payne bij het ziekenhuis was afgeleverd, was de politiechirurg opgeroepen om een bloedmonster te nemen alsook een monster van zijn vingernagels en de met bloed besmeurde kleding. Zodoende kon er geen bewijsmateriaal verloren zijn gegaan bij de grondige wasbeurt die deel uitmaakte van de ziekenhuisprocedure.

Op dit moment was Annie alleen geïnteresseerd in de klappen die Payne op zijn hoofd had gehad. Dokter Mackenzie inspecteerde daarom eerst de schedel voordat hij tot volledige sectie overging. Eerder was al geconstateerd dat de gebroken pols was veroorzaakt door een klap met Janet Taylors wapenstok die op een bank bij de wit betegelde muur lag. De kneuzingen op Paynes armen waren ontstaan toen hij de klappen van Taylor wilde afweren.

Tenzij Payne door wie dan ook in het ziekenhuis was vermoord, moest worden aangenomen dat Janet Taylor direct verantwoordelijk was voor zijn dood. Nu moest nog worden vastgesteld in hoeverre ze van moord kon worden beschuldigd. Een spoedoperatie om het subdurale hematoom te verlichten, had de zaken gecompliceerd, zo had dokter Mackenzie tegen Annie gezegd, maar het zou niet moeilijk zijn de chirurgische ingreep van de in het wilde weg toegebrachte klappen te onderscheiden.

Paynes hoofd was voor de operatie al geschoren, waardoor het gemakkelijker was de verwondingen te identificeren. Na een aandachtige inspectie zei Mackenzie tegen Annie: 'Ik kan u niet de precieze volgorde van de klappen vertellen, maar er zijn enkele duidelijke clusters zichtbaar.'

'Clusters?'

'Ja. Kom maar eens kijken.'

Hij wees op Paynes linkerslaap. 'Hier ziet u minstens drie aparte wonden die elkaar overlappen,' zei hij. 'Het gevolg van drie verschillende klappen.'

'Zijn ze snel achter elkaar toegebracht?' vroeg Annie, die dacht aan wat Janet Taylor haar had verteld.

'Het is mogelijk,' gaf dokter Mackenzie toe, 'maar ik zou zeggen dat elke klap afzonderlijk hem tijdelijk buiten bedrijf moet hebben gesteld en ook zijn positie ten opzichte van de aanvaller moet hebben veranderd.'

'Kunt u dat uitleggen?'

Dokter Mackenzie duwde zijn hand zachtjes tegen de zijkant van Annies hoofd. Ze bewoog mee met de lichte druk en deed met afgewend hoofd een pas naar achteren. Toen hij zijn hand opnieuw uitstak, lag deze op haar achterhoofd. 'Als dat een echte klap was geweest,' zei hij, 'zou u nog verder van me vandaan zijn gedraaid en zou de klap u hebben verdoofd. Het zou waarschijnlijk even hebben geduurd voordat u weer in dezelfde positie was.'

'Ik begrijp het,' zei Annie. 'Dat is voor u reden om aan te nemen dat tussendoor nog meer klappen zijn uitgedeeld?'

'Mmm. Je moet ook denken aan de hoek waaronder er is geslagen. Als je de verwondingen van dichtbij bekijkt, zul je zien dat de eerste slag is toegediend toen het slachtoffer rechtop stond.' Hij wierp een blik op de wapenstok. 'Kijk. De wond is vrij glad en gelijkmatig, het lengteverschil tussen agent Taylor en het slachtoffer in aanmerking genomen. Ik heb de wapenstok overigens opgemeten en nauwkeurig met elke wond vergeleken. Samen met de röntgenfoto's geeft dat een aardig beeld van de positie van het slachtoffer bij elke klap.' Hij wees opnieuw. 'Minstens één klap tegen de slaap moet zijn toegebracht toen het slachtoffer op zijn knieën lag. Dat kun je zien aan de diepte van de wond. Op de röntgenfoto is dat nog duidelijker te zien.'

Dokter Mackenzie ging Annie voor naar de lichtbak met röntgenfoto's die aan de muur hing, schoof een foto in het apparaat en deed het licht aan. Hij had gelijk. Toen hij het aanwees, kon Annie zien dat de wond achteraan dieper was, wat erop wees dat de wapenstok onder een bepaalde hoek naar beneden gericht was geweest. Ze liepen terug naar de tafel.

'Zou hij na zo'n klap weer zijn opgestaan?' vroeg Annie.

'Het zou kunnen. Moeilijk te zeggen met hoofdwonden. Er zijn gevallen bekend van mensen die dagenlang met een kogel in hun hoofd hebben rondgelopen. Het grootste probleem zou het bloedverlies zijn geweest. Hoofdwonden bloeden vrij zwaar. Daarom bewaren we de hersenen bij een sectie vaak tot het laatst. Dan is het meeste bloed wel weggevloeid. Minder rotzooi.'

'Wat gaat u met Paynes hersenen doen?' vroeg Annie. 'Gebruiken voor wetenschappelijk onderzoek?'

Dokter Mackenzie snoof. 'Ik zou nog liever zijn karakter aflezen van de bulten op zijn hoofd,' zei hij. 'En nu ik het er toch over heb...' Hij vroeg zijn assistenten het lichaam om te draaien. Op Paynes achterhoofd zag Annie nog een rauwe, tot moes geslagen plek. Ze meende dat ze botsplinters uit de wond zag steken, maar bedacht dat dat onmogelijk was omdat Payne in het ziekenhuis was behandeld. Daar zouden ze heus geen botsplinters in zijn achterhoofd laten zitten. Ze rilde, maar alleen omdat het kil was in de ruimte, hield ze zichzelf voor.

'Deze verwondingen zijn vrijwel zeker toegebracht toen het slachtoffer zich in een lagere positie bevond, bijvoorbeeld op handen en knieën.'

'Alsof hij van zijn aanvaller weg probeerde te kruipen?'

'Mogelijk,' zei Mackenzie.

'Ze beweert namelijk dat ze hem op een bepaald moment op zijn pols heeft geslagen waardoor hij zijn machete liet vallen die ze toen in een hoek heeft geschopt. Blijkbaar probeerde hij daar naartoe te kruipen, en toen heeft ze hem weer geslagen.'

'Dat zou inderdaad heel goed mogelijk zijn,' gaf dokter Mackenzie toe, 'hoewel ik drie klappen heb geteld in hetzelfde gebied rond de hersenstam, veruit de meest kwetsbare plek van het hoofd.'

'Daar heeft ze hem drie keer geraakt?'

'Ja.'

'Zou hij daarna nog in staat zijn geweest om op te staan?'

'Ook dat kan ik u niet zeggen. Een minder sterke man had dit geen minuut overleefd, meneer Payne heeft nog drie dagen geleefd. Misschien heeft hij toch zijn machete teruggevonden en is hij overeind gekomen.'

'Dat is dus een mogelijkheid?'

'Ik kan het niet uitsluiten. Kijkt u hier eens naar.' Dokter Mackenzie wees op de diepe holtes boven op de schedel. 'Over deze twee verwondingen kan ik met zekerheid zeggen dat ze gezien de hoek met enorme kracht zijn toegebracht toen het slachtoffer zich in een lagere positie bevond dan de aanvaller.'

'Wat moet ik me daar precies bij voorstellen?'

Mackenzie deed een stap naar achteren, hief beide armen hoog boven zijn hoofd, vouwde zijn handen en zwaaide ze vervolgens naar beneden alsof hij met volle kracht een denkbeeldige hamer liet neerkomen. 'Zo,' zei hij. 'En er was totaal geen weerstand.'

Annie slikte moeizaam. Verdomme. Dit werd zo langzamerhand een verrekt lastige zaak.

Elizabeth Bell, de maatschappelijk werker die de leiding had gehad in het onderzoek naar de Zeven van Alderthorpe, was nog niet gepensioneerd, maar ze had wel een andere baan en was naar York verhuisd, zodat Jenny na een kort bezoek aan haar kantoor bij de universiteit zonder veel moeite bij haar langs kon gaan. Ze woonde in een rijtjeshuis in Fulford Road, vlak bij de rivier.

Elizabeth deed de deur zo snel open dat het leek alsof ze op de uitkijk had gestaan, hoewel Jenny aan de telefoon vaag was geweest over het tijdstip waarop ze zou arriveren. Het maakte niet uit, had Elizabeth gezegd, want ze had deze vrijdag vrij.

'U bent vast doctor Fuller,' zei Elizabeth.

'Inderdaad. Zegt u alstublieft Jenny.'

'Ik heb nog steeds geen idee waarom je mij wilt spreken, maar kom binnen.' Ze ging Jenny voor naar een kleine woonkamer, die nog kleiner leek door de aanwezigheid van een strijkplank en de mand met wasgoed die op een stoel stond. Jenny rook de citroenachtige geur van was-poeder en wasverzachter. Op de televisie was een oude zwart-witfilm met Jack Warner te zien. Elizabeth haalde een stapel opgevouwen kleren van een stoel en vroeg Jenny te gaan zitten.

'Let niet op de rommel,' zei ze. 'Het is een piepklein huis, maar het enige wat we hier konden betalen, en we zijn dol op deze plek.'

'Waarom bent u uit Hull weggegaan?'

'We wilden al een tijdje verhuizen en toen maakte Roger, mijn man, promotie. Nou ja, of wat daarvoor moet doorgaan als je in dienst bent van het rijk.'

'En u? Werkt u?'

'Nog steeds bij de sociale dienst. Alleen werk ik nu op de afdeling Uit-keringen. Vind je het vervelend als ik doorga met strijken terwijl we praten? Het moet vandaag allemaal af.'

'Nee, natuurlijk niet.' Jenny keek naar Elizabeth. Ze was een lange, forse vrouw in een spijkerbroek en een geruit overhemd. Jenny zag dat de knieën van de spijkerbroek onder de vlekken zaten, alsof ze in de tuin had gewerkt. Ze had kortgeknipt haar en een verweerd gezicht met vriendelijke, levendige ogen. 'Hoeveel kinderen hebt u?' vroeg Jenny.

'Twee. William en Pauline.' Ze knikte naar een foto op de schoorsteen-mantel. 'Nou, je hebt me wel nieuwsgierig gemaakt. Waarom ben je hier? Aan de telefoon heb je me niet veel verteld.'

'Sorry, het was niet mijn bedoeling om geheimzinnig te doen. Ik ben hier vanwege de Zeven van Alderthorpe. Ik heb begrepen dat je bij die zaak betrokken was?'

'Alsof ik dat ooit zou kunnen vergeten. Waarom wil je daar iets over weten? Dat is tien jaar geleden al helemaal afgerond.'

'In mijn beroep is nooit iets helemaal afgerond,' zei Jenny. Ze had zich afgevraagd hoeveel ze Elizabeth moest vertellen en het ook telefonisch aan Banks voorgelegd. Zoals altijd had hij haar niet echt geholpen. Zoveel als nodig en zo weinig als mogelijk is, had hij gezegd. Jenny had meneer en mevrouw Liversedge al gevraagd niet aan verslaggevers te vertellen wat Lucy's echte achtergrond en naam was, maar het zou niet lang duren voordat ze gingen graven en erachter zouden komen. Ze besefte dat Banks en zij een heel kleine voorsprong hadden en daarvan gebruik moesten maken voordat de pers massaal in York en Hull zou arriveren of het slaperige dorpje Alderthorpe zou ontdekken. Ze gokte erop dat Elizabeth Bell niet het type was dat uit eigen beweging de pers zou benaderen.

'Kun je een geheim bewaren?' vroeg ze.

Elizabeth keek op van het hemd dat ze aan het strijken was. 'Als het moet. Het is me al eerder gelukt.'

'De persoon waar het mij om gaat is Lucy Payne.'

'Lucy Payne?'

'Ja.'

'Die naam klinkt bekend, maar toch zul je mijn geheugen even moeten opfrissen.'

'Ze is de laatste tijd nogal in het nieuws geweest. Ze was getrouwd met Terence Payne, de leraar die volgens de politie verantwoordelijk was voor de moord op zes meisjes.'

'Ja, natuurlijk. Ik heb het inderdaad in de krant gelezen, maar ik moet je zeggen dat ik dat soort zaken niet zo volg.'

'Begrijpelijk. Clive en Hilary Liversedge blijken Lucy's pleegouders te zijn. Lucy was een van de Zeven van Alderthorpe. Je kent haar waarschijnlijk als Linda Godwin.'

'Lieve hemel.' Elizabeth liet het strijkijzer in de lucht hangen alsof ze in gedachten terugreisde in de tijd. 'Linda Godwin. Die arme, kleine meid.'

'Begrijp je nu waarom ik je vroeg dit geheim te houden?'

'De pers zou dit sensationeel vinden.'

'Inderdaad. Uiteindelijk komen ze er natuurlijk toch wel achter.'

'Van mij krijgen ze niets te horen.'

'Mooi,' zei Jenny.

'Ik denk dat ik beter even kan gaan zitten.' Elizabeth zette het strijkijzer neer en ging tegenover Jenny zitten. 'Wat wil je weten?'

'Alles wat je me kunt vertellen. Hoe is het bijvoorbeeld allemaal begonnen?'

'Met een tip van een onderwijzeres,' zei Elizabeth. 'Maureen Nesbitt. Ze maakte zich al een tijdje zorgen over een aantal kinderen die er lichamelijk slecht aan toe waren en over de dingen die ze zeiden wanneer ze dachten dat niemand ze kon horen. Toen verscheen de kleine Kathleen een week lang niet op school en niemand had er een verklaring voor...'

'Kathleen Murray?'

'Je weet wat er met haar is gebeurd?'

'Ik heb een beetje research gedaan in oude kranten in de bibliotheek. Ik weet dat Kathleen Murray is overleden.'

'Ze is vermoord. Eigenlijk had de zaak de Zes van Alderthorpe moeten heten, want een van de kinderen was al dood tegen de tijd dat het groot in het nieuws kwam.'

'Wat was Kathleens rol in het geheel?'

'Er waren twee gezinnen bij betrokken. Oliver en Geraldine Murray, en Michael en Pamela Godwin. De Murrays hadden vier kinderen, van wie Keith van elf de oudste was en Susan van acht de jongste. Daartussen zaten Dianne en Kathleen van respectievelijk tien en negen. De Godwins hadden drie kinderen: de oudste was Linda van twaalf, gevolgd door Tom van tien en Laura van negen.'

'Lieve hemel, het is nauwelijks bij te houden.'

Elizabeth trok een grimas. 'Het wordt nog ingewikkelder. Oliver Murray en Pamela Godwin waren broer en zus, en niemand kon met zekerheid zeggen wie nu de vader was van wie. Misbruik binnen grote families komt vaker voor dan je denkt, vooral in een kleine, geïsoleerde gemeenschap. De gezinnen woonden naast elkaar in een twee-onder-een-kapwoning in Alderthorpe, ver genoeg bij de andere huizen in het dorp vandaan om een hoge mate van privacy te garanderen. Het is toch al een afgelegen stukje van de wereld, natuurlijk. Ben je er al geweest?'

'Nog niet.'

'Je moet er echt eens naartoe. Al was het alleen maar om de sfeer te proeven. Het is eng.'

'Dat ben ik ook van plan. Het was dus waar? Die beschuldigingen?'

'De politie zou je daar meer over moeten kunnen vertellen. Ik moest ervoor zorgen dat de kinderen werden opgevangen, onderzocht en in een pleeggezin geplaatst.'

'Allemaal?'

'Ik stond er indertijd natuurlijk niet alleen voor, maar ik had wel de leiding over het geheel, ja.'

'Zijn de kinderen ooit nog weer thuis bij hun ouders gaan wonen?'

'Nee. Oliver en Geraldine Murray werden aangeklaagd wegens de moord op Kathleen en zitten voorzover ik weet nog steeds in de gevangenis. Michael Godwin heeft twee dagen voor het proces zelfmoord gepleegd en zijn vrouw werd niet in staat geacht voor de rechtbank te verschijnen. Ik geloof dat ze nog steeds in een psychiatrische inrichting zit.'

'Er bestond geen enkele twijfel over wie wat had gedaan?'

'Zoals ik al zei, de politie weet daar beslist meer over dan ik, maar... Als ik ooit in mijn leven het kwaad heb ontmoet, dan was het wel daar op die ochtend.'

'Wat gebeurde er?'

'Niets, maar het was gewoon... ik weet het niet... de sfeer die daar hing.'

'Ben je daar binnen geweest?'

'Nee. Dat stond de politie niet toe. We zaten in een busje waar we de kinderen moesten opvangen.'

'Weet je of er sprake was van satanische rituelen? Ik heb begrepen dat dat tijdens het proces niet aan de orde is gekomen.'

'Dat was niet nodig, zeiden de advocaten. Dat zou alleen maar voor verwarring zorgen.'

'Was er wel bewijsmateriaal dat daarop duidde?'

'Ja zeker, maar volgens mij was het gewoon een hoop onzin die het gebruik van alcohol en drugs, en het misbruik van de kinderen moest rechtvaardigen. De politie heeft in beide huizen LSD, XTC, cocaïne en marihuana gevonden.'

'Ben je vanwege deze zaak gestopt als maatschappelijk werker?'

Elizabeth gaf niet onmiddellijk antwoord. 'Voor een deel wel, ja. Het was de laatste druppel zogezegd. Ik begon opgebrand te raken. Het trekt een zware wissel op je als je voortdurend met mishandelde kinderen te maken krijgt. Je raakt het zicht op de menswaardigheid van het bestaan kwijt. Begrijp je wat ik bedoel?'

'Ik denk het wel,' zei Jenny. 'Hetzelfde krijg je als je je te veel met misdadigers ophoudt.'

'Dit waren nog maar kinderen. Ze hadden geen keus.'

'Ik begrijp wat je bedoelt.'

'Bij Uitkeringen zie ik ook heel wat arme stakkers voorbijkomen, maar dat is niets vergeleken met Kinderopvang.'

'Hoe erg was Lucy eraantoe?'

'Hetzelfde als de anderen. Smerig, hongerig, onder de blauwe plekken.'

'Seksueel misbruikt?'

Elizabeth knikte.

'Wat was ze voor kind?'

'Linda? Ik kan haar zeker maar beter Lucy noemen van nu af aan? Ze was een schatje. Verlegen en bang. Ik zie haar nog staan met dat besmeurde engelengezichtje en die deken om haar heen. Ze zei nauwelijks iets.'

'Kon ze wel praten?'

'O, ja hoor. Een van de kinderen is inderdaad haar stem kwijtgeraakt, Susan geloof ik, maar Lucy niet. Ze was op alle denkbare manieren misbruikt en mishandeld, maar ze was verbazingwekkend veerkrachtig. Ze praatte wanneer ze wilde, maar ik heb haar niet één keer zien huilen. Uiteindelijk bleek dat ze voor de jongere kinderen had gezorgd, voor zover mogelijk natuurlijk. Misschien heeft ze hen als oudste kunnen troosten. Jij zult er wel meer verstand van hebben dan ik, maar ik had de indruk dat ze alles wat ze had meegemaakt onderdrukte, wegstopte. Ik heb me vaak afgevraagd wat er van haar is geworden, maar dit had ik nooit kunnen vermoeden.'

'Het probleem is dat we niet weten welke rol Lucy in dit alles heeft gespeeld. Ze beweert dat ze aan geheugenverlies lijdt en we weten dat ze door haar man is mishandeld. We proberen erachter te komen of ze wist wat hij in zijn schild voerde, en ook of ze er misschien bij betrokken is geweest.'

'Dat meen je niet! Lucy? Na alles wat ze heeft meegemaakt zal ze zelf toch niet...?'

'Ik weet dat het ongelooflijk klinkt, maar het is geen onbekend verschijnsel dat iemand die slachtoffer van misbruik is geweest een ander hetzelfde aandoet. Studies wijzen uit dat sommige misbruikte kinderen van acht of tien hun jongere broertjes of zusjes of buurkinderen hebben misbruikt.'

'Lucy toch niet?'

'Dat weten we niet. Vandaar deze vragen. Ik probeer een beeld van haar te krijgen. Kun je me verder nog iets vertellen?'

'Tja, zoals ik al zei, was ze een rustig, veerkrachtig kind voor wie de jongere kinderen ontzag hadden.'

'Waren ze bang voor haar?'

'Die indruk had ik niet.'

'Maar ze keken tegen haar op?'

'Ja. Ze was absoluut de baas.'

'Kun je me nog meer over Lucy vertellen?'

'Even denken... Ze was erg op zichzelf. Ze liet alleen zien wat ze wilde dat je zag. Je moet beseffen dat deze kinderen ook van streek waren door de inval en doordat ze zo plotseling bij hun ouders werden weggehaald. Dat was tenslotte hun thuis. Hun leven mag dan een hel zijn geweest, het was wel een hel waarmee ze vertrouwd waren. Lucy leek altijd heel lief, maar ze kon af en toe ook wreed zijn, net als de meeste kinderen.'

'O?'

'Toen we bijvoorbeeld op zoek waren naar pleeggezinnen, konden we natuurlijk niet alle broertjes en zusjes bij elkaar plaatsen, dus moesten we hen uit elkaar halen. Op dat moment was het belangrijk dat elk kind in een stabiele, zorgzame omgeving terechtkwam waar het hopelijk kon blijven. Ik weet nog dat Laura, Lucy's kleine zusje, totaal overstuur was. Maar Lucy zei alleen dat ze er maar aan moest wennen. Het arme kind bleef maar huilen.'

'Waar is ze uiteindelijk terechtgekomen?'

'Laura? Bij een gezin in Hull, geloof ik. Het is al een hele tijd geleden, dus je moet me maar vergeven dat ik niet alle details meer weet.'

'Natuurlijk. Weet je nog wat er met de andere kinderen is gebeurd?'

'Ik heb ze niet zo lang kunnen volgen, want ik ben kort daarna wegge-gaan. Ik had het allemaal graag anders gezien, maar ja...'

'Kun je me verder nog iets vertellen?'

Elizabeth stond op en ging verder met haar strijkwerk. 'Ik kan niets be-denken.'

Jenny stond eveneens op, pakte een visitekaartje uit haar tas en gaf het aan haar. 'Mocht je nog iets te binnen schieten...'

Elizabeth keek naar het kaartje en legde het toen op de rand van de strijkplank. 'Dan bel ik je. Ik ben blij dat ik je heb kunnen helpen.'

Zo zag ze er echter niet uit, dacht Jenny, toen ze in haar auto stapte. Elizabeth Bell had eruitgezien als een vrouw die gedwongen werd her-inneringen op te halen die ze liever was vergeten. Niet dat Jenny het haar kwalijk kon nemen. Ze wist niet of ze iets van waarde had ge-hoord, behalve de bevestiging dat er satanische attributen waren aange-troffen in de kelder. Dat zou Banks wel interesseren. Morgen zou ze naar Alderthorpe rijden om te kijken of ze iemand kon vinden die beide families had gekend voor het onderzoek plaatsvond. En, zoals Elizabeth had voorgesteld, om de sfeer op te snuiven.

12

Banks had de hele dag geen moment voor zichzelf gehad, had zelfs zijn lunch overgeslagen om Lucy Payne te ondervragen, maar rond een uur of drie die middag slenterde hij door een steegje in de buurt van North Market Street naar de Old Ship Inn.

Lucy Payne zat in een cel in het souterrain van het hoofdbureau en Julia Ford had een kamer geboekt in het Burgundy, het beste en duurste hotel van Eastvale. De mensen van de task force en de technische recherche werkten zo snel en zo hard als ze konden, en Jenny wroette in Lucy's verleden. Allemaal waren ze op zoek naar die zwakke plek in haar harnas, naar iets wat onomstotelijk bewees dat ze meer te maken had gehad met de moorden dan ze tot nu toe had beweerd. Banks was ervan doordrongen dat hij haar op vrije voeten zou moeten stellen als ze morgenmiddag rond twaalf uur niets hadden gevonden. Hij had vandaag nog één afspraak: met George Woodward, de inspecteur die het meeste werk voor zijn rekening had genomen bij het onderzoek in Alderthorpe en die nu een pension runde in Withernsea. Banks keek op zijn horloge. Dat was ongeveer twee uur rijden, dus hij had tijd genoeg om eerst wat te eten.

De Old Ship Inn was een sjofele kroeg met een paar bankjes voor de gevel. Door de hoge bebouwing eromheen drong er weinig licht naar binnen. Er viel weinig te vertellen over de Inn, behalve dat hij goed verstopt lag en er tolerant met te jonge drinkers werd omgegaan. Banks had gehoord dat de meeste jongens uit Eastvale er ver voor hun achttiende hun eerste biertje hadden gedronken.

Op dit moment van de dag, vlak na lunchtijd, was het er niet druk. Echt druk was het er trouwens nooit, want de kroeg trok geen toeristen en de meeste buurtbewoners wisten wel een leukere plek om iets te drinken. In de donkere, bedompte ruimte stonk het naar sigarettenrook en er hing de zurige lucht van verschaald bier. Daarom was het des te verrassender dat het meisje achter de bar jong en knap was, met kort, roodgeverfd haar, een ovaal gezicht, een gladde huid, een brede glimlach en een vrolijke natuur.

Banks leunde tegen de bar. 'Ik kan zeker geen kaas-uisandwich meer krijgen?'

'Sorry,' zei ze. 'Na twee uur is de keuken dicht. Is een zakje chips ook goed?'

'Beter dan niets,' zei Banks.

'Welke smaak?'

'Zout. En een glas alcoholvrije bitter, graag.'

Terwijl ze zijn drankje inschonk en Banks in het zakje zacht geworden chips graaide, bleef ze hem vanuit haar ooghoeken aanstaren en ze zei ten slotte: 'U bent toch die politieman die hier naar dat meisje is komen vragen dat ongeveer een maand geleden is verdwenen?'

'Leanne Wray,' zei Banks. 'Inderdaad.'

'Dat dacht ik al. Ik heb u hier toen wel gezien, maar niet met u gesproken. Hebt u haar al gevonden?'

'Jij bent toch Shannon?'

Ze glimlachte. 'U hebt nooit met me gepraat, maar u weet nog wel hoe ik heet. Indrukwekkend.'

Van de verklaring die Winsome Jackman had opgenomen, herinnerde Banks zich dat Shannon een Amerikaanse studente was die er een jaar tussenuit was gegaan. Ze had door een groot deel van Europa gereisd en woonde nu al een paar maanden in Yorkshire, waar ze het naar haar zin scheen te hebben. Banks dacht dat ze waarschijnlijk in de Old Ship werkte omdat de eigenaar zich niet druk maakte om visa en werkvergunningen en contant betaalde, al zou het wel niet veel zijn.

Banks stak een sigaret op en keek om zich heen. Een paar oude mannen zaten bij het raam een pijp te roken zonder een woord te zeggen of elkaar zelfs maar aan te kijken. Ze zagen eruit alsof ze daar al zaten vanaf de eerste dag dat de Inn in de negentiende eeuw zijn deuren had geopend. Op de afgesleten stenen vloer stonden wankele, gebutste tafeltjes. Een waterverfschilderij van een enorm zeilschip hing schuin aan een muur en daar tegenover een serie ingelijste houtskoolschetsen van zeegezichten.

'Ik wil niet nieuwsgierig zijn,' zei Shannon. 'Ik vroeg het alleen omdat ik u daarna niet meer heb gezien en ik heb over die meisjes in Leeds gelezen.' Ze rilde. 'Wat vreselijk. Ik weet nog goed dat ik in Milwaukee was, daar kom ik namelijk vandaan, Milwaukee, Wisconsin, toen die zaak van Jeffrey Dahmer speelde. Ik was nog klein, maar ik wist wel waar het om ging en iedereen was bang en in de war. Ik begrijp niet dat mensen zulke dingen kunnen uithalen, u wel?'

Banks keek haar aan, zag de onschuld, de hoop en het vertrouwen dat haar leven de moeite van het leven waard zou zijn en dat de wereld niet helemaal slecht was, ongeacht de slechte dingen die erin gebeurden.

'Nee,' zei hij. 'Ik ook niet.'

'U hebt Leanne zeker nog niet gevonden, hè?'

'Nee.'

'Niet dat ik haar kende of zo. Ik heb haar maar één keer gezien. Maar wanneer er zoiets gebeurt en je misschien wel de laatste bent geweest die haar levend heeft gezien, tja...' Ze legde een hand op haar borst. 'Dan blijft dat je bij, snapt u? Ik kan dat beeld maar niet uit mijn hoofd krijgen. Dat ze daar bij de haard zat.'

Banks dacht aan Claire Toth die zich verantwoordelijk bleef voelen voor de moord op Kimberley en hij besefte dat iedereen die ook maar in de verste verte te maken had gehad met wat Payne had gedaan, zich besmet voelde. 'Ik begrijp het,' zei hij.

Een van de oude mannen kwam naar de bar en zette zijn glas met een harde klap neer. Shannon schonk het voor hem vol; hij betaalde en liep terug naar zijn stoel. Ze trok haar neus op. 'Ze zitten hier elke dag. Je kunt er de klok op gelijk zetten. Als een van tweeën niet kwam opdagen, zou ik een ambulance moeten bellen.'

'Wanneer je zegt dat je het beeld van Leanne niet uit je hoofd kunt krijgen, betekent dat dan dat je nog over die avond hebt nagedacht?'

'Niet echt,' zei Shannon. 'Ik dacht namelijk... nou ja, dat ze net als die anderen was ontvoerd. Dat dacht iedereen.'

'Ik begin zo langzamerhand te geloven dat dat misschien niet het geval is,' zei Banks. 'Eigenlijk begin ik te geloven dat we wat haar betreft in de verkeerde richting hebben gezocht.'

'Ik begrijp u niet helemaal.'

'Ach, laat ook maar,' ging Banks verder. 'Ik kwam gewoon even langs om te zien of je je nog iets herinnerde dat je eerder niet hebt gemeld. Het is alweer een tijdje geleden.' En dat, besefte hij, hield in dat elk spoor dat Leanne mogelijk had achtergelaten inmiddels koud was. Als ze de fout hadden gemaakt door te snel aan te nemen dat Leanne Wray was ontvoerd door dezelfde persoon of personen als Kelly Matthews en Samantha Foster, dan waren de sporen die naar haar konden leiden nu wel voorgoed verdwenen.

'Ik denk niet dat ik u kan helpen,' zei Shannon.

'Vertel me eens,' zei Banks, 'je zegt net dat ze daar zaten, klopt dat?' Hij wees naar de tafel die bij de betegelde open haard stond.

'Ja, daar zaten ze. Alle vier. Aan die tafel.'

'Dronken ze veel?'

'Nee. Dat heb ik die vrouwelijke agent ook al verteld. Ze hadden maar een of twee drankjes per persoon. Volgens mij was ze nog niet oud genoeg om alcohol te mogen drinken, maar de baas heeft gezegd dat we een oogje moeten dichtknijpen, tenzij het er duimendik bovenop ligt natuurlijk.' Ze sloeg een hand voor haar mond. 'Shit, dat had ik natuurlijk niet moeten zeggen.'

'Maak je niet druk. We zijn allemaal allang op de hoogte van de praktijken van meneer Parkinson. En maak je ook niet druk over wat je ons eerder hebt verteld, Shannon. Als ik wil, kan ik alles zo in de dossiers nakijken, maar ik heb liever dat je me alles nog eens van voren af aan vertelt.'

Banks wilde het gevoel hebben dat hij net aan het onderzoek naar Leannes verdwijning was begonnen en het misdrijf net had plaatsgevonden. Hij had geen zin om in zijn kantoor oude dossiers uit te pluizen (al zou het daar wel op uitdraaien als ze niet snel iets vonden) en wilde beginnen met een nieuw bezoek aan de plek waar ze voor het laatst was gezien.

'Had je de indruk dat Leanne dronken was?' vroeg hij.

'Ze was een beetje giechelig en praatte net wat te hard.'

'Wat dronk ze?'

'Dat weet ik niet meer. Geen bier. Wijn misschien of anders pernod of iets dergelijks.'

'Had je het idee dat het twee stelletjes waren?'

Shannon dacht even na. 'Nee. Twee van hen waren duidelijk wel een stel. Dat kon je zien aan de manier waarop ze elkaar aanraakten. Niet dat ze zaten te vrijen of zo, hoor. Maar die andere twee, Leanne en...'

'Mick Blair,' zei Banks.

'Ik weet niet hoe ze allemaal heetten. Ik kreeg de indruk dat hij wel wat met haar zou willen en dat ze ook een beetje met hem zat te flirten, maar misschien kwam dat door de drank.'

'Viel hij haar lastig?'

'Nee, helemaal niet, anders zou ik dat wel eerder hebben gezegd. Nee, het was meer de manier waarop hij af en toe naar haar keek. Ze konden het zo te zien goed met elkaar vinden, maar zoals ik al zei: misschien had hij een oogje op haar en hield ze hem gewoon een beetje aan het lijntje.'

'Dit heb je eerder niet verteld.'

'Het leek me niet belangrijk. Bovendien heeft niemand ernaar gevraagd. Toen was iedereen bang dat ze door een seriemoordenaar was ontvoerd.'

Dat was waar, dacht Banks. Leannes ouders hadden volgehouden dat ze onder normale omstandigheden nooit te laat zou thuiskomen. Ze waren er zo zeker van geweest dat ze moest zijn aangevallen of ontvoerd, dat hun zekerheid het onderzoek had beïnvloed en de politie met een van de belangrijkste basisregels had gebroken: geen veronderstellingen totdat de zaak van alle kanten is bekeken. Iedereen was indertijd bezorgd geweest om Kelly Matthews en Samantha Foster, en de verdwijning van Leanne, ook een keurige, welopgevoede tiener, werd automatisch met die van hen in verband gebracht. Verder was er natuurlijk nog de teruggevonden schoudertas met Leannes inhaler voor het geval dat ze een astma-aanval kreeg, en haar portemonnee met vijfentwintig pond en wat kleingeld. Als ze van huis was weggelopen, zou ze dat alles nooit hebben weggegooid.

Winsome Jackman had Shannon ondervraagd en misschien had ze verder moeten doorvragen, maar Banks kon Winsome geen nalatigheid verwijten. Ze had ontdekt wat op dat moment belangrijk had geleken: de groep had zich rustig gedragen, geen problemen veroorzaakt, geen onderlinge ruzie gehad, was niet dronken en niet door vreemden benaderd. 'Hoe was de stemming?' vroeg Banks. 'Waren ze stil, uitgelaten, wat?'

'Ik kan me niets ongewoons herinneren. Ze gaven geen problemen, anders had ik dat wel gezegd. De meesten onder de achttien die alcohol drinken weten dat ze worden gedoogd, als u begrijpt wat ik bedoel, dus proberen ze zo min mogelijk de aandacht op zich te vestigen.'

Banks wist het maar al te goed. Toen hij zelf zestien was, had hij trots en doodsbenauwd met zijn vriend Steve in een armoedig kroegje gezeten, ver uit de buurt waar ze woonden, en in een hoekje naast de jukebox zijn eerste glas bitter gedronken en zijn eerste sigaret gerookt. Ze hadden zich heel volwassen gevoeld, maar Banks wist nog goed hoe bang hij was geweest dat de politie zou binnenvallen of iemand die hen kende, dus hadden ze geprobeerd zo min mogelijk op te vallen.

Hij nam een slok van zijn alcoholvrije bier en verfrommelde het chipszakje. Shannon nam het van hem aan en gooide het in de afvalemmer achter de bar.

'Ik weet nog wel dat ze een beetje opgewonden waren toen ze weggingen,' voegde Shannon eraantoe. 'Ik kon niet precies horen wat ze zeiden, maar het was duidelijk dat ze nog andere plannen voor die avond hadden.'

Dit was voor het eerst dat Banks het hoorde. 'Je weet niet wat het was?'

'Nee, alleen maar dat ze iets zeiden als: "Ja, dat doen we!" Een paar minuten daarna gingen ze weg.'

'Hoe laat was dat?'

'Dat moet ongeveer kwart voor elf zijn geweest.'

'En ze waren opgewonden bij het vooruitzicht? Leanne ook?'

'Ik kan niet zeggen hoe ze alle vier afzonderlijk reageerden,' zei Shannon met een nadenkende blik. 'Het was meer in het algemeen, alsof iemand iets had bedacht en ze dat allemaal een goed idee vonden.'

'Kreeg je de indruk dat ze het meteen gingen doen toen ze hier weggingen?'

'Dat kan ik u niet zeggen. Misschien wel. Hoezo?'

Banks dronk zijn glas leeg. 'Omdat Leanne Wray om elf uur thuis moest zijn,' zei hij. 'En volgens haar ouders kwam ze nooit te laat thuis. Als ze van plan was nog ergens naartoe te gaan, zou ze te laat zijn thuisgekomen. Dan is er nog iets anders.'

'En dat is?'

'Als ze van plan waren met zijn allen nog iets te gaan doen, betekent dat dat haar vrienden hebben gelogen.'

Shannon dacht even na. 'Ik snap wat u bedoelt. Maar het zou best kunnen dat ze wel van plan was naar huis te gaan, dat de andere drie nog ergens anders heen gingen. Het spijt me, dat ik... ik heb er de vorige keer gewoon niet aan gedacht.'

'Het geeft niet,' zei Banks glimlachend. Hij keek op zijn horloge. Tijd om richting Withernsea te gaan. 'Ik moet er trouwens vandoor.'

'O. Ik ga eind volgende week weg,' zei Shannon. 'Ik ben hier volgende week woensdagavond voor het laatst. Als u zin hebt een afscheidsborrel te komen drinken...'

'Bedankt,' zei hij. 'Ik weet niet of ik dan tijd heb, maar mocht ik je niet meer zién, dan wens ik je alvast een *bon voyage.*'

Shannon haalde haar schouders op en Banks liep naar buiten, het steegje in.

Het was pas halverwege de middag, maar Annie zou hebben durven zweren dat Janet Taylor dronken was. Niet zo straalbezopen dat ze omviel, maar ze was duidelijk niet helemaal helder meer. Het was een bende in Janets flat, overal lagen kledingstukken en in de vensterbank en op de schoorsteenmantel stonden halfvolle theekopjes. Het rook er naar een mengeling van zweet en drank.

Janet liet zich op een gekreukeld T-shirt en een spijkerbroek zakken die op een stoel lagen. Annie haalde een paar kranten van een rechte stoel en ging tegenover haar zitten.

'Wat is er nu weer?' vroeg Janet. 'Komt u me arresteren?'

'Nog niet.'

'Wat dan? Nog meer vragen?'

'Weet je al dat Terence Payne is overleden?'

'Ja, dat heb ik gehoord.'

'Hoe gaat het met je, Janet?'

'Hoe het met me gaat? Laat eens kijken.' Ze telde af op haar vingers en zei: 'Ik kan niet slapen, ik loop door de flat te ijsberen en heb last van claustrofobie wanneer het donker is, als ik mijn ogen dichtdoe zie ik alles weer voor me, en mijn carrière kan ik wel op mijn buik schrijven. Maar verder gaat alles prima.'

Annie haalde diep adem. Ze was hier niet naartoe gekomen om Janet te troosten, wat ze graag gedaan had als ze het had gekund. 'Weet je, Janet, je moet echt hulp zoeken. De vakbond zal...'

'Nee! Nee, ik wil geen psychiater. Ik wil niet dat ze met mijn hoofd gaan klooien. Niet nu al die shit over me wordt uitgestort. Als zij met me klaar zijn, weet ik van voren niet meer of ik van achteren leef. Een fraaie indruk zal dat in de rechtszaal maken.'

Annie stak verontschuldigend haar handen op. 'Goed. Goed. De keus is aan jou.' Ze haalde een stapeltje papieren uit haar koffertje. 'Ik ben bij de sectie op Terence Payne geweest en er zijn een paar dingen in je verklaring die ik even met je wil doornemen.'

'Wilt u beweren dat ik heb gelogen?'

'Nee, absoluut niet.'

Janet streek met een hand over haar lusteloze, vettige haar. 'Ik ben namelijk geen leugenaar. Misschien heb ik de volgorde waarin alles is gebeurd een beetje door elkaar gehaald, het gebeurde allemaal ook zo snel, maar ik heb het verteld zoals ik het me herinner.'

'Goed, Janet. Luister, in je verklaring zeg je dat je Payne drie keer op zijn slaap hebt geraakt en een keer op zijn pols.'

'Heb ik dat gezegd?'

'Ja. Klopt dat?'

'Ik kan me niet precies herinneren hoe vaak en waar ik hem heb geslagen, maar dat lijkt me wel ongeveer juist. Hoezo?'

'Uit de sectie is gebleken dat je Payne negen keer hebt geslagen. Drie keer op zijn slaap, een keer op zijn pols, een keer op zijn wang, twee keer onder aan zijn schedel toen hij in elkaar gedoken of op zijn knieën zat en twee keer boven op zijn hoofd toen hij op zijn hurken of op de grond zat.'

Janet zweeg. In de verte hoorde Annie een vliegtuig opstijgen en ze moest ogenblikkelijk aan verre, exotische bestemmingen denken. Ik zou overal liever zijn dan hier, dacht ze, vermoedend dat Janet hetzelfde dacht. 'Janet?'

'Wat? Ik wist niet dat u me iets had gevraagd.'

'Wat is je reactie op wat ik je zojuist heb verteld?'

'Geen idee. Ik heb al gezegd dat ik ze niet heb geteld. Ik probeerde alleen mijn eigen leven te redden.'

'Weet je zeker dat je niet uit wraak handelde vanwege Dennis?'

'Wat bedoelt u daarmee?'

'Het aantal klappen, de positie van het slachtoffer, het geweld waarmee de klappen zijn uitgedeeld.'

Janet liep rood aan. 'Slachtoffer! Is dat hoe jullie die schoft zien? Slachtoffer! Dennis lag daar op de grond dood te bloeden en u durft Terence Payne een slachtoffer te noemen?'

'Het spijt me, Janet, maar zo wordt de zaak in de rechtszaal waarschijnlijk gezien, dus je kunt maar beter aan het idee wennen.'

Janet zei niets.

'Je hebt iets tegen het ambulancepersoneel gezegd; waarom zei je dat?'

'Wat heb ik dan gezegd?'

'Is hij dood? Heb ik die schoft vermoord? Dat heb je gezegd. Wat bedoelde je daarmee?'

'Dat weet ik niet. Ik kan me niet eens herinneren dat ik dat heb gezegd.'

'Je zou eruit kunnen opmaken dat je van plan was hem te vermoorden.'

'Zo zou je het kunnen verdraaien, ja.'

'Was het ook zo, Janet? Was je van plan Terence Payne te vermoorden?'

'Nee! Dat heb ik u toch al gezegd. Ik probeerde mijn leven te redden. Waarom gelooft u me niet?'

'En die klappen op de achterkant van zijn hoofd? Wanneer zijn die toegebracht?'

'Geen idee.'

'Denk eens goed na.'

'Misschien toen hij zich bukte om het mes op te rapen.'

'Goed. Maar je weet niet zeker of je hem toen hebt geslagen?'

'Nee, maar als u het zegt zal het wel zo zijn.'

'En de twee klappen boven op zijn hoofd? Volgens dokter Mackenzie zat daar heel veel kracht achter. Waren ze heel gericht.'

Janet schudde haar hoofd. 'Ik weet het niet. Ik weet het gewoon niet.'

Annie boog zich voorover en keek Janet recht in haar wazige, bange ogen. 'Luister goed, Janet. Terence Payne was veel groter dan jij. Uit zijn verwondingen blijkt dat hij op de grond moet hebben gelegen toen er met kracht op hem werd ingeslagen. Vooruit, Janet. Zeg iets. Ik probeer je alleen maar te helpen of je het gelooft of niet.'

Janet wendde haar gezicht af. 'Wat wilt u dan dat ik zeg? Ik werk me alleen nog maar verder in de nesten.'

'Dat is niet waar. Door te liegen of iets te verbergen ben je nog verder van huis. Dat leidt onherroepelijk tot meineed. De waarheid is de beste verdediging. Stel dat het zover komt, geloof je dat er ook maar iemand in de jury zal zitten die niet met je meeleeft, zelfs als je zou toegeven dat je jezelf

even niet onder controle had? Maak het jezelf niet zo moeilijk, Janet.'
'Wat wilt u dan dat ik zeg?'
'De waarheid. Wat is er werkelijk gebeurd? Zat hij op de grond en werd je razend, heb je erop losgeslagen om Dennis te wreken? Is het zo gegaan?'
Janet sprong op en begon handenwringend heen en weer te lopen. 'En als ik hem vaker heb geslagen, wat dan nog? Hij verdiende toch niet beter?'
'Is het zo gegaan? Weet je het nu weer?'
Janet bleef staan, schonk een glas gin in en sloeg het in één keer achterover. 'Nee, maar als u zegt dat het zo is gebeurd, als de patholoog het heeft aangetoond, wat valt er dan nog te ontkennen?'
'Pathologen hebben het ook wel eens bij het verkeerde eind,' zei Annie en ze voegde er in gedachten aan toe: maar in dit geval niet.
'Maar wie zullen ze in de rechtszaal geloven?'
'Dat heb ik je al gezegd. Als het zover komt, zal iedereen met je meeleven. En misschien wordt het helemaal geen rechtszaak.'
Janet ging weer zitten. 'Wat wilt u daarmee zeggen?'
'Dat is in handen van de aanklager. Ik heb maandag een afspraak met hem. Als je voor die tijd je verklaring nog wilt veranderen, moet je het nu doen.'
'Het heeft geen zin,' zei Janet. Ze verborg haar hoofd in haar handen en begon te huilen. 'Ik kan het me niet goed meer herinneren. Het gebeurde allemaal zo snel en Dennis... Dennis lag bloedend op mijn schoot. Het leek een eeuwigheid te duren en ik zat hem ondertussen maar wijs te maken dat hij moest volhouden, terwijl ik probeerde het bloed te stelpen.' Ze keek naar haar handen. 'Hij bleef maar bloeden. Misschien is het inderdaad gegaan zoals u zei. Het enige wat ik me herinner is de angst, de...'
'De woede, Janet? Is dat wat je wilde zeggen?'
Janet keek haar uitdagend aan. 'En wat dan nog? Had ik dan geen reden om woedend te zijn?'
'Het is niet aan mij om dat te beoordelen. Ik denk dat ik in jouw plaats ook woedend was geweest en misschien wel hetzelfde had gedaan. Toch moeten we dit zien op te lossen. Misschien besluit de aanklager hier geen zaak van te maken. In het ergste geval word je beschuldigd van doodslag uit noodweer. Je hoeft echt niet naar de gevangenis, Janet. Het punt is gewoon dat we het niet onder het vloerkleed kunnen vegen en het gaat niet vanzelf weg. Er moet iets worden gedaan.'
'Ik snap heus wel wat u bedoelt,' zei Janet. 'Alsof ik een lam ben dat

wordt geofferd voor de slacht, zodat de publieke opinie tevreden wordt gesteld.'

'Zo is het helemaal niet.' Annie stond op. 'De publieke opinie staat juist aan jouw kant. Het is simpelweg een procedure die gevolgd moet worden. Luister, mocht je me voor maandag nog willen spreken, hier is mijn kaartje.' Op de achterkant schreef ze haar privé-nummer en het nummer van haar mobieltje.

'Bedankt.' Janet legde het op de salontafel.

'Janet,' zei Annie toen ze bij de deur stond, 'ik ben niet je vijand. Oké, als deze zaak voor de rechtbank komt, zal ik moeten getuigen, maar ik ben niet tegen je.'

Janet probeerde te glimlachen. 'Dat weet ik,' zei ze. 'Het leven is geen lolletje.'

'Wat je zegt. En als je denkt dat je het ergste hebt gehad, ga je nog dood ook.'

'Claire! Wat fijn om je weer te zien. Kom binnen.'

Claire Toth volgde Maggie naar de kamer aan de voorkant en liet zich op de bank vallen.

Het eerste wat Maggie opviel was hoe bleek ze was en dat ze haar prachtige lange blonde haar had afgeknipt. Wat er nog van over was, lag zo ongelijkmatig over haar schedel dat ze het zelf moest hebben geknipt. Ze droeg een veel te ruime spijkerbroek en een slobberig sweatshirt. Ze had geen make-up op en haar gezicht zat vol puistjes. Maggie dacht aan wat dokter Simms had gezegd over de mogelijke reacties van Kimberleys vriendinnen, dat sommigen hun seksualiteit zouden verbergen om zich te beschermen tegen monsters als Terence Payne.

'Melk en koekjes?' vroeg ze.

Claire schudde haar hoofd.

'Wat is er, lieverd?' vroeg Maggie. 'Wat is er aan de hand?'

'Ik weet het niet,' zei Claire. 'Ik kan niet slapen. Ik moet steeds maar aan haar denken. Ik lig de hele nacht te piekeren over wat er met haar moet zijn gebeurd, hoe ze zich moet hebben gevoeld... Ik kan het niet verdragen. Het is zo verschrikkelijk.'

'Wat zeggen je ouders ervan?'

Claire wendde haar gezicht af. 'Ik kan niet met ze praten. Ik... ik dacht dat jij me misschien beter zou begrijpen, snap je?'

'Ik ga toch even koekjes halen. Ik lust er zelf wel een.'

Maggie haalde twee glazen melk en een bord met chocoladekoekjes uit de keuken en zette die op de salontafel. Claire nam een slok melk en pakte een koekje.

'Je hebt zeker dat stuk over mij in de krant gelezen, hè?' zei Maggie.
Claire knikte.

'Wat vind je ervan?'

'Eerst kon ik het niet geloven. Toen besefte ik dat het iedereen kan overkomen, dat je dus niet arm of stom hoeft te zijn om te worden mishandeld. Toen kreeg ik medelijden met je.'

'O alsjeblieft, dat hoeft helemaal niet,' zei Maggie en ze probeerde te glimlachen. 'Ik ben al heel lang geleden opgehouden om mezelf zielig te vinden en nu ga ik gewoon verder met mijn leven. Goed?'

'Oké.'

'Waar denk je allemaal aan? Wil je erover praten?'

'Hoe erg het voor Kimberley moet zijn geweest wat meneer Payne met haar heeft gedaan, seks en zo. De politie heeft de kranten er niets over verteld, maar ik weet best dat hij verschrikkelijke dingen met haar heeft gedaan. Ik zie voor me dat hij het met haar doet, dat hij haar pijn doet en dat Kimberley zich niet kan verzetten.'

'Het is niet goed om je dat soort dingen voor te stellen, Claire. Daar schiet niemand iets mee op.'

'Denk je dat ik dat niet weet? Denk je dat ik het met opzet doe?' Ze schudde haar hoofd. 'In gedachten beleef ik die avond steeds opnieuw. Dat ik zei dat ik nog even bleef om met Nicky te kunnen dansen, dat Kimberley zei dat ze waarschijnlijk wel met iemand anders kon meelopen, maar dat ze niet ver hoefde en de weg goed verlicht was. Ik had moeten weten dat er iets met haar zou gebeuren.'

'Hoe had je dat in vredesnaam moeten weten?'

'Ik had het gewoon moeten voelen. We wisten dat die meisjes werden vermist. We hadden bij elkaar moeten blijven en voorzichtiger moeten zijn.'

'Claire, luister eens naar me. Het is jouw schuld niet. Als iemand voorzichtiger had moeten zijn, dan was het Kimberley. Niemand kan jou verwijten dat je met een jongen wilde dansen. Als ze bang was geweest dat er iets kon gebeuren, had ze ervoor moeten zorgen dat ze met iemand anders kon meelopen en had ze niet alleen moeten weggaan.'

'Misschien heeft ze dat ook niet gedaan.'

'Hoe bedoel je?'

'Misschien heeft meneer Payne haar wel een lift gegeven.'

'Je hebt tegen de politie gezegd dat je hem niet had gezien. Dat is toch waar?'

'Ja. Maar misschien heeft hij haar buiten opgewacht.'

'Dat zou inderdaad kunnen,' gaf Maggie toe.

'Ik haat hem. Ik ben blij dat hij dood is. En ik haat Nicky Gallagher ook. Ik haat alle mannen.'

Maggie wist niet hoe ze hierop moest reageren. Ze kon tegen Claire zeggen dat ze er op den duur wel overheen zou komen, maar dat zou nu niet veel uithalen. Ze kon het beste met mevrouw Toth gaan praten en zien of ze Claire konden overhalen hulp te zoeken. Ze wilde in elk geval wel over haar gedachten en gevoelens praten, dat was alvast een begin.

'Is ze al die tijd bij bewustzijn geweest?' vroeg ze. 'Ik bedoel, had ze door wat hij met haar deed?'

'Claire, hou op.' Maggie werd gered door de telefoon. Ze luisterde fronsend, antwoordde kort en kwam toen terug bij Claire, die haar vroeg wie het was.

'Iemand van de lokale tv,' zei Maggie en ze vroeg zich af of ze net zo verbaasd klonk als ze zich voelde.

Een belangstellende blik. 'Wat willen ze van je?'

'Ze hebben me gevraagd voor het actualiteitenprogramma van vanavond.'

'Wat heb je gezegd?'

'Ik heb ja gezegd,' zei Maggie, maar het klonk alsof ze het zelf nauwelijks geloofde.

'Cool,' zei Claire, bij wie een glimlach was doorgebroken.

Veel Engelse badplaatsen zien eruit alsof ze betere tijden hebben gekend, maar Withernsea zag eruit alsof het er nooit een dag van had meegemaakt. Boven de rest van het eiland scheen de zon, maar niet in Withernsea. Kille regenvlagen uit een grauwe hemel en roestbruine golven uit de Noordzee teisterden het vervuilde strand. Vlak daarachter was een verlaten promenade met souvenirwinkels, amusements- en bingohallen met veelkleurige, fel schitterende lichtjes.

Het deed Banks denken aan de vakanties uit zijn jeugd in Great Yarmouth, Blackpool of Scarborough. Eindeloze dagen in juli of augustus waar het twee weken aan één stuk door scheen te regenen en het enige verzetje een bezoek aan de amusementshallen was. Daar verspeelde hij zijn geld in gokautomaten en moest hij toezien dat de mechanische klauw de glimmende aansteker weer liet weggglippen vlak voordat hij in de gleuf viel. Hij had nooit bingo gespeeld, maar vaak staan kijken naar de vrouwen met hun geblondeerde haren en harde gezichten die kettingrokend naar de getallen op hun kaarten staarden.

Toen hij de tienerjaren had bereikt, bracht Banks zijn tijd door in tweedehandsboekwinkels waar hij naar oude Pan-edities zocht, of horrorverhalen, of bestsellers als *Peyton Place* of de boeken van Harold

Robbins. Toen hij een jaar of vijftien was en zich te oud voelde om nog met zijn ouders op vakantie te gaan, ging hij er elke dag alleen vandoor om in koffieshops rond te hangen of naar de nieuwste singles in Woolworth's of een platenzaak te luisteren.

Hij parkeerde zijn auto aan de zeekant en liep snel naar het huis direct tegenover hem, waar voormalig inspecteur George Woodward tegenwoordig een pension runde. Het uithangbord met 'kamers vrij' slingerde knarsend heen en weer in de wind. Toen Banks aanbelde, was hij drijfnat geregend en verkleumd.

George Woodward was een stevige man met grijs haar, een borstelige snor en waakzame ogen. Hij keek over Banks' schouder naar buiten en schudde berustend zijn hoofd. 'Ik heb nog voorgesteld om naar Torquay te gaan,' zei hij, 'maar de moeder van mijn vrouw woont nu eenmaal in Withernsea.' Hij liet Banks binnen. 'Ach, zo erg is het allemaal ook niet. We hebben het vandaag gewoon niet met het weer getroffen. Het is nog vroeg in het seizoen. U moet hier eens komen als de zon schijnt en het druk is. Een wereld van verschil.'

Banks vroeg zich af op welke dag van het jaar deze glorieuze gebeurtenis zou moeten plaatsvinden, maar hield het voor zich.

Ze kwamen in een grote kamer met een erkerraam en verschillende tafeltjes, blijkbaar de ontbijtruimte voor de gasten. De tafels waren gedekt met een wit linnen kleed, maar zonder borden of bestek. Banks vroeg zich af of er wel gasten waren. George Woodward ging aan een tafel zitten en wees Banks een stoel tegenover zich.

'Dit gaat dus over Alderthorpe?'

'Ja.' Banks had onderweg hiernaartoe via zijn mobieltje met Jenny Fuller gesproken en gehoord wat Elizabeth Bell, de maatschappelijk werker, had verteld. Hij was benieuwd naar wat de politieman eraan toe kon voegen.

'Ik heb altijd wel gedacht dat het ons zou blijven achtervolgen.'

'Wat bedoelt u?'

'Zoveel beschadigde mensen. Dat gaat niet zomaar weg. Dat blijft etteren.'

'Ik denk dat u daar gelijk in hebt. Ik ben hier vanwege Lucy Payne,' zei hij en hij lette aandachtig op Woodwards gezicht. 'Of Linda Godwin, zoals ze toen heette. Dat moet overigens tussen u en mij blijven.'

Woodward verbleekte. 'Mijn god, dat had ik nooit verwacht. Linda Godwin?'

'Inderdaad.'

'Ik heb haar foto in de krant gezien, maar haar niet herkend. Die arme meid.'

'Dat valt nog te bezien.'

'U denkt toch niet dat zij iets met die meisjes te maken heeft gehad?'

'We weten niet wat we moeten denken. Dat is juist het probleem. Ze beweert dat ze aan geheugenverlies lijdt. Er is indirect bewijsmateriaal, maar niet veel.'

'Wat zegt uw instinct?'

'Dat ze er nauwer bij betrokken is dan ze zegt. Of ze medeplichtig is, weet ik niet.'

'U beseft toch dat ze pas twaalf was toen ik haar leerde kennen?'

'Ja.'

'Ze was nog een kind, maar ze gedroeg zich als een volwassene door al die verantwoordelijkheid die op haar rustte.'

'Verantwoordelijkheid?' Jenny had laten doorschemeren dat Lucy de zorg over de jongere kinderen op zich had genomen en hij vroeg zich af of Woodward daarop doelde.

'Ja. Ze was de oudste. Jezus, ze had een broertje van tien dat regelmatig door zijn vader en oom werd verkracht en ze kon er verdomme niets aan doen. Bij haar deden ze trouwens hetzelfde. Onvoorstelbaar wat ze moet hebben meegemaakt.'

Banks knikte. 'Mag ik roken?' vroeg hij.

'Ik zal even een asbak halen. U hebt geluk dat Mary bij haar moeder is, want zij had het niet goedgevonden.' Woodward haalde een zware glazen asbak uit een kast tevoorschijn en trok tot Banks' verrassing een gekreukeld pakje Embassy Regal onder zijn trui vandaan. Hij was nog verbaasder toen hem een borrel werd aangeboden.

'Graag,' zei Banks. Hij zou het bij eentje houden, want hij had nog een lange terugrit voor de boeg.

'Hoe goed hebt u Lucy gekend?' vroeg hij.

Woodward nam een slokje van zijn onverdunde Bell's. 'Ik heb haar nauwelijks gesproken, geen van die kinderen eigenlijk. Daar hadden we de maatschappelijk werkers voor. Wij hadden het te druk met de ouders.'

'Kunt u me vertellen wat er precies is gebeurd?'

Woodward streek met een hand over zijn haar en nam een stevige trek van zijn sigaret. 'God, het is al zo lang geleden,' zei hij.

'Alles wat u zich maar kunt herinneren.'

'O, ik herinner me alles nog alsof het gisteren is gebeurd. Dat is juist het probleem.'

Banks tikte de as van zijn sigaret in de asbak en wachtte tot George Woodward zijn geheugen op die ene dag had geconcentreerd die hij waarschijnlijk het liefst voorgoed zou vergeten.

'Het was pikkedonker en verrekte koud toen we de inval inzetten,' begon Woodward. '11 februari 1990. Ik en Baz, dat was mijn brigadier Barry Stevens, zaten in één auto. Ik weet nog dat die verdomde verwarming het niet deed en dat we blauw zagen van de kou toen we in Alderthorpe aankwamen. Op alle plassen lag ijs. Er waren nog drie andere auto's en dat busje van de maatschappelijk werkers waarin de kinderen moesten worden opgevangen. We hadden een tip gekregen van een onderwijzeres van de plaatselijke school, die zich zorgen maakte over het gedrag en het verwaarloosde uiterlijk van een aantal kinderen, en die vooral de afwezigheid van Kathleen Murray verdacht begon te vinden.'

'Zij is toch het kind dat is vermoord?'

'Ja. Toen we daar die avond binnenvielen, zagen we...' Hij zweeg even en staarde in de verte. Hij nam een slok whiskey, kuchte en vervolgde: 'We wisten op dat moment natuurlijk nog niet wie wie was. Die twee gezinnen vormden één grote familie en niemand wist precies wie de vader van wie was.'

'Wat troffen jullie daar aan?'

'De meesten lagen te slapen toen we de deuren inramden. Ze hadden een kwaadaardige hond die Baz heeft gebeten toen we naar binnen gingen. Toen vonden we Oliver Murray en Pamela Godwin, broer en zus, in één bed, samen met Laura, het dochtertje van de Godwins.'

'Lucy's zusje.'

'Ja. Dianne Murray, het op één na oudste kind, deelde het bed met haar broer Keith, maar hun zus Susan lag tussen de twee andere volwassenen.' Hij slikte moeizaam. 'In beide huizen was het een zwijnenstal en het stonk er verschrikkelijk. Er was een gat in de muur van de woonkamer gehakt, zodat ze van de ene woning naar de andere konden komen zonder naar buiten te hoeven.' Hij zweeg en probeerde zijn gedachten te ordenen. 'De sfeer van armoede, smerigheid en verrotting was bijna tastbaar, en dan heb ik het niet alleen over het vuil en de stank, maar ook over wanhoop en angst. Natuurlijk was iedereen doodsbang, vooral de kinderen.' Hij schudde zijn hoofd. 'Soms vraag ik me wel eens af of we het niet anders hadden moeten aanpakken, of we niet voorzichtiger hadden moeten zijn. Ach, ik weet het ook niet. Daar is het nu toch te laat voor.'

'Ik heb begrepen dat jullie ook aanwijzingen voor satanische rituelen hebben aangetroffen?'

'Ja, in de kelder van het huis van de Godwins.'

'Wat hebben jullie daar gevonden?'

'Wierook, gewaden, boeken, pentagrammen, een altaar waarop ongetwijfeld de maagd moest worden gepenetreerd. Andere occulte voorwerpen. Wilt u weten wat ik ervan denk?'

'Nou?'

'Deze mensen waren helemaal geen heksen of satanisten. Het waren gewoon zieke, sadistische smeerlappen. Ze gebruikten satanisme als excuus om zich met drugs vol te stoppen en door die dansen en gezangen zichzelf tot extase op te zwepen. Al die kaarsen, magische cirkels, gewaden, muziek en weet ik wat nog meer hadden als doel de kinderen te laten geloven dat het een spelletje was. Het was een manier om ze zo in de war te brengen dat die kleintjes niet beter wisten dan dat het zo hoorde, dat spelletje met mama en papa, ook al deed het pijn en werd je gestraft als je je verzette. Nou, daar zijn ze dan in geslaagd. Die kinderen dachten dat het allemaal bij het spelletje hoorde.'

'Heeft een van de ouders ooit toegegeven op de een of andere manier in satan te geloven?'

'Oliver en Pamela hebben tijdens het proces geprobeerd de jury te misleiden met een warrig verhaal over de Grote Gehoornde God en het getal 666, maar niemand heeft het serieus genomen. Het was gewoon een afleidingsmanoeuvre. Een kinderspelletje. Laten we allemaal naar de kelder gaan, ons verkleden en spelen.'

'Waar was Lucy?'

'Die zat samen met haar broertje Tom in de kelder van de Murrays in een kooi opgesloten. Later hebben we ontdekt dat het een echte schuilkelder uit de oorlog was. Pas na afloop hoorden we dat ze daar werden opgesloten als ze zich hadden misdragen of ongehoorzaam waren geweest. We zijn nooit te weten gekomen wat ze hadden misdaan om daar terecht te komen, want ze wilden niet praten.'

'Wilden of konden ze niet praten?'

'Ze wilden niets zeggen dat als een aanklacht tegen de volwassenen kon worden opgevat. Ze waren al te lang misleid en misbruikt om er iets over te durven zeggen.' Hij zweeg even. 'Soms denk ik dat ze het niet konden, ook al zouden ze willen. Hoe kan een kind van negen of elf dit in woorden uitleggen? Het was niet alleen dat ze hun ouders wilden beschermen of uit angst voor hen bleven zwijgen, het ging veel dieper. Tom en Linda bijvoorbeeld... Die kropen naakt in hun eigen uitwerpselen rond en zagen eruit alsof ze in dagen niet gegeten hadden en... nou ja, de meeste kinderen waren ondervoed en verwaarloosd, maar zij waren er het ergst aan toe. Er stond een emmer in die kooi... die stank... Linda was al twaalf en dat kon je aan haar lichaam zien... Ze was... ze hadden haar geen spullen gegeven voor... u weet wel, de tijd van de maand. Ik zal die beschaamde, angstige blik van dat kind

nooit vergeten toen Baz en ik binnenkwamen en het licht aandeden.'
Banks nam een slok whiskey en liet die even op zich inwerken voordat
hij vroeg: 'Wat deden jullie toen?'
'Om te beginnen hebben we dekens gehaald om ze zowel te bedekken
als warm te houden.'
'En daarna?'
'Hebben we ze overgedragen aan de maatschappelijk werkers en ons
verder met de volwassenen beziggehouden.'
'Bent u van hen nog iets wijzer geworden?'
'Nee, geen woord. Pamela Godwin leek me niet helemaal goed bij
haar hoofd. Ze deed alsof er niets aan de hand was en vroeg of we thee
wilden. Maar Michael, haar man, zal ik ook niet snel vergeten. Vet
haar, verwarde baard en dan die blik in zijn donkere ogen. Hebt u
wel eens een foto gezien van Charles Manson, die Amerikaanse moordenaar?'
'Ja.'
'Michael Godwin en Charles Manson leken op elkaar als twee druppels
water.'
'Wat is er toen gebeurd?'
'We hebben ze gearresteerd op verdenking van kindermishandeling,
maar dat was natuurlijk nog maar het begin. Ze verzetten zich uiteraard
en hebben er wat bulten en blauwe plekken aan overgehouden.' Hij
keek Banks uitdagend aan. Banks zei niets. 'Later volgde een waslijst
van beschuldigingen.'
'Waaronder moord.'
'Ja, nadat we het lichaam van Kathleen Murray hadden gevonden.'
'Wanneer was dat?'
'Later die dag.'
'Waar?'
'Achter het huis in een oude jutezak in het vuilnisvat. Volgens mij had-
den ze haar daar verstopt tot de bevroren grond zacht genoeg zou zijn
om haar te kunnen begraven. Je kon zien dat ze een kuil hadden probe-
ren te graven, maar ze moesten het opgegeven omdat de aarde te hard
was vanwege de vorst. Ze was dubbelgevouwen en door en door bevro-
ren. De patholoog moest wachten tot ze ontdooid was voordat hij sectie
kon verrichten.'
'Zijn de ouders in staat van beschuldiging gesteld?'
'Ja, alle vier.'
'En toen?'
'Ze zijn in voorarrest genomen in afwachting van het proces. Michael
Godwin pleegde zelfmoord in zijn cel en Pamela werd niet in staat ge-

acht terecht te staan. De jury heeft de andere twee ouders schuldig verklaard.'

'Welk bewijs hadden jullie?'

'Hoe bedoelt u?'

'Had iemand anders Kathleen kunnen vermoorden?'

'Wie dan?'

'Een van de andere kinderen misschien?'

Woodward klemde zijn kaken op elkaar. 'U hebt ze niet gezien,' zei hij. 'Als u ze had gezien, zou u dit niet zeggen.'

'Heeft iemand het indertijd ter sprake gebracht?'

Hij lachte cynisch. 'U zult het niet geloven, maar inderdaad had iemand het gore lef om de jonge Tom ervan te beschuldigen. Daar is godzijdank niemand ingetrapt.'

'En het bewijsmateriaal? Hoe is ze vermoord?'

'Door wurging.'

Banks hield zijn adem in. Weer een toevalligheid. 'Waarmee?'

Woodward glimlachte alsof hij zijn troefkaart uitspeelde. 'Met de riem van Oliver Murray. De patholoog heeft sporen van Murrays sperma in de vagina en anus van het meisje gevonden, naast een aantal inwendige scheuringen. Misschien is ze doodgebloed, dat weet ik niet, maar ze hebben haar wel vermoord, of hij heeft haar wel vermoord, maar de anderen wisten het en hebben hem misschien wel een handje geholpen.'

'Hebben ze bekend? De Murrays?'

'Wat dacht u zelf? Natuurlijk niet.'

'Nooit?'

'Nee. Zulke mensen geloven gewoon niet dat ze iets fout hebben gedaan, ze staan buiten bereik van de wet en houden zich niet aan wat voor andere mensen normaal is. In elk geval zitten ze nog steeds vast en kunnen ze niets meer uitspoken. En dat, meneer Banks, is het verhaal van de Zeven van Alderthorpe.' Woodward legde zijn handen op tafel en stond op. Hij leek minder flink en een stuk vermoeider dan de man die Banks had binnengelaten. 'Als u het niet erg vindt, ga ik nu de kamers doen voordat moeder de vrouw thuiskomt.'

Wat een vreemd tijdstip om de kamers te doen, dacht Banks, vooral omdat ze waarschijnlijk allemaal onbezet waren, maar hij voelde dat Woodward alleen wilde zijn en als het kon de vieze smaak van zijn herinneringen wegspoelen voordat zijn vrouw thuiskwam. Banks had geen vragen meer, dus hij nam afscheid, knoopte zijn jas dicht en liep de regen in. Hij had durven zweren dat hij een paar hagelkorrels op zijn blote hoofd voelde prikken voordat hij in zijn auto stapte.

Maggie werd door twijfels bevangen toen ze in de taxi stapte die haar naar het lokale televisiestation zou brengen. Eerlijk gezegd had ze voortdurend getwijfeld sinds ze eerder die middag was gebeld met het verzoek deel te nemen aan een discussie over huiselijk geweld in het actualiteitenprogramma dat na het nieuws van zes uur werd uitgezonden. Een redacteur had het krantenartikel gelezen en bedacht dat Maggie een interessante gast zou zijn. Hij had benadrukt dat dit niet over Terence en Lucy Payne zou gaan en dat er met geen woord over hun daden zou worden gerept. De taxi reed langs Canal Road, over de brug en vervolgens onder het viaduct door naar Kirkstall Road, waar het spitsverkeer traag en moeizaam vooruitschoof. Maggie voelde zich gespannen. Ze dacht aan het krantenartikel waarin Lorraine Temple alles had verdraaid en vroeg zich nogmaals af of ze hier wel verstandig aan deed, of ze haar hoofd niet opnieuw in een wespennest zou steken.

Toch had ze overtuigende redenen om dit door te zetten, verzekerde ze zichzelf. Op de eerste plaats wilde ze het in de krant geschetste beeld van Lucy als slechte, manipulerende vrouw als leugen bestempelen en rechtzetten, als ze daar de kans voor kreeg. Lucy was een slachtoffer en dat moest het publiek weten. Ten tweede wilde ze het schichtige imago van zich afschudden waarmee Lorraine Temple haar had opgezadeld, niet alleen voor haar gevoel van eigenwaarde, maar ook omdat mensen haar anders niet serieus zouden nemen. Ze wilde niet als een bangelijk, teruggetrokken vrouwtje worden gezien.

Wat uiteindelijk de doorslag had gegeven om ja te zeggen, was dat die Banks naar haar huis was gekomen en had gedacht haar te kunnen vertellen wat ze wel en niet mocht doen. Hij had tegen haar geschreeuwd. Onbeschofte hork. Ze zou hem eens wat laten zien. Ze zou iedereen eens even wat laten zien. Ze voelde zich nu sterk en als het lot haar de rol van woordvoerster voor mishandelde vrouwen had toebedeeld, dan moest dat maar, dan zou ze laten zien dat ze ertegen bestand was. Lorraine Temple had haar verhaal toch al aan de grote klok gehangen, dus het had geen zin meer zich te blijven verstoppen; dan kon ze net zo goed haar mond opendoen en hopen dat ze iets kon betekenen voor anderen die zich in dezelfde positie bevonden. Geen angstig, teruggetrokken gedrag meer.

Julia Ford had die middag gebeld om te zeggen dat Lucy in Eastvale werd vastgehouden voor verdere ondervraging en daar waarschijnlijk de nacht moest doorbrengen. Maggie was woedend geworden. Waar had Lucy zo'n behandeling aan te danken? Er zat iets helemaal scheef in deze zaak.

Maggie betaalde de chauffeur en vroeg een bonnetje. De mensen van de televisie hadden beloofd dat het zou worden vergoed. Ze noemde haar naam bij de receptie en de vrouw die achter de balie zat, belde de redacteur, Tina Driscoll, die een vrolijk meisje bleek van begin twintig met kort, geblondeerd haar en een bleke huid die strak over haar hoge jukbeenderen was gespannen. Ze was gekleed in een spijkerbroek en een witte blouse.

'U komt na de poedelkapper,' zei Tina, terwijl ze Maggie voorging in de typische doolhof die de televisiestudio was. Ze wierp een blik op haar horloge. 'Dat zou rond twintig over moeten zijn. Dit is de afdeling make-up.'

Maggie kwam in een kleine kamer vol stoelen en spiegels en een grote verzameling kwasten en potjes. 'Gaat u hier maar zitten, mevrouw,' zei het meisje van de make-up dat zich voorstelde als Charley. 'We zijn zo klaar, hoor.' Ze begon Maggies gezicht te poederen en te kwasten. Toen ze eindelijk tevreden was met het resultaat, zei ze: 'Kom na de uitzending maar even langs, dan haal ik alles er weer af.'

'David zal het gesprek leiden,' zei Tina, terwijl ze tijdens de wandeling naar de groene kamer op haar klembord keek. 'David' was David Hartford, wist Maggie, de mannelijke helft van het duo dat het programma presenteerde. Maggie had gehoopt dat Emma Larson, de vrouwelijke presentator de vragen zou stellen. Emma was altijd zeer begaan met vrouwenaangelegenheden, vond Maggie, terwijl David Hartford een cynische, geringschattende ondertoon had als hij iemand interviewde die zich ergens sterk voor maakte. Ook kon hij heel uitdagend zijn, maar daar was de nieuwe Maggie wel tegen opgewassen.

Maggies medegasten zaten al in de groene kamer te wachten: de ernstige, bebaarde dokter James Bletchley van het plaatselijke ziekenhuis, Kathy Proctor van de politie, en Michael Groves, een wat verwilderd uitziende maatschappelijk werker. Maggie besefte dat ze het enige 'slachtoffer' in het gezelschap was. Dat moest dan maar. Ze kon in ieder geval vertellen hoe het was om aan de kant te zitten waar de klappen vallen.

Nadat ze zich aan elkaar hadden voorgesteld, viel er een nerveuze stilte in de kamer, die werd onderbroken door het gekef van de poedel toen de producer binnenkwam om te controleren of iedereen aanwezig was. Tijdens het wachten kletste Maggie met haar medegasten over koetjes en kalfjes en keek ze naar de chaos van komende en gaande mensen die elkaar buiten op de gangen vragen toeschreeuwden. Er hing een beeldscherm in de kamer, zodat ze het begin van het programma konden bekijken. Na de introductie door David en Emma volgde een korte samenvatting van het belangrijkste plaatselijke nieuws van die dag, zoals de dood van een hooggewaardeerd gemeenteraadslid, het voorstel voor een nieuwe rotonde in het hart van de stad en een verhaal over 'de buren uit de hel' uit de Poplar-torenflat. Tijdens de reclamespots die na de poedelkapper werden vertoond, wees een medewerker hun hun plaats op een van de stoelen of banken die waren neergezet om de sfeer van een gezellige woonkamer te creëren, een beeld dat werd vervolmaakt door een namaak-openhaard. Ze kregen allemaal een microfoontje en vervolgens verdween hij.

Na het geluidloze aftellen trok David Hartford zijn das recht, zette zijn charmantste glimlach op en begon. Van dichtbij lijkt zijn huid net roze plastic, dacht Maggie, zich voorstellend dat hij ook moest aanvoelen als een pop. Zijn haar was van het soort zwart dat onmogelijk natuurlijk kon zijn.

Zodra David het onderwerp introduceerde, maakte zijn glimlach plaats voor een ernstige, bezorgde gezichtsuitdrukking. Allereerst richtte hij zich tot Kathy om een beeld te krijgen van het aantal meldingen van huiselijk geweld dat de politie binnenkreeg en hoe daarmee werd omgesprongen. Daarna was de beurt aan de maatschappelijk werker, Michael, die over opvanghuizen voor vrouwen praatte. Toen David zich voor het eerst tot Maggie wendde, voelde ze haar hart opspringen in haar borst. Hij had iets waardoor ze zich niet op haar gemak voelde. Hij scheen niet echt belangstelling te hebben voor de problemen die hij te sprake bracht, maar leek vooral uit op drama en sensatie. Ze bedacht dat het daar bij televisie natuurlijk ook allemaal om draaide.

Hij vroeg haar wanneer ze voor het eerst had geweten dat er iets mis was. Ze vertelde kort over de voortekenen: de onredelijke eisen, de woede-uitbarstingen, en ten slotte de klappen, tot en met die keer dat Bill haar kaak had gebroken en twee tanden uit haar mond had geslagen, waarna ze een week in het ziekenhuis had gelegen.

Toen Maggie zweeg, vroeg hij: 'Waarom bent u niet weggegaan? U hebt verteld dat u zich bijna twee jaar hebt laten mishandelen. U bent een intelligente en vindingrijke vrouw. Waarom bent u niet gewoon weggegaan?'

Terwijl Maggie naar woorden zocht om duidelijk te maken waarom dat niet zo eenvoudig was, legde de maatschappelijk werker uit hoe gemakkelijk vrouwen gevangen raken in deze geweldsspiraal en hoe schaamte hen er vaak van weerhield er iets tegen te doen. Maggie vond eindelijk haar stem terug.

'U hebt gelijk,' zei ze tegen David. 'Ik had inderdaad kunnen weggaan. Zoals u al zei, ben ik een intelligente en vindingrijke vrouw. Ik had een uitstekende baan, goede vrienden en familie die me steunde. Ik denk dat het voor een deel kwam omdat ik dacht dat het zou ophouden, dat we er samen uit zouden komen. Ik hield nog steeds van mijn man. Ik wilde vechten voor mijn huwelijk en het niet zomaar opgeven.'

Ze zweeg even en toen niemand de stilte aangreep om iets te zeggen, ging ze verder: 'Bovendien zou het weinig hebben uitgemaakt. Ook toen ik eenmaal bij hem weg was, wist hij me te vinden. Hij heeft me gestalkt, lastiggevallen en opnieuw mishandeld. Zelfs toen hem een straatverbod was opgelegd.'

Dit was voor David aanleiding zich weer tot de politieagent te richten om het te hebben over het onvermogen van de overheid om vrouwen tegen mishandelende echtgenoten te beschermen, waardoor Maggie de gelegenheid kreeg te evalueren wat ze had gezegd. Ze had het helemaal niet gek gedaan, concludeerde ze. Het was erg warm onder de studiolampen en ze voelde zweetdruppels op haar voorhoofd. Ze hoopte dat het haar make-up niet zou verpesten.

Intussen sprak David met de arts.

'Is het bij huiselijk geweld altijd zo dat de man zijn vrouw mishandelt, dokter Bletchley?' vroeg hij.

'Er zijn gevallen bekend dat mannen door hun vrouw werden mishandeld,' zei de dokter, 'maar dat zijn er relatief weinig.'

'Als u er de cijfers op naslaat,' onderbrak Michael hem, 'dan zult u zien dat mannelijk geweld tegen vrouwen veel vaker voorkomt dan het omgekeerde, zozeer zelfs dat dit laatste vrijwel genegeerd kan worden. Het zit in onze cultuur ingebakken. Mannen zoeken bijvoorbeeld hun ex-partners op om hen te doden of ze moorden hun hele gezin uit, iets wat vrouwen nooit zullen doen.'

'Afgezien daarvan,' zei David, 'denkt u niet dat sommige vrouwen een beetje overdrijven en daarmee het leven van een man verwoesten? Wanneer er eenmaal aangifte is gedaan, is het moeilijk dat stigma weer kwijt te raken, ook al is de beklaagde voor de rechtbank onschuldig verklaard.'

'Is dat niet een risico dat we moeten nemen,' wierp Maggie tegen, 'als daarmee andere vrouwen worden geholpen?'

David lachte meesmuilend. 'Dat is hetzelfde als beweren dat het niet erg is om een paar onschuldige mensen ter dood te veroordelen zolang de schuldige er maar bij zit.'

'Niemand wil opzettelijk een onschuldig mens ter dood brengen,' wees Kathy hem terecht.

'Maar stel dat een vrouw haar man het bloed onder de nagels vandaan haalt,' hield David vol, 'is het dan niet zo dat men de vrouw nog steeds als slachtoffer beschouwt?'

'Ze is het slachtoffer,' zei Maggie.

'Dan kun je net zo goed zeggen dat ze er zelf om heeft gevraagd,' voegde Michael eraantoe. 'Welke vorm van treiteren rechtvaardigt geweld?'

'Er zijn toch ook vrouwen die graag een beetje ruw worden aangepakt?'

'Doet u toch niet zo achterlijk,' zei Michael. 'Dat is hetzelfde als zeggen dat vrouwen er door hun manier van kleden om vragen te worden verkracht.'

'Zulke masochisten bestaan toch, dokter?'

'Als ik u goed begrijp, doelt u nu op vrouwen die niet vies zijn van een beetje ruige seks?' zei de arts.

David scheen zich een beetje te generen nu de vraag zo direct werd geformuleerd, maar hij knikte.

Dokter Bletchley streek over zijn baard voordat hij antwoord gaf. 'Het antwoord op uw vraag is heel eenvoudig: ja, er zijn inderdaad masochistische vrouwen, net zoals er ook masochistische mannen zijn. U moet echter goed begrijpen dat we het dan hebben over een uiterst kleine groep die niet in verhouding staat tot het gedeelte van de bevolking dat met huiselijk geweld in aanraking komt.'

David was zichtbaar opgelucht dat hij van de vraag af was en stelde zijn volgende, voorzichtig geformuleerde vraag aan Maggie. 'U bent recent betrokken geweest bij een geruchtmakende zaak betreffende huiselijk geweld. Om juridische redenen mogen we deze zaak niet tot in de details bespreken, maar is er iets wat u ons wél over de situatie kunt vertellen?'

'Iemand heeft me in vertrouwen gezegd,' zei Maggie, 'dat ze door haar man werd mishandeld. Ik heb geprobeerd haar te adviseren, te helpen en te steunen.'

'Maar u hebt het niet aangegeven.'

'Het was niet aan mij om dat te doen.'

'Wat is uw mening daarover, mevrouw Proctor?'

'Ze heeft gelijk. De politie kan pas iets doen wanneer de direct betrokkene zelf de zaak aanhangig maakt.'

'Of wanneer de bom barst, zoals in dit geval is gebeurd?'

'Ja. Dat is er helaas vaak het gevolg van.'

'Ik wil u allen graag hartelijk bedanken voor uw aanwezigheid,' zei David, die duidelijk het gesprek wilde afsluiten.

Maggie besefte dat ze aan het eind was ingezakt, dat ze zich had laten afleiden, dus onderbrak ze hem en zei: 'Ik wil graag nog één ding zeggen: slachtoffers worden lang niet altijd met de juiste zorg, het respect en de aandacht behandeld die ze verdienen. Momenteel zit er een jonge vrouw opgesloten in een cel in Eastvale, een vrouw die tot vanochtend nog in het ziekenhuis lag als gevolg van de verwondingen die haar man haar afgelopen weekend heeft toegebracht. Waarom wordt deze vrouw zo achtervolgd?'

'Hebt u daar zelf een antwoord op?' vroeg David, aan de ene kant zichtbaar geërgerd door de onderbreking, maar tegelijkertijd opgewonden bij het vooruitzicht van een controverse.

'Vermoedelijk omdat haar man is overleden,' zei Maggie. 'Ze denken dat hij een aantal meisjes heeft vermoord, maar nu is hij dood en kunnen ze geen wraak nemen. Daarom hebben ze het nu op Lucy voorzien.'

'Dank u wel,' zei David en hij keek glimlachend in de camera. 'Hiermee zijn we aan het einde gekomen van deze uitzending...'

Toen het programma was afgelopen, viel er een stilte. Nadat de technicus hen had geholpen de microfoontjes los te maken, liep de vrouw van de politie op Maggie toe en zei: 'Ik vond het erg onverstandig van u om dat te zeggen.'

'Ach, laat haar toch met rust,' zei Michael. 'Het werd hoog tijd dat iemand er eens iets over zei.'

De arts was al vertrokken en ook David en Emma waren nergens te zien.

'Zullen we iets gaan drinken?' vroeg Michael aan Maggie toen ze samen de studio uitliepen. Ze schudde haar hoofd. Ze wilde alleen maar een taxi die haar naar huis zou brengen, waar ze met een goed boek in een lekker warm bad ging liggen. Dat zou voorlopig wel eens haar laatste ontspannen moment kunnen zijn na de uitzending van vanavond. Niet dat ze iets verkeerds had gezegd. Ze had immers niet beweerd dat Terry schuldig was aan de moorden, ze had zijn naam niet eens laten vallen, maar ze besefte wel dat de politie nog niet klaar met haar was. En Banks was wat haar betreft tot alles in staat. Laten ze me maar komen halen, dacht ze. Laten ze me maar in een martelaar veranderen.

'Weet je het zeker?'

Ze keek Michael aan en vermoedde dat hij alleen maar meer van haar te weten hoopte te komen. 'Ja,' zei ze. 'Bedankt voor het aanbod, maar ik ga liever naar huis.'

13

Toen Banks die zaterdagochtend vroeg bij het hoofdbureau in Eastvale aankwam, trof hij daar een chaos aan. Ook aan de achterkant van het gebouw stonden verslaggevers en cameraploegen elkaar te verdringen en vragen te schreeuwen over Lucy Payne. Banks vloekte binnensmonds, zette de Dylan-cd halverwege "Not Dark Yet" uit en manoeuvreerde zijn auto voorzichtig maar vastberaden door de menigte.

Binnen was het rustiger. Banks liep zijn kantoor binnen en keek uit het raam naar het marktplein. Nog meer verslaggevers en televisiewagens met satellietschotels. Iemand had duidelijk zijn mond voorbijgepraat. Hij ging een gemeenschappelijke kantoorruimte in waar Jackman en Templeton achter hun bureau zaten. Annie Cabbot stond over een lade van een dossierkast gebogen en bood een hartverwarmende aanblik in haar strakke, zwarte spijkerbroek, vond Banks.

'Wat is hier verdomme allemaal aan de hand?' vroeg hij aan niemand in het bijzonder.

Annie keek op. 'Weet je dat dan niet?'

'Wat moet ik weten?'

'Heb je haar dan niet gezien?'

'Waar heb je het over?'

Kevin Templeton en Winsome Jackman bleven met gebogen hoofd zitten en waren duidelijk niet van plan zich ermee te bemoeien.

Annie zette haar handen op haar heupen. 'Gisteravond, op televisie.'

'Ik was gisteren in Withernsea en heb daar met een voormalig inspecteur over Lucy Payne gesproken. Wat heb ik gemist?'

Annie liep naar haar bureau en leunde ertegenaan. 'Die buurvrouw, Maggie Forrest, heeft op televisie deelgenomen aan een discussie over huiselijk geweld.'

'Shit.'

'Zeg dat wel. Ze heeft ons er met zoveel woorden van beschuldigd dat we Lucy Payne vervolgen omdat we geen wraak meer kunnen nemen op haar man, en ze heeft publiekelijk verklaard dat Lucy hier wordt vastgehouden.'

'Julia Ford,' fluisterde Banks.

'Wie?'

'Die advocaat. Ik durf te wedden dat zij het is geweest die Maggie heeft verteld waar we Lucy vasthouden. Jezus, wat een ellende.'

'O ja,' zei Annie glimlachend, 'en commissaris Hartnell heeft al twee keer gebeld. Hij wil dat je hem terugbelt zodra je binnen bent.'

Banks liep terug naar zijn kantoor, zette zijn raam zo ver mogelijk open en stak een sigaret op. Het reglement kon de boom in; het zag ernaar uit dat het weer een loodzware dag zou worden en die was nog maar net begonnen. Hij had kunnen weten dat Maggie Forrest een bom was die elk moment kon ontploffen en dat zijn waarschuwing alleen maar averechts had gewerkt. Maar wat kon hij eraan doen? Ze had geen misdaad begaan en hij zou er niets mee opschieten als hij haar opnieuw op haar nummer ging zetten. Ze had geen flauw benul waar ze mee bezig was.

Toen hij was gekalmeerd, ging hij achter zijn bureau zitten. Hij wilde net de hoorn van zijn telefoon pakken om Hartnells nummer te draaien, toen deze overging.

'Alan? Met Stefan.'

'Ik hoop dat je goed nieuws voor me hebt, Stefan, want dat is hard nodig, gezien hoe het vanochtend tot nu toe is verlopen.'

'Zo erg?'

'Erger.'

'Dan zal dit je misschien opvrolijken. Ik heb de uitslag van de DNA-test van het lab.'

'En?'

'De hoofdprijs uit de loterij. Terence Payne was inderdaad de verkrachter van Seacroft.'

Banks sloeg met zijn hand op zijn bureau. 'Geweldig! Verder nog iets?'

'Wat kleine puntjes. De jongens hebben alle papieren en bonnen uit dat huis doorgenomen, maar niets wijst erop dat Terence of Lucy Payne slaapmiddelen gebruikte. Geen doktersrecept, maar ook niets illegaals.'

'Dat had ik wel verwacht.'

'Ze hebben trouwens wel een catalogus met technische apparatuur gevonden van een van die bedrijven die je naam op hun mailinglist zetten zodra je er iets hebt gekocht.'

'Wat hebben ze er dan gekocht?'

'Er is geen afschrift van hun creditcard, dus we kunnen nog niet zien of ze iets hebben gekocht, maar we gaan bij het bedrijf navragen of ze misschien contant hebben betaald. En dan is er nog iets: op de vloer in de kelder zijn krassen aangetroffen die bij nader onderzoek afkomstig blijken te zijn van een driepoot. Ik heb Luke hier al over gesproken en hij gebruikt zo'n ding nooit, dus...'

'Dus moet die van iemand anders zijn geweest.'

'Daar lijkt het wel op, ja.'

'Waar is dat ding dan, verdomme?'

'Geen idee.'

'Goed, Stefan, bedankt voor het goede nieuws. Blijf zoeken.'

'Komt voor elkaar.'

Zodra hij had opgehangen, draaide Banks Hartnells nummer. Hij nam onmiddellijk op.

'Commissaris Hartnell.'

'Ik ben het, Alan,' zei Banks. 'Ik hoorde dat je me zocht.'

'Heb je het gezien?'

'Nee. Ik heb het pas net gehoord. Het bureau is door de media omsingeld.'

'Dat verbaast me niets. Dat stomme mens. Hoe staan we ervoor met Lucy Payne?'

'Ik heb haar gisteren ondervraagd, maar ben geen stap verder gekomen.'

'Nog nieuwe bewijzen?'

'Niet echt bewijzen.' Banks vertelde hem dat de DNA-uitslag wees op de verkrachter van Seacroft, de mogelijkheid dat er nog steeds een camcorder verborgen was in het huis of de tuin van de Paynes, en over zijn gesprek met George Woodward over de gebeurtenissen in Alderthorpe en de manier waarop Kathleen Murray was gestorven, door wurging met een soort wurgkoord.

'Dat bewijst niets,' zei Hartnell. 'We hebben geen poot om op te staan. Jezus, Alan, Lucy Payne is het slachtoffer geweest van een van de ergste vormen van misbruik. Ik kan me de zaak Alderthorpe nog heel goed herinneren. We moeten zien te voorkomen dat dat weer allemaal wordt opgerakeld. Denk je eens in hoe het overkomt als we nu gaan beweren dat ze haar eigen nichtje heeft vermoord toen ze twaalf was.'

'Ik hoopte het eigenlijk te kunnen gebruiken om haar een beetje onder druk te zetten.'

'Je weet net zo goed als ik dat het bloed en de vezels niet genoeg zijn als bewijs tegen haar. Met speculaties over haar verleden bereik je niets, behalve dat het publiek dan helemaal haar kant kiest.'

'Er zijn waarschijnlijk evenveel mensen die verontwaardigd zijn over deze misdaden en vermoeden dat ze er meer mee te maken heeft dan ze wil toegeven.'

'Waarschijnlijk heb je gelijk, maar die roeren zich veel minder dan al die mensen die inmiddels naar Millgarth hebben gebeld, neem dat maar van me aan. Laat haar gaan, Alan.'

'Maar...'

'We hebben de moordenaar gearresteerd en hij is dood. Laat haar gaan. We kunnen haar niet langer vasthouden.'

Banks keek op zijn horloge. 'We hebben nog vier uur. Misschien vinden we nog iets.'

'We vinden de komende vier uur niets, geloof me. Laat haar vrij.'

'Mag ik haar laten schaduwen?'

'Allemachtig, dat is veel te duur. Vraag het wijkteam of ze een oogje op haar willen houden en zeg haar dat ze in de buurt moet blijven. Het kan zijn dat we haar nog nodig hebben.'

'Als ze schuldig is, zal ze ervandoor gaan.'

'Als ze schuldig is, dan zullen we daar het bewijs voor vinden en dan gaan we haar zoeken.'

'Gun me nog een laatste poging.' Banks wachtte met ingehouden adem op Hartnells reactie, maar het bleef even stil aan de andere kant van de lijn.

'Goed. Ga nog een keer met haar praten. Als ze niet bekent, moet je haar laten gaan. Maar wees heel voorzichtig. Ik wil geen beschuldigingen van Gestapo-verhoortechnieken.'

Banks hoorde dat er op zijn deur werd geklopt, legde zijn hand op de hoorn en riep: 'Binnen.'

Julia Ford kwam binnen met een brede glimlach op haar gezicht.

'Daar hoeft u zich geen zorgen over te maken,' zei Banks tegen Hartnell. 'Haar advocaat zal bij het hele gesprek aanwezig zijn.'

'Wat een chaos daarbuiten, hé?' zei Julia Ford toen Banks had opgehangen. Ze droeg deze ochtend een grijs mantelpak met een parelmoerkleurige blouse. Haar haar glansde alsof het pas was gewassen en ze had net genoeg make-up gebruikt om er een paar jaar jonger uit te zien.

'Dat kunt u wel zeggen,' antwoordde Banks. 'Ik zou bijna denken dat iemand de hele Engelse pers heeft ingelicht over Lucy's verblijfplaats.'

'Laat u haar gaan?'

'Straks. Ik wil nog even met haar babbelen.'

Julia zuchtte en hield de deur voor hem open. 'Nou ja, het is niet anders. Terug op de barricaden dan maar.'

Hull en het gebied erachter waren delen van Yorkshire die Jenny nauwelijks kende. Ze keek op haar plattegrond. Op het zuidelijke puntje van een landtong waar de Humber de Noordzee in stroomde, lag een dorpje dat Kilnsea heette, even ten noorden van een smalle landstrook, Spurn Head genaamd, een natuurmonument dat als een gekromde heksenvinger in zee stak. Het zag er zo verlaten en troosteloos uit dat Jenny al bij voorbaat de kille wind kon voelen die er ongetwijfeld onophoudelijk zou waaien.

Ze vroeg zich af of er ooit iemand kwam. Vogelliefhebbers misschien. Die waren gek genoeg om naar zo'n uithoek te komen als ze daar de gespikkelde gele boomklever of zoiets konden bewonderen. Er zouden hier wel niet veel vakantiebadplaatsen zijn, behalve Withernsea misschien waar Banks gisteren was geweest. Alle populaire vakantieoorden lagen verder naar het noorden: Bridlington, Filey, Scarborough, Whitby, tot aan Saltburn en Redcar in Teeside.

Het was een mooie dag. Het waaide, maar het was zonnig met af en toe een overdrijvende witte wolk. Het was beslist niet warm genoeg om er zonder jas op uit te gaan, maar echt koud was het niet. In Patrington was ze even gestopt voor een kop koffie en een bliksembezoek aan de kerk van St. Patrick, een van de mooiste dorpskerken van Engeland naar ze had gehoord. Sinds ze daar was weggereden, was ze geen enkele andere auto meer tegengekomen.

Het was een verlaten landschap van voornamelijk vlak boerenland, groene weiden en een enkele felgele flits van een strook raapzaad. De dorpen waar ze doorheen reed bestonden uit niet meer dan een paar goedkope prefab bungalows en een rijtje huizen van rode baksteen. Al snel kwam het surrealistische beeld van de North Sea Gas Terminal in zicht met zijn kronkelende metalen pijpen en opslagcontainers. Ze reed verder richting Alderthorpe langs de kustweg.

Ze had tijdens de rit veel aan Banks gedacht en was tot de conclusie gekomen dat hij niet gelukkig was. Ze wist niet waarom niet. Afgezien van Sandra's zwangerschap, die hem duidelijk van zijn stuk had gebracht, had hij veel om dankbaar voor te zijn. Om te beginnen zat zijn carrière weer in de lift en verder had hij een knappe jonge vriendin. Ze nam tenminste aan dat Annie knap was.

Maar misschien was Annie juist degene die hem ongelukkig maakte? Hij scheen nooit helemaal zeker te weten hoe hun relatie ervoor stond wanneer Jenny ernaar vroeg. Ze had aangenomen dat het een gevoelig onderwerp was dat hij liever vermeed, maar het kon natuurlijk ook zijn dat hij echt geen idee had.

Niet dat zij er iets aan kon doen. Ze herinnerde zich nog hoe teleurgesteld ze vorig jaar was geweest toen hij haar uitnodiging om te komen eten had aangenomen, maar niet was komen opdagen en zelfs niet had afgebeld. Jenny had in haar verleidelijkste outfit zitten wachten met canard à l'orange in de oven, maar hoe lang ze ook wachtte, er verscheen niemand. Toen had hij eindelijk gebeld. Hij was opgeroepen voor een gijzelingsdrama. Goed, dat was een uitstekende reden geweest om niet te komen opdagen, maar haar gevoel van teleurstelling en verdriet was er niet minder om. Sinds die tijd waren ze voorzichtig met elkaar omgesprongen en had geen van tweeën het nog aangedurfd een afspraak te maken, bang dat het weer mis zou lopen, maar ze dacht nog steeds aan hem en, moest ze bij zichzelf toegeven, ze verlangde nog steeds naar hem.

Er leek geen eind te komen aan het vlakke, desolate landschap. Hoe kon iemand in vredesnaam in zo'n afgelegen en achtergebleven gebied wonen? vroeg Jenny zich af. Bij een bord met 'Alderthorpe 1 km' dat in oostelijke richting wees, sloeg ze een smal zandpad in en ze hoopte maar dat er geen tegenligger zou komen. Ten slotte zag ze voor zich uit een paar huizen en kon ze door het open raampje de zee al ruiken. Ze sloeg linksaf een straat in met aan de ene kant bungalows en aan de andere rijtjeshuizen van rode baksteen. Dit moest dus Alderthorpe zijn. Ze zag een kruidenierswinkeltje dat ook als postkantoor dienstdeed. Verder was er een groenteboer, een slager, een vierkant kerkgebouw en een ongezellig ogende pub die 'Lord Nelson' heette. Meer was er niet.

Jenny parkeerde haar auto achter een blauwe Citroën die voor het postkantoor stond. Toen ze uitstapte, meende ze de gordijnen aan de overkant van de weg te zien bewegen en ze voelde nieuwsgierige ogen in haar rug prikken toen ze de deur van de kruidenierszaak opendeed. Er komt hier nooit iemand, hoorde ze de bewoners in gedachten al zeggen. Wat zou zij hier nu moeten? Jenny had het gevoel dat ze zo'n dorp was binnengestapt waarvan iedereen het bestaan was vergeten, een plek waar de tijd letterlijk had stilgestaan, en ze had het onlogische idee dat zij, door hier te zijn, nu ook verloren was en dat alle herinneringen aan haar in de echte wereld eveneens waren verdwenen. Dwaas, schold ze zichzelf uit, maar ze huiverde, hoewel het niet koud was.

Boven haar hoofd tingelde een belletje en ze zag dat ze zich in het soort winkeltje bevond dat ze allang uitgestorven waande: waar op de bovenste plank stopflessen met kandij schouder aan schouder stonden met schoenveters en patentgeneesmiddelen; met verjaardagskaarten in een rekje naast blikjes gecondenseerde melk. Het rook er naar stof en naar fruit (snoep met perensmaak, gokte ze) en het zwakke licht dat naar binnen viel wierp schaduwen op de toonbank. Bij het kleine postloket stond een vrouw in een versleten bruine jas. Ze draaide zich om en staarde Jenny aan toen ze binnenkwam. De vrouw achter het loket zette haar bril recht en keek haar over de schouder van de klant aan. Ze hadden blijkbaar lekker staan kletsen en waren niet blij met de onderbreking.

'Kan ik u helpen?' vroeg de vrouw achter het loket.

'Misschien kunt u me zeggen waar ik het vroegere huis van de Murrays en de Godwins kan vinden?' vroeg Jenny.

'Waarom wilt u dat weten?'

'Ik ben hier voor mijn werk.'

'Dan bent u zeker van de krant?'

'Nee, ik ben forensisch psycholoog.'

De vrouw liet dit even tot zich doordringen. 'U moet in Spurn Lane zijn. Aan de overkant van de straat en dan het pad naar de zee op. Het zijn de laatste twee-onder-een-kapwoningen. U kunt ze niet missen. Ze staan al jarenlang leeg.'

'Weet u of een van de kinderen nog steeds in de buurt woont?'

'Ik heb ze sindsdien nooit meer gezien.'

'En de lerares, Maureen Nesbitt?'

'Woont in Easington. Er is hier geen school.'

'Dank u vriendelijk.'

Toen ze wegging, hoorde ze de klant fluisteren: 'Forensisch psycholoog? Wat is dat in gewone-mensentaal?'

'Toerist,' mompelde de andere vrouw. 'Walgelijk nieuwsgierig, net als al die anderen. Vooruit, je vertelde net dat de man van Mary Wallace...'

Jenny vroeg zich af wat de reacties zouden zijn wanneer de media hier en masse zouden neerstrijken, wat niet lang meer op zich zou laten wachten. Het gebeurde niet vaak dat een plaatsje als Alderthorpe meer dan één keer in een mensenleven in het nieuws kwam.

Ze kon het gevoel dat iemand haar in de gaten hield nog steeds niet van zich afschudden, ook niet toen ze High Street overstak en het onverharde pad op liep dat naar de Noordzee leidde. Aan weerskanten van Spurn Lane stonden vijf of zes bungalows, een meter of vijftig verderop was braakliggend terrein. Nog eens vijftig meter verder zag Jenny twee vervallen bakstenen huizen, ver van het dorp, dat op zich al geïsoleerd lag. Ze vermoedde dat na het vertrek van de verslaggevers en televisiecamera's tien jaar geleden de stilte, de eenzaamheid en het verdriet een verwoestende uitwerking op de gemeenschap moesten hebben gehad, waar de onbeantwoorde vragen en beschuldigingen ongetwijfeld nog lang waren blijven hangen. Zelfs de bewoners in de omgeving van The Hill, deel van een buitenwijk van een grote, moderne stad, zouden nog jarenlang proberen te begrijpen wat zich hier had afgespeeld, en heel wat bewoners zouden daarbij psychische hulp moeten inschakelen. Jenny had zo'n idee hoe de bewoners van Alderthorpe over psychische hulpverleners dachten.

Naarmate ze dichter bij de huizen kwam, werd de zilte geur van de wind steeds sterker en ze besefte dat de zee vlakbij was achter de lage duinen en het helmgras. Jenny had gelezen dat een aantal dorpen langs deze kust door de zee waren opgeslokt. De zanderige kustlijn veranderde voortdurend en over tien of twintig jaar zou Alderthorpe misschien ook wel onder water zijn verdwenen. Een griezelige gedachte.

De huizen waren niet meer dan een bouwval. Het dak was ingestort en de kapotte ramen en scheefgezakte deuren waren met planken dichtgetimmerd. Hier en daar hadden mensen met spuitbussen gespoten: ROT MAAR LEKKER IN DE HEL, BRENG DE DOODSTRAF TERUG en het eenvoudige, aandoenlijke KATHLEEN, WE ZULLEN JE NIET VERGETEN. Jenny was onverwacht geroerd en voelde zich niet op haar gemak in haar rol van voyeur.

De tuinen waren verwilderd en overwoekerd. Ze baande zich een weg door de struiken vlak langs het huis, maar er viel weinig te zien. De deuren waren zo stevig dichtgetimmerd dat ze met geen mogelijkheid naar binnen kon, al zou ze het willen. Daarbinnen, zei ze in zichzelf, zijn Lucy Payne en zes andere kinderen god weet hoeveel jaren geterroriseerd, verkracht, vernederd, gekweld en gemarteld, totdat de dood van Kathleen Murray de autoriteiten hierheen had geleid. Nu waren de huizen slechts één grote, zwijgende ruïne. Jenny voelde zich een bedrieger zoals ze hier stond, net als in de kelder op The Hill. Niets van wat ze kon doen of zeggen zou iets verklaren van de verschrikkingen die hier hadden plaatsgevonden. Haar wetenschap was ontoereikend, net als alle andere.

Toch bleef ze nog even staan voordat ze naar de achterkant liep, waar de tuinen een nog grotere wildernis waren dan aan de voorkant. Ergens hing een ongebruikte waslijn tussen twee roestige palen.

Bij het weggaan struikelde ze bijna over iets wat onder de begroeiing verborgen lag. Eerst dacht ze dat het een boomwortel was, maar toen ze zich bukte en de bladeren en takken wegveegde, zag ze een kleine teddybeer. Hij zag er zo verfomfaaid uit dat hij er al jaren moest hebben gelegen en zelfs van een van de Zeven van Alderthorpe kon zijn geweest, maar dat betwijfelde Jenny. De politie en de maatschappelijk werkers zouden al dit soort dingen ongetwijfeld hebben meegenomen, en het was waarschijnlijker dat hij later als een soort afscheidsgroet door een van de dorpskinderen was achtergelaten. Toen ze hem opraapte, voelde hij nat aan en vanuit een scheur op de rug kroop een torretje op haar hand. Jenny hield haar adem in van schrik, liet de teddybeer vallen en liep snel terug naar het dorp. Ze was van plan geweest bij een paar huizen aan te bellen en naar de Godwins en de Murrays te vragen, maar Alderthorpe had haar zoveel angst aangejaagd dat ze had besloten in plaats daarvan naar Easington te rijden om met Maureen Nesbitt te praten.

'Goed, Lucy. Zullen we maar beginnen?'
Banks had de bandrecorders aangezet en getest. Dit keer bevonden ze zich in een iets grotere verhoorkamer. Naast Lucy en Julia Ford had Banks ook agent Jackman meegevraagd om na afloop haar mening over Lucy te horen, ook al werkte ze niet aan deze zaak.
'Mij best,' zei Lucy berustend en chagrijnig. Ze zag er moe en onzeker uit na een nacht in de cel, vond Banks, ook al vormden de cellen het modernste gedeelte van het bureau. Volgens het hoofd van de nacht-ploeg had ze gevraagd of het licht de hele nacht mocht aanblijven, dus ze kon niet veel geslapen hebben.
'Ik hoop dat je een rustige nacht hebt gehad,' zei hij.
'Waarom zou u zich daar druk om maken?'
'Het is niet mijn bedoeling je ongemak te bezorgen, Lucy.'
'Maakt u zich over mij vooral geen zorgen. Het gaat prima.'
Julia Ford tikte op haar horloge. 'Kunnen we een beetje opschieten, hoofdinspecteur?'
Banks zweeg en keek weer naar Lucy. 'Laten we het nog even over je achtergrond hebben, goed?'
'Wat heeft die ermee te maken?' onderbrak Julia Ford hem.
'Als u mij de kans geeft mijn vragen te stellen, dan bent u daar snel ge-noeg achter.'
'Als u mijn cliënt van streek maakt...'
'Uw cliënt van streek maakt! De ouders van vijf jonge meisjes zijn er veel erger aan toe.'
'Dat doet niet ter zake,' zei Julia. 'Daar heeft Lucy niets mee te maken.'
Banks negeerde de advocaat en keek Lucy weer aan, die het gesprek on-geïnteresseerd had aangehoord. 'Zou je voor mij de kelder in Alder-thorpe willen beschrijven, Lucy?'
'De kelder?'
'Ja. Of kun je je die niet herinneren?'
'Het was gewoon een kelder,' zei Lucy. 'Donker en koud.'
'Waren er nog bijzondere dingen?'
'Geen idee. Zoals wat?'
'Zwarte kaarsen, wierook, een pentagram, gewaden. Werd er daar be-neden niet veel gedanst en gezongen, Lucy?'

Lucy deed haar ogen dicht. 'Dat weet ik niet meer. Dat was ik niet. Dat was Linda.'

'Ach, kom nou toch, Lucy. Je weet wel beter. Hoe komt het eigenlijk dat je toevallig steeds je geheugen kwijt bent wanneer het gesprek op een onderwerp komt waar je niet over wilt praten?'

'Hoofdinspecteur,' zei Julia Ford. 'Denkt u er alstublieft aan dat mijn cliënt aan retrograde amnesie lijdt als gevolg van een posttraumatische shock.'

'Ja, ja, dat weet ik heus wel. Indrukwekkende woorden.' Banks richtte zich weer tot Lucy. 'Je kunt je dus niet herinneren dat je op The Hill in de kelder bent geweest en je kunt je evenmin het gedans en gezang in de kelder in Alderthorpe herinneren. Herinner je je de kooi nog wel?'

Lucy leek zich in zichzelf terug te trekken.

'Herinner je je de kooi dan nog wel?' drong Banks aan. 'In de oude schuilkelder uit de oorlog?'

'Die herinner ik me nog wel,' fluisterde Lucy. 'Daar stopten ze ons in wanneer we stout waren geweest.'

'Wat had je dan voor stouts gedaan, Lucy?'

'Ik begrijp u niet.'

'Waarom zaten jullie in die kooi toen de politie kwam? Tom en jij? Wat hadden jullie gedaan dat ze jullie daarin hadden gestopt?'

'Dat weet ik niet meer. Niets bijzonders. Daar was weinig voor nodig. Wanneer je je bord niet leegat, bijvoorbeeld... Niet dat er veel te eten was, maar toch... Of wanneer je brutaal was geweest, of nee had gezegd wanneer ze wilden dat... wanneer ze wilden dat je... Je kon zo in die kooi worden opgesloten.'

'Weet je nog wie Kathleen Murray was?'

'Ja, dat weet ik nog wel. Ze was mijn nichtje.'

'Wat is er met haar gebeurd?'

'Ze hebben haar vermoord.'

'Wie?'

'De grote mensen.'

'Waarom hebben ze haar vermoord?'

'Dat weet ik niet. Ze hebben gewoon... ze ging gewoon dood.'

'Ze zeiden dat je broer Tom haar had vermoord.'

'Dat is belachelijk. Tom zou niemand kunnen vermoorden. Tom is heel lief.'

'Kun je je nog herinneren wat er toen is gebeurd?'

'Ik was er niet bij. Op een dag zeiden ze gewoon dat Kathleen was weggegaan en dat ze nooit zou terugkomen. Ik wist dat ze dood was.'

'Hoe wist je dat?'

'Ik wist het gewoon. Ze huilde de hele tijd en zei dat ze het aan iemand ging vertellen. Ze zeiden altijd dat ze ons zouden vermoorden als ze ook maar dachten dat we het aan iemand zouden vertellen.'

'Kathleen is gewurgd, Lucy.'

'Is dat zo?'

'Ja. Net als de meisjes die we in jullie kelder hebben gevonden. Gewurgd met een soort wurgkoord. Denk maar aan die gele vezels die we onder jouw nagels hebben gevonden, samen met Kimberleys bloed.'

'Waar wilt u eigenlijk naartoe, hoofdinspecteur?' vroeg Julia Ford.

'Er zijn veel overeenkomsten tussen deze twee misdaden. Dat is alles.'

'De moordenaars van Kathleen Murray zitten toch al jarenlang in de gevangenis?' wierp Julia tegen. 'Lucy heeft daar niets mee te maken.'

'Ze was bij de zaak betrokken.'

'Ze was een slachtoffer.'

'Altijd slachtoffer, hè Lucy? Het slachtoffer met het slechte geheugen. Hoe bevalt dat eigenlijk?'

'Nu is het genoeg,' zei Julia.

'Het is vreselijk,' zei Lucy met een dun stemmetje.

'Wat?'

'U vroeg hoe het bevalt om een slachtoffer met een slecht geheugen te zijn. Het voelt vreselijk. Het is net alsof ik niet besta, alsof ik mezelf kwijt ben, geen controle meer heb, alsof ik niet meetel. Ik kan me de akelige dingen die met me zijn gebeurd niet eens meer herinneren.'

'Ik vraag het je nog één keer, Lucy: heb je ooit je man geholpen om een jong meisje te ontvoeren?'

'Nee.'

'Heb je de meisjes die hij mee naar huis bracht ooit kwaad gedaan?'

'Tot afgelopen week wist ik niet eens van hun bestaan af.'

'Waarom ben je die bewuste nacht opgestaan en naar de kelder gegaan? Waarom toen wel en andere keren niet toen je man zich daar met een jong meisje bezighield?'

'Omdat ik nooit eerder iets had gehoord. Hij moet me een verdovend middel hebben gegeven.'

'We hebben bij het onderzoeken van jullie huis geen slaaptabletten gevonden en geen van jullie tweeën heeft er een recept voor.'

'Dan heeft hij ze op een andere manier gekregen. Waarschijnlijk waren ze op. Daarom ben ik natuurlijk wakker geworden.'

'Hoe zou hij eraan gekomen zijn?'

'Op school. Op school hebben ze altijd een hele voorraad pillen en drankjes.'

'Lucy, wist je dat je man een verkrachter was toen je hem leerde kennen?'

'Wist ik... wat?'

'Je hebt me wel gehoord.' Banks sloeg het dossier open dat voor hem lag. 'Voorzover we hebben kunnen nagaan, moet hij al vier vrouwen hebben verkracht voordat hij jou ontmoette in die pub in Seacroft. Terence Payne was de verkrachter van Seacroft. Zijn DNA komt overeen met dat wat we bij de slachtoffers hebben gevonden.'

'Ik... ik...'

'Je weet niet wat je moet zeggen?'

'Nee.'

'Hoe heb je hem ontmoet, Lucy? Geen van je vriendinnen kan zich herinneren dat je die avond in de pub met hem hebt staan praten.'

'Dat heb ik u al verteld. Ik ging net weg. Het was een heel grote pub met veel verschillende ruimtes. We zijn naar een andere kroeg gegaan.'

'Waarom was jij anders, Lucy?'

'Ik begrijp niet wat u bedoelt.'

'Waarom is hij jou niet ook naar buiten gevolgd om je daar te verkrachten, net als die andere vrouwen?'

'Ik heb geen idee. Hoe moet ik dat nu weten?'

'Je zult moeten toegeven dat het toch wel erg vreemd is.'

'Ik zei toch al dat ik geen flauw idee heb. Hij vond me aardig. Hij hield van me.'

'Toch is hij doorgegaan met het verkrachten van andere jonge vrouwen, ook nadat hij je had leren kennen.' Banks keek weer in het dossier. 'Volgens onze gegevens nog minstens twee keer. En dat zijn dan alleen de vrouwen die aangifte hebben gedaan. Sommige vrouwen doen namelijk geen aangifte van verkrachting, wist je dat? Die zijn te veel van slag of ze schamen zich. Omdat ze zichzelf de schuld geven van wat hun is overkomen.' Banks dacht aan wat Annie Cabbot meer dan twee jaar geleden had moeten doormaken.

'Wat heb ik daarmee te maken?'

'Waarom heeft hij jou niet verkracht?'

Lucy wierp hem een ondoorgrondelijke blik toe. 'Misschien heeft hij dat wel gedaan.'

'Doe niet zo absurd. Geen enkele vrouw wordt graag verkracht en geen enkele vrouw zal vrijwillig met haar verkrachter trouwen.'

'Het zou u nog verbazen aan welke dingen je allemaal gewend kunt raken als je geen andere keus hebt.'

'Wat wil je daarmee zeggen: geen andere keus?'

'Precies wat ik zeg.'

'Je hebt er toch zelf voor gekozen om met Terry te trouwen? Niemand heeft je gedwongen.'

'Dat bedoelde ik niet.'

'Wat bedoelde je dan wel?'

'Laat maar zitten.'

'Ik wil het graag weten.'

'Laat maar zitten.'

Banks schoof de papieren opzij. 'Wat was er, Lucy? Heeft hij je verteld wat hij had gedaan? Wond het je op? Had hij in jou een verwante ziel ontdekt? Vormden jullie samen net zo'n mooi stel als Hindley en Brady?'

Julia Ford schoot overeind. 'Zo is het wel genoeg, hoofdinspecteur. Nog zo'n opmerking en dit verhoor is afgelopen. Bovendien zal ik u zeker aangeven.'

Banks streek met een hand over zijn kortgeknipte haar. Het voelde stekelig aan.

Winsome zette de ondervraging voort. 'Heeft hij je verkracht, Lucy?' vroeg ze met haar zangerige Jamaicaanse accent. 'Heeft je echtgenoot je verkracht?'

Lucy draaide zich om en keek Winsome aan. Banks kreeg de indruk dat ze heel berekenend overwoog welke rol deze nieuwe persoonlijkheid speelde in het geheel.

'Natuurlijk niet. Ik zou nooit van mijn leven met een verkrachter zijn getrouwd.'

'Dus je wist het niet?'

'Natuurlijk niet.'

'Is je helemaal niets vreemds opgevallen aan Terry? Ik heb hem natuurlijk nooit gekend, maar het lijkt me dat je genoeg redenen had om voor hem op je hoede te zijn.'

'Hij kon heel charmant zijn.'

'Heeft hij in al die tijd dat jullie samen waren nooit iets gedaan of gezegd dat je verdacht vond?'

'Nee.'

'Op de een of andere manier ben je getrouwd met een man die niet alleen een verkrachter was, maar ook jonge meisjes ontvoerde en vermoordde. Heb je daar een verklaring voor, Lucy? Je zult toch moeten toegeven dat het ongebruikelijk is en moeilijk te geloven.'

'Dat kan ik ook niet helpen. En ik heb er geen verklaring voor. Het is gewoon zo gegaan.'

'Vond hij het leuk om spelletjes te spelen, seksuele spelletjes?'

'Zoals wat?'

'Bond hij je graag vast? Vond hij het leuk om net te doen alsof hij je verkrachtte?'

'Dat soort dingen hebben we nooit gedaan.'

Winsome gaf Banks een teken dat hij het weer van haar moest overnemen en haar blik weerspiegelde zijn eigen gevoelens; ze kwamen geen stap verder en Lucy Payne loog waarschijnlijk.

'Waar is de camcorder?' vroeg Banks.

'Ik weet niet waar u het over heeft.'

'We hebben sporen gevonden in de kelder. Er heeft een camcorder aan het voeteneind van het bed gestaan. Ik denk dat jullie alles wat jullie met die meisjes hebben gedaan op video hebben opgenomen.'

'Ik heb niets met die meisjes gedaan. Ik heb u toch verteld dat ik nooit in de kelder ben geweest, behalve dan misschien die ene keer. Ik weet niets van een camcorder.'

'Je hebt je man nooit met zo'n ding gezien?'

'Nee.'

'Heeft hij je nooit een video laten zien?'

'Alleen video's die hij had gehuurd of geleend.'

'We denken te weten waar hij die camcorder heeft gekocht, Lucy. We kunnen het controleren.'

'Dat moet u doen. Ik heb er nooit een gezien en weet er niets van.'

Banks zweeg en sloeg een andere richting in. 'Je vertelde net dat jullie geen seksspelletjes speelden, Lucy. Waarom heb je je dan als prostituee verkleed en gedragen?' vroeg Banks.

'Wat?'

'Weet je dat niet meer?'

'Jawel, maar dat was iets heel anders. Ik heb niet... ik ben niet zo de straat opgegaan. Wie heeft u dat verteld?'

'Dat maakt niet uit. Heb je in de bar van een hotel dan geen man opgepikt voor seks?'

'Nou en? Het was gewoon een grap, een weddenschap.'

'Dus je hield wel van dat soort spelletjes.'

'Toen kende ik Terry nog niet.'

'En daarom was het oké?'

'Dat zeg ik niet. Het was gewoon een geintje, meer niet.'

'Wat is er gebeurd?'

Er verscheen een sluwe glimlach op Lucy's gezicht. 'Hetzelfde wat er gebeurde als ik me in een pub liet versieren. Alleen kreeg ik er die keer tweehonderd pond voor. Zoals ik al zei, het was een geintje, meer niet. Gaat u me nu arresteren wegens prostitutie?'

'Leuk geintje,' zei Banks.

Julia Ford leek het gesprek wat verdwaasd te volgen, maar ze zei niets. Banks wist dat ze nog steeds niets hadden bereikt. Hartnell had gelijk: afgezien van haar vreemde relatie met Payne en de bloedspatten en vezels van de waslijn hadden ze geen overtuigend bewijs tegen Lucy. Haar antwoorden klonken misschien niet allemaal even logisch, maar ze hadden geen enkele reden om haar nog langer vast te houden, tenzij ze nu zou bekennen dat ze haar man bij de moorden had geholpen. Hij keek haar aan. De kneuzingen waren bijna helemaal weggetrokken en ze zag er met haar bleke huid en lange zwarte haar onschuldig en beeldschoon uit. De enige reden dat Banks volhardde in zijn overtuiging dat er meer achter de gebeurtenissen zat dan ze wilde toegeven, waren haar ogen: zwart, weerspiegelend, ondoordringbaar. Hij kreeg de indruk dat je gek zou worden als je te lang in zulke ogen bleef staren. Dat was echter geen bewijs, maar eerder zijn op hol geslagen verbeelding. Plotseling had hij er genoeg van. Tot verbazing van de drie anderen stond hij zo onverwacht op dat hij bijna zijn stoel omvergooide. Hij zei: 'Je kunt gaan, Lucy. Blijf alleen wel in de buurt.' Daarna liep hij snel de kamer uit.

Na Alderthorpe was Easington een aangename verrassing, vond Jenny en ze parkeerde haar auto bij de pub in het centrum van het dorp. Hoewel het zich net zover van de beschaafde wereld bevond, leek het er in tegenstelling tot Alderthorpe toch deel van uit te maken.

Jenny wist het adres van Maureen Nesbitt vrij gemakkelijk los te krijgen van een meisje achter de bar. Kort daarop stond ze op de stoep tegenover een achterdochtige vrouw met lang wit haar dat met een blauw lint in een staart was gebonden. Ze was gekleed in een beige vest en een zwarte broek die iets te strak om haar mollige heupen en dijen zat.

'Wie bent u? Wat komt u hier doen?'

'Ik ben psycholoog,' zei Jenny. 'Ik zou graag met u willen praten over wat er in Alderthorpe is gebeurd.'

Maureen Nesbitt speurde links en rechts de straat af en keek toen weer naar Jenny. 'Bent u echt geen verslaggever?'

'Ik ben geen verslaggever, heus.'

'Want die hebben me ik weet niet hoe lang lastiggevallen toen het net was gebeurd, maar ik heb ze niets verteld. Aasgieren.' Ze trok haar vest strakker om zich heen.

'Ik ben echt geen verslaggever,' herhaalde Jenny en ze zocht in haar tas naar iets waarmee ze zich kon identificeren. Het beste wat ze bij zich had, was de bibliotheekpas van haar werk. Daar stond in elk geval op dat ze doctor Fuller was en een medewerker van de universiteit. Maureen bestudeerde de pas nauwkeurig, liet duidelijk merken dat ze niet helemaal overtuigd was omdat er geen foto op stond, maar liet Jenny ten slotte toch binnenkomen. Toen ze eenmaal de deur gesloten had, veranderde ze als bij toverslag in een vriendelijke gastvrouw en stond ze erop een pot verse thee te zetten. De woonkamer was klein maar gezellig met een paar leunstoelen, een spiegel boven de open haard en een vitrinekastje dat vol stond met prachtig kristal. Naast een van de leunstoelen stond een tafeltje waarop naast een halfvol kopje thee met melk een paperbackeditie van Dickens' *Grote Verwachtingen* lag. Jenny ging in de andere stoel zitten.

Toen Maureen een dienblad binnenbracht waarop ook een schaal volkorenkoekjes stond, zei ze: 'Het spijt me dat ik zojuist zo onvriendelijk was, maar ik ben de afgelopen jaren door schade en schande wijs geworden. Een klein beetje bekendheid kan je hele leven op zijn kop zetten.'

'Geeft u nog steeds les?'

'Nee. Ik ben drie jaar geleden met pensioen gegaan.' Ze tikte op het boek. 'Ik heb mezelf beloofd dat ik na mijn pensioen al mijn favoriete klassieken zou herlezen.' Ze ging zitten. 'De thee moet nog even trekken. Ik neem aan dat u hier bent vanwege Lucy Payne?'

'U kent haar dus?'

'Ik ben al die kinderen zo goed mogelijk blijven volgen. Ik weet dat Lucy, die toen nog Linda heette, bij het echtpaar Liversedge vlak bij Hull heeft gewoond, totdat ze die baan kreeg bij de bank en in Leeds ging wonen, waar ze met Terence Payne is getrouwd. Ik hoorde net op de radio dat de politie haar bij gebrek aan bewijs heeft moeten laten gaan.'

Dat had Jenny nog niet gehoord, maar ze had die dag dan ook niet naar nieuwsuitzendingen geluisterd. 'Hoe weet u dit allemaal?' vroeg ze.

'Mijn zus werkt bij de sociale dienst in Hull. U verraadt me toch niet, hè?'

'U hebt mijn erewoord.'

'Wat wilde u eigenlijk weten?'

'Wat was uw indruk van Lucy?'

'Ze was heel intelligent. Bijzonder intelligent. Maar ze verveelde zich ook snel, was gemakkelijk afgeleid. Ze was eigengereid, koppig, en als ze eenmaal iets in haar hoofd had, kreeg je het er niet meer uit. U moet natuurlijk wel bedenken dat ze ten tijde van de arrestaties al op de middelbare school zat. Ik gaf les op de lagere school. Ze heeft tot haar elfde bij ons op school gezeten.'

'Maar de andere kinderen zaten nog wel bij u op school?'

'Ja. Allemaal. Wat scholen betreft, is er in deze omgeving weinig keus.'

'Kunt u zich verder nog iets over Lucy herinneren?'

'Eigenlijk niet, nee.'

'Had ze vrienden of vriendinnen?'

'Nee, die hadden ze geen van allen. Ze vormden een geheimzinnig groepje. Soms, als je hen samen zag, kreeg je het gevoel dat ze een eigen taal spraken en een verborgen agenda hadden. Hebt u ooit iets van John Wyndham gelezen?'

'Nee.'

'Dat zou u eens moeten doen. Hij is erg goed. Voor een schrijver van sciencefiction wel te verstaan. Het klinkt misschien vreemd, maar mijn leerlingen mochten bijna alles lezen waar ze zin in hadden, zolang ze maar lazen. Maar goed, Wyndham heeft een boek geschreven over een groepje vreemde kinderen die in een nietsvermoedend dorpje door buitenaardse wezens waren verwekt.'

'Dat klinkt bekend,' zei Jenny.

'Misschien hebt u de film gezien? Die heette *Village of the Damned.*'

'Dat klopt,' zei Jenny. 'Dat was toch die film waarin een leraar een bom plaatste die de kinderen moest vernietigen en hij zich op een stenen muur moest concentreren zodat ze zijn gedachten niet konden lezen?'

'Inderdaad. Met de Godwins en de Murrays was het anders, maar je kreeg wel hetzelfde gevoel door de manier waarop ze naar je keken of in de gang bleven wachten tot je weg was voordat ze verder praatten. Bovendien fluisterden ze altijd. Ik weet nog goed dat Linda erg van slag was toen ze als eerste en enige de school moest verlaten om naar de middelbare school te gaan, maar ik heb van een leraar daar begrepen dat ze er snel aan gewend is geraakt. Ze heeft een sterk karakter, dat meisje, ondanks wat er met haar is gebeurd, en ze past zich snel aan.'

'Gaf ze indertijd blijk van ongewone interesses?'

'Wat bedoelt u daarmee?'

'Had ze belangstelling voor morbide zaken? De dood? Verminking?'

'Het is mij niet opgevallen. Ze was... hoe zal ik het zeggen... vroegrijp en zich voor een meisje van haar leeftijd sterk bewust van haar seksualiteit. Normaal gesproken beginnen meisjes zich pas vanaf hun twaalfde te ontwikkelen, maar Lucy bereikte dat stadium al op haar elfde. Ze kreeg bijvoorbeeld al borsten.'

'Was ze seksueel actief?'

'Nee. We weten nu natuurlijk dat ze thuis seksueel werd misbruikt. Maar nee, niet op de manier die u bedoelt. Wel had ze een enorme seksuele uitstraling en ze deinsde er niet voor terug om de uitdagende flirt te spelen.'

'Juist.' Jenny maakte een aantekening. 'U bent degene die de autoriteiten heeft ingeschakeld toen Kathleen niet meer op school verscheen?'

257

'Dat klopt.' Maureen wendde haar gezicht af en keek nietsziend naar het raam. 'Dat was niet het leukste moment uit mijn carrière.' Ze boog zich voorover om thee in te schenken. 'Melk en suiker?'

'Graag. Dank u wel. Hoezo?'

'Ik had al veel eerder iets moeten doen. Het was niet de eerste keer dat ik vermoedde dat er iets vreselijks gaande was in die gezinnen. Hoewel ik nooit blauwe plekken of andere uiterlijke kenmerken van misbruik had gezien, zagen de kinderen er ondervoed uit en waren ze altijd heel verlegen. Ik weet dat dit verschrikkelijk klinkt, maar ze roken vaak ook alsof ze zich in dagen niet hadden gewassen. De andere kinderen wilden niet naast hen zitten. Wanneer je hen aanraakte, hoe voorzichtig ook, schrokken ze op. Ik had het eerder moeten beseffen.'

'Wat hebt u gedaan?'

'Ik heb er met de andere onderwijzers over gesproken en we waren het er allemaal over eens dat er iets niet in orde was. Toen bleek dat de maatschappelijk werkers ook al hun verdenkingen hadden. Ze waren wel eens langs geweest, maar kwamen nooit verder dan de voordeur. Michael Godwin had een bijzonder valse rottweiler. Maar goed, toen Kathleen Murray wegbleef en er geen acceptabele verklaring voor haar afwezigheid kon worden gegeven, hebben ze eindelijk besloten in te grijpen. De rest van het verhaal kent u.'

'U zei dat u de kinderen bent blijven volgen,' zei Jenny. 'Ik zou graag met hen willen praten. Kunt u me daarbij helpen?'

Maureen zweeg even. 'Als u wilt, maar ik denk niet dat u veel uit hen zult krijgen.'

'Weet u waar ze zijn en hoe het met ze gaat?'

'Niet tot in de details, maar ik kan u een algemeen beeld geven.'

Jenny nam een slokje thee en sloeg haar notitieboekje open.

14

'Wat vind je van Lucy Payne?' vroeg Banks aan Winsome Jackman toen ze op weg naar de ouders van Leanne Wray door North Market Street liepen.

Winsome dacht even na. Banks zag dat verschillende mensen haar aanstaarden toen ze voorbijkwamen. Ze wist dat ze tot een van de minderheidsgroeperingen behoorde, zo had ze tijdens haar sollicitatiegesprek tegen Banks gezegd, waaruit mensen werden gerecruteerd om aan het verplichte minimum te voldoen. Er moesten meer politiefunctionarissen uit minderheden worden aangesteld, luidde de nieuwe regelgeving, ook in gemeenschappen waar de desbetreffende minderheid niet of nauwelijks tot de inwoners behoorde, zoals West-Indiërs in de Yorkshire Dales. Ze had hem ook gezegd dat dit haar niets deed en dat ze haar werk toch verdomd goed zou doen. Banks had geen moment aan haar woorden getwijfeld. Winsome was een protégé van assistenthoofdcommissaris McLaughlin en hard op weg naar versnelde promotie en alles wat daarbij kwam kijken. Ze zou waarschijnlijk voor haar vijfendertigste hoofdinspecteur zijn. Banks mocht haar graag. Ze was gemakkelijk in de omgang en had een scherp gevoel voor humor. Over haar privé-leven wist Banks weinig, behalve dat ze een enthousiast bergbeklimmer en speleoloog was en in een flat in Eastvale woonde. Hij had geen idee of ze een vriend of vriendin had.

'Ik denk dat ze misschien haar man beschermt,' zei Winsome. 'Ze heeft het geweten of vermoed en heeft haar mond gehouden. Misschien wilde ze het voor zichzelf niet toegeven.'

'Denk je dat ze erbij betrokken is geweest?'

'Weet ik niet. Ik denk het niet. Ik denk dat ze zich wel aangetrokken voelde tot zijn duistere kant, vooral de seksuele, maar ik zou er niet vanuit durven gaan dat ze er ook bij betrokken was. Ze is wel heel vreemd, ja. Maar een moordenaar...?'

'Bedenk wel dat Kathleen Murray ook door wurging om het leven is gekomen,' zei Banks.

'Lucy was toen pas twaalf.'

'Het zet je wel aan het denken. Moeten we hier niet in?'
'Ja.'
Ze verlieten North Market en liepen een doolhof van smalle straatjes in die tegenover het wijkcentrum lag waar Sandra vroeger had gewerkt. Toen hij het gebouw zag en aan de keren dacht dat hij haar daar had afgezet of haar na haar werk had opgewacht om naar een toneelstuk of film te gaan, voelde Banks een scherpe steek vanwege het verlies, maar het duurde niet lang. Sandra was allang niet meer dezelfde vrouw met wie hij getrouwd was geweest.

Het huis dat ze zochten bleek vlak bij de Old Ship Inn te liggen, ongeveer vijftien minuten lopen door een druk, goed verlicht deel van North Market Street met veel pubs en winkels. Banks belde aan.

Het eerste wat hem opviel toen Christopher Wray opendeed, was de geur van nieuwe verf. Toen hij en Winsome naar binnen liepen, zag hij dat de Wrays hun huis opnieuw aan het inrichten waren. In de gang was het behang verwijderd en meneer Wray was bezig het plafond in de woonkamer crèmekleurig te schilderen. Het meubilair was met lakens afgedekt.

'Het spijt me van de rommel,' zei hij verontschuldigend. 'Zullen we maar naar de keuken gaan? Hebt u Leanne al gevonden?'

'Nee, nog niet,' zei Banks.

Ze volgden hem naar de kleine keuken, waar hij een ketel water opzette. Ze namen plaats aan de kleine keukentafel, en terwijl hij wachtte tot het water kookte, kletste meneer Wray aan een stuk door over de veranderingen in hun huis, alsof hij vastbesloten was het doel van hun bezoek zo lang mogelijk te mijden. Toen de thee eindelijk was gezet en ingeschonken, vond Banks dat het tijd werd het gesprek op Leanne te brengen.

'Ik moet u bekennen,' begon hij, 'dat we een beetje met onze handen in het haar zitten.'

'O?'

'Zoals u weet, zijn onze mensen nu al een aantal dagen in het huis van de Paynes bezig. Ze hebben inmiddels zes lichamen geborgen, waarvan er vier zijn geïdentificeerd, maar uw dochter is er niet bij.'

'Houdt dat in dat Leanne misschien nog leeft?' vroeg Wray hoopvol.

'Het is mogelijk,' gaf Banks toe. 'Hoewel ik u moet waarschuwen niet te optimistisch te zijn, aangezien ze al vrij lang weg is en geen enkel levensteken heeft gegeven ondanks de landelijke oproepen op televisie en in de pers.'

'Wat dan?'

'Dat proberen we juist te weten te komen.'

'Ik zie niet in hoe ik u kan helpen.'

'U kunt ons misschien niet helpen,' zei Banks, 'maar wanneer een zaak zo is vastgelopen als deze, moeten we eigenlijk alles weer van voor af aan doornemen. Alles wat we eerder hebben bekeken nog eens tegen het licht houden en hopen dat we dit keer een ander perspectief zien.'

Toen Wrays vrouw Victoria in de deuropening verscheen, sprong haar man overeind en kuste haar op de wang. 'Ik dacht dat je aan het rusten was, lieferd.' Victoria wreef de slaap uit haar ogen, hoewel Banks vermoedde dat ze eerst een paar minuten de tijd had genomen om haar gezicht te fatsoeneren voordat ze naar beneden was gekomen. Ze was een aantrekkelijke vrouw van begin dertig, met een slank figuur en een dikke bos glanzend bruin haar dat tot over haar schouders viel. Wray zelf was rond de veertig en alles aan hem was onopvallend, behalve zijn kin die direct in zijn hals overging. Banks herinnerde zich dat hij al vanaf hun eerste ontmoeting had gedacht dat ze een apart stel vormden: hij was een doodgewone, nuchtere buschauffeur en zij iemand die zich een geaffecteerd accent had aangemeten en wanhopig aansluiting zocht bij de hogere kringen.

Victoria rekte zich uit, ging zitten en schonk een kopje thee voor zichzelf in.

'Hoe voel je je nu?' vroeg haar man.

'Het gaat.'

'Je weet dat je in jouw toestand voorzichtig moet zijn. Dat heeft de dokter ook gezegd.'

'Dat weet ik wel. Dat weet ik wel.' Ze kneep in zijn hand. 'Ik ben voorzichtig.'

'Welke toestand bedoelt u?' vroeg Banks.

'Mijn vrouw verwacht een baby, hoofdinspecteur,' antwoordde Wray stralend.

Banks keek Victoria aan. 'Gefeliciteerd,' zei hij.

Ze knikte minzaam en uit de hoogte.

'Hoe ver bent u?' vroeg hij.

Ze aaide over haar buik 'Bijna vier maanden.'

'U was dus al zwanger toen Leanne verdween?'

'Ja. Ik had het juist die ochtend ontdekt.'

'Wat vond Leanne ervan?'

Victoria tuurde in haar kopje. 'Leanne kon erg eigengereid en lastig zijn, hoofdinspecteur,' zei ze. 'Ze was er minder blij mee dan we hadden gehoopt.'

'Ach, liefje, dat is niet eerlijk,' zei meneer Wray. 'Ze zou heus wel aan het idee gewend zijn geraakt. Dat weet ik zeker.'

Banks overdacht de situatie: Leannes moeder overlijdt na een lang en pijnlijk ziekbed aan kanker. Kort daarna hertrouwt haar vader met een vrouw die ze duidelijk niet kan uitstaan. Niet lang daarna kondigt de stiefmoeder aan dat ze zwanger is. Je hoefde geen psycholoog te zijn om in te zien dat dit tot problemen zou leiden, zeker gezien Leannes leeftijd en haar verdriet om haar moeder.

'Ze was dus niet blij toen ze het hoorde?'

'Nee,' gaf meneer Wray toe. 'Het duurt altijd even voordat je aan zoiets went.'

'Dan moet je het wel willen proberen,' zei Victoria. 'Daar is Leanne veel te egoïstisch voor.'

'Leanne was heus wel bereid om haar best te doen,' hield meneer Wray vol.

'Wanneer hebt u het haar verteld?' vroeg Banks.

'Op de ochtend van de dag dat ze verdween.'

Hij zuchtte diep. 'Waarom hebt u ons dit niet meteen na Leannes verdwijning gezegd?'

Meneer Wray keek verbaasd. 'Niemand heeft ernaar gevraagd. Het leek zo onbeduidend. Het ging tenslotte om een familieaangelegenheid.'

'Bovendien,' zei Victoria, 'brengt het ongeluk wanneer je het aan onbekenden vertelt voordat de eerste drie maanden zijn verstreken.'

Waren ze echt zo dom of deden ze maar alsof? vroeg Banks zich af. Zo kalm en neutraal mogelijk vroeg hij: 'Wat zei ze?'

De Wrays keken elkaar aan. 'Wat ze zei? Niets eigenlijk, of wel, liever?' zei meneer Wray.

'Ze stelde zich enorm aan,' zei Victoria.

'Was ze kwaad?'

'Dat zou ik wel zeggen,' zei meneer Wray.

'Kwaad genoeg om u te willen straffen?'

'Hoe bedoelt u?'

'Luister eens, meneer Wray,' zei Banks, 'toen u ons vertelde dat Leanne werd vermist en we haar niet binnen een dag of twee hadden gevonden, waren we allemaal op het ergste voorbereid. Maar wat u ons zojuist heeft verteld, zet de zaak in een heel nieuw licht.'

'Is dat zo?'

'Als ze kwaad was vanwege de zwangerschap van haar stiefmoeder, kan ze best zijn weggelopen om u te straffen.'

'Leanne zou nooit weglopen,' zei meneer Wray niet-begrijpend. 'Ze was dol op me.'

'Misschien is dat juist het probleem,' zei Banks. Hij wist niet of dit nu het Electra-complex werd genoemd, maar hij doelde op de vrouwelijke versie van het Oedipus-complex. Meisje houdt van haar vader, moeder overlijdt, en in plaats van zich volledig aan haar te wijden zoekt de man een nieuwe vrouw die, om de zaak nog ingewikkelder te maken, zwanger van hem raakt, waardoor de basis onder hun relatie dreigt te worden weggevaagd. Hij zou er niet van opkijken wanneer Leanne er inderdaad vandoor was gegaan. Bleef echter het probleem dat ze nooit haar geld en haar inhaler zou hebben weggegooid.

'Volgens mij is ze daar wel degelijk toe in staat,' zei Victoria. 'Ze kon heel wreed zijn. Weet je nog die keer dat ze wonderolie in de koffie had gedaan op de eerste bijeenkomst van mijn leesclub? Caroline Opley heeft toen haar hele Margaret Atwood ondergespuugd.'

'Dat was alleen maar in het begin, lieverd,' wierp meneer Wray zachtjes tegen. 'Het duurde gewoon even voordat ze aan alles gewend was.'

'Dat weet ik wel. Maar toch. Ze kon ook zo verschrikkelijk nonchalant zijn. Ze was altijd van alles kwijt, ook dat zilveren...'

'Kan ze zo kwaad zijn geweest dat ze besloot om veel te laat thuis te komen?' vroeg Banks.

'Absoluut,' antwoordde Victoria onmiddellijk. 'U zou eens met die jongen moeten gaan praten. Die Ian Scott. Weet u al dat hij een drugsdealer is?'

'Gebruikte Leanne drugs?'

'Voorzover wij weten niet,' zei meneer Wray.

'Maar het zou best kunnen, Chris,' ging zijn vrouw verder. 'Het is nu wel duidelijk dat ze ons niet alles vertelde. Wie weet wat ze allemaal uitspookte wanneer ze met die lui op stap was?'

Christopher Wray legde een hand op die van zijn vrouw. 'Wind je niet zo op, liefje. Denk aan wat de dokter heeft gezegd.'

Victoria stond op en wankelde even. 'Ik denk dat ik weer even moet gaan liggen,' zei ze. 'Maar let op mijn woorden, hoofdinspecteur, Ian Scott is degene die u moet hebben. Een door en door slechte jongen.'

'Dank u wel,' zei Banks. 'Ik zal het zeker onthouden.'

Toen ze weg was, bleef het even stil in de kamer. 'Kunt u ons verder nog iets vertellen?' vroeg Banks ten slotte.

'Nee. Nee. Ik weet alleen zeker dat ze nooit zou zijn weggelopen. Er moet iets met haar gebeurd zijn.'

'Waarom hebt u pas de volgende ochtend de politie gealarmeerd? Had ze dit al eens eerder gedaan?'

'Nog nooit. Anders had ik het u wel verteld.'

'Waarom hebt u dan zolang gewacht?'

'Ik had wel eerder willen bellen.'

'Toe maar, meneer Wray,' zei Winsome en ze raakte zachtjes zijn arm aan. 'U kunt het ons wel vertellen.'

Hij keek haar met smekende ogen aan. 'Ik had de politie eerder willen bellen, echt,' zei hij. 'Ze was nog nooit een hele nacht weggebleven.'

'U had ruzie gehad, is het dat?' suggereerde Banks. 'Toen ze zo vervelend had gereageerd op het bericht dat uw vrouw zwanger was?'

'Ze vroeg me hoe ik het kon... zo kort na... na haar moeder. Ze was van streek, huilde, en zei verschrikkelijke dingen over Victoria, dingen die ze niet meende, maar... Victoria zei tegen haar dat ze kon vertrekken als ze wilde en niet meer hoefde terug te komen.'

'Waarom hebt u ons dat indertijd niet verteld?' vroeg Banks, hoewel hij het antwoord al wist: schaamte, bang voor wat anderen zouden zeggen, iets waar Victoria Wray ongetwijfeld gevoelig voor was, en de onwil om de politie bij hun privé-aangelegenheden te betrekken. De enige reden dat ze al op de hoogte waren van de spanningen tussen Victoria en Leanne was omdat de vrienden van Leanne dit hadden verteld.

Er stonden tranen in meneer Wrays ogen. 'Ik kon het niet,' zei hij. 'Ik kon het gewoon niet. We dachten inderdaad dat ze de hele nacht was weggebleven om ons te laten merken hoe kwaad ze was. Toch is Leanne geen slecht meisje, hoofdinspecteur. Ze zou de volgende ochtend zijn teruggekomen, dat weet ik heel zeker.'

Banks stond op. 'Mogen we nog even in haar kamer kijken? Misschien hebben we de vorige keer iets over het hoofd gezien.'

Wray keek hem verward aan. 'Ja, natuurlijk. Alleen... ik bedoel... Alles is weg. De kamer is helemaal opnieuw ingericht.'

'U hebt Leannes kamer opnieuw behangen?' vroeg Winsome.

Hij keek haar aan. 'Ja. We konden er niet meer tegen nu ze weg was. Al die herinneringen. En nu, met de nieuwe baby op komst...'

'Wat hebt u met haar kleding gedaan?' vroeg Winsome.

'Die hebben we aan een tweedehands winkel gegeven.'

'En haar boeken en andere bezittingen?'

'Ook.'

Winsome schudde haar hoofd. Banks vroeg: 'Mogen we toch even kijken?'

Ze liepen naar boven. Wray had gelijk. Er was niets meer in die kamer dat nog aan Leanne Wray deed denken. De kleine ladekast, de nachtkastjes en de kledingkast waren allemaal verdwenen, net als haar bed, de kleine boekenkast en de paar poppen uit haar jeugd. Zelfs de vloerbedekking was veranderd en de posters met popsterren waren van de muren gerukt. Banks kon zijn ogen niet geloven. Hun dochter werd pas een maand vermist, haar lichaam was nog niet eens gevonden, en dan nu al dit?

'Dank u wel,' zei hij en hij wenkte Winsome hem naar beneden te volgen.

'Is dat niet vreemd?' zei ze toen ze buiten stonden. 'Zet je wel aan het denken, hè?'

'Wat denk je dan, Winsome?'

'Dat Leanne die avond misschien wel naar huis is gegaan. Dat meneer Wray misschien heeft gehoord dat we de tuin van de Paynes aan het omspitten waren en toen bedacht dat het tijd werd om te gaan behangen en schilderen.'

'Hmm,' zei Banks. 'Je zou best eens gelijk kunnen hebben, maar aan de andere kant uit iedereen zijn verdriet op een andere manier. Hoe dan ook, ik denk dat we de Wrays de komende dagen aan een diepgaand onderzoek moeten onderwerpen. Ga om te beginnen maar eens met hun buren praten. Misschien hebben die iets ongewoons gezien of gehoord.'

Na haar gesprek met Maureen Nesbitt besloot Jenny een bezoek aan Spurn Head te brengen voordat ze weer naar huis reed. Misschien zou een stevige wandeling haar helpen alles op een rijtje te zetten en het duffe gevoel uit haar hoofd te verdrijven. Misschien zou ze dan ook dat spookachtige gevoel kwijtraken dat haar sinds Alderthorpe had achtervolgd, het gevoel dat iemand haar in de gaten hield of volgde. Ze kon het niet verklaren, maar elke keer dat ze over haar schouder keek, had ze de indruk dat iemand in de schaduwen wegglipte, hoewel ze nooit iets zag.

Toen ze toegang had betaald en langzaam over het smalle pad naar de parkeerplaats reed, zag ze de oude vuurtoren die half onder water stond. Ze liep naar het strand. Het was er minder verlaten dan ze had verwacht. Vlak voor haar, op een platform in de zee dat door een smalle houten brug met het vasteland was verbonden, waren de kade en controleruimte voor de Humberloodsen die de grote tankers vanaf de Noordzee naar binnen loodsten. Achter haar stonden de nieuwe vuurtoren en een aantal huizen. Aan de andere kant van de riviermonding kon ze de kades en hijskranen van Grimsby en Immingham zien. Hoewel de zon scheen, stond er een stevige bries en ze voelde de kou toen ze over het zand rond de punt liep. De zee vertoonde een vreemde kleurencombinatie van paars, bruin en lavendel.

Er waren niet veel mensen in dit beschermde natuurgebied. De meeste bezoekers waren serieuze vogelspieders. Toch zag ze een paar stelletjes hand in hand lopen en een gezin met twee jonge kinderen. Ook tijdens de wandeling kon ze het gevoel dat ze werd gevolgd niet van zich afschudden.

Ze hield haar adem in toen ze de eerste tanker zag die rond de punt van de kade voer. Door de scherpe bocht was het enorme gevaarte heel plotseling opgedoemd. Het schoot vooruit totdat een van de loodsboten in de buurt het via de riviermonding naar de kades van Immingham loodste. Enkele ogenblikken later volgde een tweede tanker.

Jenny keek naar het water en dacht na over wat Maureen Nesbitt over de Zeven van Alderthorpe had verteld.

Tom Godwin, Lucy's jongere broertje, was net als Lucy tot zijn achttiende bij zijn pleeggezin gebleven en daarna bij verre familie in Australië gaan wonen, waar hij nu op hun schapenfarm in New South Wales werkte. Voorzover bekend was Tom een rustige jongen die vaak alleen lange wandelingen maakte en zo verlegen was dat hij stotterde in het bijzijn van vreemden. Vaak werd hij schreeuwend wakker uit nachtmerries die hij zich nooit kon herinneren.

Laura, Lucy's zus, woonde in Edinburgh, waar ze medicijnen studeerde in de hoop ooit psychiater te kunnen worden. Volgens Maureen had Laura zich na jarenlange therapie redelijk hersteld, hoewel ze erg timide en terughoudend was, waardoor het nog maar de vraag was of ze de uitdagingen van het door haar gekozen beroep het hoofd zou kunnen bieden. Ze was zonder twijfel een briljante, enthousiaste student, maar dat hield niet automatisch in dat ze ook bestand zou zijn tegen de dagelijkse druk van de psychiatrische praktijk.

Van de drie overlevende Murray-kinderen had Susan op haar dertiende zelfmoord gepleegd. Dianne bevond zich in een soort doorgangshuis voor geestesziekken en leed aan ernstige slaapstoornissen en hallucinaties. Keith studeerde Engels en geschiedenis aan de universiteit van Durham, en zou volgens Maureen wel bijna zijn afgestudeerd. Hij bezocht regelmatig een psychiater en had vaak last van depressieve buien en angstaanvallen, vooral wanneer hij zich in kleine ruimtes bevond.

Dat was dan de treurige nalatenschap van Alderthorpe. Jenny vroeg zich af of Banks haar het onderzoek wilde laten voortzetten nu hij Lucy had laten gaan. Wilde ze meer te weten komen, had Maureen Nesbitt gezegd, dan had ze de meeste kans van slagen bij Keith Murray en Laura Godwin. Omdat Keith het dichtst bij Eastvale woonde, besloot Jenny eerst bij hem langs te gaan. Maar zou het nog wel zin hebben? Ze had geen enkel psychologisch bewijs gevonden dat de zaak tegen Lucy kon versterken. Op dit moment kon ze begrijpen waarom zoveel agenten van de task force profilers nutteloos vonden.

Het was heel goed mogelijk dat Lucy een vorm van psychische schade had opgelopen waardoor ze een gewillig slachtoffer was geworden van Terence Payne, maar het tegendeel was evengoed mogelijk. Misschien was Lucy inderdaad een zeer sterke persoonlijkheid, sterk genoeg om haar verleden achter zich te laten en verder te gaan met haar leven.

Jenny nam de kortste weg terug naar de parkeerplaats en reed over het smalle pad terug naar de uitgang. Bij het wegrijden zag ze in haar achteruitkijkspiegel een blauwe Citroën die ze al eerder dacht te hebben gezien. Ze hield zichzelf voor dat ze niet zo paranoïde moest doen en reed in de richting van Patrington. Toen ze de buitenwijken van Hull naderde, belde ze Banks op haar mobiele telefoon.

'Jenny, waar zit je?'

'In Hull. Ik ben op weg naar huis.'

'Nog iets interessants ontdekt?'

'Heel wat, maar ik weet niet of we er iets mee opschieten. Als je wilt, kan ik proberen er een soort profiel mee te vormen.'

'Graag.'

'Ik heb net gehoord dat je Lucy Payne hebt moeten laten gaan.'

'Ja. We hebben haar zonder al te veel gedoe via een zijuitgang naar buiten gekregen en haar advocaat, Julia Ford, heeft haar naar Hull gebracht. Ze hebben even in de stad gewinkeld en daarna heeft haar advocaat haar naar de Liversedges gebracht. Die hebben haar met open armen ontvangen.'

'Is ze daar nog steeds?'

'Voorzover ik weet wel. De plaatselijke politie houdt haar in de gaten. Waar moet ze anders heen?'

'Daar zeg je wat,' zei Jenny. 'Betekent dit dat het afgelopen is?'

'Wat?'

'Mijn opdracht.'

'Nee,' zei Banks. 'Er is nog helemaal niets afgelopen.'

Toen Jenny had opgehangen, zag ze in haar achteruitkijkspiegel dat de blauwe Citroën nog steeds achter haar reed, weliswaar met drie of vier auto's tussen hen in, maar het was duidelijk dat hij haar volgde.

'Annie, zou je ooit kinderen willen hebben?'

Banks voelde dat Annie naast hem in bed verstijfde. Ze hadden net gevreeën en lagen voldaan naast elkaar te luisteren naar het geklater van de waterval, de roep van een nachtdier in het bos en Van Morrisons *Astral Weeks* dat beneden op de stereo speelde.

'Nou... ja... nee... Ik bedoel nog niet. Niet jij en ik. Maar ooit?'

Annie bleef stil liggen en zweeg. Hij voelde dat ze zich een beetje ontspande en tegen hem aankroop. Ten slotte zei ze: 'Waarom vraag je dat?'

'Dat weet ik eigenlijk niet. Ik heb er de laatste tijd aan lopen denken. Deze hele zaak, met die arme kinderen van Godwin en Murray, al die vermiste meisjes die eigenlijk ook nog kinderen zijn. En de Wrays die een baby verwachten.' En Sandra, voegde hij er in gedachten aan toe.

'Ik kan niet zeggen dat ik daarover heb nagedacht,' antwoordde Annie.

'Nog nooit?'

'Misschien heb ik achter in de rij gestaan toen het moederinstinct werd uitgedeeld, ik weet het niet. Misschien heeft het wel te maken met mijn eigen jeugd. Het is gewoon nooit bij me opgekomen.'

'Jouw jeugd?'

'Ray. De commune. Mijn moeder die zo jong overleed.'

'Je hebt mij verteld dat je best gelukkig was.'

'Dat was ik ook wel.' Annie ging rechtop zitten en strekte haar hand uit naar het glas wijn dat op het nachtkastje stond. Haar kleine borsten glansden in het zachte licht.

'Wat was er dan?'

'Jezus, Alan, het is toch niet de plicht van elke vrouw om in dit leven te reproduceren of te analyseren waarom ze dat niet wil? Ik ben heus geen freak, hoor.'

'Dat weet ik. Sorry.' Banks nam een slok wijn en liet zich weer achterover in de kussens zakken. 'Het is alleen... ik kreeg onlangs nogal een schok.'

'Wat was er dan?'

'Sandra.'

'Wat is er met haar?'

'Ze is zwanger.' Het was eruit. Hij wist niet waarom het hem zoveel moeite had gekost of waarom hij plotseling wist dat hij beter zijn mond had kunnen houden. Tegelijkertijd vroeg hij zich af waarom hij het Jenny wel onmiddellijk had verteld en hij het bij Annie steeds voor zich uit had geschoven. Dat kwam natuurlijk omdat Jenny Sandra kende, maar dat was het niet alleen. Het was alsof Annie niets van zijn vroegere leven wilde weten, alsof ze zijn verleden als een last beschouwde die ze niet met hem wilde delen. Hij kon het echter niet helpen. Sinds Sandra en hij uit elkaar waren, had hij zichzelf en zijn leven minutieus onder de loep gehouden. Als hij dat niet met iemand kon delen, dan had het wat hem betreft geen zin met zo iemand samen te zijn.

Aanvankelijk zei Annie niets, maar uiteindelijk vroeg ze: 'Waarom heb je me dat niet eerder verteld?'

'Dat weet ik niet.'

'Hoe heb je het gehoord?'

'Van Tracy, toen we samen lunchten in Leeds.'

'Sandra heeft het je dus niet zelf verteld?'

'Je weet net zo goed als ik dat we elkaar nauwelijks spreken.'

'Nou ja, je zou toch verwachten dat ze... met zoiets...'

Banks wreef over zijn wang. 'Het is nu wel duidelijk, denk je niet?'

Annie nam nog een slokje wijn. 'Wat is duidelijk?'

'Hoe ver we uit elkaar zijn gegroeid.'

'Je vindt het duidelijk vervelend, Alan.'

'Niet zozeer vervelend als wel...'

'Onwerkelijk?'

'Misschien, ja.'

'Waarom?'

'De gedachte alleen al. Dat Tracy en Brian een broertje of zusje krijgen. Dat...'

'Dat wat?'

'Ik moest er plotseling weer aan denken,' zei Banks en hij draaide zich naar haar toe. 'Het is iets waar ik in geen jaren aan heb gedacht, wat ik eigenlijk altijd heb ontkend, maar hierdoor komt het allemaal weer boven.'

'Wat komt boven?'

'De miskraam.'

Annie verstijfde even en zei toen: 'Heeft Sandra een miskraam gehad?'

'Ja.'

'Wanneer was dat?'

'O, jaren geleden, toen we in Londen woonden. De kinderen waren nog te klein om te begrijpen wat er aan de hand was.'

'Wat is er gebeurd?'

'Ik werkte indertijd als undercover bij de narcoticabrigade. Je weet hoe dat gaat, je bent wekenlang weg en mag al die tijd geen contact opnemen met je gezin. Mijn baas heeft het me pas twee dagen later verteld.'

Annie knikte. Banks wist dat ze uit eigen ervaring de druk en spanning van dit soort werk kende. Een van de weinige dingen die ze gemeen hadden. 'Hoe is het gebeurd?'

'Tja, hoe gaat zoiets? De kinderen zaten op school. Ze begon te bloeden. Godzijdank hadden we een behulpzame buurman, want wie weet wat er anders was gebeurd.'

'En jij voelt je schuldig omdat je er niet was?'

'Ze had kunnen doodgaan, Annie. En we zijn de baby kwijtgeraakt. Als ik als aanstaande vader vaker thuis was geweest en haar had geholpen, was alles misschien anders gelopen. Sandra stond overal alleen voor: de boodschappen, het huishouden, de klusjes in huis, ze bleef maar af en aan rennen. Ze stond net een gloeilamp in te draaien toen ze zich ineens niet lekker voelde. Ze had wel kunnen vallen en haar nek kunnen breken.' Banks pakte een sigaret. Meestal rookte hij niet na het vrijen ter wille van Annie, maar nu kon hij de behoefte niet weerstaan. Toch vroeg hij: 'Vind je het erg?'

'Ga je gang. Van mij mag het.' Annie nam nog een slok wijn. 'Maar bedankt dat je het vraagt. Ga verder.'

'Ja, ik voelde me schuldig. Maar er was meer.'

'Wat bedoel je?'

'Bij de narcoticabrigade bracht ik de meeste tijd op straat door of in smerige kraakpanden, altijd op zoek naar aanwijzingen die ons van de slachtoffers naar de grote jongens zouden leiden. Die slachtoffers waren vooral kinderen, van huis weggelopen, stoned, high, trippend, of hoe je het ook noemen wilt. Sommigen waren pas tien of elf jaar oud. Ik weet niet of je je het nog kunt herinneren, maar het was rond dezelfde tijd dat het aids-spook begon rond te waren. Niemand wist precies hoe erg het was, maar iedereen liet zich doodsbang maken. En iedereen wist dat je het via het bloed kon krijgen, door onveilige seks, vooral door anale seks, en door gebruikte naalden. Hoe het ook zij, iedereen leefde met die angst. Je kon elk moment worden aangevallen door een dealertje met een besmette naald, je vroeg je af of het speeksel van een junk op je hand je aids kon bezorgen.'

'Ik weet wat je bedoelt, Alan. Maar waarom vertel je me dit? Wat heeft dit met Sandra's miskraam te maken?'

Banks inhaleerde, voelde hoe de rook zich een weg naar beneden baande en bedacht dat hij weer eens moest proberen te stoppen. 'Niets waarschijnlijk, maar ik probeerde je een indruk te geven van het leven dat ik toen leidde. Ik was begin dertig, had een vrouw en twee kinderen, met een derde op komst, en ik bracht mijn leven door in smerigheid en omringd met uitschot. Mijn eigen kinderen zouden me niet eens hebben herkend als ze me op straat waren tegengekomen. De kinderen die ik zag, waren dood of stervende. Ik was agent, geen maatschappelijk werker. Ik heb het heus wel een paar keer geprobeerd, hoor, als ik dacht dat er een kans was dat een kind naar me zou luisteren, dit leven zou opgeven en weer naar huis zou gaan, maar dat was niet mijn taak. Ik was daar om informatie los te krijgen en de grote dealers op te sporen.'

'En toen?'

'Het heeft een bepaalde invloed op je, dat is alles. Het verandert je, vertekent je wereldbeeld, verandert je houding. Aan het begin beschouw je jezelf als een gewone, keurige echtgenoot en vader die nu eenmaal een zware baan heeft, maar aan het eind weet je niet meer wie en wat je precies bent. Zodra ik hoorde dat Sandra een miskraam had gehad, was het eerste dat me te binnen schoot... Weet je wat ik op de eerste plaats voelde?'

'Opluchting?' zei Annie.

Banks staarde haar aan. 'Waarom zeg je dat?'

Ze glimlachte. 'Logica. Dat zou ik hebben gevoeld als ik in jouw schoenen had gestaan.'

Banks drukte zijn sigaret uit. Hij voelde zich ergens teleurgesteld dat Annie het meteen had geweten. Hij nam een slok wijn om de smaak van rook weg te spoelen. Van Morrison was halverwege "Madame George" en riedelde er lustig op los. Ergens in het bos jankte een kat, misschien die ene die soms melk kwam drinken. 'Precies,' ging hij verder, 'ik voelde opluchting. En verder voelde ik me schuldig natuurlijk. Niet alleen omdat ik er niet bij was, maar ook omdat ik bijna blij was dat het was gebeurd. En omdat we niet weer dat hele gedoe hoefden mee te maken van vieze luiers en midden in de nacht opstaan enzovoort, nog afgezien van de extra verantwoordelijkheid. Dit was een leven dat ik in ieder geval niet hoefde te beschermen. Dit was een extra verantwoordelijkheid waar ik heel goed buiten kon.'

'Dat gevoel komt wel vaker voor, hoor,' zei Annie. 'Zo verschrikkelijk is het trouwens niet. Het betekent heus niet dat je een monster bent.'

'Zo voelde ik me anders wel.'

'Dat komt omdat je je alles persoonlijk aantrekt. Dat doe je altijd. Je bent niet verantwoordelijk voor alle kwaad en zonden op de wereld, nog niet voor een fractie ervan. Alan Banks is ook maar een mens, hij is ook niet volmaakt. Hij voelt een keertje opluchting terwijl hij eigenlijk vindt dat hij verdriet moet voelen. Denk je nu werkelijk dat je de enige bent die dit is overkomen?'

'Geen idee. Ik heb het nog nooit aan iemand gevraagd.'

'Neem maar van mij aan dat het niet zo is. Je moet alleen met je onvolkomenheden leren leven.'

'Net als jij?'

Annie lachte. 'Welke onvolkomenheden bedoel je, brutale rotzak?'

'Daarna besloten we dus dat we geen kinderen meer wilden en we hebben het er nooit meer over gehad.'

'Maar je hebt wel al die tijd dat schuldgevoel meegetorst.'

'Ja, ik denk het wel. Niet dat ik er vaak aan denk, maar hierdoor komt het allemaal weer boven. Weet je wat het ook was?'

'Wat?'

'Ik vond mijn werk belangrijker. Ik heb nooit ook maar overwogen om alles op te geven en tweedehands auto's te gaan verkopen.'

'Gelukkig niet. Ik kan me jou absoluut niet als autoverkoper voorstellen.'

'Nou ja, iets anders dan. Een baan met regelmatige werktijden en minder kans om met aids besmet te raken.'

Annie strekte een hand uit en aaide over zijn wang. 'Arme Alan,' zei ze en ze vlijde zich tegen hem aan. 'Waarom probeer je niet alles uit je hoofd te zetten? Alles even te vergeten, alles behalve dit moment, mij, de muziek, het hier en nu.'

Van was net begonnen aan het voortkabbelende, gevoelige "Ballerina" en Banks voelde Annies zachte, vochtige lippen over zijn borstkas glijden, naar beneden, naar zijn buik, waar ze even bleven hangen. Zelfs toen ze haar eindbestemming bereikte en hij zich overgaf aan de sensatie van dat moment, kon hij het beeld van dode baby's niet helemaal uit zijn gedachten bannen.

Voor de tweede keer controleerde Maggie die zaterdagavond de sloten en de ramen voordat ze naar bed ging en pas toen ze ervan overtuigd was dat alles veilig op slot zat, liep ze met een glas warme melk in haar hand naar boven. Ze was nog niet halverwege de trap toen de telefoon ging. In eerste instantie besloot ze niet op te nemen. Het was tenslotte al elf uur 's avonds. Bovendien was het waarschijnlijk iemand die een verkeerd nummer had gedraaid. Toen kreeg haar nieuwsgierigheid de overhand. Ze wist dat de politie Lucy die ochtend had laten gaan, dus misschien was zij het wel en had ze hulp nodig.

Het was Lucy niet. Het was Bill. Maggies hart begon te bonzen en ze had het gevoel dat de muren op haar afkwamen.

'Je weet de boel daar lekker op stelten te zetten,' zei hij. 'Heldin en voorvechter van mishandelde vrouwen overal ter wereld. Of moet ik voorvechtster zeggen?'

Maggie voelde dat ze kleiner werd, ineenkromp, en haar hart bonkte in haar keel. Al haar bravoure en assertiviteit waren spoorloos verdwenen. Ze kon nauwelijks een woord uitbrengen, nauwelijks ademhalen. 'Wat moet je van me?' fluisterde ze. 'Hoe ben je erachter gekomen?'

'Je bent tegenwoordig een echte beroemdheid. Je staat niet alleen in de *Globe* en de *Post*, maar ook in de *Sun* en de *Star*. In de *Sun* zelfs met een foto, hoewel dat niet zo'n beste is, of je moet wel verdomd veel zijn veranderd. Er wordt nogal wat aandacht besteed aan de Kameleon-zaak, zoals ze hem hier noemen, en zo te zien zit jij er middenin.'

'Wat moet je van me?'

'Wat ik van je moet? Niets.'

'Hoe heb je me gevonden?'

'Na al die verhalen in de krant was dat niet zo moeilijk. Je hebt hier een oud adresboekje laten liggen. Je vrienden stonden erin. The Hill 32 in Leeds. Dat klopt toch?'

'Wat moet je?'

'Niets. Nu nog niet tenminste. Ik wilde je alleen even laten weten dat ik weet waar je bent en dat ik aan je denk. Het moet razend interessant zijn om tegenover een moordenaar te wonen. Wat is die Karla voor een type?'

'Ze heet Lucy. Laat me met rust.'

'Dat is niet lief van je. We zijn ooit getrouwd geweest, hoor.'

'Alsof ik dat zou kunnen vergeten.'

Bill begon te lachen. 'Nou, ik zal de telefoonrekening van de zaak maar niet te hoog laten oplopen. Ik heb de laatste tijd heel hard gewerkt en zelfs mijn baas vindt dat ik vakantie heb verdiend. Misschien dat ik binnenkort wel even in Engeland aanwip. Ik weet alleen nog niet precies wanneer. Volgende week misschien, of volgende maand. Zou het niet leuk zijn om samen een keertje te gaan eten of zo?'

'Je bent walgelijk,' zei Maggie, en ze hoorde Bill grinniken toen ze ophing.

15

Banks had de zondagochtend altijd beschouwd als een uitstekend moment om wat druk uit te oefenen op nietsvermoedende slechteriken. De zondagmiddag was ook geschikt, omdat ze na het lezen van hun krantje, een bezoek aan de pub en een portie roast beef met Yorkshire pudding meestal in een opperbeste stemming waren en waarschijnlijk met een krant over hun hoofd uitgezakt in hun leunstoel een tukje lagen te doen. Op zondagochtend waren mensen ontspannen en keken ze uit naar deze vrije dag, of ze hadden een kater. In beide gevallen was het een goed moment om een praatje te maken.

Ian Scott had deze zondagochtend een enorme kater.

Zijn vette zwarte haar stond piekerig op zijn hoofd, zijn pafferige gezicht zat vol kreukels en zijn ogen waren bloeddoorlopen. Hij had alleen een smoezelig shirt en een onderbroek aan.

'Mag ik binnen komen, Ian?' vroeg Banks en hij liep langs hem heen zonder antwoord af te wachten. 'Het duurt niet lang.'

Het rook in de flat naar marihuana en verschaald bier. In alle asbakken lagen peuken van stickies. Banks liep naar het raam en zette dat zover mogelijk open. 'Je moest je schamen, Ian,' zei hij. 'Op zo'n prachtige lentedag hoor je een wandeling langs de rivier te maken of lekker van de buitenlucht te genieten op Fremlington Edge.'

'Lul niet,' zei Ian en hij krabde schaamteloos aan zijn geslachtsdelen.

Sarah Francis hield met beide handen haar verwarde haardos uit haar gezicht en wankelde met halfdichte ogen de kamer in. Ze droeg een tot de heupen reikend wit T-shirt met een afbeelding van Donald Duck, en verder niets.

'Shit,' zei ze. Ze bedekte zich zo goed en zo kwaad als het ging en vloog de kamer weer uit.

Banks schoof een stapel kleding van de stoel die het dichtst bij het raam stond en ging zitten. Ian zette de stereo aan, Banks stond op om hem weer uit te zetten. Ian ging mokkend zitten. Sarah kwam terug, nu in een spijkerbroek. 'Had me verdomme even gewaarschuwd, man,' gromde ze tegen Ian.

'Hou toch je kop, stomme doos,' zei hij.

Ook Sarah ging mokkend zitten.

'Goed,' zei Banks. 'Kan ik beginnen?'

'Ik snap niet wat u nu weer van ons moet,' zei Ian. 'We hebben jullie alles al verteld.'

'Het kan geen kwaad alles nog eens op een rijtje te zetten.'

Ian kreunde. 'Ik voel me niet goed. Ik ben misselijk.'

'Je moet wat meer respect hebben voor je lichaam,' zei Banks. 'Het is een tempel.'

'Wat wilt u weten? Kunt u een beetje opschieten?'

'Om te beginnen is er iets wat ik niet begrijp.'

'Nou ja, u bent de speurneus, ik weet zeker dat u er wel achterkomt.'

'Ik begrijp niet waarom jullie me nog niet naar Leanne hebben gevraagd.'

'Hoezo?'

'Denk je echt dat ik hier jullie zondagochtend zou zitten te verpesten als we het lichaam van Leanne in de tuin van een seriemoordenaar hadden gevonden?'

'Wat wilt u daarmee zeggen? Praat toch gewoon Engels.'

Sarah had zich in een foetale positie in de andere leunstoel opgerold en luisterde aandachtig.

'Wat ik daarmee wil zeggen, Ian, is dat je helemaal niet naar Leanne hebt geïnformeerd. Dat baart me zorgen. Kan het je niets schelen wat er met haar is gebeurd?'

'Ze was gewoon een kennis. Wij hebben er niets mee te maken. We hebben geen idee wat er met haar is gebeurd. Bovendien had ik zo heus wel naar haar gevraagd. Mijn hersens werken nog niet helemaal op volle kracht.'

'Doen ze dat dan ooit wel? Ik begin trouwens te geloven dat jullie wel een idee hebben.'

'Wat voor idee?'

'Over wat er met Leanne is gebeurd.'

'Onzin.'

'O ja? Even kijken. Om te beginnen weten we inmiddels vrij zeker dat Leanne Wray niet een slachtoffer van de Kameleon was zoals we in eerste instantie dachten.'

'Dat is jullie eigen schuld,' zei Ian. 'Verwacht nou maar niet dat wij jullie uit de brand helpen.'

'Dus moet er iets anders met haar zijn gebeurd.'

'Je hoeft geen Sherlock Holmes te zijn om dat te bedenken.'

'Even buiten beschouwing gelaten dat er misschien nog een andere moordenaar rondsluipt, blijven er drie mogelijkheden over.'

'O, ja? Welke dan?'

Banks telde af op zijn vingers. 'Een: dat ze van huis is weggelopen. Twee: dat ze op tijd naar huis is gegaan en haar ouders haar iets hebben aangedaan. En drie, de voornaamste reden voor mijn aanwezigheid hier: dat ze helemaal niet naar huis is gegaan toen jullie uit de Old Ship vertrokken. Dat jullie drieën bij elkaar zijn gebleven en haar samen iets hebben aangedaan.'

Ian Scott luisterde minachtend toe en Sarah stak haar duim in haar mond. 'We hebben jullie verteld wat er is gebeurd,' zei Ian. 'We hebben al verteld wat we hebben gedaan.'

'Dat klopt,' zei Banks. 'Maar het was zo druk in The Riverboat dat de mensen die we daar hebben gesproken niets met zekerheid over jullie konden zeggen. In elk geval niet hoe laat jullie daar waren en ook niet of dat op vrijdagavond was.'

'Er hangen toch beveiligingscamera's? Fuck, man, waarom zitten jullie als Big Brother iedereen in de gaten te houden als jullie toch niet geloven wat jullie zien?'

'O, maar wat we zien, geloven we ook wel,' zei Banks. 'Maar het enige wat we erop zien is dat jij, Sarah en Mick Blair pas na halftwaalf Bar None binnenkomen.'

'Het heeft geen zin om eerder te gaan. Na middernacht wordt het pas een beetje leuk.'

'Dat zal best, Ian, maar daardoor is er een gat van twee uur. Er kan heel wat gebeuren in twee uur.'

'Hoe kon ik nou weten dat ik voor elke minuut verantwoording moest afleggen?'

'Twee uur.'

'Ik heb het toch al gezegd. We hebben een beetje door de stad gelopen, zijn wat gaan drinken in The Riverboat en van daaruit naar Bar None gegaan. Ik weet verdomme niet precies hoe laat dat was.'

'Sarah?'

Sarah haalde haar duim uit haar mond. 'Wat hij zegt.'

'Gaat het altijd zo?' vroeg Banks. 'Wat Ian zegt. Denk je nooit eens zelf na?'

'Wat hij net zegt. We zijn eerst naar The Riverboat gegaan en daarna naar Bar None. Leanne is vlak voor halfelf weggegaan toen we buiten bij de Old Ship stonden. We weten niet wat er daarna met haar is gebeurd.'

'En Mick Blair is met jullie meegegaan?'

'Ja.'

'Hoe was Leanne die avond, Sarah?'

'Hè?'

'In wat voor stemming was ze?'

'Gewoon.'

'Ze was niet van streek?'

'Nee. We hadden juist een hoop lol.'

'Leanne heeft je ook niets in vertrouwen verteld?'

'Zoals?'

'O, dat kan van alles zijn. Problemen met haar stiefmoeder, bijvoorbeeld?'

'Ze had altijd problemen met die arrogante trut. Ik was het zat om dat steeds maar aan te moeten horen.'

'Heeft ze wel eens gezegd dat ze wilde weglopen?'

'Niet tegen mij. Niet dat ik me kan herinneren. Ian?'

'Neuh. Ze had altijd wel wat te klagen over dat wijf. Ze had het lef niet om weg te lopen. Als ik moest gokken wie het gedaan zou kunnen hebben, zou ik mijn geld op die stiefmoeder zetten.'

'Als iemand wat gedaan zou kunnen hebben?'

'Nou, u weet wel. Als iemand bijvoorbeeld Leanne iets had aangedaan.'

'O, op die manier. Wat was het plannetje waar jullie allemaal zo opgewonden over waren toen jullie uit de Old Ship weggingen?'

'Ik weet niet waar u het over heeft,' zei Ian.

'Ach, kom nou. We weten dat jullie opgewonden waren over wat jullie gingen doen. Wat was dat? Zou Leanne ook meedoen?'

'We hadden afgesproken om naar Bar None te gaan, maar Leanne wist dat ze niet met ons mee kon.'

'Dat was alles?'

'Wat zou het anders moeten zijn geweest?'

'Jullie hadden niet de indruk dat ze niet rechtstreeks naar huis zou gaan?'

'Nee.'

'Of dat ze zou weglopen om haar stiefmoeder een lesje te leren?'

'Geen idee. Hoe moet ik nou weten wat die teef allemaal van plan was?'

'Tut, tut, wat een taal. Je luistert te veel naar hiphop, Ian,' zei Banks en hij stond op om te vertrekken. 'Leuk vriendje heb je uitgekozen, Sarah,' zei hij. Toen hij naar de deur liep, zag hij dat Sarah beledigd keek en, wat belangrijker was, ook een tikje angstig. Dat zou binnenkort nog wel eens van pas kunnen komen, dacht hij.

'Ik moest gewoon die flat uit,' zei Janet Taylor. 'Het was echt niet mijn bedoeling u half Yorkshire te laten doorkruisen.'

'Het geeft niet,' zei Annie glimlachend. 'Zo ver woon ik hier niet vandaan. Bovendien vind ik het hier leuk.'

'Hier' was een verdwaalde pub aan de rand van het heidegebied ten noorden van Wensleydale, niet ver bij Banks' cottage vandaan, met een goede reputatie op het gebied van de zondagse lunch. Janet had haar even na tienen die ochtend gebeld, toen Annie net een dutje deed om het gebrek aan slaap van die nacht bij Banks te compenseren. Hun gesprek was in haar hoofd blijven rondspoken en had haar tot in de kleine uurtjes uit de slaap gehouden; ze had het niet graag over baby's.

Typisch iets voor Banks om een gevoelige snaar te raken. Wat ze vooral niet prettig vond aan zijn persoonlijke ontboezemingen – maar wat ze hem blijkbaar niet duidelijk kon maken – was dat ze zich dan gedwongen voelde dieper over haar eigen verleden en gevoelens na te denken dan haar lief was. Kon hij maar wat luchtiger en relaxter zijn.

Een lunch in de buitenlucht leek haar ideaal om even te ontspannen. De lucht was helder en onbewolkt. Vanaf hun zitplaats kon ze de groene hellingen van de vallei zien met de kriskras gebouwde stapelmuurtjes, de schapen die overal rondliepen en blaatten tegen passerende wandelaars. Op de bodem van de vallei kronkelde de rivier en tussen de huisjes rond het dorpspark lichtte de vierkante kerktoren van grijze kalksteen op in de middagzon. Toen ze opkeek zag ze vier figuurtjes op de rots wandelen die boven het dal uittorende. God, wat moest het heerlijk zijn daar in je eentje rond te zwerven.

Dit plekje mocht dan ideaal zijn, haar gezelschap was het niet. Janet maakte een afwezige indruk en duwde de haarlok die voortdurend voor haar vermoeide bruine ogen viel automatisch opzij. Annie vermoedde dat er meer voor nodig was dan een lunch op de heide om die vale, grauwe kleur op haar gezicht te verdrijven. Janet was al aan haar tweede glas bier met citroen toe en Annie moest zich inhouden om geen opmerking over alcohol in het verkeer te maken. Ze was zelf nog aan haar eerste kleintje bitter, zou tijdens de lunch misschien nog een tweede nemen en daarna koffie. Annie was vegetariër en had een quiche en een salade besteld, maar hoorde tot haar genoegen dat Janet lamsvlees wilde eten. Ze kon wel wat vlees op haar botten gebruiken.

'Hoe is het met je?' vroeg Annie.

Janet lachte. 'Ach, naar omstandigheden redelijk.' Ze wreef over haar voorhoofd. 'Slapen lukt nog steeds niet. In gedachten zie ik steeds weer alles voor me, maar ik weet niet of het ook echt zo gebeurd is.'

'Wat bedoel je precies?'

'Ik blijf steeds maar weer zijn gezicht voor me zien.'

'Van Terry Payne?'

'Ja, helemaal verwrongen en vertrokken. Angstaanjagend. Maar volgens mij heb ik hem toen helemaal niet zo goed gezien. Mijn hoofd vult dat soort details zeker zelf aan.'

'Mogelijk.' Annie dacht aan wat haarzelf was overkomen, toen ze was verkracht na het feestje om haar promotie tot brigadier te vieren. Indertijd had ze durven zweren dat ze zich elke grom en kreun, elke obscene gezichtsuitdrukking, alles, maar dan ook alles zou blijven herinneren van degene die bij haar was binnengedrongen terwijl twee andere collega's haar in bedwang hadden gehouden. Maar tot haar verbazing had ze ontdekt dat het meeste vervaagd was. Misschien was ze sterker dan ze dacht, of had ze de pijn en de vernedering weggestopt, verdrongen.

'Ben je dan van gedachten veranderd over je verklaring?' vroeg Annie. Ze zaten ver bij de andere gasten vandaan en konden niet worden afgeluisterd zolang ze zachtjes bleven praten.

'Ik heb niet gelogen,' zei Janet. 'Ik wil dat u dat heel goed beseft.'

'Dat weet ik.'

'Ik was gewoon in de war. Mijn herinnering aan die nacht is een beetje wazig.'

'Dat is heel begrijpelijk. Kun je je nu wel herinneren hoe vaak je hem hebt geslagen?'

'Nee. Ik wil alleen maar zeggen dat het misschien vaker was dan ik dacht.'

Hun bestelling werd gebracht. Janet viel op haar bord aan alsof ze een week lang niet had gegeten, wat waarschijnlijk ook zo was. Annie plukte wat aan het voedsel op haar bord. De quiche was te droog en aan de salade zat nauwelijks smaak, maar dat had ze kunnen verwachten in een pub die zich voornamelijk op vleeseters richtte. Ze kon in elk geval nog van het uitzicht genieten.

'Janet,' vervolgde Annie. 'Wat wil je in je verklaring aanpassen?'

'Nou ja, dat deel waar staat dat ik hem... wat... twee of drie keer heb geslagen?'

'Vier keer.'

'Wat dan ook. En volgens de sectie moet dat vaker zijn geweest?'

'Negen keer.'

'O.'

'Kun je je dan herinneren dat je hem negen keer hebt geslagen?'

'Nee, dat zeg ik niet.' Janet sneed een stukje lamsvlees af en stak het in haar mond.

'Wat dan wel, Janet?'

'Nou ja, dat ik mezelf even niet in de hand had.'

'Wil je beweren dat je niet helemaal toerekeningsvatbaar was?'

'Niet echt. Ik wist heus wel wat er aan de hand was, maar ik was bang en bezorgd vanwege Dennis, dus heb ik gewoon... tja, ik weet niet, misschien had ik moeten ophouden toen ik hem aan de leiding had vastgemaakt.'

'Heb je hem daarna nog geslagen?'

'Ik denk het wel. Een of twee keer.'

'En dat kun je je nog herinneren?'

'Ja. Ik weet nog dat ik dacht: deze is voor Dennis, klootzak. Ik weet niet meer hoe vaak ik hem toen nog heb geslagen.'

'Je beseft toch dat je naar het bureau moet om je verklaring te wijzigen, hè?'

Janet trok een wenkbrauw op. 'Ja, natuurlijk. Ik ben nog steeds agent, hoor. Ik wilde alleen...' Ze wendde haar blik af en keek naar de vallei.

Annie dacht dat ze het wel begreep en dat Janet zich te veel schaamde om het te zeggen. Ze had behoefte aan gezelschap. Ze had behoefte aan iemand die in elk geval zou proberen begrip voor haar op te brengen op deze stralende dag in deze schitterende omgeving, voordat het circus losbarstte dat de komende tijd haar leven zou bepalen.

Jenny Fuller en Banks lunchten samen in de Queen's Arms. Het was er afgeladen met zondagse toeristen, maar ze hadden nog net een tafeltje weten te bemachtigen voordat om twee uur de laatste maaltijden werden geserveerd. Het tafeltje was zo klein dat er nauwelijks plaats was voor de twee borden roast beef met Yorkshire pudding van het dagmenu en twee drankjes. Lager voor Jenny en alcoholvrij pils voor Banks, die later die middag nog een verhoor moest afnemen. Hij zag er nog steeds moe uit, vond Jenny, en ze was ervan overtuigd dat de zaak hem 's nachts uit zijn slaap hield. Dat en het feit dat hij zich duidelijk geen raad wist met Sandra's zwangerschap.

Jenny en Sandra waren bevriend geweest. Niet heel goed, maar ze hadden rond dezelfde tijd een schokkende ervaring meegemaakt en dat had een bepaalde band tussen hen geschapen. Sinds haar verblijf in Amerika had Jenny Sandra nauwelijks meer gesproken en ze dacht niet dat ze haar ooit nog zou zien. Als ze iemands kant moest kiezen, dan had ze haar keus al gemaakt en voor Alan gekozen. Ze had gedacht dat Sandra en hij een goed huwelijk hadden, vooral omdat Alan haar had afgewezen toen ze had geprobeerd hem te verleiden, wat voor haar een geheel nieuwe ervaring was geweest, maar ze had het blijkbaar mis gehad. Ze was zelf nooit getrouwd geweest en zou de eerste zijn om toe te geven dat ze van dit soort zaken weinig verstand had, ook al wist ze dat achter een kalm uiterlijk vaak innerlijke chaos schuilgaat.

Wat zich die laatste tijd in het hoofd van Sandra had afgespeeld, bleef een mysterie. Alan had verteld dat hij niet wist of Sandra Sean had ontmoet voordat ze uit elkaar waren of daarna, en ook niet of Sean de werkelijke reden was dat ze uit elkaar waren gegaan. Jenny betwijfelde dat.

Hun problemen waren vast niet van de ene dag op de andere ontstaan, waarschijnlijk speelden die al jaren.

'Wat voor auto?' vroeg Banks.

'Een blauwe Citroën.'

'Je hebt zeker niet het nummerbord genoteerd?'

'Daar heb ik niet aan gedacht toen ik hem de eerste keer zag. Waarom zou ik? Ik heb er in Alderthorpe mijn auto achter geparkeerd. Op de terugweg vanuit Spurn Head bleef hij steeds op veilige afstand en heb ik het niet kunnen zien.'

'Waar ben je hem uit het oog verloren?'

'Ik ben hem niet uit het oog verloren. Ik zag dat hij afhaakte toen ik ten westen van Hull de M62 nam.'

'En daarna heb je hem niet meer gezien?'

'Nee.' Jenny begon te lachen. 'Ik kreeg zo'n beetje het gevoel dat ik het stadje werd uitgejaagd. Je weet wel, net als in westerns.'

'Heb je de bestuurder kunnen gezien?'

'Nee. Ik kan je niet eens vertellen of het een man of een vrouw was.'

'Wat ben je nu van plan?'

'Ik moet nog wat werk voor de universiteit inhalen en een paar werkgroepen voor morgen voorbereiden. Ik kan ze uitstellen, maar...'

'Nee, dat hoeft niet,' zei Banks. 'Lucy Payne is nu toch op vrije voeten. Het heeft geen haast.'

'Goed, ik wilde kijken of ik dinsdag of woensdag met Keith Murray in Durham kan gaan praten. En dan is er nog Laura in Edinburgh. Ik krijg een goed beeld van Linda, van Lucy, maar er ontbreken nog een paar stukjes.'

'Zoals?'

'Dat is juist het probleem. Dat weet ik niet. Ik heb gewoon het gevoel dat ik iets over het hoofd zie.' Ze zag de bezorgde uitdrukking op Banks' gezicht en klopte vriendschappelijk op zijn arm. 'O, maak je geen zorgen. Ik zal mijn intuïtie heus niet in het profiel verwerken. Dit is iets tussen jou en mij.'

'Goed.'

'Je zou het misschien de ontbrekende schakel kunnen noemen. De schakel tussen Linda's jeugd en de mogelijkheid dat Lucy betrokken is geweest bij de ontvoeringen en moorden.'

'Ze is seksueel misbruikt.'

'Ja, het staat wel vast dat veel mensen die zijn misbruikt, zelf anderen ook misbruiken. Het is een vicieuze cirkel. Volgens Maureen Nesbitt was Linda zich op haar elfde al bewust van haar seksualiteit. Maar dat alles is nog geen bewijs. Ik kan hooguit zeggen dat het mogelijk zo'n invloed op Lucy heeft gehad dat ze gemakkelijk een willig slachtoffer kon worden van iemand als Terence Payne. Mensen maken vaak dezelfde fout, nemen vaak dezelfde foute beslissingen. Je hoeft alleen maar naar de relaties in mijn verleden te kijken.'

Banks glimlachte. 'Op een dag komt het allemaal goed, echt.'

'Ontmoet ik dan mijn ridder op het witte paard?'

'Is dat wat je wilt? Iemand die je problemen voor je uitvecht, je daarna optilt en naar boven draagt?'

'Het klinkt aanlokkelijk.'

'En ik dacht nog wel dat je een feministe was.'

'Dat ben ik ook. Het sluit namelijk niet uit dat ik de volgende dag zijn problemen voor hem uitvecht, hem daarna optil en naar boven draag. Ik wil alleen maar zeggen dat het wel prettig zou zijn. Gun een vrouw toch haar eigen fantasietjes.'

'Dat hangt er vanaf waar ze toe leiden. Is het al bij je opgekomen dat niet Lucy Payne maar haar man het willige slachtoffer was?'

'Nee, die gedachte is nog niet bij me opgekomen. Zoiets heb ik nog nooit bij de hand gehad.'

'Helemaal onmogelijk is het toch niet?'

'In de psychologie is niets onmogelijk. Het is alleen hoogst onwaarschijnlijk.'

'Stel nu eens dat zij de dominantste van de twee was...'

'En dat Terence Payne haar seksslaaf was, die deed wat zij eiste?'

'Iets in die geest, ja.'

'Ik weet het zo net nog niet,' zei Jenny. 'Ik betwijfel het ten zeerste. En zelfs als dat zo was, wat schieten we daar dan mee op?'

'Waarschijnlijk niet veel. Pure speculatie. Je zei dat Payne mogelijk een camcorder in de kelder heeft gebruikt, is het niet?'

'Ja.' Jenny nam een slok van haar bier en veegde haar lippen af met een servetje. 'Het lijkt me onwaarschijnlijk dat bij deze rituele verkrachtingen en moorden de dader niets zou hebben vastgelegd.'

'Hij had de lichamen toch?'

'Zijn trofeeën, ja. Dat verklaart waarschijnlijk ook waarom ze niet waren verminkt: hij hoefde geen vinger of teen als aandenken te hebben. Hij had het hele lichaam. Maar iemand als Payne moet behoefte hebben gehad aan meer, aan iets waardoor hij alles opnieuw kon beleven.'

Banks vertelde haar over de krassen van een driepoot en de catalogus met elektronische apparatuur.

'Als hij inderdaad zo'n ding had, waar is het nu dan?' vroeg ze.

'Dat zou ik ook wel willen weten.'

'En waarom kunnen we het niet vinden?'

'Neem van mij aan dat we de onderste steen boven zullen halen. Als dat ding in dat huis is, zullen we het vinden, al ligt het drie meter onder de grond. Er blijft geen baksteen van dat huis op zijn plaats totdat we alle geheimen hebben ontrafeld.'

'Als het in dat huis ligt.'

'Ja.'

'Er moeten ook banden met opnames zijn.'

'Weet ik.'

Jenny schoof haar bord weg. 'Ik denk dat ik er maar eens vandoor ga. Ik heb nog werk te doen.'

Banks keek op zijn horloge. 'Dan ga ik maar eens naar Mick Blair.' Hij legde heel even zijn hand op haar arm. 'Wees voorzichtig, Jenny. En als je die auto weer ziet, bel me dan onmiddellijk op. Afgesproken?'

Jenny knikte. Op hetzelfde moment zag ze een onbekende, aantrekkelijke jonge vrouw op hen aflopen. Ze droeg een strakke spijkerbroek en een openhangend wit mannenoverhemd met daaronder een rood T-shirt. Haar kastanjebruine haar viel in glanzende golven op haar schouders. Ze had amandelvormige lichtbruine ogen, een smetteloze huid en een schoonheidsvlekje bij haar mond.

Toen ze bij de tafel aankwam, trok ze zonder op een uitnodiging te wachten een stoel bij en ging zitten. 'Annie Cabbot,' zei ze, haar hand uitstekend. 'Wij kennen elkaar nog niet, geloof ik.'

'Jenny Fuller.' Jenny schudde haar hand. Een stevige greep.

'Aha, de beroemde doctor Fuller. Leuk u eindelijk eens te ontmoeten.'

Jenny voelde zich gespannen. Kwam deze vrouw haar territorium verdedigen? Had ze gezien dat Banks zijn hand op haar arm had gelegd en zocht ze er iets achter? Was ze gekomen om Jenny subtiel duidelijk te maken dat ze van Banks moest afblijven? Jenny wist dat ze er helemaal niet slecht uitzag, maar naast deze vrouw voelde ze zich onhandig en onelegant. En ook veel ouder.

Annie keek Banks glimlachend aan. 'Dag meneer.'

Jenny voelde dat er een soort geladenheid tussen hen was. Seksuele spanning, ja, maar nog iets anders. Hadden ze soms ruzie gehad? In de pijnlijke stilte die volgde besloot ze dat het hoog tijd was om te vertrekken. Ze pakte haar tas en zocht naar haar autosleutels. Waarom verdwenen die toch altijd spoorloos onderin tussen de tissues en make-upspullen?

'Ik wilde jullie lunch niet verstoren,' zei Annie en ze keek Jenny nogmaals glimlachend aan voordat ze zich tot Banks wendde. 'Ik was toevallig net op het bureau en hoorde van Winsome dat je hier was. Ze had een bericht voor je en dat kom ik je nu even doorgeven.'

Banks trok zijn wenkbrauwen op. 'Wat voor bericht?'

'Het is afkomstig van Ken Blackstone uit Leeds. Het lijkt erop dat Lucy Payne hem is gesmeerd.'

Jenny snakte naar adem. 'Wat?'

'De wijkagent is vanochtend bij het huis van haar ouders langsgegaan om te controleren of alles in orde was. Toen bleek dat haar bed onbeslapen was.'

'Wel verdomme,' zei Banks. 'Wat een puinhoop hebben we er weer van gemaakt.'

'Ik vond dat je het zo snel mogelijk moest weten,' zei Annie terwijl ze opstond. Ze keek Jenny aan. 'Leuk u te hebben ontmoet.'

Toen liep ze weg met dezelfde elegante gratie waarmee ze was binnengekomen, Banks en Jenny stomverbaasd achterlatend.

Mick Blair, een van de vier met wie Leanne Wray op de avond van haar verdwijning op stap was geweest, woonde met zijn ouders in een twee-onder-een-kapwoning in noord-Eastvale, dicht bij de rand van de stad en met een mooi uitzicht over Swainsdale, en ook dicht bij het centrum. Na Annies onthulling over Lucy Payne overwoog Banks even om zijn plannen aan te passen, maar hij besloot uiteindelijk dat Leanne Wray nog steeds prioriteit had en dat Lucy Payne in de ogen van de wet nog steeds onschuldig was. Bovendien waren er genoeg agenten die naar haar uitkeken; meer konden ze voorlopig toch niet doen.

Anders dan Ian Scott was Mick nooit met de politie in aanraking geweest, hoewel Banks vermoedde dat hij waarschijnlijk wel drugs van Ian had gekocht. Hij zag er ongezond en onverzorgd uit en maakte een tamelijk afwezige indruk. Toen Banks die zondag na de lunch bij hem langskwam, waren Micks ouders op familiebezoek en hing Mick in een gescheurde spijkerbroek en een zwart T-shirt in de woonkamer rond.

'Wat moet u van me?' vroeg Mick, toen hij zich met zijn handen achter zijn hoofd op de bank liet vallen.

'Ik kom met je praten over Leanne Wray.'

'Dat hebben we al een keer gedaan.'

'Zullen we nog eens bij het begin beginnen?'

'Waarom? Hebt u iets nieuws ontdekt?'

'Valt er dan iets te ontdekken?'

'Geen idee. Het verbaast me gewoon dat u hier nu alweer bent.'

'Was Leanne je vriendin, Mick?'

'Nee. Zo was het helemaal niet.'

'Het is een knap meisje. Had je geen oogje op haar?'

'Misschien. Een beetje.'

'Maar zij zag jou niet zitten?'

'Daar was het nog te vroeg voor.'

'Wat bedoel je daarmee?'

'Sommige meisjes doen er wat langer over, die moeten een beetje overtuigd worden. Ze springen niet allemaal meteen met je in bed.'

'En Leanne had meer tijd nodig?'

'Inderdaad.'

'Hoe ver was je al gekomen bij haar?'

'Wat bedoelt u?'

'Mocht je haar hand vasthouden? Hebben jullie gezoend? Getongd?'

'We hebben wel eens gezoend.'

'Op die vrijdagavond ook?'

'Nee. We waren toen met Ian en Sarah.'

'Heb je niet met Leanne gezoend in de bioscoop?'

'Misschien wel.'

'Is dat een ja of een nee?'

'Ja, dan.'

'Hebben jullie misschien ruzie gehad?'

'Wat wilt u eigenlijk precies weten?'

Banks krabde over het litteken naast zijn rechteroog. 'Het zit zo, Mick. Het zit je kennelijk dwars dat ik weer met je kom praten, maar je hebt me nog niet eens gevraagd of we Leanne soms hebben gevonden en of ze misschien nog leeft. Het was hetzelfde liedje bij Ian...'

'U bent ook bij Ian geweest?'

'Vanochtend. Het verbaast me dat hij je niet direct daarna heeft gebeld.'

'Dan kan hij zich nooit veel zorgen hebben gemaakt.'

'Waarom zou hij zich zorgen maken?'

'Geen flauw idee.'

'Waar het om gaat, is dat jullie me geen van beiden naar Leanne hebben gevraagd.'

'Hoezo?'

'Waarom zou ik anders met jullie komen praten?'

'Hoe moet ik dat nou weten?'

'Omdat je niet naar haar geïnformeerd hebt, begin ik me af te vragen of je iets weet wat je me niet wilt vertellen.'

Mick sloeg zijn armen over elkaar. 'Ik heb u alles verteld wat ik weet.'

Banks boog zich voorover en hield Micks blik vast. 'Weet je wat ik denk? Ik denk dat je liegt, Mick. Ik denk dat jullie allemaal liegen.'

'U kunt niets bewijzen.'

'Wat zou ik dan moeten bewijzen?'

'Dat ik lieg. Ik heb u verteld wat er is gebeurd. We zijn iets gaan drinken in de Old...'

'Nee. Wat je ons hebt verteld, is dat jullie na de film een kop koffie gingen drinken.'

'Nou ja, zoiets.'

'Dat was een leugen, of zie ik dat verkeerd, Mick?'

'Nou en?'

'Als je één keer liegt, waarom zou je het dan geen tweede keer doen? Hoe vaker je het doet, hoe gemakkelijker het wordt. Wat is er die avond echt gebeurd, Mick? Waarom vertel je het me niet?'

'Er is niets gebeurd. Dat heb ik u al verteld.'

'Hebben Leanne en jij ruzie gehad? Heb je haar pijn gedaan? Per ongeluk misschien? Waar is ze, Mick? Ik ben ervan overtuigd dat jij het weet.'

Aan Micks gezicht kon Banks zien dat hij inderdaad meer wist, maar ook dat hij het niet zou vertellen. Vandaag tenminste niet. Banks was pissig en voelde zich tegelijkertijd ook schuldig. Het was zijn schuld dat dit niet tot op de bodem was uitgezocht. Hij was zo gefixeerd geweest op de seriemoordenaar dat hij de basisprincipes van het politiewerk overboord had gezet en niet genoeg druk had uitgeoefend op degenen die het beste konden weten wat er met Leanne was gebeurd.

'Vertel me wat er is gebeurd,' drong Banks opnieuw aan.

'Ik heb alles al verteld. Ik heb verdomme alles al verteld!' Mick ging rechtop zitten. 'Toen we uit de Old Ship weggingen, ging Leanne naar huis. Dat was de laatste keer dat we haar hebben gezien. Een of andere verknipte gek moet haar te grazen hebben genomen. Dat dachten jullie toch zelf ook? Waarom zijn jullie dan opeens van gedachten veranderd?'

'O, dus je bent wel nieuwsgierig,' zei Banks en hij stond op. 'Je hebt ongetwijfeld het nieuws gevolgd. We hebben de verknipte gek die die meisjes heeft vermoord inderdaad opgepakt, maar hij is dood en kan ons niets meer vertellen. Helaas hebben we in zijn huis en tuin geen spoor van Leanne aangetroffen en neem van mij aan dat we elke centimeter hebben uitgekamd.'

'Dan zal het wel een andere engerd zijn geweest.'

'Ach, kom nou toch, Mick. Nee, we zijn weer terug bij af. Bij jullie dus, bij jou, Ian en Sarah, die haar voor het laatst hebben gezien. Ik zal je wat tijd geven om over alles na te denken, Mick, maar ik kom terug, reken daar maar op. Dan zullen we een serieus gesprek moeten voeren. Blijf zolang wel in de buurt, ja?'

Toen Banks naar buiten liep, bleef hij net lang genoeg bij het tuinhekje staan om te zien dat Mick, een donkere schaduw achter de gordijnen, van de bank opsprong en naar de telefoon liep.

16

Op maandagochtend stroomde het zonlicht door het keukenraam en weerkaatste tegen de koperen pannen die aan de muur hingen. Banks zat met een kop koffie en toast met marmelade aan zijn grenen tafel waarop de ochtendkrant voor hem lag uitgespreid, terwijl op de radio Vaughan Williams 'Variations on a Theme by Thomas Tallis' werd gespeeld. Hij las of luisterde echter niet.

Hij had al vanaf vier uur wakker gelegen omdat er miljoenen details door zijn hoofd dansten, en hoewel hij hondsmoe was, zou hij niet meer kunnen slapen. Hij zou blij zijn als de Kameleon-zaak voorbij was, Gristhorpe weer aan de slag ging en hij zijn normale taken weer kon oppakken. De verantwoordelijkheid die bij het leidinggeven hoorde, had hem de afgelopen anderhalve maand uitgeput. Hij zat nu net zo dicht tegen een burn-out aan als jaren geleden, toen hij van het korps in Londen was overgestapt naar North Yorkshire, in de hoop dat het leven daar wat rustiger zou worden. Soms had hij de indruk dat het moderne politiewerk meer iets was voor jongere mensen. Wetenschap, technologie en een ander soort management hadden het er niet eenvoudiger op gemaakt. Voor het eerst in zijn leven bedacht hij die ochtend dat het tijd werd zijn baan op te geven.

Hij hoorde de post door de bus glijden en raapte de brieven van de mat. Tussen de gebruikelijke rekeningen en reclamefolders zat een handgeschreven envelop uit Londen. Banks herkende het nette schuine schrift onmiddellijk.

Sandra.

Zijn hart begon sneller te kloppen en met een onbehaaglijk gevoel nam hij de post mee terug naar de keuken, waar hij de brief van Sandra openmaakte.

Beste Alan,

Ik heb begrepen dat Tracy je heeft verteld dat Sean en ik een baby verwachten. Ik had liever gezien dat ze dit niet had gedaan, maar daarvoor is het nu te laat, het kan niet meer worden teruggedraaid. Ik hoop dat je

*inzier hoe belangrijk het is dat onze scheiding nu snel wordt afgewikkeld
en ook dat je de gewenste stappen zult ondernemen.
Met vriendelijke groet,
Sandra.*

Dat was alles. Een kil, formeel briefje. Banks moest toegeven dat hij
geen haast had gemaakt met het afwikkelen van de echtscheidingspro-
cedure omdat hij daar de noodzaak niet van had ingezien. Diep van
binnen moest hij toegeven dat hij zich koppig aan Sandra was blijven
vastklampen in de hoop dat dit een misverstand was of een boze droom
waaruit hij in Eastvale zou ontwaken met Sandra aan zijn zijde. Niet
dat hij dat nog steeds wilde, dat niet, maar het had wel lang geduurd
voordat hij de werkelijkheid onder ogen wilde zien.

En dan nu dit.

Banks legde de brief neer, nog steeds van slag vanwege de kille toon.
Waarom kon hij het niet gewoon van zich afzetten en verdergaan, zoals
Sandra ook had gedaan? Was het om zijn schuldgevoel over Sandra's
miskraam? Hij kon het niet zeggen; het was allemaal zo onwerkelijk.
De vrouw met wie hij meer dan twintig jaar getrouwd was geweest,
de moeder van zijn kinderen, stond op het punt het kind van een andere man te baren.

Hij gooide de brief op tafel, greep zijn koffertje en liep naar zijn auto.
Hij was van plan later die ochtend naar Leeds te gaan, maar wilde eerst
langs het bureau rijden, wat achterstallig papierwerk afhandelen en
even met Winsome van gedachten wisselen. De rit van Gratly naar
Eastvale was een van de mooiste routes in de omgeving: een smalle
weg door de heuvels met een prachtig uitzicht op de vallei met zijn slaperige dorpjes, de kronkelende rivier en groene weiden. Maar vandaag
had hij er geen aandacht voor. Sandra's brief en de deprimerende gevoelens over zijn baan namen hem volledig in beslag.

Op het politiebureau heerste weer de gebruikelijke drukte. Banks liep
zijn kantoor in en zette de radio aan. Over de verdwijning van Lucy
Payne maakte hij zich geen zorgen. Die zou ongetwijfeld weer boven
water komen en ook als dat niet gebeurde, was er nog geen man overboord, tenzij ze natuurlijk direct bewijsmateriaal tegen haar vonden.
Intussen zouden ze haar aan de hand van geldopnames en creditcard-
transacties in de gaten blijven houden. Waar ze ook was, zonder geld
kwam ze niet ver.

Toen hij het papierwerk had afgerond, liep hij naar de gemeenschappelijke werkruimte. Winsome Jackman zat achter haar bureau op een potlood te kauwen.

'Winsome,' zei hij, 'ik heb een klusje voor je.'

Nadat hij haar had verteld wat ze moest doen, liep hij het bureau uit, stapte in zijn auto en vertrok naar Leeds.

Even na lunchtijd liep Annie het kantoor van Justitie binnen. De advocaat die in deze zaak als openbaar aanklager zou optreden, Jack Whitaker, was een vroeg kalende man van begin dertig met een lispelende tongval. Zijn handdruk was stevig, maar zijn handpalm was klam. 'Nog nieuwe ontwikkelingen?' vroeg hij toen Annie was gaan zitten.

'Ja,' antwoordde Annie. 'Agent Taylor heeft vanochtend haar verklaring gewijzigd.'

'Mag ik hem lezen?'

Annie overhandigde hem Janet Taylors gewijzigde verklaring en Whitaker las de tekst aandachtig. Toen hij klaar was, schoof hij de papieren over zijn bureau terug naar Annie. 'Wat denk je ervan?' vroeg ze.

'Ik denk,' zei Jack Whitaker langzaam, 'dat we Janet Taylor gaan aanklagen wegens moord.'

'Wat?' Annie kon haar oren niet geloven. 'Ze heeft gehandeld zoals van een politieagent in functie mocht worden verwacht. Ik dacht aan doodslag uit noodweer... maar moord...'

Whitaker zuchtte. 'Kennelijk heb je het nieuws nog niet gehoord?'

'Wat voor nieuws?'

'De jury heeft net voor de lunch een uitspraak gedaan in de zaak-John Hadleigh. Je weet wel, die boer uit Devon.'

'Ik heb de Hadleigh-zaak gevolgd. Wat was de uitspraak?'

'Hij is schuldig bevonden aan moord.'

'Jezus Christus,' zei Annie. 'Maar dit is toch iets heel anders? Hadleigh was tenslotte een burger. Hij heeft een inbreker in de rug geschoten. Janet Taylor...'

Whitaker hief zijn hand op. 'Het gaat erom dat de boodschap duidelijk is. Na deze uitspraak moeten we laten zien dat we iedereen gelijk en eerlijk behandelen. We kunnen niet hebben dat de pers ons ervan beschuldigt dat we Janet Taylor met fluwelen handschoenen hebben aangepakt omdat ze politieagent is.'

'Het is dus een politieke kwestie?'

'Is het dat niet altijd? Het gaat erom dat het recht wordt gehandhaafd.'

'En wordt het recht gehandhaafd?'

Whitaker trok zijn wenkbrauwen op. 'Luister,' zei hij, 'ik begrijp hoe je je voelt, geloof me. Uit Janet Taylors eigen verklaring blijkt dat ze Terence Payne met handboeien aan een metalen buis heeft geboeid nadat ze hem murw had geslagen en dat ze hem daarna nog twee keer met haar wapenstok heeft geslagen. Heel hard. Denk eens goed na, Annie. Dat is opzettelijk. Dat is moord.'

'Dat wil nog niet zeggen dat ze van plan was hem te doden. Het was geen voorbedachte rade.'

'Het is aan de jury om dat te beslissen. Een goede aanklager zou kunnen claimen dat ze verdomd goed wist wat het effect zou zijn van twee harde klappen op zijn hoofd nadat ze hem al zeven keer eerder had geslagen.'

'Ik kan mijn oren niet geloven,' zei Annie.

'Het spijt me echt heel erg,' zei Whitaker.

'Zeg dat maar tegen Janet Taylor.'

'Janet Taylor had Terence Payne niet moeten vermoorden.'

'Wat weet jij er verdomme nou van? Jij was niet in die kelder waar je partner lag dood te bloeden en een dood meisje wijdbeens op een matras was vastgebonden. Jij hoefde niet in een paar seconden te reageren op een man die met een hakmes op je afkwam. Dit is verdomme een schijnvertoning! Pure politiek, meer niet.'

'Rustig nou, Annie,' zei Whitaker.

Annie stond op en ijsbeerde met over elkaar geslagen armen heen en weer. 'Waarom zou ik? Ik ben niet rustig. Deze vrouw is de afgelopen dagen door een hel gegaan. Ik ben degene die haar zover heeft gekregen dat ze haar verklaring heeft aangepast, omdat ik dacht dat het uiteindelijk beter voor haar was dan volhouden dat ze het zich niet kon herinneren. Wat moet ze nu niet van me denken?'

'Is dat het enige waar je je druk om maakt? Wat ze van je zal denken?'

'Nee, natuurlijk niet.' Annie liet zich langzaam weer in haar stoel terugzakken. Ze zag nog steeds rood van kwaadheid en ze ademde gejaagd. 'Maar zo lijkt het net of ik gelogen heb. Alsof ik haar in een val heb laten lopen. Dat zit me dwars.'

'Je hebt gewoon je werk gedaan.'

'Ik heb gewoon mijn werk gedaan. Gewoon mijn opdracht uitgevoerd. Ja, ja. Nou, bedankt. Nu voel ik me echt een stuk beter.'

'Misschien loopt het allemaal zo'n vaart niet, Annie, maar er zal wel een proces moeten plaatsvinden. Het moet in de openbaarheid worden gebracht. Alles volgens de regels. Er mag niets in de doofpot verdwijnen.'

'Dat was ook niet wat ik in gedachten had. Welke opties zijn er?'

'Ik neem aan dat Janet Taylor geen schuld aan moord zal willen bekennen?'

'Dat zal ze inderdaad niet en dat zal ik haar ook zeker niet aanraden.'

'Het gaat hier niet om wat iemand haar wel of niet zou aanraden. Bovendien is dat jouw taak helemaal niet. Wat zal ze eventueel wel willen bekennen?'

'Doodslag uit noodweer.'

'Het was geen zelfverdediging. Ze heeft die grens overschreden, ze heeft Payne geslagen toen hij zich niet meer kon verdedigen of haar nog kon aanvallen.'

'Wat dan wel?'

'Doodslag.'

'Hoe lang zou ze dan vastzitten?'

'Minimaal achttien maanden, maximaal drie jaar.'

'Dat is nog steeds heel lang, vooral voor een agent.'

'Niet zo lang als John Hadleigh.'

'Hadleigh heeft een jongen met een geweer in de rug geschoten.'

'Janet Taylor heeft een man die zich niet kon verdedigen met een politiewapenstok op zijn hoofd geslagen en die man is aan die verwondingen bezweken.'

'Hij was een seriemoordenaar.'

'Dat wist ze toen nog niet.'

'Hij viel haar anders wel met een hakmes aan!'

'Toen ze hem eenmaal had ontwapend, heeft ze meer geweld gebruikt dan noodzakelijk was om hem onschadelijk te maken, met de dood als gevolg. Het maakt niet uit dat hij een seriemoordenaar was, Annie. Al was hij Jack the Ripper in hoogst eigen persoon.'

'Hij had haar partner gedood. Ze was van streek.'

'Ik ben blij te horen dat ze dit niet kalm, koelbloedig en beheerst heeft uitgevoerd.'

'Je weet best wat ik bedoel. Je hoeft heus niet sarcastisch te worden.'

'Sorry. Ik ben ervan overtuigd dat de rechter en de jury niets buiten beschouwing zullen laten, ook niet haar gemoedstoestand op dat moment.'

Annie zuchtte. Ze was misselijk. Zodra deze klucht voorbij was, zou ze maken dat ze wegkwam uit Bureau Intern Onderzoek en zo snel mogelijk het echte politiewerk weer oppakken.

'Goed,' zei ze. 'Wat gebeurt er nu?'

'Dat weet je best, Annie. Ga naar Janet Taylor, arresteer haar wegens verdenking van doodslag, en breng haar naar het bureau.'

'Er is hier iemand die u wil spreken, hoofdinspecteur.'

Waarom moest die jonge agent daar zo bij grijnzen? vroeg Banks zich af in zijn kantoor in Millgarth. 'Wie is het?'

'Dat kunt u beter zelf zien, meneer.'

'Kan iemand anders dit niet afhandelen?'

'Ze heeft specifiek gevraagd naar iemand die de leiding had in de zaak van de vermiste meisjes, meneer. Commissaris Hartnell is in Wakefield en hoofdinspecteur Blackstone is niet aanwezig. U bent de enige die over is.'

Banks zuchtte. 'Vooruit dan maar. Laat haar maar binnenkomen.'

De agent grijnsde weer en verdween.

Er werd zachtjes op de deur geklopt, die vervolgens langzaam werd opengeduwd. Toen verscheen ze in volle glorie voor hem. Ze was één meter vijftig, zo mager als een anorexia-patiënt en het schreeuwerige rood van haar lippen en nagels was in fel contrast met de bijna doorschijnende bleekheid van haar huid. Haar tere gelaatstrekken zagen eruit alsof ze van porselein waren gemaakt en met de grootst mogelijke zorg op haar maanvormige gezichtje waren gelijmd of geschilderd. Ze klemde een goudlamé handtas vast, droeg een felgroen, kort truitje dat direct onder haar kleine borstjes ophield en haar witte buik met het ringetje in de navel bloot liet. Daaronder droeg ze een zwarte polyester minirok. Ze had geen panty aan en haar dunne, witte benen staken bloot in de kniehoge laarzen met plateauzolen, waardoor ze de indruk wekte dat ze op stelten liep. Op haar gezicht was een mengeling van angst en nervositeit af te lezen en haar mooie kobaltblauwe ogen schoten rusteloos door het strenge kantoor.

Als hij had moeten raden, zou Banks haar in de categorie heroïnehoertjes hebben geplaatst. Ergens deed ze hem denken aan de dochter van hoofdcommissaris Riddle, Emily, maar de gelijkenis was alleen oppervlakkig.

'Bent u het?' vroeg ze.

'Ben ik wie?'

'Degene die hier de leiding heeft. Ik heb gevraagd naar iemand die hier de leiding heeft.'

'Dat ben ik inderdaad. Als straf voor mijn zonden,' zei Banks.

'Sorry?'

'Laat maar. Ga zitten.' Ze nam langzaam en achterdochtig plaats op een stoel. Ze keek nog steeds schichtig om zich heen, alsof ze bang was dat er iemand tevoorschijn zou springen die haar op haar stoel zou vastbinden. Ze had duidelijk al haar moed bijeen moeten schrapen om hier te komen. 'Wil je koffie of thee?' vroeg Banks.

De vraag verraste haar. 'Eh... ja, graag. Koffie als het kan.'

'Hoe?'

'Wat?'

'Wat wil je in je koffie?'

'Melk en veel suiker,' zei ze op een toon alsof dat vanzelf sprak.

Banks bestelde telefonisch twee koppen koffie, die van hem zwart zonder suiker, en keek haar weer aan. 'Hoe heet je?'

'Candy.'

'Echt waar?'

'Hoezo? Wat is er mis mee?'

'Niets. Helemaal niets, Candy. Ben je al eens eerder op een politiebureau geweest?'

Ze keek hem angstig aan. 'Hoezo?'

'Zomaar. Je schijnt je niet erg op je gemak te voelen.'

Ze glimlachte zwakjes. 'Nou ja... niet zo erg, nee.'

'Rustig maar. Ik zal je niet opeten.'

De koffie werd gebracht door de jonge agent die nog steeds dezelfde grijns op zijn gezicht had. Banks ergerde zich aan de zelfvoldane arrogantie die eruit sprak.

'Goed, Candy,' zei hij na het eerste slokje koffie. 'Wil je me nu misschien vertellen waar dit over gaat?'

'Mag ik roken?' Ze deed haar handtas open.

'Helaas niet,' zei Banks. 'In dit bureau mag nergens gerookt worden, anders deed ik graag met je mee.'

'Kunnen we dan misschien even naar buiten?'

'Dat lijkt me niet zo'n goed idee,' zei Banks. 'Maar hoe sneller je me vertelt wat er aan de hand is, hoe eerder je weer weg kunt.'

'Ik rook altijd een peuk bij de koffie.'

'Nu even niet. Waarom wilde je me spreken, Candy?'

Ze deed haar tas weer dicht en sloeg haar benen over elkaar, waarbij ze met een van de plateauzolen zo hard tegen de onderkant van het bureau bonkte dat Banks' koffie over de rand van zijn mok op het bureaublad golfde.

'Sorry,' zei ze.

'Geeft niet.' Banks haalde zijn zakdoek tevoorschijn en veegde de koffie op. 'Je zou me vertellen waarom je hier bent.'

'Nou kijk,' begon Candy en ze leunde voorover in haar stoel. 'Om te beginnen moet u me wel immunisatie garanderen. Anders zeg ik niets.'

'Immuniteit, bedoel je?'

Ze bloosde. 'Hoe het ook heet. Ik heb niet zo lang op school gezeten.'

'Immuniteit voor wat?'

'Voor vervolging.'

'Waarom zou ik je willen vervolgen?'

Ze keek Banks niet aan en haar handen prutsten aan de tas die op haar blote benen lag. 'Vanwege wat ik doe,' zei ze. 'U snapt toch wel... met mannen. Ik ben prostituee, een hoertje.'

'Jezus,' zei Banks. 'Daar sta ik nou echt van te kijken.'

Ze keek hem aan en in haar ogen stonden tranen van boosheid. 'U hoeft echt niet zo verwaand te doen, hoor. Ik schaam me niet voor wat ik doe. Ik sluit in ieder geval geen onschuldige mensen op in de gevangenis, zodat schuldige mensen kunnen ontsnappen.'

Banks voelde zich een klootzak. Hij was met zijn sarcastische belediging aan haar adres geen haar beter dan de zelfvoldaan grijnzende agent. 'Het spijt me, Candy,' zei hij. 'Ik heb het gewoon druk. Kunnen we misschien ter zake komen? Als je me echt iets te vertellen hebt, doe dat dan.'

'Belooft u het?'

'Wat moet ik beloven?'

'Dat u me niet in een cel gooit?'

'Ik gooi je niet in een cel. Erewoord. Tenzij je natuurlijk gaat bekennen dat je een ernstige misdaad op je geweten hebt.'

Ze schoot overeind. 'Ik heb helemaal niets gedaan!'

'Oké. Oké. Ga maar weer zitten. Rustig aan.'

Candy ging langzaam zitten en was deze keer voorzichtiger met haar plateauzolen. 'Ik ben hier omdat u haar hebt laten gaan. Ik was helemaal niet van plan om te komen. Ik heb de pest aan de politie. Maar toen liet u haar gaan.'

'Over wie gaat dit, Candy?'

'Over dat stel uit de krant, die twee die al die jonge meisjes hebben ontvoerd.'

'Wat weet je over hen?'

'Ze hebben me een keer... nou, ja... ze...'

'Hebben ze jou een keer opgepikt?'

Ze boog haar hoofd. 'Ja.'

'Samen?'

'Ja.'

'Wat is er toen precies gebeurd?'

'Ik liep gewoon op straat, weet u wel, en toen kwamen ze langsrijden in een auto. Hij deed het woord en toen we een afspraak hadden gemaakt, namen ze me mee naar een huis.'

'Wanneer was dit, Candy?'

'Afgelopen zomer.'

'Weet je nog in welke maand?'

'Augustus, geloof ik. Eind augustus. Het was in ieder geval warm.'

Banks zag in gedachten het tijdsschema voor zich. De verkrachtingen in Seacroft waren opgehouden rond de tijd dat de Paynes uit de omgeving waren vertrokken, ongeveer een jaar voor Candy's verhaal. Dan bleef er een periode van ongeveer zestien maanden over totdat Payne Kelly Matthews had ontvoerd. Had hij in die tijd geprobeerd zijn neigingen te onderdrukken of was hij naar prostituees gegaan? Welke rol had Lucy hierin gespeeld?

'Waar was dit huis?'

'Op The Hill. Het is hetzelfde huis dat ook in de krant heeft gestaan. Ik ben daar binnen geweest.'

'Goed. Wat gebeurde er toen?'

'Nou, we hebben eerst wat gedronken en een beetje zitten kletsen. Ze leken allebei heel aardig.'

'En toen?'

'Wat denkt u?'

'Ik wil het liever van jou horen.'

'Hij zei, zullen we naar boven gaan?'

'Jullie tweeën?'

'Ja. Dat is tenminste wat ik eerst dacht.'

'Ga verder.'

'We gingen dus naar de slaapkamer en ik... nou ja, u weet wel... toen heb ik me uitgekleed. Gedeeltelijk dan. Hij wilde dat ik sommige dingen aanhield. Mijn sieraden. Ondergoed. Eerst wel, tenminste.'

'Wat gebeurde er toen?'

'Het was er erg donker en je kon alleen maar schaduwen zien. Ik moest van hem op het bed gaan liggen en voordat ik er erg in had was zij er ook.'

'Lucy Payne?'

'Ja.'

'Lag ze bij jou op bed?'

'Ja. In d'r nakie.'

'Deed ze mee aan wat er op seksueel gebied gebeurde?'

'Reken maar. Ze wist donders goed wat ze deed. Sluw nest.'

'Ze werd nergens toe gedwongen, kwam niet over als een slachtoffer?'

'Mooi niet. Echt niet. Ze was de baas. En ze vond alles wat we deden even lekker. Ze stelde zelf ook dingen voor... andere standjes, snapt u wel?'

'Hebben ze je pijn gedaan?'

'Niet echt. Nou ja, ze vonden het leuk om spelletjes te doen, maar ze wisten geloof ik wel tot hoever ze konden gaan.'

'Wat voor spelletjes?'

'Hij vroeg of hij me aan het bed mocht vastbinden. Hij beloofde dat ze me geen pijn zouden doen.'

'Heb je daarmee ingestemd?'

'Ze betaalden me goed.'

'En ze leken heel aardig.'

'Inderdaad.'

Banks schudde verbaasd zijn hoofd. 'Goed. Ga verder.'

'U moet me niet veroordelen,' zei ze. 'U kent me helemaal niet en hebt geen idee waarom ik het allemaal moet doen, dus waag het niet om me te veroordelen!'

'Goed,' zei Banks. 'Ga alsjeblieft verder, Candy. Ze hebben je dus op het bed vastgebonden.'

'Toen deed zij iets met heet kaarsvet. Op mijn buik. Mijn tepels. Dat deed wel pijn, maar niet echt. Snapt u wat ik bedoel?'

Banks had op seksueel gebied nooit met gesmolten kaarsvet geëxperimenteerd, maar had meer dan eens wat op zijn hand gemorst en was bekend met het gevoel: de korte flitsende pijn en hitte, gevolgd door snelle afkoeling, waarbij het kaarsvet aan de samengetrokken huid bleef plakken. Een niet geheel onplezierig gevoel.

'Was je bang?'

'Een beetje. Niet echt, hoor. Ik heb wel erger meegemaakt. Wat ik eigenlijk probeer uit te leggen is dat ze een team vormden. Daarom ben ik hier. Ik kan maar niet geloven dat jullie haar hebben laten gaan.'

'We hebben geen enkel bewijs dat ze betrokken is geweest bij de moord op die meisjes.'

'Ziet u het dan niet?' smeekte Candy. 'Ze is net als hij. Ze zijn een team. Ze doen die dingen samen. Ze doen alles samen.'

'Candy, ik vind het heel moedig van je dat je hier bent gekomen, maar wat je me hebt verteld, verandert niets aan de zaak. We kunnen haar niet zomaar arresteren, omdat...'

'Omdat een hoertje deze verklaring heeft afgelegd, wilde u zeker zeggen?'

'Dat wilde ik helemaal niet zeggen. Ik wilde zeggen dat we haar niet zomaar kunnen arresteren op basis van de verklaring die jij zojuist hebt afgelegd. Je hebt zelf toegestemd. Je bent voor je diensten betaald. Ze hebben je niet meer pijn gedaan dan je had verwacht. Je hebt nu eenmaal een baan met de nodige risico's. Dat weet je zelf ook wel, Candy.'

'Dus het maakt helemaal niet uit wat ik u net heb verteld?'

'Jawel, het maakt wel degelijk wat uit. Voor mij in ieder geval. Alleen gaan we hier uit van feiten, van bewijsmateriaal. Ik twijfel niet aan wat je hebt verteld, ik geloof echt dat het is gebeurd, maar zelfs als we dit allemaal op een videoband hadden staan, bewijst het nog niet dat ze een moordenaar is.'

Candy zweeg even en zei toen: 'Dat hebben ze wel gedaan. Alles op video opgenomen, bedoel ik.'

'Hoe weet je dat?'

'Omdat ik de camera heb zien staan. Ze dachten dat hij goed verborgen was achter een scherm, maar ik hoorde iets, een soort snorrend geluid, en toen ik even opstond om naar de wc te gaan, zag ik dat er een videocamera achter een scherm stond opgesteld. Er zat een gat in het scherm.'

'We hebben geen video's in hun huis gevonden, Candy. Zoals ik al zei, zelfs als we die wel hadden, had dat nog niets uitgemaakt.' Maar dat Candy een videocamera had gezien, had Banks' volledige belangstelling. Opnieuw vroeg hij zich af waar die kon zijn en waar de videobanden lagen.

'Dan is alles dus voor niets geweest? Dan ben ik dus voor niets gekomen?'

'Niet per se.'

'Jawel. U gaat helemaal niets doen. Ze is net zo schuldig als hij, ze heeft net zo goed meegedaan aan de moorden als hij en toch laat u haar gaan.'

'Candy, we hebben geen bewijzen tegen haar. Het feit dat ze met haar man en jou aan een triootje heeft meegedaan, bewijst niet dat ze een moordenaar is.'

'Ga dan op zoek naar dat bewijs.'

Banks zuchtte diep. 'Waarom ben je werkelijk naar ons toegekomen?' vroeg hij. 'Niet liegen. Meisjes als jij melden zich nooit vrijwillig bij de politie.'

'Meisjes als ik? Wat bedoelt u daarmee precies? U zit me gewoon weer te veroordelen, hè?'

'Allemachtig, Candy... Je bent een hoer. Dat heb je me zelf verteld. Je verkoopt seks. Ik veroordeel jou of je beroep helemaal niet, maar het blijft een feit dat meisjes met dat beroep de politie zelden vrijwillig te hulp schieten. Waarom ben je dus werkelijk hier?'

Ze wierp hem een blik zo vol verstandhouding, humor en intelligentie toe dat Banks bijna een preek wilde afsteken om haar over te halen naar de universiteit te gaan en een studie te volgen. Hij deed het niet. De uitdrukking op haar gezicht veranderde snel in een droevige. 'U hebt gelijk,' zei ze. 'Er zitten inderdaad heel wat risico's aan mijn beroep. Het risico dat je een seksueel overdraagbare ziekte oploopt. Het risico dat je een foute klant oppikt. Een engerd. Dat overkomt ons regelmatig. We weten hoe we daarmee moeten omgaan. Op dat moment waren deze twee niet beter of erger dan anderen. Beter dan de meesten. Ze hebben me tenminste betaald.' Ze boog zich voorover. 'Maar nu heb ik over hen in de krant gelezen, over wat jullie in die kelder hebben gevonden...' Ze rilde even en klemde haar armen om haar magere schouders. 'Er worden wel vaker meisjes vermist,' vervolgde ze. 'Meisjes zoals ik. En daar maakt niemand zich druk over.'

Banks wilde iets zeggen, maar ze snoerde hem de mond.

'O, u gaat zeker zeggen dat u zich daar wel druk over maakt. U gaat zeggen dat het niet uitmaakt wie er wordt verkracht, in elkaar geslagen of vermoord. Als het de schoolgaande dochter van zo'n rijkeluisgezin is, rust u niet voor de onderste steen boven is gekomen en u de dader te pakken hebt. Maar als het gaat om iemand als ik... tja, laten we maar zeggen dat het dan niet zo'n hoge prioriteit heeft. Waar of niet waar?'

'Als dat al zo is, dan hebben we daar zo onze redenen voor, Candy,' zei Banks. 'Dan is het echt niet omdat ik me daar niet druk over maak. Omdat wij ons daar niet druk over maken.'

Ze keek hem even onderzoekend aan en leek hem het voordeel van de twijfel te gunnen. 'U misschien niet,' zei ze. 'Misschien bent u inderdaad anders. En misschien hebben jullie er goede redenen voor. Maar dat is niet genoeg. Maar goed, de reden dat ik hier eigenlijk ben en zo... is niet alleen omdat er meisjes worden vermist. Er worden natuurlijk best veel meisjes vermist. En voor mij eentje in het bijzonder.'

Banks voelde dat de haren in zijn nek recht overeind stonden. 'Een meisje dat jij kent? Een vriendin van je?'

'Niet echt een vriendin. In dit beroep heb je niet veel echte vriendinnen. Iemand die ik kende, dat wel. Met wie ik wel eens een praatje maakte of iets dronk. Aan wie ik zelfs geld heb geleend.'

'Wanneer is dit precies gebeurd?'

'Ik weet het niet meer precies. Voor de kerst.'

'Heb je aangifte gedaan?'

Haar scherpe blik verraadde dat hij zojuist sterk in haar achting was gedaald. Het vreemde was dat het hem kwetste. 'Alstublieft, zeg,' zei ze. 'Het is een voortdurend komen en gaan van meisjes. Ze trekken verder. Stappen soms zelfs helemaal uit het leventje als ze genoeg hebben gespaard om naar de universiteit te gaan.'

Banks voelde dat hij begon te blozen toen ze aanstipte wat kort daarvoor bij hemzelf was opgekomen. 'Wie zegt dat dit vermiste meisje niet net als al die anderen gewoon is vertrokken?' vroeg hij.

'Niemand,' zei Candy. 'Misschien is het inderdaad loos alarm.'

'Maar?'

'Maar u zei zelf dat wat ik u heb verteld geen echt bewijs is.'

'Dat klopt, ja.'

'Het heeft u wel aan het denken gezet, hè?'

'Er is inderdaad wel iets bij me opgekomen, ja.'

'Stel dat dit meisje niet gewoon is weggegaan. Stel dat haar inderdaad iets is overkomen. Vindt u niet dat u die mogelijkheid in ieder geval moet onderzoeken? Wie weet vindt u dan wel wat bewijzen.'

'Dat klinkt logisch, Candy, maar heb je dit meisje ooit samen met de Paynes gezien?'
'Dat niet, nee.'
'Heb je de Paynes ergens gezien rond de tijd dat ze verdween?'
'Ik zag ze wel eens door de straat rijden. Ik kan me de precieze data echter niet herinneren.'
'Wel rond diezelfde tijd?'
'Ja.'
'Allebei?'
'Ja.'
'Je moet me een naam geven.'
'Geen probleem. Ik weet hoe ze heet.'
'En dan niet een naam als Candy.'
'Wat is er mis met Candy?'
'Ik geloof gewoon niet dat dat je echte naam is.'
'Mijn echte naam is namelijk Hayley, wat volgens mij nog een stuk erger is.'
'Ach, dat zou ik niet zeggen. Zo erg is het toch niet?'
'Bespaar me alle vleierij. U weet toch zeker wel dat wij hoertjes niet gevleid hoeven te worden?'
'Zo bedoelde ik het niet...'
Ze glimlachte. 'Dat weet ik wel.' Ze boog zich voorover, leunde met haar armen op het bureau en bracht haar gezicht vlak bij het zijne. Haar adem rook naar kauwgom en sigaretten. 'Dat meisje dat is verdwenen had Anna als werknaam, maar ik weet hoe ze echt heette. Wat zegt u daarvan, meneer de speurneus?'
'Dan kunnen we zaken doen,' zei Banks en hij greep een schrijfblok en pen.
Ze leunde achterover in haar stoel en sloeg haar armen over elkaar. 'Ho, ho. Ik wil eerst een sigaret.'

'Wat gebeurt er nu?' vroeg Janet. 'Ik heb mijn verklaring al gewijzigd.'
'Dat weet ik,' zei Annie en het gevoel van misselijkheid welde weer in haar op, en niet alleen door de muffe, bedompte geur in Janets flat. 'Ik ben bij de aanklager geweest.'
Janet schonk uit een bijna lege fles een glas gin voor zichzelf in. 'En?'
'Het is de bedoeling dat ik je nu arresteer en meeneem naar het bureau om je in staat van beschuldiging te stellen.'
'Ik begrijp het. Hoe luidt de beschuldiging?'
Annie zweeg even, haalde diep adem en zei: 'De aanklager wilde je aanvankelijk moord ten laste leggen, maar ik heb dat tot doodslag weten

terug te brengen. Je zult hier zelf met ze over moeten praten, maar ik weet zeker dat ze je het niet moeilijk zullen maken als je schuld bekent.' De shock en woede die ze had verwacht, bleven uit. In plaats daarvan wikkelde Janet een los draadje om haar vinger en nam ze fronsend een slok gin. 'Dat komt zeker door de uitspraak in de John Hadleigh-zaak? Ik heb het op de radio gehoord.'

Annie slikte moeizaam. 'Dat klopt.'

'Dat dacht ik al. Het offerlam.'

'Luister,' zei Annie, 'we komen er wel uit. Zoals ik al zei, de aanklager is ongetwijfeld bereid om een deal te sluiten...'

Janet hief haar hand op. 'Nee.'

'Wat wil je daarmee zeggen?'

'Nee. Wat is daar zo moeilijk aan? Nee.'

'Janet...'

'Nee. Als die schoften me willen aanklagen, gaan ze hun gang maar. Ik ga het ze niet gemakkelijk maken door schuld te bekennen, want ik deed gewoon mijn werk.'

'Dit is niet het moment om spelletjes te spelen, Janet.'

'Spelletjes? Ik meen het serieus. Ik ben onschuldig, welke aanklacht u ook tegen me indient, en dat blijf ik volhouden.'

Annie voelde een koude rilling over haar rug lopen. 'Janet, luister naar me. Dit kun je niet doen.'

Janet lachte. Ze zag er slecht uit, vond Annie: ongewassen en ongekamd haar, een bleke huid vol puistjes en een allesoverheersende geur van zweet en gin. 'Doe niet zo dom,' zei ze. 'Natuurlijk kan ik dat wel. Het volk wil toch dat we ons werk doen? Ze willen toch dat iedereen zich veilig voelt als ze 's nachts in hun bed liggen of 's ochtends naar hun werk rijden of 's avonds even wat gaan drinken? Zo is het toch? Laat ze maar eens voelen dat er betaald moet worden om moordenaars van de straat te houden. Nee, Annie Cabbot, ik ga geen schuld bekennen, ook niet aan doodslag.'

Annie leunde voorover om haar woorden extra nadruk te geven. 'Denk alsjeblieft goed na, Janet. Het zou wel eens een van de belangrijkste beslissingen in je hele leven kunnen zijn.'

'Dat denk ik niet. Die heb ik vorige week in die kelder al genomen. Ik heb er trouwens goed over nagedacht. Ik heb de hele week aan niets anders kunnen denken.'

'Je hebt de knoop dus definitief doorgehakt?'

'Ja.'

'Denk je echt dat ik dit wil, Janet?' zei Annie en ze stond op.

Janet keek haar glimlachend aan. 'Nee, natuurlijk niet. Aan u ligt het niet. U wilt alleen het juiste doen en u weet net zo goed als ik dat dit zaakje stinkt. Maar als het erop aankomt, zult u altijd uw plicht blijven doen. Die verdomde plicht. Weet u dat ik bijna blij ben dat dit is gebeurd, dat ik eruit kan stappen? Hypocrieten zijn het, allemaal. Vooruit, laten we de boel maar afhandelen.'

'Janet Taylor, ik arresteer je voor de moord op Terence Payne. Je hoeft niets te zeggen. Alles wat je zegt, kan tegen je gebruikt worden. Als je echter tijdens de ondervraging iets achterhoudt om later in de rechtszaal ter verdediging aan te voeren, kan dit je schade berokkenen.'

Toen Annie voorstelde ergens anders dan in de Queen's Arms iets te gaan drinken, was Banks onmiddellijk op zijn hoede. De Queen's Arms was hun vaste stek. Daar gingen ze na het werk altijd iets drinken. Door een andere pub voor te stellen, de Pied Piper, een typische toeristenpub op Castle Hill, maakte Annie duidelijk dat ze een vervelende boodschap voor hem had, iets wat niet in een gewoon dagelijks gesprek kon worden meegedeeld, dat maakte hij er tenminste uit op. Of anders was ze bang dat hoofdinspecteur Chambers erachter was gekomen dat ze een verhouding hadden.

Hij was tien minuten te vroeg, bestelde alvast een biertje aan de bar en ging met zijn rug naar de muur aan een tafeltje bij het raam zitten. Het uitzicht was adembenemend. De tuin was een zee van paars, donkerrood en diepblauw, en aan de overkant van de rivier ontnamen de hoge bomen op The Green, waarvan een enkele nog steeds in bloei stond, grotendeels het zicht op de vreselijk lelijke East End-wijk. Hij kon nog net een paar grauwe maisonnettes zien en de twee twaalf verdiepingen tellende woontorens die erbij stonden alsof ze de hele wereld hun middelvinger toonden, maar daarachter kon hij ook het weelderig begroeide akkerland zien met velden vol felgeel raapzaad, en met een beetje fantasie zelfs de donkergroene hellingen van de Cleveland Hills in de verte. Hij kon ook de achterkant van Jenny's huis zien dat aan The Green grensde. Hij maakte zich wel eens zorgen over Jenny. Afgezien van haar werk scheen ze weinig te hebben om voor te leven. Ze had gisteren een grapje over haar mislukte relaties gemaakt, maar Banks vond er niets grappigs aan. Hij kon zich nog goed de schok, de teleurstelling en ja... ook de jaloezie herinneren die hij een paar jaar geleden had gevoeld toen hij een kleine crimineel met de naam Dennis Osmond moest gaan ondervragen en hij Jenny om de deur van de slaapkamer had zien kijken, met verward haar en een dunne ochtendjas die van haar schouders gleed. Hij had haar verdriet gezien toen ze haar hart over de ontrouwe Randy bij hem kwam uitstorten. Jenny viel steeds weer voor sukkels, bedriegers en in andere opzichten ongeschikte partners. Het droevige was dat ze dit zelf ook wel wist, en toch gebeurde het steeds opnieuw.

Annie arriveerde een kwartier te laat, wat niets voor haar was, en de gebruikelijke veerkracht in haar stap ontbrak. Toen ze iets te drinken voor zichzelf had gehaald en naast Banks aan het tafeltje ging zitten, kon hij zien dat ze van streek was.

'Zware dag?' vroeg hij.

'Dat zou je wel kunnen zeggen, ja.'

'Nog iets bijzonders?' vroeg hij.

'Ik heb net Janet Taylor gearresteerd.'

'Laat me eens raden: de uitspraak in de Hadleigh-zaak?'

'Ja. Blijkbaar was ik de enige die er nog niet van op de hoogte was. De aanklager wil dat het recht wordt gehandhaafd. Het is een politieke kwestie geworden, zo simpel is het.'

'Dat is wel vaker het geval.'

Annie keek hem verbolgen aan. 'Dat weet ik ook wel, maar ik schiet er niets mee op.'

'Ze zullen heus wel een deal met haar sluiten.'

Annie vertelde hem wat Janet had gezegd.

'Dat kan dan nog een interessante rechtszaak worden. Wat zei Chambers?'

'Het kan hem geen zier schelen. Hij telt gewoon de dagen af tot hij met pensioen kan. Ik heb het helemaal gehad met Intern Onderzoek. Zodra er een plaatsje vrijkomt bij de CID, kom ik terug.'

'Je bent meer dan welkom,' zei Banks met een glimlach.

'Luister eens, Alan,' zei Annie en ze staarde naar het uitzicht achter het raam, 'ik moet je nog iets vertellen.'

Precies wat hij al had verwacht. Hij stak een sigaret op. 'Kom maar op. Waar gaat het over?'

'Ik weet niet hoe... het is gewoon dat ik... ik heb het gevoel dat het niet goed zit tussen jou en mij. Ik denk dat we het iets rustiger aan moeten doen. Elkaar even een tijdje niet zien.'

'Onze relatie verbreken, bedoel je?'

'Niet verbreken. De grens verleggen. We kunnen wel vrienden blijven.'

'Ik weet niet wat ik moet zeggen, Annie. Hoe komt dit zo ineens?'

'Niets bijzonders.'

'Ach, kom. Moet ik geloven dat je plotseling hebt besloten me zonder enige reden te dumpen?'

'Ik dump je helemaal niet. Alles is gewoon anders geworden.'

'Goed. Blijven we dan wel samen uitgaan, romantische etentjes, bezoekjes aan galeries en concerten?'

'Nee.'

'Gaan we nog wel met elkaar naar bed?'

'Nee.'

'Wat doen we dan nog wel samen?'

'We blijven vrienden. We zien elkaar op het werk, steunen elkaar en zo.'

'Ik steun je al "en zo". Waarom kan ik je niet steunen "en zo" en ook met je naar bed gaan?'

'Het is niet dat ik het vrijen niet fijn vind, Alan. Dat weet je best.'

'Ik dacht dat ik het wist, ja. Misschien kun je gewoon verdomd goed doen alsof.'

Annie trok een pijnlijke grimas en nam een paar slokken bier. 'Dat is niet eerlijk. Dat heb ik niet verdiend. Dit is voor mij ook niet gemakkelijk, hoor.'

'Waarom doe je het dan? Je weet heel goed dat er tussen ons meer is dan alleen seks.'

'Ik moet dit doen.'

'Helemaal niet. Komt het door dat gesprek dat we pasgeleden hebben gevoerd? Het was niet mijn bedoeling om voor te stellen dat we aan kinderen zouden beginnen. Dat is wel het laatste waar ik momenteel behoefte aan heb.'

'Dat weet ik. Daar gaat het ook niet om.'

'Had het iets te maken met die miskraam, dat ik je heb verteld hoe ik me toen voelde?'

'Jezus, nee. Nou ja, misschien. Oké, ik moet toegeven dat ik daardoor van slag was, maar niet op de manier zoals je denkt.'

'Hoe dan wel?'

Annie zweeg even. Ze was duidelijk niet op haar gemak, schoof ongemakkelijk op haar stoel heen en weer, wendde haar blik af en zei zacht: 'Er kwamen herinneringen bij me boven die ik liever niet had teruggevonden. Dat is alles.'

'Wat voor herinneringen?'

'Moet je echt alles weten?'

'Annie, ik geef om je. Daarom vraag ik het.'

Ze kamde met haar vingers door haar haar, keek hem recht aan en schudde haar hoofd. 'Na de verkrachting,' zei ze, 'twee jaar geleden... hij had geen... de dader had niets... Shit, dit is veel moeilijker dan ik dacht.'

Er begon Banks iets te dagen. 'Je bent zwanger geraakt. Dat probeer je me te vertellen, is het niet? Daarom ligt dat hele gedoe met Sandra je zo zwaar op de maag.'

Annie probeerde te glimlachen. 'Heel opmerkzaam van je.' Ze raakte voorzichtig zijn hand aan en fluisterde: 'Ja. Ik was zwanger.'

'En toen?'

Annie haalde haar schouders op. 'Ik heb een abortus gehad. Het was niet het leukste moment uit mijn leven, maar ook niet het ergste. Ik voelde me na afloop niet schuldig. Ik voelde eigenlijk helemaal niets. Maar... ik weet het niet... ik wil dit juist achter me laten, en wanneer ik bij jou ben, komt het steeds weer terug, word ik er steeds weer mee geconfronteerd.'

'Annie...'

'Nee. Laat me alsjeblieft uitpraten. Je brengt te veel problemen uit je verleden mee, Alan. Meer dan ik aankan. Ik dacht dat het gemakkelijker zou worden, dat het misschien wel zou ophouden, maar dat gebeurt niet. Jij kunt niets loslaten. Je zult het nooit helemaal kunnen loslaten. Daarvoor is je huwelijk te lang een groot deel van je leven geweest. Je bent gekwetst en ik kan je niet troosten. Ik ben niet zo goed in troosten. Soms word ik in een hoek gedrukt door jouw leven, jouw verleden, jouw problemen, en het enige wat ik dan nog wil, is wegkruipen en alleen zijn.'

Banks drukte zijn sigaret uit en merkte dat zijn hand licht trilde. 'Ik wist niet dat je je zo voelde.'

'Nee, daarom vertel ik het je ook. Ik vind het moeilijk om me aan iemand te binden, ik vind het moeilijk om met emotionele intimiteit om te gaan. Nu nog wel in ieder geval. Misschien wordt het ook nooit gemakkelijker. Nu voel ik me aan alle kanten ingesloten en daar word ik bang van.'

'Kunnen we dit niet oplossen?'

'Ik wil dit niet oplossen. Ik heb er geen energie voor. Ik kan dit nu niet in mijn leven gebruiken. Dat is de tweede reden.'

'Wat?'

'Mijn carrière. Afgezien van het fiasco met Janet Taylor houd ik van mijn werk en ik ben er goed in, hoe je verder ook over me denkt.'

'Dat weet...'

'Nee, wacht even. Laat me uitpraten. Wat we hebben gedaan, is niet erg professioneel. Ik kan me niet voorstellen dat ze op het bureau niet weten wat we in onze vrije tijd uitspoken. Ik heb ze heus wel horen lachen wanneer ik langsliep. Al mijn collega's van de CID en Intern Onderzoek zijn in ieder geval op de hoogte. Ik denk dat Chambers me dit tussen de regels door wilde duidelijk maken toen hij me waarschuwde voor jouw reputatie als rokkenjager. Het zou me niets verbazen als McLaughlin het inmiddels ook wist.'

'Relaties op de werkvloer zijn niet ongebruikelijk en ze zijn ook niet verboden.'

'Nee, maar het wordt ook ten strengste afgeraden en ze zijn er niet blij mee. Ik wil hoofdinspecteur worden, Alan. Jezus, misschien uiteindelijk wel commissaris of hoofdcommissaris. Wie weet? Ik heb weer ambities.'

Het was ironisch, dacht Banks bij zichzelf, dat Annie weer ambities had, juist nu hij de grenzen van de zijne had bereikt. 'Sta ik in de weg?'

'Dat niet. Maar je leidt me af. Ik kan geen afleiding gebruiken.'

'Als je je helemaal op je werk stort...'

'Houd ik weinig tijd over voor andere dingen. Nou en? Dat is voor de verandering ook wel eens goed.'

'Het is dus voorbij? Zomaar, afgelopen, over en uit? We gaan uit elkaar omdat mijn verleden af en toe de kop opsteekt en omdat jij hebt besloten dat je je aan je carrière wilt wijden?'

'Als je het zo wilt zien, ja.'

'Hoe moet ik het anders zien?'

Annie dronk snel haar glas leeg. Banks wist dat ze weg wilde. Maar hij was ook gekwetst, verdomme, en hij wilde het haar niet te gemakkelijk maken.

'Weet je zeker dat er verder niets is?' vroeg hij.

'Wat bijvoorbeeld?'

'Dat moet je mij niet vragen. Je bent toch niet jaloers op iemand?'

'Jaloers? Op wie dan? Waarom zou ik?'

'Jenny misschien?'

'Alsjeblieft zeg, Alan. Nee, ik ben niet jaloers op Jenny. Als ik al jaloers zou zijn, dan was het op Sandra. Begrijp je het dan niet? Zij heeft meer greep op je dan wie ook.'

'Dat is niet waar. Niet meer.' Banks dacht echter aan de brief en de gevoelens die hij had gehad toen hij de kille, zakelijke woorden las. 'Is er een ander? Is dat het soms?' vervolgde hij snel.

'Alan, er is niemand anders. Geloof me. Dat heb ik je toch al gezegd. Er is in mijn leven op dit moment geen ruimte voor iemand anders. Ik kan niet omgaan met de emotionele behoeften van iemand anders.'

'En seksuele behoeften?'

'Wat bedoel je daarmee?'

'Seks hoeft toch niet emotioneel te zijn? Als het echt zoveel moeite kost om met iemand naar bed te gaan die werkelijk om je geeft, is het misschien wel zo gemakkelijk om in een of andere kroeg een lekker stuk op te pikken voor een snelle, anonieme neukpartij. Geen banden. Je hoeft elkaar niet eens je naam te vertellen. Wil je dat soms liever?'

'Alan, ik weet niet waar je naartoe wilt, maar hier wil ik niet naar luisteren.'

Banks wreef over zijn slapen. 'Ik ben mezelf niet, Annie, sorry. Ik heb ook een rotdag achter de rug.'

'Sorry. Ik wil je echt geen pijn doen.'

Hij keek haar aan. 'Doe dat dan ook niet. Het maakt niet uit met wie je een relatie begint, je zult altijd dingen tegenkomen die je liever zou vermijden.'

Hij zag dat er tranen in haar ogen stonden. De enige keer dat hij haar had zien huilen, was toen ze hem over de verkrachting had verteld. Hij stak zijn hand uit om de hare te pakken, maar ze trok hem weg. 'Nee. Niet doen.'

'Annie...'

'Nee.'

Ze stond zo abrupt op dat ze hard tegen de tafel stootte en haar glas op Banks' schoot viel. Ze rende de pub uit voor hij verder nog iets kon zeggen. Hij bleef machteloos zitten, terwijl het koude vocht door zijn broek sijpelde; hij voelde dat iedereen hem aanstaarde en hij was blij dat ze niet in de Queen's Arms waren waar iedereen hem kende. Hij had nog wel gedacht dat de dag niet erger kon worden.

17

Nadat ze haar laatste werkcollege had afgerond en wat achterstallig papierwerk had weggewerkt, liep Jenny aan het begin van die dinsdagmiddag haar kantoor in York uit en reed ze via de A1 richting Durham. Er was veel verkeer, vooral vrachtwagens en busjes, maar het was tenminste een mooie, zonnige dag zonder regenbuien.

Ze hoopte maar dat Keith Murray met haar zou willen praten. Na dat gesprek zou ze nog wel tijd hebben om naar Edinburgh door te rijden en Laura Godwin op te zoeken. Dat hield in dat ze daar zou moeten overnachten, als ze tenminste niet in het donker aan de lange terugrit wilde beginnen, maar daar zou ze later wel over nadenken. Een oude vriendin uit haar studietijd werkte bij de vakgroep psychologie aan de universiteit van Edinburgh en misschien was het een goed idee haar weer eens op te zoeken en bij te praten. Niet dat Jenny veel leuks te vertellen had over de afgelopen jaren, dacht ze somber, en nu ze Banks' vriendin had ontmoet, kon ze alle hoop in die richting ook wel opgeven. Maar daar was ze inmiddels wel aan gewend geraakt. Ze kenden elkaar nu al minstens zeven jaar en hadden die keurige grens van vriendschap in al die tijd nooit overschreden.

Ze was er nog steeds niet over uit of De Vriendin jaloers was geweest toen ze hen in de Queen's Arms kwam opzoeken. Ze moest ongetwijfeld hebben gezien dat Banks haar arm had vastgepakt en hoewel het een vriendschappelijk, bezorgd gebaar was geweest, kon iedereen er natuurlijk het zijne van denken. Was De Vriendin van nature jaloers? Jenny had geen idee. Annie had heel zelfverzekerd en rustig geleken, maar toch had Jenny in haar houding iets bespeurd waardoor ze zich op onverklaarbare manier zorgen begon te maken over Banks, die waarschijnlijk de enige man was over wie ze zich ooit zorgen had gemaakt en die ze in bescherming had willen nemen. Ze wist niet waarom. Hij was onafhankelijk, sterk, in zichzelf gekeerd; misschien was hij kwetsbaarder dan hij liet merken, maar hij was zeker niet iemand bij wie je het gevoel had dat je hem moest beschermen of bemoederen.

Op het moment dat ze haar afslag wilde nemen, scheurde er een wit bestelbusje voorbij, en omdat ze nog steeds in gedachten verzonken was, had ze het bijna geraakt. Gelukkig reageerde ze instinctief en had ze genoeg tijd haar eigen rijbaan weer in te schieten zonder iemand anders in de problemen te brengen, maar daardoor miste ze wel haar afslag. Ze toeterde en vervloekte hem hardop, nutteloze gebaren, maar het enige waartoe ze in staat was, en ze reed door naar de volgende afrit.

Toen ze van de A1 was, zocht ze een ander radiostation op en verruilde de oersaaie symfonie van Brahms voor luchtige popmuziek, deuntjes die ze kon meeneuriën en waarvan ze de maat kon meetikken op het stuur.

Jenny had Durham altijd een vreemd stadje gevonden. Ze was er weliswaar geboren, maar haar ouders waren verhuisd toen ze drie was en ze kon zich er niets meer van herinneren. Aan het begin van haar academische carrière had ze gesolliciteerd op een baan aan de universiteit, maar ze werd op het laatste nippertje afgewezen en de baan was naar een man gegaan die meer publicaties op zijn naam had staan. Ze had hier best willen wonen, dacht ze, toen ze naar het kasteel op een heuvel en het omringende groen keek, maar ze had het in York ook naar haar zin en op dit punt in haar carrière voelde ze er weinig voor een nieuwe baan te zoeken.

Op de plattegrond had ze gezien dat Keith Murray dicht bij de sportvelden van de universiteit woonde, dus hoefde ze niet dwars door de wirwar van straatjes rondom de kathedraal en de universiteitsgebouwen in het centrum, maar toch reed ze enkele malen verkeerd. Het was heel goed mogelijk dat Keith college had, besefte Jenny. In dat geval kon ze wachten tot hij terug was, intussen de stad verkennen en in een pub lunchen. Waarschijnlijk had ze dan nog steeds genoeg tijd om naar Edinburgh te rijden en met Laura te praten.

Ze zette haar auto op een klein parkeerterrein bij een paar winkels en keek weer op haar plattegrond. Het moest hier ergens in de buurt zijn. Ze moest alleen de eenrichtingswegen in de gaten houden, anders zou ze een rondje rijden.

Bij haar tweede poging had ze succes en ze reed van de doorgaande weg een wijk met smalle straatjes in. Ze was zo geconcentreerd op zoek geweest naar de juiste straat en het juiste nummer, dat ze pas op het allerlaatste moment de auto zag die achter die van haar geparkeerd stond. Een blauwe Citroën.

Jenny maande zichzelf tot kalmte en hield zichzelf voor dat ze niet eens zeker wist of het wel dezelfde blauwe Citroën was die haar bij Holderness had achtervolgd. Maar het was wel hetzelfde model en ze geloofde niet in toeval.

Wat moest ze nu doen? Onmiddellijk vertrekken? Als de Citroën van Keith Murray was, wat had hij dan in Alderthorpe en Spurn Head gedaan, en waarom was hij haar gevolgd? Was hij gevaarlijk?

Terwijl Jenny probeerde te bedenken wat ze het beste kon doen, ging de voordeur van het huis open en liepen er twee mensen naar de auto: een jongeman met sleutels in zijn hand en een vrouw die sprekend op Lucy Payne leek. Net toen Jenny had besloten om weg te rijden, zag de jongeman haar in de auto zitten. Hij zei iets tegen Lucy, kwam op Jenny's auto af en rukte het portier open voordat ze de kans kreeg het op slot te doen.

Nou, dacht ze, je hebt je flink in de nesten gewerkt, meid.

In Millgarth waren geen nieuwe ontwikkelingen, meldde Ken Blackstone die ochtend via de telefoon. De technische recherche was nu zo ver dat er in het huis van de Paynes niets meer te slopen viel. De vooren achtertuin waren twee tot drie meter diep afgegraven en systematisch doorzocht. De betonnen vloeren in de kelder en de garage waren met pneumatische boren verwijderd. Bijna duizend voorwerpen waren in plastic zakjes opgeborgen en van een label voorzien. In de muren waren stelselmatig gaten geboord. Paynes auto was helemaal uit elkaar gehaald om te zien of er sporen van de ontvoerde meisjes te vinden waren. Het enige nieuwe bericht over Lucy Payne hield in dat ze tweehonderd pond had gepind in Tottenhamcourt Road. Het lag voor de hand dat ze naar Londen zou gaan als ze inderdaad spoorloos wilde verdwijnen, dacht Banks. Maar misschien was Lucy inderdaad onschuldig en wilde ze proberen in een andere stad een nieuw leven op te bouwen. Misschien.

Banks keek weer naar de losse vellen papier op zijn bureau.

Katya Pavelic.

Katya, Candy's 'Anna', kon de vorige avond laat aan haar gebit worden geïdentificeerd. Gelukkig voor Banks had ze kort voor haar verdwijning last gehad van een zere kies en had Candy haar naar haar eigen tandarts gestuurd. Volgens Candy was Katya afgelopen november verdwenen. Ze kon zich tenminste herinneren dat het kil en mistig was geweest en dat de kerstverlichting in het centrum kort daarvoor was aangestoken. Met die informatie was het waarschijnlijk dat Katya nog voor Kelly Matthews te grazen was genomen.

Hoewel Candy, oftewel Hayley Lyndon, Terence en Lucy Payne verschillende keren door de buurt had zien rijden, had ze hen nooit met Katya samen gezien. De hoeveelheid indirect bewijsmateriaal werd echter steeds groter. En als Jenny's speurtocht naar het Alderthorpe-verleden iets interessants aan het licht bracht, werd het wellicht tijd Lucy weer op te pakken.

Katya Pavelic was vier jaar geleden op haar veertiende vanuit Bosnië naar Engeland gekomen. Zoals zoveel jonge meisjes daar was ze door een groep Servische soldaten verkracht en neergeschoten, maar ze had zichzelf op het nippertje kunnen redden door voor dood onder een stapel lijken te blijven liggen tot een paar Canadese soldaten van de VN-vredesmacht haar daar drie dagen later vonden. Het bloed van de vleeswond was gestold en de enige complicatie was een infectie, maar die had goed gereageerd op de antibiotica. Diverse organisaties hadden ervoor gezorgd dat Katya naar Engeland kon gaan. Ze was een lastig, psychisch instabiel meisje dat op haar zestiende bij haar pleegouders was weggelopen die haar sindsdien tevergeefs hadden gezocht.

De ironie van de situatie was Banks niet ontgaan. Nadat ze de gruwelijkheden van de oorlog in Bosnië had overleefd, was Katya Pavelic ten slotte verkracht, vermoord en begraven in de achtertuin van de Paynes. Wat had het allemaal voor zin? vroeg hij zich af. Zoals gewoonlijk bleef de Almachtige Ironicus in de hemel hem het antwoord schuldig. Soms werd het hem allemaal bijna te veel.

Er bleef nog één ongeïdentificeerd slachtoffer over, het lichaam dat er het langst begraven had gelegen: een blanke vrouw van rond de twintig en ongeveer een meter achtenvijftig lang, volgens de forensisch antropoloog, die nog steeds bezig was met het uitvoeren van tests op de botten. Het kon volgens Banks heel goed eveneens een prostituee zijn geweest, waardoor identifcatie moeilijk zou worden.

Banks had ineens een idee gekregen en leraar Geoff Brighouse, collega en vriend van Terence Payne, gesommeerd hem te helpen de lerares uit Aberdeen op te sporen die ze tijdens de conferentie naar hun hotelkamer hadden meegenomen. Gelukkig bleek Banks op het verkeerde spoor te zitten en gaf ze nog steeds les in Aberdeen. Hoewel ze nog steeds kwaad was over de gebeurtenissen, had ze haar mond gehouden, vooral omdat ze wilde voorkomen dat het gebeurde haar carrière zou beschadigen. Ze schaamde zich en was vooral kwaad op zichzelf omdat ze zo dronken en zo stom was geweest om na alles wat ze in de krant had gelezen met twee onbekende mannen naar een hotelkamer te gaan. Ze viel bijna flauw toen Banks haar vertelde dat de man die haar tegen haar zin had overgehaald tot anale seks Terence Payne was geweest. De foto in de kranten was haar niet bekend voorgekomen en ze had alleen de voornamen van de twee mannen geweten.

Het was opnieuw een prachtige dag. Toen Banks zijn raam openzette, zag hij alweer de eerste touringcars het marktplein oprijden die hordes mensen op de glanzende keien uitbraakten. Een kort bezoekje aan de kerk, een wandeling naar het kasteel, lunch in de Pied Piper, dan weer de bus in en verder naar Castle Bolton of Devraulx Abbey. Zelf zou hij ook graag een lange vakantie nemen en ver weg gaan. Misschien nooit meer terugkomen.

De gouden wijzers op de blauwe plaat van de kerkklok gaven vijf over tien aan. Banks stak een sigaret op en deelde de rest van zijn dag in, een dag waarin behalve Mick Blair, Ian Scott en Sarah Francis ook de ouders van Leanne Wray een rol zouden spelen. Winsome had met de buren van de Wrays gesproken, maar niets nieuws ontdekt: geen van hen had iets ongewoons gezien of gehoord.

Hij had die nacht opnieuw nauwelijks een oog dichtgedaan, dit keer hoofdzakelijk vanwege Annie. Maar hoe meer hij had nagedacht over haar besluit, hoe logischer hij het vond. Hij wilde haar niet kwijt, maar in zijn hart moest hij toegeven dat dit de beste oplossing was. Wanneer hij terugdacht aan haar voortdurende twijfels over hun relatie en haar irritaties wanneer ze met aspecten uit zijn verleden te maken kreeg, besefte hij dat er naast alle goede dingen ook veel problemen in hun relatie waren geweest.

Hij had net zijn sigaret uitgedrukt toen Winsome Jackman aanklopte en in een elegant mantelpakje met krijtstreep en witte blouse kwam binnenlopen.

'Kom binnen. Ga zitten.'

Winsome nam plaats in een stoel tegenover het bureau, sloeg haar lange benen over elkaar en trok haar neus op vanwege de rooklucht.

'Ik weet het, ik weet het,' zei Banks. 'Ik ga binnenkort proberen te stoppen, echt.'

'Even over dat klusje dat ik moest doen,' zei ze. 'Ik dacht dat u wel zou willen horen dat uw intuïtie u niet heeft bedrogen. Op de avond van de verdwijning van Leanne Wray is er een melding binnengekomen dat tussen halftien en elf uur een auto in Disraeli Street is gestolen.'

'Kijk eens aan. Is Disraeli Street niet om de hoek bij de Old Ship Inn?'

'Inderdaad.'

Banks ging handenwrijvend zitten. 'Ga verder.'

'De eigenaar heet Samuel Gardner. Ik heb hem via de telefoon gesproken. Blijkbaar had hij de auto daar geparkeerd om even een bezoekje te brengen aan de Cock and Bull in Palmerston Avenue, waar hij, zoals hij nadrukkelijk zei, alleen even een alcoholvrij biertje wilde drinken.'

'Uiteraard. Wat denkt hij, dat we hem twee maanden na dato nog kunnen oppakken voor rijden onder invloed? Wat denk je ervan, Winsome?'

'Ik weet het niet. Het is allemaal wel heel toevallig, vindt u ook niet?'
'Is Ian Scott nog in de buurt?'
'Ja. Natuurlijk zijn er zoveel jongens die zich wel eens aan joyriding schuldig maken, maar... tijdstip en plaats kloppen precies.'
'Wanneer heeft de eigenaar aangifte gedaan?'
'Om tien over elf diezelfde avond.'
'En wanneer is de auto teruggevonden?'
'De volgende ochtend. Een agent zag hem bij het park waar hij fout geparkeerd stond.'
'Is dat niet in de buurt van The Riverboat?'
'Op hooguit tien minuten loopafstand.'
'Dit begint er hoopgevend uit te zien, Winsome. Ik wil dat jij met die Samuel Gardner gaat praten. Misschien kun je nog iets uit hem loskrijgen. Maar maak hem duidelijk dat het ons geen zier kan schelen wat hij die avond gedronken heeft, al was het een hele fles whiskey, zolang hij maar alles vertelt wat hij zich van die avond kan herinneren. Laat de auto voor onderzoek naar de garage van het politiebureau brengen. Ik betwijfel of we na al die tijd nog iets zullen vinden, maar dat weten Scott en Blair waarschijnlijk niet.'
Winsome grijnsde. 'Waarschijnlijk niet, nee.'
Banks wierp een blik op zijn horloge. 'Je kunt Mick Blair laten oppakken zodra je met Gardner hebt gesproken en de auto veilig in ons bezit is. Een gesprekje met hem in een verhoorkamer zou wel eens heel productief kunnen zijn.'
'Begrepen.'
'En laat Sarah Francis ook naar het bureau komen.'
'Oké.'
'O ja. Winsome?'
'Meneer?'
'Zorg ervoor dat ze elkaar hier tegenkomen, oké?'
'Met genoegen.' Winsome stond op en liep glimlachend het kantoor uit.

'Luister,' zei Jenny. 'Ik heb nog niet geluncht. Is hier ergens een pub waar ik wat kan eten en we kunnen praten?' Hoewel haar grootste angst was verdwenen toen de jongeman alleen maar vroeg wie ze was en wat ze wilde, ging ze toch liever naar een openbare gelegenheid in plaats van naar zijn flat.
'Verderop in de straat is een café,' zei hij. 'Als je wilt, kunnen we daar naartoe.'
'Oké.'

Jenny liep achter hen aan naar de doorlopende weg. Ze staken over en gingen het café op de hoek binnen waar het naar gebakken spek rook. Hoewel ze aan de lijn zou moeten doen – eigenlijk moest ze altijd aan de lijn doen – was de geur zo onweerstaanbaar dat ze een uitsmijter met spek bestelde en een kop thee. De andere twee wilden hetzelfde en Jenny betaalde. Niemand protesteerde. Nu ze dicht bij elkaar aan een tafeltje bij het raam zaten, zag Jenny dat ze het verkeerd had gezien. Hoewel het meisje wel op Lucy leek en hetzelfde glanzende zwarte haar had, was ze het niet. Deze jonge vrouw had iets zachts en breekbaars. Haar ogen waren niet zo donker en ondoordringbaar als die van Lucy, maar intelligent en gevoelig.

'Laura heet je toch?' vroeg ze.

De jonge vrouw trok vragend haar wenkbrauwen op. 'Ja. Hoe weet je dat?'

'Zo moeilijk is het niet,' zei Jenny. 'Je lijkt op je zus en je bent bij je neef.'

Laura bloosde. 'Ik ben alleen maar op bezoek. Het is niet... ik wil niet dat je verkeerde ideeën krijgt.'

'Maak je geen zorgen,' zei Jenny. 'Ik trek nooit voorbarige conclusies.' Niet vaak tenminste, zei ze tegen zichzelf.

'Misschien kun je om te beginnen even antwoord geven op mijn vraag,' onderbrak Keith Murray haar. 'Wie ben je en wat doe je hier? En vertel dan meteen wat je in Alderthorpe te zoeken had.'

'Was ze in Alderthorpe?' vroeg Laura verbaasd.

'Zaterdag. Ik ben haar naar Easington gevolgd en daarvandaan naar Spurn Head. Toen ze de M62 opreed, ben ik teruggegaan.' Hij richtte zijn aandacht weer op Jenny. 'Nou?'

Hij was een knappe jongeman met goedverzorgd bruin haar dat net over zijn oren viel. Hij droeg een sportief linnen jasje, een grijze broek en glanzend gepoetste schoenen. Hij was duidelijk iemand die veel zorg aan zijn uiterlijk besteedde. Laura daarentegen droeg een vormeloze hemdjurk die weinig van haar figuur prijsgaf. Er sprak terughoudendheid en onzekerheid uit haar houding, waardoor Jenny de neiging voelde een arm om haar heen te slaan en te zeggen dat alles weer goed kwam, dat ze zich geen zorgen hoefde te maken. Keith gedroeg zich heel beschermend tegenover haar en Jenny vroeg zich af hoe hun relatie zich sinds Alderthorpe had ontwikkeld.

Ze zei wie ze was en wat ze deed, vertelde over haar onderzoek naar Lucy's verleden en huidige leven en over alle vragen waar ze nog geen antwoord op had gevonden. Laura en Keith luisterden aandachtig. Toen ze uitgesproken was, keken ze elkaar aan. Lucy kon zien dat ze met elkaar communiceerden op een manier die buiten haar bereik lag. Ze kon niet zeggen wat hun blikken betekenden, maar wist dat er een band tussen hen moest zijn die woorden overbodig maakte.

'Waarom denk je dat je de antwoorden in Alderthorpe zult vinden?' vroeg Keith.

'Ik ben psycholoog,' zei Jenny, 'geen psychiater, en al helemaal geen aanhanger van Freud, maar ik geloof wel dat ons verleden ons vormt en maakt tot wat we nu zijn.'

'En wat is Linda, of Lucy, zoals ze tegenwoordig heet, volgens jou?' Jenny spreidde haar handen. 'Dat is het nu juist. Dat weet ik niet. Ik hoopte eigenlijk dat jullie me daarmee zouden kunnen helpen.'

'Waarom zouden wij jou helpen?'

'Dat kan ik je niet zeggen,' zei Jenny. 'Misschien zijn er dingen die jullie zelf nog moeten verwerken.'

Keith begon te lachen. 'Al worden we honderd, dan nog zullen er altijd dingen uit die tijd zijn die we niet hebben verwerkt,' zei hij. 'Wat heeft dat met Linda te maken?'

'Ze was er toch ook bij? Ze was toch een van jullie?'

Keith en Laura keken elkaar weer aan en Jenny wilde maar dat ze wist wat er in hen omging. Ten slotte leken ze een beslissing te hebben genomen. Laura zei: 'Ja, ze was een van ons, maar tegelijkertijd nam ze een aparte plaats in.'

'Wat bedoel je, Laura?'

'Linda was de oudste, dus ze zorgde voor ons.'

Keith snoof verachtelijk.

'Dat deed ze echt, Keith.'

'Oké.'

Laura's onderlip trilde en even dacht Jenny dat ze zou gaan huilen. 'Ga alsjeblieft verder, Laura,' zei ze.

'Linda was natuurlijk mijn zus,' zei Laura en ze wreef met een hand over haar dijbeen, 'maar ze is drie jaar ouder dan ik en dat is heel veel op die leeftijd.'

'Daar kan ik over meepraten. Mijn broer is ook drie jaar ouder dan ik.'

'Dan begrijp je wat ik bedoel. Ik kende Linda eigenlijk nauwelijks. Ze kon zich tegen mij soms net zo afstandelijk en onbegrijpelijk gedragen als een volwassene. Toen we heel klein waren, speelden we vaak samen, maar toen we ouder werden, groeiden we steeds verder uit elkaar, vooral toen die... die dingen gebeurden.'

'Wat was het voor meisje?'

'Ze was vreemd. Heel afstandelijk. In zichzelf gekeerd. Ze speelde graag spelletjes en ze kon heel wreed zijn.'

'Kun je dat uitleggen?'

'Als ze bijvoorbeeld haar zin niet kreeg of als je niet deed wat ze wilde, dan loog ze en wist ze de volwassenen over te halen je te straffen. Je in de kooi op te sluiten.'

'Deed ze dat echt?'

'Nou en of,' zei Keith. 'We kunnen er allemaal van meepraten.'

'Soms wisten we niet eens of ze onze kant koos of die van hen,' zei Laura. 'Ze kon ook heel lief en zachtaardig zijn, hoor. Soms nam ze het ook voor ons op.'

'Hoe bijvoorbeeld?'

'Als we bijvoorbeeld...eh... te zwak waren om... nou ja... soms luisterden ze naar haar. En ze heeft de jonge poesjes gered.'

'Jonge poesjes?'

'Onze kat had jongen gekregen en p-p-papa wilde ze verdrinken, maar Linda heeft ze meegenomen en ervoor gezorgd dat ze allemaal een goed baasje kregen.'

'Hield ze veel van dieren?'

'Ze was gek op dieren. Ze wilde later doorleren voor dierenarts.'

'Waarom heeft ze dat dan niet gedaan?'

'Weet ik niet. Misschien kon ze niet zo goed leren. Misschien is ze van gedachten veranderd.'

'Maar ze was toch ook het slachtoffer van de volwassenen?'

'O, ja,' zei Keith. 'Dat waren we allemaal.'

'Ze is heel lang hun favoriet geweest,' voegde Laura eraan toe. 'Ten minste, totdat ze...'

'Totdat wat, Laura? Doe maar rustig aan.'

Laura bloosde en wendde haar blik af. 'Totdat ze een echte vrouw werd. Op haar twaalfde. Toen waren ze niet meer zo in haar geïnteresseerd. Kathleen werd toen hun nieuwe favoriet. Ze was pas negen, net als ik, maar ze gaven de voorkeur aan haar.'

'Wat was Kathleen voor meisje?'

Laura's ogen glansden. 'Ze was net een... een heilige. Ze klaagde nooit, maar verdroeg alles wat die... die mensen ons aandeden. Kathleen had een soort licht vanbinnen, een soort licht dat straalde van binnenuit, maar ze was ook heel teer en zwak, en ze was vaak ziek. Ze kon niet tegen de straffen en de aframmelingen.'

'Wat voor straffen?'

'De kooi. En dagenlang geen eten, terwijl ze al zo zwak en breekbaar was.'

'Kunnen jullie me uitleggen waarom niemand van jullie de autoriteiten ooit heeft verteld wat er aan de hand was?' vroeg Jenny.

Keith en Laura keken elkaar weer met dezelfde intense blik aan. 'Dat durfden we niet,' zei Keith. 'Ze zeiden dat ze ons zouden vermoorden als we het iemand zouden vertellen.'

'Bovendien was het wel... het was onze familie,' zei Laura. 'Elk kind wil toch dat zijn vader en moeder van hem houden, dus dan doe je wat ze willen. Je moest doen wat ze zeiden, anders hield p-p-papa niet meer van je.'

Jenny nam een slok uit haar theekop om haar gezicht even te kunnen verbergen. Ze wist niet of de tranen in haar ogen van woede of medelijden waren, maar ze wilde niet dat Laura ze zou zien.

'Bovendien,' ging Keith verder, 'wisten we niet beter. Hoe moesten we weten dat het leven van andere kinderen heel anders was?'

'En op school? Jullie moeten je afzijdig hebben gehouden, jullie moeten hebben begrepen dat jullie anders waren.'

'We hielden ons inderdaad afzijdig, ja. We mochten niet praten over wat er thuis gebeurde. Dat ging niemand iets aan.'

'Waarom was jij eigenlijk in Alderthorpe, Keith?'

'Ik schrijf een boek over wat er gebeurd is. Het is voor een deel therapie, maar ik vind ook dat mensen moeten weten wat zich daar heeft afgespeeld. Misschien kan het helpen voorkomen dat het nog een keer gebeurt.'

'Waarom ben je mij gevolgd?'

'Ik dacht dat je een van die sensatiebeluste verslaggevers was of zo.'

'Wen maar vast aan het idee, Keith. Het zal niet lang meer duren voordat ze Alderthorpe ontdekken. Het verbaast me dat ze er nog niet rondzwermen.'

'Ik weet het.'

'Je dacht dus dat ik een verslaggever was. Wat wilde je daaraan doen?'

'Niets. Ik wilde alleen maar weten waar je naartoe ging en er zeker van zijn dat je ook weer vertrok.'

'En als ik was teruggekomen?'

Keith hief zijn handen op met de handpalmen naar boven. 'Dat ben je toch ook?'

'Wisten jullie meteen dat het om Linda ging toen het nieuws over de Paynes bekend werd gemaakt?'

'Ik wel,' zei Laura. 'Het was niet zo'n goede foto, maar ik wist dat ze met Terry was getrouwd. Ik wist waar ze woonde.'

'Zien jullie elkaar nog wel eens, hebben jullie nog steeds contact?'

'Zelden. In het begin nog wel, maar toen pleegde Susan zelfmoord en ging Tom naar Australië. Keith en ik gaan zo vaak mogelijk bij Dianne langs. Zoals ik al zei, Linda was altijd al afstandelijk en koel. We hebben elkaar nog wel eens op verjaardagen gezien en zo, maar ik vond haar eng.'

'Hoezo eng?'

'Het is moeilijk uit te leggen. Misschien is het slecht van me zo over haar te denken. Ze heeft tenslotte hetzelfde meegemaakt als wij.'

'Alleen had het op haar een andere invloed dan op ons,' voegde Keith eraan toe.

'Hoe dan?'

'Ik heb haar lang niet zo vaak gezien als Laura,' ging hij verder, 'maar ik kreeg altijd de indruk dat ze iets gemeens van plan was, iets door en door slechts. Gewoon al door haar manier van praten. Ze vertelde nooit iets, dus we wisten nooit waar ze mee bezig was, maar...'

'Ze deed bijvoorbeeld aan SM en dat soort dingen,' zei Laura blozend.

'Heeft ze je dat zelf verteld?'

'Eén keer. Alleen om me in verlegenheid te brengen. Ik praat niet gemakkelijk over seks.' Ze sloeg haar armen om zich heen en vermeed Jenny's blik.

'Vond Linda het leuk om je in verlegenheid te brengen?'

'Ja. Om me te plagen, denk ik.'

'Was je geschokt toen je hoorde wat Terry, met Linda zo dichtbij, had gedaan?'

'Ja, natuurlijk,' zei Keith. 'Dat zijn we nog steeds. We kunnen het nauwelijks verwerken.'

'Daarom ben ik hier ook,' zei Laura. 'Om bij Keith te zijn. Om te praten. Om te besluiten wat we moeten doen.'

'Moeten doen? Hoe bedoel je?'

'We wilden niet overhaast te werk gaan,' zei Keith.

Jenny boog zich voorover. 'Hoezo?' vroeg ze. 'Wat moeten jullie dan doen?'

Ze keken elkaar nogmaals aan en er viel een lange stilte voordat Keith zei: 'We kunnen het haar maar beter vertellen, denk je niet?'

'Goed.'

'Wat vertellen?'

'Wat er is gebeurd. We moesten besluiten of we gingen vertellen wat er echt is gebeurd.'

'Je zult begrijpen,' zei Keith, 'dat we zelf liever op de achtergrond blijven. We willen niet dat alles weer wordt opgerakeld.'

'Dat zul je toch doen door je boek,' zei Jenny.

'Dat zien we dan wel weer.' Hij boog zich voorover. 'Maar goed, binnenkort hadden we het toch moeten vertellen, dus waarom nu niet aan jou?'

'Ik weet nog steeds niet wat jullie willen vertellen,' zei ze.

Laura keek haar met tranen in haar ogen aan. 'Het gaat over Kathleen. Ze is helemaal niet door onze ouders gedood, ook niet door Tom. Linda heeft haar gedood. Linda heeft Kathleen gedood.'

Mick Blair had duidelijk de pest in toen Banks en Winsome die middag om vijf over halfvier de verhoorkamer binnenkwamen. Logisch, dacht Banks. Die jongen was door twee agenten van zijn werk in Swainsdale weggesleurd en had meer dan een uur in een kale ruimte moeten wachten. Nog een wonder dat hij niet op hoge toon een advocaat had geëist. Banks zou het in zijn plaats wel hebben gedaan.

'We moeten weer eens even praten, Mick,' zei Banks glimlachend terwijl hij de bandrecorder aanzette. 'Dit keer nemen we alles op. Dan weet je zeker dat we je geen loer proberen te draaien.'

'Nou, bedankt hoor,' zei Blair. 'Waarom moest ik godverdomme zo lang wachten?'

'Belangrijke politiezaken,' zei Banks. 'De slechteriken gunnen ons geen moment rust.'

'Wat doet Sarah hier?'

'Sarah?'

'U weet best wie ik bedoel. Sarah Francis. Ians vriendin. Ik heb haar in de gang zien lopen. Wat doet zij hier?'

'Onze vragen beantwoorden, Mick, net als jij, hoop ik.'

'Ik begrijp niet waarom jullie zoveel tijd aan mij verspillen. Ik heb allang alles verteld wat ik weet.'

'Je moet jezelf niet onderschatten, Mick.'

'Waar gaat het dan nou weer over?' Hij keek achterdochtig naar Winsome.

'Over de avond van Leanne Wrays verdwijning.'

'Alweer? Dat hebben we toch allemaal al uitvoerig besproken?'

'Jawel, maar we weten nog steeds niet wat er werkelijk is gebeurd. Je moet het maar zien als het pellen van een ui, Mick. En van jou hebben we tot dusver alleen maar lagen met leugens afgepeld.'

'Ik heb de waarheid gesproken. Zij is uit de Old Ship weggegaan en wij gingen ergens anders heen. Daarna hebben we haar niet meer gezien. Wat kan ik nog meer vertellen?'

'De waarheid. Waar jullie vieren naartoe zijn gegaan.'

'Ik heb u alles gezegd wat ik weet.'

'Moet je horen, Mick,' zei Banks. 'Leanne was die dag nogal van streek. Ze had net slecht nieuws te horen gekregen. Haar stiefmoeder verwachtte een baby. Misschien begrijp je niet helemaal waarom, maar neem van mij aan dat ze daardoor behoorlijk overstuur was. Dus naar mijn inschatting moet ze die avond behoorlijk opstandig zijn geweest. Ze trok zich niets aan van het tijdstip waarop ze thuis werd verwacht en was wel in voor een verzetje. Kon ze haar ouders met gelijke munt terugbetalen. Ik weet niet wie met het idee is gekomen, misschien was jij het wel, maar jullie besloten een auto te stelen...'

'Hé, wacht eens even...'

'Een auto die eigendom was van ene Samuel Gardner, een blauwe Fiat Brava om precies te zijn, die om de hoek bij de pub stond geparkeerd.'

'Dat is belachelijk! We hebben helemaal geen auto gestolen. Dat kunt u nooit bewijzen.'

'Kop houden en luisteren, Mick,' zei Winsome. Blair keek haar aan en slikte moeizaam toen hij haar kille, minachtende blik zag.

'Waar ging jullie ritje naartoe, Mick?' vroeg Banks. 'Wat is er toen gebeurd? Wat is er met Leanne gebeurd? Zat ze met je te flirten? Dacht je misschien dat je die avond geluk zou hebben? Wilde je met haar vrijen en is ze toen van gedachten veranderd? Werd je toen hardhandiger? Had je drugs gebruikt, Mick?'

'Nee! Dat is niet waar. Dat is allemaal gelogen. Toen we uit de pub kwamen, is ze in haar eentje weggegaan.'

'Je klinkt net zo wanhopig als een drenkeling die zich aan het laatste wrakhout vastklampt, Mick. Nog even en dan moet je loslaten.'

'Ik heb u de waarheid verteld.'

'Dat geloof ik niet.'

'Bewijs dat dan maar.'

'Luister, Mick,' zei Winsome. Ze stond op en beende heen en weer door de kleine ruimte. 'De auto van Gardner staat op dit ogenblik in de garage van het politiebureau en wordt tot op de vierkante centimeter onderzocht. Denk je echt dat ze niets zullen vinden?'

'Hoe moet ik dat weten? Ik heb die rotwagen nog nooit gezien.'

Winsome ging weer zitten. 'Ons forensisch team is het beste dat er is. Ze hebben niet eens vingerafdrukken nodig. Als er ook maar één haar ligt, zullen ze die vinden. En als die ene haar van jou, Ian, Sarah of Leanne is, dan hangen jullie.' Ze hield een vinger op. 'Eén haar. Denk daar maar eens goed over na, Mick.'

'Ze heeft gelijk, hoor,' zei Banks. 'Die lui zijn echt ongelooflijk. Ze kunnen zelfs de precieze plaats bepalen waar die haar vandaan komt.'

'We hebben geen auto gestolen.'

'Ik weet heus wel wat je nu denkt,' zei Banks.

'Kunt u ook al gedachten lezen?'

Banks lachte. 'Zo moeilijk is dat niet. Je denkt nu: hoe lang is het geleden dat we die auto hebben gejat? Dat was op eenendertig maart. En vandaag is het zestien mei. Dat is anderhalve maand geleden. Dan zijn er vast geen sporen meer in die auto te vinden. Die zal in de tussentijd wel gewassen en gestofzuigd zijn. Is dat niet wat je nu denkt, Mick?'

'Ik zei al dat ik helemaal niets weet van een gestolen auto.' Hij sloeg zijn armen over elkaar en keek hen uitdagend aan. Winsome liet een verachtend gesnuif horen.

'Agent Jackman wordt ongeduldig,' zei Banks. 'Als ik jou was, zou ik haar niet te lang op de proef stellen.'

'U kunt me niets maken. Alles staat op de band.'

'Jou iets maken? Wie heeft gezegd dat jou iets te maken viel?'

'U hebt me net bedreigd.'

'Nee, dat zie je echt verkeerd, Mick. Ik zou dit graag afgehandeld zien zodat jij weer naar je werk kunt en we allebei op tijd thuis zijn. Hoe eerder hoe liever wat mij betreft. Hoewel agent Jackman hier graag bereid is je achter de tralies te stoppen.'

'Wat wilt u daarmee zeggen?'

'In een cel, Mick. Beneden. De hele nacht.'

'Maar ik heb helemaal niets gedaan. Dat kunt u niet doen.'

'Was het Ians idee? Heeft Ian het bedacht?'

'Ik weet niet waar u het over hebt.'

'Wat is er met Leanne gebeurd?'

'Niets. Ik heb geen idee.'

'Ik durf te wedden dat Sarah ons straks gaat vertellen dat het allemaal jouw schuld is.'

'Ik heb niets gedaan.'

'Ze zal haar vriendje wel in bescherming willen nemen, denk je niet, Mick? Ik durf te wedden dat ze je laat vallen als een baksteen.'

'Hou op!'

Winsome keek op haar horloge. 'Laten we hem voor vannacht maar opsluiten en naar huis gaan,' zei ze. 'Ik heb het even helemaal gehad.'

'Wat vind jij, Mick?'

'Ik heb jullie alles verteld wat ik weet.'

Banks keek Winsome even aan voordat hij zijn aandacht weer op Mick richtte. 'Dan ben ik bang dat we je hier moeten houden.'

'Waarom?'

'Wegens verdenking van moord op Leanne Wray.'

Mick sprong geschrokken overeind. 'Dat is absurd. Ik heb niemand vermoord. Niemand heeft Leanne vermoord.'

'Hoe weet je dat zo zeker?'

'Ik bedoel dat ik Leanne niet heb vermoord. Ik weet niet wat er met

haar is gebeurd. Het is mijn schuld niet als iemand anders haar heeft vermoord.'
'Wel als je erbij was.'
'Ik was er niet bij.'
'Vertel ons dan de waarheid, Mick. Vertel ons wat er is gebeurd.'
'Dat heb ik al gedaan.'
Banks stond op en stapelde zijn dossiermappen op elkaar. 'Goed. Dan zullen we eens gaan horen wat Sarah te vertellen heeft. Intussen wil ik dat je vannacht in de cel over twee dingen goed nadenkt, Mick.'
'Waarover dan?'
'Om te beginnen dat we het je minder moeilijk zullen maken als je ons de waarheid vertelt. Dat het Ian Scotts idee is geweest en dat het zijn schuld is wat er met Leanne is gebeurd.' Hij keek naar Winsome. 'Misschien komt hij er met een reprimande vanaf omdat hij geen aangifte heeft gedaan. Wat denk jij?'
Winsome vertrok haar gezicht alsof ze er niet aan moest denken dat Mick Blair er zo gemakkelijk vanaf zou komen.
'En verder?' vroeg Mick.
'Verder? O, ja. Samuel Gardner.'
'Wie?'
'De eigenaar van de gestolen auto.'
'Nou en?'
'Die man maakt nooit zijn auto schoon. Van buiten niet en van binnen niet.'

Jenny wist niet hoe ze moest reageren op wat Keith en Laura haar zojuist hadden verteld. Ze bleef verbijsterd zwijgen totdat alles tot haar was doorgedrongen en ze uiteindelijk vroeg: 'Hoe weten jullie dat?'
'We hebben het gezien,' zei Keith. 'We waren erbij. Eigenlijk hebben we het met zijn allen gedaan. Ze deed het voor ons allemaal, maar zij was de enige die het lef had om het daadwerkelijk te doen.'
'Weten jullie dit heel zeker?'
'Ja,' zeiden ze.
'Jullie waren erbij, zeg je?'
'Ja,' zei Keith. 'We waren bij haar in de kamer. We hebben gezien dat ze het deed.'
'En jullie hebben al die jaren niets gezegd?'
Laura en Keith keken haar aan en ze begreep waarom ze niets hadden kunnen zeggen. Hoe hadden ze dat moeten doen? Waarom zouden ze ook? Ze waren tenslotte allemaal het slachtoffer van de Godwins en de Murrays.

'Zat ze daarom in de kooi toen de politie arriveerde?'

'Nee. Linda zat in de kooi omdat ze ongesteld was geworden,' zei Keith. Laura bloosde en keek een andere kant op. 'Tom zat bij haar in de kooi omdat ze dachten dat hij het had gedaan. Ze hebben nooit vermoed dat het Linda geweest kon zijn.'

'Maar waarom heeft ze het gedaan?' vroeg Jenny.

'Omdat Kathleen het niet meer aankon,' zei Laura. 'Ze was totaal uitgeput en haar geest was gebroken. Linda heeft haar gedood om haar uit haar lijden te verlossen. Ze wist dat Kathleen het niet langer aankon. Ze heeft haar gedood om haar verder leed te besparen.'

'Weten jullie dat heel zeker?' vroeg Jenny.

'Wat?'

'Weten jullie heel zeker dat Linda haar daarom heeft gedood?'

'Waarom zou ze het anders hebben gedaan?'

'Kan het geen jaloezie zijn geweest omdat Kathleen haar plaats had ingenomen?'

'Nee!' zei Laura, met een ruk haar stoel naar achteren schuivend. 'Hoe kun je zoiets zeggen? Ze heeft haar gedood om haar verder lijden te besparen.'

Een paar mensen in het café hadden Laura's uitbarsting gehoord en wierpen nieuwsgierige blikken in hun richting.

'Sorry,' zei Jenny. 'Het spijt me. Het was niet mijn bedoeling je van streek te maken.'

Laura keek haar aan en zei op een verdedigende toon waarin iets van wanhoop doorklonk: 'Ze kon ook heel lief zijn, hoor. Linda kon echt heel lief zijn.'

Het oude huis zat vol geluiden, dacht Maggie, en ze schrok er steeds opnieuw van: hout dat kraakte wanneer het na de schemering koeler werd, een gierende windvlaag die de ramen deed rammelen, verschuivende borden die in het druiprek stonden te drogen. Het kwam natuurlijk allemaal door dat telefoontje van Bill, hield ze zichzelf voor, en ze probeerde van alles om kalmer te worden, diep ademhalen, positief denken, maar de alledaagse geluiden van het huis bleven haar van haar werk afleiden.

Ze schoof een verzamel-cd van barokklassieken in de stereo. De muziek overstemde de verontrustende geluiden en hielp haar ook zich te ontspannen.

Ze was nog laat die avond bezig met een paar schetsen voor 'Hans en Grietje', omdat ze de volgende dag in Londen een afspraak had met haar art director om het verloop van het project te bespreken. Ze zou ook worden geïnterviewd in het Broadcasting House in een program-ma over huiselijk geweld op radio vier. Ze begon zich al thuis te voelen in de rol van woordvoerder. Als ze daarmee een ander kon helpen dan was het vervelende bijkomstigheden zoals onbenullige interviewers en provocerende medegasten dubbel en dwars waard.

Bill wist nu toch waar ze was, dus ze hoefde niet meer bang te zijn dat haar verblijfplaats werd verraden. Ze was niet van plan om weg te lo-pen. Niet meer. Ondanks de schok die zijn telefoontje haar had be-zorgd, was ze vastbesloten haar nieuwe rol te blijven vervullen.

Wanneer ze in Londen was, zou ze ook proberen een kaartje te krijgen voor het toneelstuk op West End dat ze graag wilde zien. Dan zou ze een kamer nemen in het bescheiden hotelletje dat de art director haar eerder eens had aangeraden. Een van de leuke dingen van een land met een redelijk goed en uitgebreid spoorwegnet, dacht Maggie, was dat Londen per trein maar een paar uur van Leeds vandaan was, een paar uur die ze comfortabel met een boek kon doorbrengen terwijl het landschap voorbij vloog. Het intrigeerde haar dat de Britten altijd klaagden over hun trein, hoe goed het systeem ook geregeld was in de ogen van een bezoeker uit Canada.

Ze richtte haar aandacht weer op haar schets. Ze probeerde de juiste uitdrukking te pakken te krijgen voor het gezicht van Hans en Grietje wanneer ze in het maanlicht tot de ontdekking komen dat de brood-kruimels die ze hadden gestrooid om hen uit het gevaarlijke bos naar hun veilige huis te leiden, door vogels waren opgegeten. Ze was tevre-den over het spookachtige effect dat ze had gecreëerd met de boom-stammen, takken en schaduwen waarin je met een beetje fantasie wilde dieren en duivels kon herkennen, maar de gezichtsuitdrukking van de twee kinderen was nog steeds niet wat ze zocht. In een eerdere schets hadden Hans en Grietje een beetje op een jongere versie van Terry en Lucy geleken, maar die had ze weggegooid. Nu waren ze anoniem, gezichten die ze waarschijnlijk ooit in een mensenmenigte had gezien en die om de een of andere onverklaarbare reden in haar onderbewust-zijn waren blijven hangen.

Die middag had Maggie met Claire en haar moeder gepraat, en ze wa-ren het erover eens geweest dat Claire de psychiater zou bezoeken die doctor Simms had aanbevolen. Dat was in ieder geval een begin, dacht Maggie, hoewel het Claire misschien vele jaren zou kosten om over de verwarring en het schuldgevoel heen te komen na de moord op haar vriendin.

Met Pachelbels 'Canon' op de achtergrond concentreerde Maggie zich op haar tekening, voegde hier en daar een clair-obscur effect toe en dikte het zilverkleurige schijnsel van de maan wat aan. Het had geen zin om heel gedetailleerd te werk te gaan, want de schets diende als model voor de uiteindelijke illustratie, maar ze had deze kleine aanwijzingen nodig wanneer ze aan de definitieve versie begon. Toen ze boven de muziek uit geklop hoorde, dacht ze eerst dat het oude huis weer een nieuw geluid had gevonden om haar angst in te boezemen.

Toen het na enkele seconden ophield en kort daarna opnieuw begon, ditmaal harder en sneller, zette ze de stereo uit en luisterde ze gespannen.

Er klopte iemand op de achterdeur.

Niemand gebruikte hier ooit de achterdeur. Die kwam uit op een doolhof van smerige straatjes en steegjes die naar de goedkope woonwijk achter The Hill leidden.

Kon het Bill zijn?

Nee, hield Maggie zich zelfverzekerd voor. Bill was in Toronto. Bovendien was de deur op slot met de ketting erop. Ze vroeg zich af of ze het alarmnummer zou draaien, maar besefte wat een onnozele indruk het op de politie moest maken als bleek dat het Claire of Claires moeder was. Misschien was het de politie zelf wel. Ze moest er niet aan denken dat Banks erachter zou komen dat ze zich zo had aangesteld.

Langzaam en rustig liep ze de trap af. Ze pakte een van Charles' golfclubs uit de gangkast en sloop ermee naar de keukendeur.

Het geklop hield aan.

Pas toen ze de deur tot op enkele meters was genaderd, hoorde ze een bekende vrouwenstem. 'Maggie, ben je daar? Ben je thuis? Doe alsjeblieft open.'

Ze legde de golfclub neer, deed het licht in de keuken aan en peuterde de verschillende sloten open. Toen ze ten slotte opendeed, was ze bij de aanblik voor haar even in verwarring. Het uiterlijk en de stem hoorden niet bij elkaar. De vrouw had kort, blond stekeltjeshaar, droeg een T-shirt, een zwartleren jack en een strakke blauwe spijkerbroek. Ze had een kleine weekendtas bij zich. Alleen aan de vage blauwe plek bij haar slaap en de ondoordringbaar donkere ogen kon Maggie zien wie het was, hoewel het even duurde voor het tot haar was doorgedrongen.

'Lucy. Mijn god. Je bent het echt!'

'Mag ik binnenkomen?'

'Ja, natuurlijk.' Maggie zwaaide de deur verder open en Lucy Payne stapte haar keuken binnen.

'Ik kan nergens anders naartoe en ik vroeg me af of ik hier kon blijven slapen. Het is maar voor een paar dagen, tot ik heb bedacht waar ik naartoe kan...'

'Ja, hoor,' zei Maggie nog steeds stomverbaasd. 'Ja, natuurlijk. Je kunt zo lang blijven als je wilt. Je ziet er heel anders uit. Ik had je eerst niet eens herkend.'

Lucy maakte een kleine pirouette. 'Vind je het leuk?'

'Het is in ieder geval weer eens iets anders.'

Lucy begon te lachen. 'Mooi,' zei ze. 'Ik wil niet dat iemand weet dat ik hier ben. Geloof het of niet, maar niet iedereen in deze buurt leeft zo met me mee als jij, Maggie.'

'Dat zal wel niet,' zei Maggie. Ze draaide de deur weer op slot, deed het keukenlicht uit en nam Lucy Payne mee naar de woonkamer.

18

'Ik wilde alleen maar zeggen dat ik er spijt van heb,' zei Annie woens-
dagochtend tegen Banks in zijn kantoor in Eastvale. Hij had net het
verslag van de garage doorgenomen over de Fiat van Samuel Gardner.
Ze hadden talloze haren in de auto aangetroffen van zowel mensen als
dieren. Die moesten allemaal worden verzameld, van een label voorzien
en naar het lab worden gestuurd, dus het zou wel even duren voordat ze
konden zeggen of er een afkomstig was van een van de verdachten of
van Leanne Wray. Daarnaast waren er ook tientallen vingerafdrukken
die verwerkt moesten worden.

Banks keek Annie aan. 'Waarvan?'

'Dat ik een scène heb gemaakt in de pub, dat ik me zo heb aangesteld.'

'O, dat.'

'Wat dacht je dan dat ik bedoelde?'

'Niets.'

'Nee, zeg het maar. Dat ik spijt had van wat ik heb gezegd over het verbreken van onze relatie?'

'Een mens mag toch zeker wel hoop blijven koesteren?'

'O, alsjeblieft, geen zelfmedelijden, Alan. Dat past niet bij je.'

Banks vouwde een paperclip open. Een scherpe punt prikte in zijn vinger en er viel een bloeddruppel op zijn bureau. Uit welk sprookje kwam
dat ook alweer? vroeg hij zich af. Doornroosje? Alleen viel hij niet in
slaap. Dat zou anders wel zo prettig zijn geweest.

'Wat doen we, gaan we verder met ons leven of blijf je hier zitten mokken en negeer je me voortaan? Want als dat zo is, wil ik het wel graag nu
weten.'

Banks moest ondanks zichzelf lachen. Ze had gelijk. Hij had inderdaad
medelijden met zichzelf gehad. Verder was hij tot de conclusie gekomen dat ze ook gelijk had over hun relatie. Hoewel die de meeste tijd
goed was geweest en hij haar intieme gezelschap zou missen, waren er
ook de nodige problemen geweest. Zeg het haar dan, maande een stem
in zijn binnenste. Wees niet zo'n klootzak. Zeg haar dat het niet alleen
haar schuld is, zadel haar niet op met die last. Het viel hem moeilijk.

Hij was niet gewend om openhartig over zijn gevoelens te praten. Hij zoog op zijn bloedende vinger en zei: 'Ik zit helemaal niet te mokken. Gun me even wat tijd om aan het idee te wennen, oké? Ik was wel tevreden met wat we samen hadden.'

'Ik ook,' zei Annie glimlachend. 'Denk je dat het voor mij gemakkelijker is omdat ik deze stap heb gezet? We willen verschillende dingen, Alan. We hebben verschillende dingen nodig. Het werkt gewoon niet tussen ons.'

'Je hebt gelijk. Ik beloof je dat ik niet ga zitten mokken of je zal negeren of vernederen zolang jij me niet behandelt als iets wat onder je schoenzool is blijven kleven.'

'Waarom zou ik dat in godsnaam doen?'

Hij dacht aan Sandra en aan haar brief, maar besefte toen dat Annie nu tegenover hem zat. Hij schudde zijn hoofd. 'Let maar niet op mij, Annie. Van nu af aan zijn we vrienden en collega's, afgesproken?'

Annie kneep haar ogen samen en keek hem onderzoekend aan. 'Ik geef echt om je, dat weet je.'

'Dat weet ik.'

'Dat is nu juist een deel van het probleem.'

'Het zal wel snel beter gaan. Uiteindelijk. Het spijt me, ik kan op dit moment niets anders verzinnen dan clichés. Maak je geen zorgen, Annie, ik meende wat ik zei. Ik zal mijn uiterste best doen me zo hoffelijk en respectvol mogelijk tegen je te gedragen.'

'Ach, rot op!' zei Annie lachend. 'Blijf wel even normaal doen, ja?'

Banks voelde dat hij rood werd, maar lachte toch met haar mee. 'Uw wens is mijn bevel. Hoe gaat het met Janet Taylor?'

'Zo koppig als een ezel. Ik heb geprobeerd met haar te praten. De aanklager heeft geprobeerd met haar te praten. Haar eigen advocaat heeft geprobeerd met haar te praten. Zelfs Chambers heeft geprobeerd met haar te praten.'

'Ze heeft in ieder geval een advocaat.'

'De vakbond heeft er een op haar afgestuurd.'

'Hoe luidt de aanklacht?'

'Ze gaan haar aanklagen voor doodslag. Als ze schuld bekent en verzachtende omstandigheden kan aanvoeren, bestaat de kans dat ze er met doodslag uit noodweer vanaf komt.'

'En zo niet?'

'Wie zal het zeggen? Dan is het aan de jury en kunnen er twee dingen gebeuren: of ze geven haar dezelfde straf als John Hadleigh, of ze gunnen haar het voordeel van de twijfel.'

'Hoe is ze er zelf onder?'

'Niet best. Ze drinkt alleen nog maar sterke drank.'

'Verdomme.'

'Inderdaad. Hoe gaat het met het onderzoek naar Payne?'

Banks vertelde haar wat Jenny had ontdekt over Lucy's verleden.

Annie floot. 'Wat ga je nu doen?'

'Haar naar het bureau halen om haar te ondervragen over de dood van Kathleen Murray. Als we haar tenminste kunnen vinden. Het is waarschijnlijk tijdverspilling, want het is meer dan tien jaar geleden gebeurd. Ze was toen pas twaalf, dus ik betwijfel of het ergens toe zal leiden, maar wie weet opent het weer andere deuren als we wat druk op haar uitoefenen.'

'Dat zal Hartnell niet zo leuk vinden.'

'Dat weet ik. Hij heeft al overduidelijk laten blijken hoe hij erover denkt.'

'Lucy Payne weet zeker niet dat je zoveel over haar verleden te weten bent gekomen?'

'Ze beseft heus wel dat we het vandaag of morgen ontdekt zouden hebben. Misschien is ze ergens ondergedoken.'

'Al iets bekend over het zesde lichaam?'

'Nee,' zei Banks. 'Maar we komen er nog wel achter wie het is.' Het vrat aan hem dat ze het zesde slachtoffer nog niet hadden kunnen identificeren. Net als de andere slachtoffers was ze naakt begraven en waren er geen sporen van kleding of persoonlijke bezittingen gevonden. Banks vermoedde dat Payne hun kleren had verbrand en eventuele sieraden ergens gedumpt. Hij had ze in ieder geval niet als trofeeën bewaard. De forensisch antropoloog die haar stoffelijke resten onderzocht, had hem tot nu toe kunnen vertellen dat het een blanke vrouw was, tussen de achttien en tweeëntwintig jaar, en dat ze net als de anderen door wurging om het leven was gekomen. Horizontale krassen in het glazuur van haar tanden duidden op een onregelmatig voedingspatroon in haar eerste levensjaren. Misschien was ze net als Katya afkomstig uit een door oorlog verscheurd land in Oost-Europa. Als het slachtoffer net als Katya Pavelic een prostituee was geweest, dan was de kans op identificatie minimaal. Toch was ze iemands dochter, hield Banks zichzelf voor. Ergens moest iemand haar missen. Misschien ook niet. Er waren genoeg mensen zonder vrienden of familie, mensen die morgen in hun eigen huis zouden kunnen sterven en pas zouden worden gevonden als de huur te lang niet werd betaald of de stank ondraaglijk werd en de buren alarm sloegen. Hij moest rekening houden met de mogelijkheid dat ze het zesde slachtoffer voorlopig niet zouden kunnen identificeren, misschien wel nooit. Het bleef echter wringen. Ze had recht op een naam, een identiteit.

Annie stond op. 'Nou, ik heb gezegd wat ik wilde zeggen. O ja, je zult binnenkort wel te horen krijgen dat ik een officieel verzoek heb ingediend om naar de CID terug te mogen. Denk je dat ik een kans maak?'
'Je mag mijn baan wel hebben als je wilt.'
Annie glimlachte. 'Dat meen je niet.'
'Dat denk je maar. Goed, ik wil best even met Rooie Ron praten als je denkt dat dat wat uitmaakt. We hebben op het ogenblik geen inspecteur, dus misschien is het wel een goed moment om je sollicitatiebrief te sturen.'
'Voordat Winsome me heeft ingehaald?'
'Ze is pienter, die meid.'
'En knap.'
'Is dat zo? Dat is me niet opgevallen.'
Annie stak haar tong naar hem uit en vertrok. Hoewel het beëindigen van hun korte relatie hem verdriet deed, voelde hij ook opluchting. Hij zou zich niet meer elke dag hoeven af te vragen of ze nu wel of niet een stel waren. Hij had zijn vrijheid weer terug, ook al was dat een betrekkelijk begrip.
'Meneer?'
Banks keek op en zag dat Winsome in de deuropening stond. 'Ja?'
'Ik krijg net een bericht door van Steve Naylor, de arrestantenbewaker die vandaag dienst heeft.'
'Is er een probleem?'
'Nee, integendeel.' Winsome glimlachte. 'Het gaat om Mick Blair. Hij wil praten.'
Banks wreef zich voldaan in zijn handen. 'Mooi. Zeg maar dat ze hem naar boven kunnen brengen. Onze beste verhoorkamer deze keer, Winsome.'

Toen Maggie de volgende ochtend haar spullen had ingepakt en klaar was om naar Londen te vertrekken, bracht ze Lucy een kop thee op bed. Dat was het minste wat ze kon doen na alles wat ze had meegemaakt.
Ze hadden de vorige avond tot laat zitten praten en samen een fles witte wijn leeggedronken. Lucy had laten doorschemeren hoe verschrikkelijk haar jeugd was geweest en dat alles weer terug was gekomen door de recente gebeurtenissen. Ook had ze Maggie toevertrouwd dat ze bang was voor de politie en vreesde dat ze bewijsmateriaal tegen haar zouden fabriceren. De gedachte dat ze daardoor naar de gevangenis moest, kon ze niet verdragen. Eén nacht in de cel was al zwaar genoeg geweest.
De politie hield niet van losse eindjes, had ze gezegd, en in deze zaak

was zij een van de belangrijkste losse eindjes die nog overbleven. Ze wist dat ze haar in de gaten hielden. Ze was in het donker het huis van haar pleegouders uitgevlucht, had de eerste de beste trein naar York genomen, was overgestapt op de trein naar Londen en had daar haar uiterlijk veranderd door een ander kapsel te nemen en zich anders op te maken en te kleden. Maggie was het met haar eens dat de Lucy Payne die zij kende zich nooit in dat soort vrijetijdskleding of met die nogal hoerige make-up in het openbaar zou hebben vertoond. Ze had beloofd tegen niemand te zeggen dat Lucy bij haar was en als een van de buren haar toevallig zag en vroeg wie ze was, zou ze zeggen dat ze een ver familielid was dat op doorreis even bij haar logeerde.

Beide slaapkamers keken uit op The Hill. Toen Maggie op de deur van de logeerkamer had geklopt en naar binnen liep, stond Lucy spiernaakt bij het raam. Lucy draaide zich om toen ze Maggie met de thee zag binnenkomen. 'O, dank je wel. Wat lief van je.'

Maggie voelde dat ze begon te blozen. Haar oog viel op Lucy's volle, ronde borsten, haar strakke, platte buik, de zacht golvende heupen en gladde dijen, de donkere driehoek tussen haar benen. Lucy scheen er geen enkele moeite mee te hebben dat ze naakt was, maar Maggie voelde zich niet op haar gemak en wendde haar ogen af.

Lucy had de gordijnen iets opengeschoven. Kennelijk had ze naar de bedrijvigheid aan de overkant staan kijken. Het was de afgelopen dagen iets rustiger geworden, had Maggie gemerkt, maar nog steeds liepen er mensen in en uit en de voortuin was een grote puinhoop.

'Heb je gezien wat ze allemaal hebben aangericht?' vroeg Lucy. Ze liep op Maggie toe om de kop thee aan te pakken. Daarna stapte ze weer in bed en ze trok het dunne witte laken over zich heen.

'Ja,' zei Maggie.

'Het is mijn huis en ze hebben het voorgoed voor me verpest. Ik kan daar nu niet meer naar terug. Nooit meer.' Haar onderlip trilde van woede. 'Ik kon door de deuropening de gang zien. Ze hebben de vloerkleden meegenomen en de planken opengebroken. Ze hebben zelfs gaten in de muren geboord. Ze hebben het volledig geruïneerd.'

'Ik denk dat ze op zoek waren naar bepaalde dingen, Lucy. Dat is hun werk.'

'Wat zochten ze dan? Wat valt er nog te zoeken? Ik durf te wedden dat ze al mijn mooie spullen hebben meegenomen, al mijn sieraden en kleding. Al mijn herinneringen.'

'Ik weet zeker dat je dat allemaal terugkrijgt.'

Lucy schudde haar hoofd. 'Nee. Ik wil het niet meer terug. Nu niet meer. Eerst wel, maar nu ik heb gezien wat ze hebben gedaan, is alles voorgoed verpest. Ik zal helemaal opnieuw moeten beginnen. Ik zal het moeten doen met wat ik nu heb.'

'Heb je genoeg geld?' vroeg Maggie.

'Ja, dank je. We hebben wat gespaard. Ik weet niet wat er nu met het huis zal gebeuren en hoe het met de hypotheek verder moet, maar ik denk niet dat we het in deze staat ooit zullen kunnen verkopen.'

'Je zult heus wel een of andere vergoeding krijgen,' zei Maggie. 'Ze kunnen je toch niet zomaar je huis afpakken zonder je er iets voor terug te geven?'

'Het zou me niets verbazen als het wel kon.' Lucy blies over haar thee. 'Ik heb je gisteravond toch al verteld dat ik vandaag naar Londen moet, hè?' zei Maggie. 'Denk je dat je het hier wel redt?'

'Ja, hoor. Natuurlijk. Maak je over mij alsjeblieft geen zorgen.'

'Er is genoeg eten in de koelkast en de vriezer, mocht je niet buitenshuis willen eten.'

'Prima, dank je,' zei Lucy. 'Ik denk dat ik inderdaad het liefst binnen blijf, de wereld buitensluit en televisie ga kijken of zoiets, en proberen te vergeten wat er is gebeurd.'

'In het kastje onder de televisie in mijn slaapkamer staat een hele rij videobanden,' zei Maggie. 'Als je ze daar wilt bekijken, ga dan gerust je gang.'

'Dank je wel, Maggie. Dat zal ik zeker doen.'

Hoewel er in de woonkamer ook een klein tv-toestel stond, bevond de enige videorecorder zich met een tweede tv in de grote slaapkamer. Vaak als ze niet kon slapen en er niets op tv was, had ze naar een liefdesverhaal of romantische komedie gekeken, waar Ruth blijkbaar een voorkeur voor had.

'Weet je zeker dat je verder niets nodig hebt?'

'Ik kan niets bedenken,' zei Lucy. 'Ik wil me alleen maar veilig en op mijn gemak voelen, zodat ik weer weet hoe dat is.'

'Dat zal je hier wel lukken, denk ik. Het spijt me dat ik je nu al alleen moet achterlaten, maar ik ben morgen weer terug.'

'Geeft niet,' zei Lucy. 'Ik ben niet van plan je hele leven op zijn kop te zetten. Je moet werken, dat weet ik. Ik zoek alleen maar even een schuilplaats tot ik mezelf weer ben.'

'Wat denk je te gaan doen?'

'Geen idee. Mijn naam veranderen en ergens hier heel ver vandaan een baan zoeken. Dat komt nog wel. Ga jij maar lekker naar Londen en geniet ervan. Ik kan wel voor mezelf zorgen.'

'Weet je het echt zeker?'

'Ik weet het heel zeker.' Lucy stapte weer uit bed, zette haar kopje op het nachtkastje en liep terug naar het raam. Daar bleef ze naar de overkant staren naar wat eens haar huis was geweest.

'Dan moet ik er nu vandoor,' zei Maggie. 'De taxi zal zo wel komen.'

'Dag,' zei Lucy, maar ze draaide zich niet om. 'Veel plezier.'

'Goed, Mick,' zei Banks. 'Ik heb begrepen dat je ons iets wilde vertellen.'

Na een nacht in de cel leek Mick Blair niet langer op de brutale, zelfverzekerde tiener die ze gisteren hadden verhoord. Hij zag er nu eerder uit als een bang kind. Het vooruitzicht dat hij misschien een paar jaar in een dergelijke omgeving of nog erger zou moeten doorbrengen, had zijn uitwerking niet gemist. Banks had van de arrestantenbewaker gehoord dat hij kort na zijn opsluiting een lang telefoongesprek met zijn ouders had gevoerd en daarna was zijn houding omgedraaid als een blad aan de boom. Hij had niet om een advocaat gevraagd. Nog niet.

'Ja,' zei hij. 'Maar ik wil eerst weten wat Sarah jullie heeft verteld.'

'Je weet dat ik je dat niet kan zeggen, Mick.'

Sarah Francis had hun in feite helemaal niets verteld. Ze had dezelfde eenlettergrepige antwoorden gegeven als in Ian Scotts flat en was net zo bang en dwars geweest. Dat gaf niet, want de voornaamste reden van haar aanwezigheid was om er druk op Mick mee uit te oefenen.

Banks, Winsome en Mick zaten in de grootste verhoorkamer. Hij was recentelijk opnieuw geschilderd en Banks kon de verf op de groene muren ruiken. Hij had nog steeds geen rapport van het lab over de auto van Samuel Gardner, maar dat wist Mick niet. Hij had gezegd dat hij wilde praten, maar als hij nu weer besloot zijn mond te houden, kon Banks altijd weer enkele hints laten vallen over vingerafdrukken en haren. Hij wist zeker dat ze in die auto hadden gezeten. Dat had hij indertijd meteen moeten laten natrekken toen bleek dat Ian Scott een strafblad had en al eerder auto's had gestolen. 'Wil je een verklaring afleggen?' vroeg Banks. 'Officieel?'

'Ja.'

'Heeft iemand je op je rechten gewezen?'

'Ja.'

'Goed dan, Mick. Vertel ons maar wat er die avond is gebeurd.'

'U hebt gisteren gezegd dat jullie het me minder moeilijk zouden maken als ik...'

'Ja?'

'Dat meende u toch wel? Sarah kan jullie van alles hebben wijsgemaakt om Ian en zichzelf te beschermen.'

'Rechtbanken en rechters houden er rekening mee dat verdachten met de politie hebben meegewerkt, Mick. Dat staat vast. Ik zal eerlijk zijn. Ik kan je niet precies vertellen wat er zal gebeuren, want dat hangt van veel verschillende factoren af, maar ik beloof je dat je mijn steun krijgt voor strafvermindering, en die weegt heel zwaar.'

Mick slikte moeizaam. Hij stond op het punt zijn vrienden te verraden. Banks had dit al eerder meegemaakt en wist hoe moeilijk het was, wist welke tegenstrijdige gevoelens om voorrang streden. Hij wist ook dat zelfbehoud meestal overwon.

'Jullie hebben die auto gestolen, is het niet, Mick?' begon Banks. 'We hebben al een flink aantal haren en vingerafdrukken gevonden. Die van jou zitten daar ongetwijfeld ook tussen. En die van Ian, Sarah en Leanne.'

'Het kwam door Ian,' zei Blair. 'Het was allemaal Ians idee. Ik had er niets mee te maken. Ik kan niet eens autorijden.'

'En Sarah?'

'Sarah? Als Ian zegt dat ze in de sloot moet springen, vraagt ze welke.'

'En Leanne?'

'Leanne zag het helemaal zitten. Ze was die avond in een wilde bui. Ik weet niet waarom. Ze had het wel over haar stiefmoeder gehad, maar ik wist niet wat het probleem precies was. Eerlijk gezegd kon het me ook niet zoveel schelen. Ik had er totaal geen behoefte aan al haar familie-problemen aan te horen. Iedereen heeft zo zijn eigen problemen, toch?'

Een waar woord, dacht Banks.

'Dus je wilde haar alleen maar naaien?' vroeg Winsome.

Blair leek geschokt dat deze opmerking van een vrouw kwam, en nog wel een heel mooie vrouw met een zangerig, Jamaicaans accent.

'Nee! Ik bedoel, ja, ik vond haar leuk. Maar ik heb haar niet aangeraakt, echt niet.'

'Wat is er gebeurd, Mick?' vroeg Banks.

'Ian zei: "Laten we een auto gaan jatten. Dan slikken we wat XTC, roken een paar jointjes en gaan we de clubs in Darlington af".'

'Leanne moest toch op tijd thuis zijn?'

'Ze zei dat ze het een goed idee vond en dat ze thuis de pot op konden. Zoals ik al zei was ze die avond een beetje losgeslagen. Ze had een paar borrels op, ook al dronk ze anders geen alcohol. Deze keer wilde ze zich gewoon een beetje ontspannen en lol hebben.'

'En jij dacht dat er misschien ook wel wat voor jou in zat?'

Opnieuw scheen Winsomes opmerking Blair in verwarring te brengen. 'Nee. Nou ja, wel als zij het ook wilde. Ik zag haar wel zitten. Ik dacht dat ze misschien... nou ja, ze leek zo anders, veel uitdagender.'

'En jij dacht dat ze door drugs gewilliger zou worden?'

'Nee. Ik weet het niet.' Hij keek Banks geërgerd aan. 'Hoor eens, wilt u dat ik verderga of niet?'

'Toe maar.' Banks gebaarde Winsome dat ze zich er voorlopig even buiten moest houden.

'Ian jatte die auto,' vervolgde Blair. 'Ik weet niet eens hoe je dat doet, maar hij zei dat hij het vroeger in East Side had geleerd.'

Banks wist maar al te goed dat elk kind dat daar was opgegroeid wist hoe je een auto moest stelen. 'Waar zijn jullie toen heen gereden?'

'Naar het noorden. We zouden naar Darlington gaan. Ian kent alle clubs daar. We waren nog niet onderweg of Ian deelde XTC uit en we hebben allemaal wat geslikt. Toen draaide Sarah een jointje en dat hebben we met z'n allen opgerookt.'

Het viel Banks op dat de illegale handelingen steeds door iemand anders werden uitgevoerd, nooit door Blair zelf. Voorlopig sloeg hij dat gegeven op voor later. 'Had Leanne al eerder XTC geslikt of marihuana gerookt?' vroeg hij.

'Voorzover ik weet niet. Ze kwam op mij altijd een beetje burgerlijk over.'

'Alleen die avond niet?'

'Nee.'

'Goed, ga verder. Wat gebeurde er toen?'

Mick staarde naar de tafel en Banks begreep dat nu het moeilijkste deel moest komen. 'We waren nog maar net Eastvale uit, een halfuur of zo, toen Leanne zei dat ze misselijk was en dat haar hart veel te snel klopte. Ze had moeite met ademhalen. Ze gebruikte die inhaler nog die ze altijd bij zich had, maar dat hielp helemaal niet. Volgens mij werd het daardoor alleen maar erger. Ian dacht dat ze gewoon in paniek was geraakt of hallucineerde of zoiets, dus hij deed de autoramen open. Dat hielp ook al niet. Toen begon ze te beven en te zweten. Je kon zien dat ze echt bang was. Ik ook trouwens.'

'Wat deden jullie toen?'

'We waren al op het platteland, in dat heidegebied ten noorden van Lyndhurst. Ian reed de berm in en stopte. We zijn toen allemaal uitgestapt om een wandeling over de hei te maken. Ian dacht dat de buitenlucht Leanne goed zou doen, dat ze in de auto misschien last had gehad van claustrofobie.'

'Hielp het?'

Mick trok wit weg. 'Nee. Toen we uit de auto stapten, moest ze overgeven. Toen zakte ze in elkaar. Ze kon geen adem krijgen, het leek wel alsof ze stikte.'

'Wist je dat ze astma had?'

'Ik had natuurlijk in de auto gezien dat ze die inhaler gebruikte toen ze zich niet lekker begon te voelen.'

'En het kwam niet bij je op dat XTC gevaarlijk kon zijn voor iemand met astma, of dat het een gevaarlijke combinatie kon vormen met dat medicijn in die inhaler?'

'Hoe kon ik dat nou weten? Ik ben geen dokter.'

'Nee. Maar je slikt wel XTC. Je maakt mij niet wijs dat dit de eerste keer was en je moet toch ooit wel eens iets over de negatieve effecten hebben gehoord. Dat geval van Leah Betts bijvoorbeeld, dat meisje dat vijf jaar geleden is overleden. En sinds die tijd nog een paar anderen.'

'Die verhalen ken ik, ja, maar ik dacht dat je alleen op je lichaamstemperatuur moest letten wanneer je aan het dansen was. Dat je genoeg water drinkt en ervoor zorgt dat je niet uitdroogt.'

'Toen ze buiten op de hei nog zieker werd, hebben jullie haar toen die inhaler weer gegeven?'

'We konden hem niet vinden. Hij zat waarschijnlijk nog in haar tas die in de auto lag. Bovendien was ze daar alleen maar nog zieker van geworden.'

'Is het ook niet bij jullie opgekomen dat ze misschien stikte in haar eigen braaksel?'

'Dat weet ik niet, ik heb er nooit...'

'Wat deden jullie dan wel?'

'We wisten niet wat we moesten doen. Toen kreeg ze plotseling stuiptrekkingen en daarna bleef ze roerloos liggen.'

Banks liet een stilte vallen waarin alleen het geluid van hun ademhaling en het zachte elektronische gezoem van de bandrecorders hoorbaar was. 'Waarom hebben jullie haar niet naar een ziekenhuis gebracht?' vroeg hij.

'Toen was het al te laat! Dat zeg ik toch net. Ze was dood!'

'Dat wist je heel zeker?'

'Ja. We hebben haar pols gevoeld, geprobeerd of we haar hart voelden kloppen of konden zien of ze nog ademhaalde, maar er was helemaal niets. Ze was dood. Het was allemaal zo snel gegaan. We voelden allemaal het effect van de XTC en we raakten een beetje in paniek, dus we dachten gewoon niet goed na.'

Banks kende minstens drie andere recente slachtoffers van XTC in de omgeving, dus Blairs verhaal verraste hem niet. MDMA, ofwel methyleendioxymethylamfetamine, was een populaire drug onder jongeren omdat hij goedkoop was en je het er de hele nacht op kon uithouden in clubs of disco's. Iedereen dacht dat hij weinig kwaad kon, hoewel Mick gelijk had toen hij zei dat je moest zorgen dat je niet uitdroogde, maar voor astmapatiënten of mensen met hoge bloeddruk kon XTC levensgevaarlijk zijn.

'Waarom hebben jullie haar niet naar een ziekenhuis gebracht toen jullie nog in de auto zaten?'

'Ian zei dat ze zich wel beter zou voelen als we even buiten rondliepen. Hij zei dat hij zo'n reactie wel eens eerder had meegemaakt.'

'Wat deden jullie toen jullie beseften dat ze dood was?'

'Ian zei dat we aan niemand moesten vertellen wat er was gebeurd, omdat we anders allemaal de bak zouden indraaien.'

'Wat hebben jullie dan wel gedaan?'

'We hebben haar verder de heide opgedragen en haar daar begraven. Er was daar ergens een soort put, niet zo heel diep, vlak bij een afgebrokkeld muurtje, dus daar hebben we haar in gelegd en bedekt met stenen en varens. Niemand zou haar daar vinden, tenzij ze echt op zoek waren. Het is een heel verlaten gebied waar nooit iemand komt.'

'En toen?'

'Toen zijn we teruggereden naar Eastvale. We waren allemaal behoorlijk van slag, maar Ian zei dat we ons moesten gedragen alsof er niets aan de hand was.'

'En Leannes schoudertas?'

'Dat was ook Ians idee. We hadden toen al afgesproken dat we zouden zeggen dat ze vanuit de pub naar huis was gegaan en dat dat de laatste keer was dat we haar hadden gezien. Toen vond ik haar schoudertas op de achterbank van de auto en Ian zei dat de politie waarschijnlijk zou denken dat ze door een of andere engerd was opgepikt als we hem ergens in de buurt van de Old Ship in een tuin zouden gooien.'

En dat dachten we inderdaad, peinsde Banks. Een simpele, impulsieve daad die, samen met de vermissing van twee andere meisjes wier tassen waren teruggevonden in de buurt waar ze waren verdwenen, tot de oprichting van de task force had geleid. Te laat echter om Melissa Horrocks of Kimberley Myers te redden. Hij was misselijk en kwaad.

Het heidegebied ten noorden van Lyndgarth strekte zich eindeloos ver uit, wist Banks. Het was er totaal verlaten en de weinige wandelaars volgden meestal de uitgezette paden. 'Weet je nog waar jullie haar hebben begraven?' vroeg hij.

'Ik denk het wel,' antwoordde Blair. 'Niet precies, maar tot op een meter of honderd wel. Je kunt het herkennen aan de oude muur.'

Banks keek naar Winsome. 'Wil je een zoekteam bij elkaar roepen, Jackman? Deze jongeman gaat mee. Bel me zodra je iets vindt. En laat iemand Ian Scott en Sarah Francis hier brengen.'

Winsome stond op.

'Voorlopig weten we genoeg,' zei Banks.

'Wat gaat er nu met me gebeuren?' vroeg Blair.

'Dat kan ik je niet zeggen, Mick,' antwoordde Banks. 'Dat kan ik je echt niet zeggen.'

19

Het gesprek was goed verlopen, dacht Maggie toen ze het gebouw uitkwam en Portland Place op liep. Het Broadcasting House achter haar zag eruit als de achtersteven van een gigantische oceaanstomer. Binnenin was het een doolhof. Ze begreep niet dat mensen daar de weg wisten, ook al werkten ze er al jaren. Gelukkig had een programmaredacteur haar in de hal opgewacht en haar langs de bewaking het gebouw door geleid.

Toen het begon te regenen, dook Maggie een espressobar binnen. Ze ging op een kruk aan de bar bij het raam zitten, waar ze haar *latte* dronk, naar de met hun paraplu worstelende mensen op straat keek en nadacht over de afgelopen dag. Het was pas drie uur, maar de avondspits scheen alweer op gang te komen. In Londen was het trouwens altijd spitsuur. Het gesprek over huiselijk geweld waar ze zojuist aan had deelgenomen, was voornamelijk over algemeenheden gegaan. Waar moest je bijvoorbeeld op bedacht zijn, hoe kon je voorkomen dat je steeds in het oude patroon verviel, dat soort zaken. Er was weinig ruimte geweest voor haar eigen verhaal of dat van de andere gast, een vrouw die door haar man was mishandeld en nu een gerespecteerd psychologisch adviseur was. Ze hadden hun adres en telefoonnummer uitgewisseld en afgesproken contact te houden, maar toen had de vrouw snel moeten vertrekken voor haar volgende interview.

De lunch met Sally, de art director, was eveneens goed verlopen. Ze hadden gegeten in een duur Italiaans restaurant bij Victoria Station. Sally had de schetsen bekeken en hier en daar nuttige suggesties gedaan. Maar ze hadden vooral over de recente gebeurtenissen in Leeds gepraat en Sally wilde natuurlijk precies weten hoe het was om tegenover een seriemoordenaar te wonen. Bij vragen over Lucy had Maggie zich op de vlakte gehouden.

Arme Lucy. Maggie voelde zich schuldig dat ze haar alleen had gelaten in het grote huis op The Hill, recht tegenover de plek waar haar traumatische leven in de openbaarheid was gebracht. Lucy had gezegd dat ze zich wel zou redden, maar was dat niet omdat ze zich groot wilde houden?

Maggie had geen kaartje kunnen bemachtigen voor het toneelstuk dat ze wilde zien. Het was zo populair dat de zaal zelfs op deze woensdagavond was uitverkocht. Ze had overwogen een kamer te nemen in het hotelletje en dan maar naar de bioscoop te gaan, maar hoe langer ze erover nadacht, hoe meer ze ervan overtuigd raakte dat Lucy haar nodig had.

Ze besloot te wachten tot het droog was, dan nog even in Oxford Street te winkelen en vervolgens terug te gaan naar huis om Lucy te verrassen. Toen de zon weer doorbrak en het was opgehouden met regenen, dronk Maggie haar latte op en liep ze naar buiten. Ze zou een cadeautje voor Lucy kopen, niet iets duurs of opzichtig, maar misschien een armbandje of ketting, iets om haar vrijheid mee te vieren. Lucy had tenslotte gezegd dat de politie al haar spullen had meegenomen en dat ze die niet meer terug wilde hebben nu ze op het punt stond een nieuw leven te beginnen.

Aan het eind van de middag kreeg Banks de oproep naar Wheaton Moor ten noorden van Lyndgarth te rijden, en hij vroeg Winsome met hem mee te gaan. Ze had zich tenslotte heel intensief met de zaak Leanne Wray beziggehouden. De meeste narcissen waren inmiddels verdwenen, maar de bomen waren vol witte en roze bloesem en in de berm stonden hagen van goudgeel glanzend speenkruid. Op de heide stonden de felgele bremstruiken in volle bloei.

Hij parkeerde zijn auto zo dicht mogelijk bij het groepje mensen dat zich voor hen had verzameld, maar ze moesten nog minstens een halve kilometer door heide en bremstruiken lopen. Blair en zijn companen hadden Leanne wel heel ver van de bewoonde wereld verstopt. Hoewel het zonnig en bijna onbewolkt was, stond er een kille wind. Banks was blij dat hij zijn jack aanhad. Winsome droeg leren laarzen die tot halverwege haar kuit reikten, een zwarte coltrui en een wollen jasje met visgraatmotief. Ze liep stevig door met elegante, zelfverzekerde passen, maar Banks kwam maar moeizaam vooruit door de dichte begroeiing en struikelde af en toe. Hij moest echt iets aan zijn conditie gaan doen, hield hij zichzelf voor. En hij moest stoppen met roken.

Ze bleven staan bij het team dat Winsome drie uur eerder op pad had gestuurd. Mick Blair was vastgeketend aan een van de geüniformeerde agenten en zijn vettige haar slierde in de wind.

Een andere agent wees naar de ondiepe put. Banks zag een hand die voor een deel was weggevreten. 'We hebben alles zoveel mogelijk intact gelaten,' zei de agent. 'De technische recherche is onderweg.'

Banks bedankte hem. Op hetzelfde moment zag hij een bestelbus tot stilstand komen waar mannen in witte overalls uit sprongen. Nadat ze razendsnel enkele meters rond de put hadden afgezet, ging Peter Darby, de plaatselijke politiefotograaf, onmiddellijk aan de slag. Het wachten was nog op dokter Burns, de politiearts. Dokter Glendenning, de patholoog-anatoom van het OM, zou waarschijnlijk de sectie verrichten, maar hij was te oud en te belangrijk om nog over heidevelden te banjeren. Banks wist dat Burns bekwaam was en al heel wat ervaring had met lijkschouwingen op de plaats delict.

Het duurde nog tien minuten voordat dokter Burns was gearriveerd. Nadat de fotograaf zijn werk had gedaan, moesten de stoffelijke resten aan de oppervlakte worden gebracht. De technische recherche ging langzaam en behoedzaam te werk om geen bewijsmateriaal verloren te laten gaan. Mick Blair had gezegd dat Leanne was overleden nadat ze XTC had geslikt, maar misschien had hij gelogen. Misschien had hij geprobeerd haar te verkrachten en haar gewurgd toen ze zich verzette. Maar hij kon maar beter niet opnieuw overhaaste conclusies trekken wat Leanne betrof.

Steen na steen werd van het lichaam verwijderd. Zodra hij het blonde haar zag, wist Banks dat het Leanne Wray was. Ze had nog steeds de kleren aan die ze had gedragen toen ze verdween: spijkerbroek, witte Nike-sportschoenen, T-shirt en een suède jack. Hoewel het lichaam al in staat van ontbinding verkeerde, was het door het koude weer nog redelijk intact. Hij kon zelfs nog haar gezicht herkennen van de foto's die hij had gezien.

Toen ze was opgegraven, bleef iedereen zwijgend en op gepaste afstand staan als om haar de laatste eer te bewijzen.

'Heb je genoeg gezien, Mick?' vroeg Banks.

Mick draaide zich snikkend om en braakte in de struiken.

Toen Banks terugliep naar zijn auto, belde Stefan Nowak hem op zijn mobieltje. 'Alan?'

'Ja, Stefan? Heb je het zesde slachtoffer geïdentificeerd?'

'Nee. Maar we hebben Paynes camcorder gevonden.'

'Waar?' vroeg Banks. 'Ik kom meteen naar je toe.'

Toen de trein rond negen uur die avond het station binnenreed, een halfuur later dan gepland vanwege een koe die bij Wakefield in een tunnel op de rails had gestaan, was Maggie uitgeput. Ze begon een beetje te begrijpen waarom de Engelsen zoveel over hun treinen klaagden.

Er stond een lange rij bij de taxistandplaats. Omdat ze alleen maar een lichte weekendtas bij zich had, besloot ze door te lopen naar de hoek van Boar Lane en daar de bus te nemen naar The Hill. Het was een mooie avond en het was nog druk op straat. Toen de bus arriveerde, ging ze achterin zitten en begon in de nieuwe verhalenbundel van Alice Munro te lezen die ze op Charing Cross Road had gekocht. Ze had ook een mooi cadeautje voor Lucy gevonden. Het zat in een blauw doosje in haar tas. Een dun zilveren kettinkje met daaraan een rond zilveren schijfje met langs de rand een slang die zijn eigen staart had ingeslikt en in het midden een afbeelding van een verrijzende feniks. Maggie hoopte dat Lucy het mooi zou vinden en de symboliek zou begrijpen. Toen ze vlak bij huis uit de bus stapte, was het stil op straat. In het westen liet de ondergaande zon rode en paarse vegen aan de hemel achter. Het was kil geworden en Maggie rilde even. Ze zag Claires moeder die met fish 'n' chips in een krant gerold The Hill overstak, begroette haar en liep toen de stoeptreden op naar haar eigen huis. Terwijl ze naar haar sleutels zocht, zag ze dat nergens licht brandde. Zou Lucy uit zijn gegaan? Ze kon het zich nauwelijks voorstellen. Toen ze langs de struiken liep, zag ze licht opflikkeren in de grote slaapkamer. Lucy zat daar kennelijk tv te kijken. Heel even bekroop Maggie het gevoel dat ze het huis toch liever voor zich alleen had. Het zat haar dwars dat er iemand in haar slaapkamer was. Ze had Lucy natuurlijk zelf gezegd dat ze daar televisie kon kijken als ze wilde en ze kon nu moeilijk binnenstormen en haar eruit schoppen. Daar was ze trouwens ook te te moe voor. Misschien moesten ze dan maar van kamer ruilen als Lucy de hele tijd televisie wilde kijken. Maggie zou het best een paar dagen in de kleine slaapkamer kunnen uithouden.

Ze draaide de sleutel om in het slot, ging naar binnen, zette haar tas neer, en liep naar boven. Bij de slaapkamerdeur ving ze geluiden op die van de televisie afkomstig moesten zijn. De slaapkamerdeur stond op een kier en zonder aan te kloppen duwde ze hem verder open. Lucy lag naakt op het bed. Nou ja, na de show van vanochtend kwam dat niet echt als een verrassing, dacht Maggie. Toen draaide ze zich om naar de televisie en ze kon haar ogen niet geloven.

Eerst dacht ze nog dat het gewoon een pornofilm was. Ze begreep niet waar Lucy die vandaan had en waarom ze naar zoiets wilde kijken, maar toen zag ze dat het een amateuropname was met stuntelige belichting. Hij speelde zich af in een kelder waar een meisje aan een bed was vastgebonden. Naast haar stond een man die met zichzelf speelde en obscene dingen schreeuwde. Maggie herkende hem. Een vrouw lag met haar hoofd tussen de benen van het meisje. In de fractie van de seconde die Maggie nodig had om dit in zich op te nemen, draaide de vrouw zich om, likte ze haar lippen af en grijnsde ze ondeugend naar de camera. Lucy.

'O, nee!' zei Maggie. Ze keerde zich om naar Lucy, die haar met die donkere, ondoordringbare ogen aanstaarde. Maggie sloeg een hand voor haar mond. Ze werd misselijk. Misselijk en bang. Ze draaide zich om en wilde weglopen, maar hoorde een plotselinge beweging achter zich. Toen voelde ze een verscheurende pijn aan haar achterhoofd en werd alles zwart om haar heen.

De vijver ving de laatste stralen van de avondzon op toen Banks arriveerde. Hij had eerst Mick Blair teruggebracht naar Eastvale, gecontroleerd of Ian Scott en Sarah Francis achter slot en grendel zaten en had vervolgens Jenny Fuller opgepikt. Tot morgenochtend waren Winsome en brigadier Hatchley verantwoordelijk voor de zaken in Eastvale.

De Panasonic Super 8 camcorder lag op een doek op de oever, nog steeds bevestigd aan de driepoot. Brigadier Stefan Nowak en hoofdinspecteur Ken Blackstone stonden ernaast.

'Weet je zeker dat dit de goede is?' vroeg Banks aan Ken Blackstone.

Blackstone knikte. 'We hebben de zaak gevonden waar Payne hem heeft gekocht. Hij heeft hem contant betaald op drie maart vorig jaar. Het serienummer klopt.'

'Banden?'

'Er zit er een in de camera,' zei Stefan. 'Helemaal verpest.'

'Geen enkele kans op herstel?'

'Als Pasen en Pinksteren...'

'Alleen deze ene dus? Verder niet?'

Stefan knikte. 'Neem van mij aan dat die mannen de vijver millimeter voor millimeter hebben doorzocht. Als hij hier banden had gedumpt, hadden we ze nu wel gevonden.'

'Waar kunnen ze dan zijn?' vroeg Banks aan niemand in het bijzonder.

'Als je het mij vraagt,' zei Stefan, 'heeft degene die deze camcorder in de vijver heeft gegooid alles overgezet op VHS. De kwaliteit wordt dan weliswaar iets minder, maar dat is de enige manier waarop je ze op een gewone videorecorder kunt bekijken.'

Banks knikte instemmend. 'Klinkt logisch. Neem deze maar mee naar Millgarth en berg hem veilig op in het bewijsdepot, hoewel ik niet weet of we er nog wat aan hebben.'

Stefan pakte de camera op en wikkelde hem voorzichtig in de doek. 'Je weet maar nooit.'

Banks zag honderd meter verderop het uithangbord van een pub, The Woodcutter's. 'Het is een lange dag geweest en ik heb nog niets gegeten,' zei hij tegen Blackstone en Jenny, toen Stefan naar Millgarth was vertrokken. 'Zullen we daar even naar binnen gaan?'

'Daar zeg ik geen nee tegen,' zei Blackstone.

'Jenny?'

Jenny glimlachte. 'Ik heb weinig keus, hè? Ik ben immers met jou meegereden.'

Kort daarop zaten ze aan een hoektafeltje in de vrijwel uitgestorven pub. Banks bestelde een hamburger met friet en een glas bitter. De muziek van de jukebox stond niet zo hard dat ze er niet bovenuit kwamen, maar hard genoeg om hun gesprek onverstaanbaar voor anderen te maken.

'Wat hebben we nu eigenlijk?' vroeg Banks toen zijn hamburger voor hem op tafel stond.

'Een onbruikbare camcorder, zou ik zeggen,' zei Blackstone.

'Ja, en?'

'Dat betekent dat iemand, Payne waarschijnlijk, hem heeft weggegooid.'

'Waarom?'

'Geen flauw idee.'

'Kom, Ken, daar moet toch iets meer over te zeggen zijn.'

Blackstone glimlachte. 'Sorry, ik heb ook een zware dag achter de rug.'

'Het is een interessante vraag,' zei Jenny. 'Waarom? En wanneer?'

'Het moet in ieder geval zijn gebeurd voordat Taylor en Morrisey die kelder binnengingen,' zei Banks.

'Maar Payne had toen nog een gevangene,' zei Blackstone. 'Kimberley Myers. Waarom zou hij in vredesnaam zijn camera weggooien als hij net bezig was met juist die dingen die hij zo graag op video vastlegde? En wat heeft hij met die VHS-kopieën gedaan, als we ervan uitgaan dat Stefan gelijk heeft?'

'Ik moet het antwoord op die vragen schuldig blijven,' zei Jenny, 'maar misschien weet ik een manier om erachter te komen.'

'Ik heb zo'n vermoeden waar jij naartoe wilt,' zei Banks.

'O ja?'

'Ja. Lucy Payne.' Hij nam een hap van zijn hamburger. Niet slecht, dacht hij, maar hij had zo'n honger dat hij op dat moment alles had gegeten.

Jenny knikte. 'Waarom gaan we er eigenlijk nog steeds vanuit dat Terence Payne verantwoordelijk is voor die video's, terwijl we Lucy al die tijd van medeplichtigheid aan de moorden verdenken? Vooral na wat Laura en Keith me over Lucy's verleden hebben verteld en na wat die jonge prostituee tegen Alan heeft gezegd. Het is toch heel aannemelijk dat ze er net zo goed bij betrokken is geweest als hij? Die meisjes zijn immers op precies dezelfde manier vermoord als Kathleen Murray: door wurging met een koord.'

'Wil je beweren dat zij hen heeft vermoord?' vroeg Banks.

'Niet per se. Maar als het waar is wat Keith en Laura zeggen, dan is het mogelijk dat Lucy zichzelf als bevrijder heeft gezien, zoals blijkbaar bij Kathleen ook het geval is geweest.'

'Moord uit medelijden? Maar eerder zei je dat ze Kathleen waarschijnlijk uit jaloezie heeft vermoord.'

'Ik zei dat jaloezie zeker een motief zou kunnen zijn geweest. Alleen wilde haar zus Laura dat niet geloven. Lucy kan best verschillende motieven tegelijk hebben gehad.'

'Maar waarom?' ging Blackstone verder. 'Waarom zou ze de camera weggooien?'

Banks prikte een frietje aan zijn vork en dacht even na voordat hij antwoord gaf. 'Lucy is doodsbang voor de gevangenis. Als ze dacht dat er ook maar de geringste kans bestond dat ze zou worden opgepakt, zou ze zeker een plan hebben bedacht om zich veilig te stellen.'

'Het gaat mij allemaal iets te ver.'

'Mij niet, Ken,' zei Banks. 'Probeer het eens vanuit Lucy's standpunt te zien. Ze is niet dom. Slimmer dan haar man zou ik zeggen. Terence Payne ontvoert die vrijdagavond Kimberley Myers omdat hij zichzelf niet meer in de hand heeft, maar Lucy ziet dat het einde met rasse schreden nadert. Het eerste wat ze doet, is zoveel mogelijk belastend bewijsmateriaal wegwerken, inclusief de camcorder. Misschien was dat de reden waarom Terry en zij slaande ruzie kregen. Ze weet natuurlijk niet van tevoren hoe en wanneer het precies zal aflopen, dus ze moet improviseren. Als we sporen zouden vinden die erop wijzen dat ze in de kelder is geweest...'

'Die hebben we gevonden.'

'Inderdaad,' gaf Banks toe, 'en ze heeft daar ook een geloofwaardige verklaring voor. Ze hoorde iets en ging kijken. Dat haar man haar met een vaas op haar hoofd mept, is alleen maar in haar voordeel.'

'En de opnames?'

'Die zou ze nooit weggooien,' antwoordde Jenny. 'Die vormden een beeldverslag van hun daden. Die camera is niet belangrijk, je koopt zo weer een nieuwe. Maar die banden zijn uniek en onvervangbaar. Het zijn haar trofeeën. Zo kan ze die momenten in de kelder steeds opnieuw beleven. Die zou ze nooit weggooien.'

'Waar zijn ze dan?' vroeg Banks.

'En waar is Lucy?' zei Jenny.

'Hoe groot is de kans dat die twee vragen hetzelfde antwoord hebben?' vroeg Banks peinzend.

Maggie werd wakker met een barstende hoofdpijn en een misselijk ge-voel in haar maag. Ze voelde zich zwak en duizelig, wist in eerste in-stantie niet waar ze was of hoeveel tijd er was verstreken sinds ze het be-wustzijn had verloren. De gordijnen waren open en ze kon zien dat het buiten donker was. Langzaam maar zeker kon ze de voorwerpen om zich heen onderscheiden en ze besefte dat ze nog steeds in haar eigen slaapkamer was. De lamp op het ene nachtkastjes brandde; de andere lag in scherven op de vloer. Daarmee had Lucy haar natuurlijk gesla-gen, dacht Maggie. Ze voelde iets warms en plakkerigs in haar haar. Bloed.

Lucy had haar geslagen! Ineens was ze klaarwakker. Ze had de video ge-zien: Lucy en Terry die verschrikkelijke dingen deden met dat meisje en Lucy die er met volle teugen van genoot.

Maggie probeerde zich te bewegen en ontdekte dat haar handen en voe-ten aan de bedstijlen waren vastgebonden, net als bij dat meisje op de video. In paniek probeerde ze zich los te rukken, maar het enige resul-taat was dat de springveren van het bed nog harder piepten en knarsten. De deur ging open en Lucy kwam binnen. Ze had haar spijkerbroek en T-shirt weer aangetrokken.

Lucy schudde langzaam haar hoofd. 'Moet je zien wat ik nu heb moe-ten doen, Maggie,' zei ze. 'Het is je eigen schuld. Je hebt zelf gezegd dat je morgen pas zou terugkomen.'

'Dat was jij,' zei Maggie. 'Op die video. Dat was jij. Wat smerig en wal-gelijk.'

'Het was niet de bedoeling dat je het zou zien,' zei Lucy. Ze ging op de rand van het bed zitten en streelde Maggies voorhoofd.

Maggie deinsde terug.

Lucy begon te lachen. 'O, maak je geen zorgen, Maggie. Je bent mijn type niet.'

'Jullie hebben ze vermoord. Jij en Terry samen.'

'Dat zie je helemaal verkeerd,' zei Lucy. Ze stond op en ijsbeerde met over elkaar geslagen armen door de kamer. 'Terry heeft nooit iemand vermoord. Hij had er het lef niet voor. O, hij vond het prachtig als ze naakt en vastgebonden voor hem lagen, dat wel. Hij vond het heerlijk om dingen met ze te doen. Zelfs toen ze al dood waren. Ik ben echter degene die ze heeft gedood, in mijn eentje. Arme kinderen. Toen ze niet meer konden, moest ik ze laten inslapen. Ik ben altijd heel voor-zichtig met ze geweest. Zo voorzichtig als ik maar kon.'

'Je bent gek,' zei Maggie, wild over het bed heen en weer schuivend.

'Lig stil!' Lucy ging weer op het bed zitten. 'Gek? Dat denk ik niet. Dat jij me niet begrijpt, betekent nog niet dat ik gek ben. Ik ben anders, ja, dat wel. Ik zie dingen anders. Ik heb andere dingen nodig. Maar gek? Nee, gek ben ik niet.'

'Maar waarom?'

'Dat kan ik je niet uitleggen. Ik kan het mezelf niet eens uitleggen.' Ze lachte weer. 'Mezelf nog wel het minst van iedereen. O, psychiaters en psychologen hebben heel hard hun best gedaan, hoor. Ze hebben mijn hele jeugd onder de loep genomen en geanalyseerd, en allerlei theorieën bedacht, maar zelfs zij weten diep in hun hart dat er geen verklaring is voor mensen als ik. Ik ben gewoon zoals ik ben. Ik besta. Net als schapen met vijf poten en honden met twee koppen. Het maakt niet uit hoe je het noemt. Noem me slecht zo je wilt. Belangrijker op dit moment is echter de vraag hoe ik me hieruit moet redden.'

'Waarom ga je niet gewoon weg? Waarom verdwijn je niet spoorloos? Ik zal heus niets zeggen.'

Lucy keek haar met een droevige glimlach aan. 'Dat zou ik graag geloven, Maggie. Ik zou graag geloven dat het zo eenvoudig was.'

'Het is heel eenvoudig,' zei Maggie. 'Ga weg. Verdwijn.'

'Dat kan ik niet. Je hebt de videoband gezien. Je weet het nu. Hoor eens, Maggie, ik wil je liever niet vermoorden, maar ik kan het wel. En ik denk ook dat het moet. Ik beloof je dat ik net zo voorzichtig zal zijn als met de anderen.'

'Waarom ik?' jammerde Maggie. 'Waarom moest je zo nodig mij uitkiezen?'

'Waarom jou? Dat is heel simpel. Omdat je zo graag wilde geloven dat ik het slachtoffer was van huiselijk geweld, net als jij. Nu moet ik toegeven dat Terry inderdaad onvoorspelbaar werd en me een paar keer een flink pak rammel heeft gegeven. Het is jammer dat mannen als hij wel kracht maar geen hersens hebben. Nou ja, dat doet er ook niet meer toe. Weet je eigenlijk hoe ik hem heb ontmoet?'

'Nee.'

'Hij heeft me verkracht. Je gelooft me niet, hè, dat kan ik aan je zien. Waarom zou je ook? Waarom zou iemand dat geloven? Toch is het waar. Ik was met een paar vriendinnen naar een pub geweest en toen ik daarna naar de bushalte liep, trok hij me een steegje in en daar heeft hij me verkracht. Hij had een mes bij zich.'

'En toch ben je met hem getrouwd? Heb je hem niet bij de politie aangegeven?'

Lucy begon te lachen. 'Hij had geen flauw idee waar hij zich mee had ingelaten. Ik heb hem de beste verkrachting van zijn leven gegeven. Het heeft even geduurd voordat hij het begon te beseffen, maar ik heb hem net zo goed verkracht als hij mij. Het was echt niet de eerste keer voor mij, Maggie. Geloof me, ik weet alles over verkrachting. Heb ik van experts geleerd. Hij kon me niets aandoen wat me al niet eerder was aangedaan, herhaaldelijk en vaak met meerdere personen tegelijk. Hij dacht dat hij de overweldiger was, maar in dit geval was het zijn slachtoffer dat de touwtjes in handen had. We kwamen er al snel achter dat we veel gemeen hadden. Seksueel, maar ook in andere opzichten. Hij bleef doorgaan met het verkrachten van meisjes, ook nadat we elkaar hadden leren kennen. Ik heb hem daarin aangemoedigd. Wanneer we vreeën vroeg ik hem vaak of hij me de details wilde vertellen van wat hij met ze had gedaan.'

'Ik begrijp het niet.' Maggie huilde en beefde over haar hele lichaam. Ze kon haar angst en afgrijzen niet langer onderdrukken nu ze wist dat Lucy niet voor rede vatbaar was.

'Natuurlijk begrijp je het niet,' zei Lucy op sussende toon terwijl ze Maggies voorhoofd streelde. 'Waarom zou je ook? Ik heb wel veel aan je gehad en daar wil ik je voor bedanken. Om te beginnen gaf je me een plek om de banden te verbergen. Ik wist dat Terry me nooit zou verraden, maar die banden konden belastend voor me zijn.'

'Wat bedoel je?'

'Ik bedoel dat die banden al die tijd hier zijn geweest, Maggie. Weet je nog dat ik hier langskwam die zondag voordat de hel losbrak?'

'Ja.'

'Ik had ze toen bij me en heb ze op zolder achter een paar dozen verstopt toen ik naar de wc ging. Je had me wel eens gezegd dat je daar nooit kwam, weet je nog?'

Maggie wist het weer. De zolder was een enge, muffe, stoffige ruimte waar haar allergieën opspeelden. Dat moest ze tegen Lucy hebben gezegd toen ze haar het huis liet zien. 'Heb je daarom vriendschap met me gesloten, omdat je dacht dat het je nog van pas zou komen?'

'Ik dacht dat een vriendin vroeg of laat wel van pas kon komen, ja, iemand die het voor me opnam. En jij was erg goed. Bedankt voor alles wat je namens mij hebt gezegd. Bedankt dat je me al die tijd hebt geloofd. Ik vind dit ook niet leuk, heus niet. Ik krijg geen kick van moorden. Ik vind het jammer dat het zo moet aflopen.'

'Dat hoeft toch ook niet,' smeekte Maggie. 'O, god, doe het alsjeblieft niet. Ga alsjeblieft weg. Ik zal niets zeggen. Dat beloof ik.'

'Ja, dat zeg je nu, omdat je bang bent voor de dood, maar zodra ik weg ben, is die angst verdwenen en zul je alles aan de politie vertellen.'

'Echt niet. Ik beloof het je.'

'Ik zou je graag willen geloven, Maggie. Echt.'

'Het is waar.'

Lucy gespte de riem van haar spijkerbroek los.

'Wat ga je doen?'

'Ik zei toch al dat ik voorzichtig zou zijn, een klein beetje pijn en dan val je in slaap.'

'Nee!'

Er werd op de voordeur gebonsd. Lucy bleef stokstijf staan en Maggie hield haar adem in. 'Stil,' siste Lucy en ze legde haar hand op Maggies mond. 'Ze gaan zo weer weg.'

Het gebons hield echter aan. Toen klonk er een stem: 'Maggie! Doe open, dit is de politie. We weten dat je er bent. Je buurvrouw heeft je zien thuiskomen. Doe open, Maggie. We willen je spreken. Het is heel belangrijk.'

Maggie zag dat er een angstige blik in Lucy's ogen was gekomen. Ze wilde zich losrukken om te schreeuwen, maar de hand bleef op haar mond liggen.

'Is er iemand bij je, Maggie?' hield de stem vol. Maggie besefte dat het Banks was, de man die haar zo kwaad had gemaakt. Als hij de deur openbrak om haar te redden, zou ze haar verontschuldigingen aanbieden, dan zou ze alles doen wat hij wilde. 'Is er iemand bij je?' herhaalde Banks. 'Die blonde vrouw die je buurvrouw heeft gezien? Is het Lucy? Heeft ze zich vermomd? Ben jij het, Lucy? We weten alles over Kathleen Murray. We hebben je heel wat te vragen. Maggie, kom naar beneden en doe open. Als Lucy bij je is, vertrouw haar dan niet. We denken dat ze de banden in jouw huis heeft verstopt.'

'Stil,' zei Lucy en ze liep de kamer uit.

'Ik ben hier!' gilde Maggie onmiddellijk zo hard ze kon, maar ze wist niet of ze haar konden horen. 'Lucy is hier ook. Ze wil me vermoorden. Help me alsjeblieft!'

Lucy kwam de slaapkamer weer binnen en scheen zich niets aan te trekken van Maggies geschreeuw. 'Ze zijn ook aan de achterkant,' zei ze en ze sloeg haar armen over elkaar. 'Wat moet ik doen? Ik kan niet naar de gevangenis. Ik zou er niet tegen kunnen de rest van mijn leven in een kooi te worden opgesloten.'

'Lucy,' zei Maggie zo rustig mogelijk. 'Maak me los en doe de deur open. Laat ze binnenkomen. Ik weet zeker dat ze je heel schappelijk zullen behandelen. Ze beseffen heus wel dat je hulp nodig hebt.'

Lucy luisterde niet. Ze beende heen en weer en mompelde in zichzelf. Het enige wat Maggie opving, was het woord 'kooi' dat telkens weer werd herhaald.

Toen hoorde ze een oorverdovend kabaal. Politiemannen hadden de deur ingeramd en renden nu de trap op.

348

'Ik ben hier!' riep ze.

Lucy keek Maggie met een bedroefde blik aan en zei: 'Probeer me niet te veel te haten.' Toen nam ze een aanloop en dook door het slaapkamerraam, een regen van glas achter zich latend.

Maggie gilde.

20

Voor iemand die zo'n hekel had aan ziekenhuizen als hij, was hij de afgelopen weken wel heel veel in de ziekenboeg geweest, dacht Banks toen hij die donderdag door de gang naar de kamer van Maggie Forrest liep.

'O, u bent het,' zei Maggie toen hij aanklopte en binnenkwam. Ze keek hem niet aan, maar bleef naar de muur staren. Het windsel rond haar voorhoofd hield het verband op haar achterhoofd op zijn plaats. Ze had een lelijke wond waar verschillende hechtingen voor nodig waren geweest. Ze had ook veel bloed verloren, maar volgens de ziekenhuisarts was het grootste gevaar geweken en kon ze binnen enkele dagen naar huis. Ze werd nu voornamelijk nog behandeld vanwege de vertraagde shock. Banks keek naar haar en dacht terug aan die dag, nog niet zo heel lang geleden, dat hij Lucy Payne voor het eerst had ontmoet. Ze lag ook in een ziekenhuisbed, met één oog in het verband terwijl het andere berekenend de situatie inschatte.

'Is dat je dank?' vroeg hij.

'Dank?'

'Omdat ik de reddingstroepen op je heb afgestuurd? Goed, ik deed natuurlijk gewoon mijn werk, maar toch vinden sommige mensen het noodzakelijk daar een persoonlijk bedankje aan te wagen. Maak je geen zorgen, ik verwacht heus geen fooi of zo.'

'U kunt er makkelijk luchtig over doen.'

Banks trok een stoel bij en ging naast het bed zitten. 'Misschien minder gemakkelijk dan je denkt. Hoe gaat het nu met je?'

'Best.'

'Echt?'

'Ja. Een beetje stijf.'

'Dat verbaast me niets.'

'Hebt u dat echt gedaan?'

'Wat heb ik echt gedaan?'

Maggie keek hem voor eerst recht aan. Haar ogen stonden dof door de medicijnen, maar hij zag er ook pijn en verwarring in. 'Hebt u echt de reddingstroepen aangevoerd?'

Banks leunde achterover en zuchtte. 'Het is mijn schuld dat het nog zo-
lang heeft geduurd.'
'Hoezo?'
'Ik had het veel eerder moeten zien. Ik had alle puzzelstukjes, alleen heb
ik ze niet snel genoeg in elkaar gezet. Pas toen de technische recherche
de camcorder had gevonden in de vijver onder aan The Hill.'
'Daar lag hij dus?'
'Ja. Lucy moet hem daar dat laatste weekend hebben gedumpt.'
'Ik ga daar wel eens naartoe om na te denken en de eendjes te voeren.'
Maggie staarde naar de muur en keek even later weer naar hem.
'Maar daar kunt u toch niets aan doen? U kunt toch geen gedachten
lezen?'
'Niet? Soms verwachten mensen dat wel van me. Maar nee, dat kan ik
inderdaad niet. In dit geval niet. We hebben vanaf het begin vermoed
dat er ergens een camcorder en video-opnamen moesten zijn en we wis-
ten ook dat ze die banden niet zou weggooien. Bovendien wisten we
dat jij de enige was met wie ze omging en dat ze op de dag voordat jij
het alarmnummer belde bij jou thuis was geweest.'
'Ze kon toch niet weten wat er ging gebeuren?'
'Nee. Maar ze wist wel dat er iets ging gebeuren. Ze wilde de schade zoveel mogelijk beperken en daarom de video's verbergen. Waar lagen ze?'
'Op zolder,' zei Maggie. 'Ze wist dat ik daar nooit kwam.'
'Ze wist ook dat ze daar zonder veel moeite weer bij zou kunnen, omdat
jij waarschijnlijk de enige in het land was die haar onderdak wilde ver-
schaffen. Dat was ook een aanwijzing. Ze kon eigenlijk nergens anders
naartoe. We hebben eerst met je buren gepraat. Toen Claires moeder
ons vertelde dat je net was thuisgekomen en een andere buurvrouw
meldde dat ze de vorige avond een jonge vrouw bij je achterdeur had
gezien, wisten we genoeg.'
'U zult het wel heel dom van me vinden dat ik haar hier heb laten slapen.'
'Niet dom, maar ondoordacht misschien, of naïef.'
'Ze leek zo duidelijk een... een...'
'Een slachtoffer?'
'Ja. Ik wilde haar graag geloven, ik kon niet anders. Misschien wel net
zoveel voor mezelf als voor haar. Dat durf ik niet eens te zeggen.'
Banks knikte. 'Ze speelde haar rol heel overtuigend. Dat kon ze ook,
omdat ze die voor een groot deel uit eigen ervaring kende.'
'Wat bedoelt u?'
Banks vertelde haar over de Zeven van Alderthorpe en de moord op
Kathleen Murray. Toen hij was uitgesproken, staarde Maggie zwijgend

naar het plafond. Het duurde even voordat ze weer iets zei. 'Ze heeft haar nichtje vermoord toen ze twaalf was?'

'Ja. Dat is een van de redenen dat we weer naar haar op zoek zijn gegaan.'

'Maar er zijn zoveel mensen die een verschrikkelijke jeugd hebben gehad,' zei Maggie. 'Misschien niet zo erg als zij, maar ze worden lang niet allemaal een moordenaar. Wat was er dan anders aan Lucy?'

'Als ik dat eens wist,' zei Banks. 'Toen ze elkaar ontmoetten, was Terry Payne actief als verkrachter en Lucy had toen Kathleen al vermoord. De manier waarop ze elkaar hebben ontmoet heeft een soort chemische reactie tot gevolg gehad. Het exacte hoe en waarom zal wel nooit helemaal duidelijk worden.'

'Wat zou er zijn gebeurd als ze elkaar niet hadden ontmoet?'

Banks haalde zijn schouders op. 'Dan was dit misschien niet gebeurd. Dan was Terry waarschijnlijk opgepakt en in de gevangenis beland. Lucy had misschien een aardige man ontmoet, kinderen gekregen en wie weet was ze bankdirecteur geworden. Wie zal het zeggen?'

'Ze heeft me verteld dat zij die meisjes had vermoord omdat Terry het niet durfde.'

'Klinkt aannemelijk. Ze had het tenslotte al eerder gedaan. Hij niet.'

'Ze zei dat ze het uit medelijden had gedaan.'

'Misschien was dat ook zo. Of uit zelfbescherming. Of jaloezie. Misschien een combinatie van alle drie.'

'Ze heeft ook gezegd dat ze hem voor het eerst zag toen hij haar wilde verkrachten. Ze zei dat ze hem net zo goed had verkracht als hij haar. Ik begreep eigenlijk niet wat ze bedoelde.'

Banks schoof een stukje opzij. Hij had het liefst een sigaret opgestoken, ook al was hij vastbesloten voor het eind van het jaar te stoppen. 'Ik heb er net zo min een verklaring voor als jij, Maggie. Maar niemand weet wat het met een mens doet als je zo'n jeugd als Lucy hebt doorgemaakt. Na alles wat haar in Alderthorpe is aangedaan, kan ik me voorstellen dat Terence Payne een makkie voor haar was.'

'Ondanks alles wat er is gebeurd,' zei Maggie, 'laat ik me daardoor niet in een cynicus veranderen. Ik weet dat u me naïef vindt, maar als ik moet kiezen dan ben ik liever naïef dan verbitterd en wantrouwend.'

'Je hebt een inschattingsfout gemaakt en dat heeft je bijna het leven gekost.'

'Denkt u dat ze me had vermoord als u niet op tijd was gekomen?'

'Wat denk je zelf?'

'Ik weet het niet. Daar moet ik over nadenken. Lucy was... ze was uiteindelijk toch net zo goed een slachtoffer. U was er niet bij. U hebt haar verhalen niet gehoord. Ze wilde me eigenlijk helemaal niet vermoorden.'

'Maggie, alsjeblieft, hoor je wel wat je zegt? Ze heeft god weet hoeveel meisjes gedood. Ze zou jou ook hebben gedood, geloof me. Als ik jou was, zou ik dat hele slachtoffergedoe uit mijn hoofd zetten.'

'Maar dat bent u niet.'

Banks zuchtte diep. 'Daar hebben we dan allebei mee geboft. Wat ga je nu doen? Blijf je op The Hill wonen?'

'Ja, dat denk ik wel. Ik kan eigenlijk nergens anders heen. En dan is er natuurlijk nog mijn werk. Bovendien heb ik door dit alles ontdekt dat ik iets goeds kan doen. Ik kan de stem zijn voor mensen die zich niet zelf durven uit te spreken. Mensen luisteren naar me.'

Banks knikte zwijgend, hoewel hij vermoedde dat Maggies openlijke steun voor Lucy de mogelijkheid dat ze als woordvoerder voor mishandelde vrouwen kon optreden danig had verkleind. Misschien ook niet. De publieke opinie was wispelturig. Het was heel goed mogelijk dat Maggie als een heldin zou worden beschouwd.

'Ik denk dat je nu maar wat moet rusten,' zei Banks. 'Ik kwam alleen even kijken hoe het met je ging. We zullen je later nog wel wat uitgebreider willen spreken, maar dat heeft geen haast.'

'Alles is nu toch voorbij?'

Banks keek haar aan. Hij besefte dat ze graag wilde dat alles voorbij was, dat ze afstand wilde nemen, haar leven weer op wilde pakken. 'Er komt nog een rechtszaak,' zei hij.

'Een rechtszaak? Maar...'

'Weet je het dan niet?'

'Wat?'

'Ik ging er eigenlijk van uit... o, shit.'

'Ik ben een tijdje van de wereld geweest door de medicijnen en zo. Wat is er dan?'

Banks boog zich voorover en legde zijn hand op haar arm. 'Maggie,' zei hij, 'ik weet niet hoe ik dit anders moet zeggen, maar Lucy Payne is niet dood.'

Maggie deinsde terug voor zijn aanraking en sperde haar ogen open. 'Niet dood? Ik begrijp het niet. Ik dacht dat... dat ze...'

'Ze is uit het raam gesprongen, maar de struiken in de voortuin hebben haar val gebroken. En doordat ze tegen de rand van een van de stoeptreden terecht is gekomen, is haar ruggengraat ernstig beschadigd.'

'Wat houdt dat in?'

'De artsen moeten nog een aantal tests uitvoeren, maar ze verwachten dat ze vanaf haar nek verlamd zal blijven.'

'Dus Lucy leeft nog?'

'Ja.'

'En ze zal de rest van haar leven in een rolstoel moeten zitten?'

'Als ze het overleeft.'

Maggie keek weer naar het raam. Banks zag tranen in haar ogen. 'Dan zit ze uiteindelijk toch in een kooi opgesloten.'

Banks stond op om weg te gaan. Hij kon Maggies medelijden met een seriemoordenares moeilijk verdragen en was bang dat hij iets zou zeggen waar hij later spijt van zou krijgen. Toen hij bij de deur stond, hoorde hij haar kleintjes zeggen: 'Inspecteur? Dank u wel.'

'Gaat het wel een beetje?'

'Ja, hoor, hoezo?' zei Janet Taylor.

'Niets,' zei de winkelier. 'Alleen...'

Janet pakte de fles gin van de toonbank, betaalde en liep de slijterij uit. Wat had die man? vroeg ze zich af. Had ze plotseling een tweede hoofd gekregen of zo? Het was zaterdagavond en ze was na haar arrestatie en vrijlating op borgtocht afgelopen maandag nauwelijks buiten geweest, maar ze kon er toch niet zo heel veel anders uitzien dan de vorige keer dat ze in zijn winkel was geweest.

Ze liep de trap op naar haar flat boven de kapperszaak. Toen ze de sleutel in het slot had omgedraaid en naar binnen liep, viel haar voor het eerst de stank en de rotzooi op. Zolang je er middenin zat, merkte je er niet zoveel van, dacht ze, maar des te meer wanneer je een tijdje weg was geweest. Overal lagen vuile kleren en stonden halfvolle kopjes met beschimmelde inhoud. De plant in de vensterbank was uitgedroogd en verslapt. Er hing een walm van ongewassen huid, rottende kool, zweet en gin. En een deel daarvan, besefte ze toen ze aan haar oksel rook, was afkomstig van haar eigen lichaam.

Janet bekeek zichzelf in de spiegel. Het slappe, futloze haar en de donkere wallen onder haar ogen verbaasden haar niet. Ze had tenslotte nauwelijks geslapen sinds het was gebeurd. Ze deed niet graag haar ogen dicht, omdat alles zich dan opnieuw in haar hoofd afspeelde. Ze scheen alleen wat rust te krijgen als ze genoeg gin had gedronken om een paar uur bewusteloos te raken, maar zodra ze wakker werd, kwamen de herinneringen en de depressie terug.

Het kon haar niet meer schelen of ze werd ontslagen of in de gevangenis gegooid, zolang die herinneringen aan de ochtend in de kelder maar werden uitgewist. Hadden ze daar geen apparaten en medicijnen voor? Of had ze dat in een film gezien? Toch was ze beter af dan Lucy Payne, hield ze zich voor. Die was waarschijnlijk de rest van haar leven aan een rolstoel gekluisterd. Ze verdiende ook niet beter. Janet dacht aan haar ongerustheid over de bloedende, mishandelde vrouw die in de hal had gelegen, aan haar woede over Dennis' seksistische grappen. Allemaal uiterlijke schijn. Ze zou er alles voor overhebben om Dennis terug te krijgen. Verlamming was nog een veel te lichte straf voor Lucy Payne.

Janet liep van de spiegel weg, trok haar kleren uit en gooide ze op de vloer. Ze besloot een bad te nemen. Misschien zou ze zich daardoor wat beter gaan voelen. Met een groot glas gin ging ze naar de badkamer, waar ze het bad liet vollopen en een flinke scheut badschuim aan het water toevoegde. Ze bekeek zichzelf in de manshoge spiegel die aan de badkamerdeur hing. Haar borsten en buik begonnen te verslappen. Ze had altijd zo hard aan haar conditie gewerkt, ze had gejogd en was minstens drie keer per week naar de sportschool gegaan.

Voordat ze zich in het water liet glijden, besloot ze de fles gin te halen en die op de rand van het bad te zetten, zodat ze er straks niet meer uit hoefde. Eindelijk lag ze languit in het water en kriebelden de schuimbelletjes in haar hals. Nu kon ze zich in elk geval goed schoonboenen. Dat was een begin. Geen winkelbedienden meer die vroegen of het wel goed met haar ging omdat ze stonk. De wallen onder haar ogen zouden niet van de ene dag op de andere verdwijnen, maar daar ging ze ook iets aan doen. En ze zou de flat schoonmaken.

Aan de andere kant, dacht ze na een flinke slok gin, lagen er scheermesjes in het badkamerkastje. Ze hoefde alleen maar op te staan en ze te pakken. Het water was lekker warm. Ze wist zeker dat ze geen pijn zou voelen. Een snelle snee in elke pols, dan haar armen onder water houden en het bloed eruit laten stromen. Het zou net zijn alsof ze in slaap viel, alleen zouden er deze keer geen dromen zijn.

Zich koesterend in de warmte en zachtheid van het schuimbad voelde ze haar oogleden zwaar worden en kon ze haar ogen niet meer openhouden. Ze was weer terug in die stinkende kelder met de doodbloedende Dennis, met de maniak die met een hakmes op haar afkwam. Wat had ze anders kunnen doen? Dat was een vraag die niemand voor haar kon of wilde beantwoorden. Wat had ze dan moeten doen?

Snakkend naar adem schrok ze wakker. Heel even leek het alsof de badkuip was gevuld met bloed. Ze greep naar de fles, maar door een onhandige beweging viel die van de rand van de badkuip aan scherven op de tegelvloer.

Shit!

Dat betekende dat ze er weer opuit moest om een nieuwe te kopen. Ze pakte de badmat op om de glassplinters eruit te schudden voordat ze uit bad kwam. Ze wankelde even toen ze op de mat stapte en kwam met haar rechtervoet op de tegelvloer terecht, waar ze direct een stekende pijn voelde toen glassplinters haar voetzool doorboorden. Met een van pijn vertrokken gezicht en een bloedspoor achterlatend hinkte ze naar de woonkamer, waar ze op de bank zittend de splinters eruit wist te trekken. Vervolgens schoot ze in een paar oude slippers en liep terug naar de badkamer om jodium en verband te halen. Ze ging op de wc-bril zitten en huiverde even van pijn toen het jodium in de wond doordrong. Vervolgens wikkelde ze verband om haar voet en liep naar haar slaapkamer om schone kleren en extra dikke sokken aan te trekken.

Ze moest de flat uit, had ze besloten, en niet alleen om naar de slijterij te rijden. Een flinke autorit met de ramen open en de wind in haar haar zou haar goed doen. Misschien zou ze even langsgaan bij Annie Cabbot, een van de weinige smerissen die deugden. Of anders zou ze naar het platteland rijden en een pensionnetje zoeken waar niemand wist wie ze was of wat ze had gedaan. Alles liever dan in die vieze, stinkende flat blijven. Ze was nu tenminste weer schoon en geen enkele winkelbediende zou nog zijn neus voor haar optrekken.

Janet aarzelde even voordat ze haar autosleutels pakte, maar stopte ze toch in haar zak. Wat konden ze haar verder nog maken? Erger kon het niet worden, ook niet als ze werd opgepakt voor rijden onder invloed. Ze kunnen allemaal barsten, dacht Janet terwijl ze de trap af hinkte.

Die avond, drie dagen nadat Lucy Payne uit Maggie Forrests slaapkamerraam was gesprongen, zat Banks thuis in zijn comfortabele woonkamer naar *Thaïs* te luisteren. Sinds zijn bezoek aan Maggie Forrest in het ziekenhuis afgelopen donderdag was dit de eerste avond die hij voor zichzelf had en hij genoot er ten volle van. Hij was nog steeds onzeker over zijn toekomst, maar had besloten eerst met vakantie te gaan en goed na te denken voordat hij ingrijpende beslissingen over zijn carrière zou nemen. Hij had nog veel vakantiedagen te goed en hij had al een aantal vakantiefolders opgehaald. Nu moest hij nog besluiten waar hij naartoe wilde.

Hij had de afgelopen dagen ook veel over Maggie Forrest nagedacht. Lucy Payne had op het punt gestaan haar met een riem te wurgen toen de politie was binnengestormd. Toch beschouwde Maggie haar als een slachtoffer en had ze nog steeds medelijden met haar. Was ze een heilige of een dwaas? Banks wist het niet.

In elk geval was de hele zaak hem nu uit handen genomen.

Net toen het beroemde 'Meditation' aan het eind van de eerste cd begon, ging de telefoon. Hij had geen dienst en zijn eerste reactie was om niet op te nemen, maar zijn nieuwsgierigheid kreeg al snel de overhand. Het was Annie Cabbot. Op de achtergrond hoorde hij schreeuwende stemmen en loeiende sirenes.

'Annie, waar ben je in vredesnaam?'

'Bij de rotonde op Ripon Road, even ten noorden van Harrogate.' Annie moest schreeuwen om zich boven het lawaai uit verstaanbaar te maken.

'Wat is er aan de hand?'

Iemand zei iets tegen Annie wat Banks niet kon verstaan. Ze antwoordde kortaf en kwam weer aan de lijn. 'Sorry, het is hier een beetje chaotisch.'

'Wat is er gebeurd?'

'Het gaat om Janet Taylor. Ze heeft een auto-ongeluk gehad. Ze is met haar auto op een andere ingereden.'

'Wat? Hoe is ze eraantoe?'

'Ze is dood, Alan. Ze hebben haar lichaam nog niet uit de auto losgekregen, maar ze weten al dat ze dood is.'

'Godallemachtig.' Banks had het gevoel dat hij verdoofd was. 'Wat is er gebeurd?'

'Ik weet het nog niet precies,' zei Annie. 'De bestuurder van de auto die achter haar reed, zegt dat ze vlak bij de rotonde gas leek te geven in plaats van terug te nemen en ze raakte de auto die al op de rotonde reed. Een moeder die haar dochter van pianoles had gehaald en naar huis reed.'

'O, Jezus Christus. Hoe gaat het met ze?'

'De moeder heeft alleen wat kneuzingen en schaafwonden.'

'En de dochter?'

'Het zal erom hangen. Het ambulancepersoneel verwacht inwendige verwondingen, maar dat weten ze pas zeker wanneer ze in het ziekenhuis is onderzocht. Ze zit nog steeds vast in de auto.'

'Was Janet dronken?'

'Dat weet ik nog niet, maar dat zou me niet verbazen. Bovendien was ze gedeprimeerd. Misschien wilde ze wel zelfmoord plegen. Als dat zo is, dan... dan...'

Banks hoorde dat Annie volschoot.

'Annie, ik weet wat je wilt zeggen, maar zelfs als ze dit met opzet heeft gedaan, is het jouw schuld niet. Jij hebt alleen maar een neutraal onderzoek ingesteld.'

'Neutraal! Jezus, Alan, ik heb mijn uiterste best gedaan haar te laten merken dat ik met haar meeleefde.'

'Hoe dan ook, jij kunt er niets aan doen.'

'Dat kun jij gemakkelijk zeggen.'

'Annie, ik durf te wedden dat ze dronken was en daardoor van de weg is geraakt.'

'Misschien heb je gelijk. Ik kan gewoon niet geloven dat Janet anderen in gevaar zou brengen als ze zelfmoord had willen plegen. Maar hoe je het ook bekijkt, of ze nu dronken was of niet, of het nu zelfmoord was of niet, uiteindelijk is het veroorzaakt door alles wat er is gebeurd.'

'Het is nu eenmaal gebeurd, Annie. Daar kun jij niets aan doen.'

'Die godvergeten politieke spelletjes ook.'

'Zal ik naar je toe komen?'

'Nee, ik red me wel.'

'Annie...'

'Sorry, ik moet ervandoor. Ze hebben het meisje uit de auto gekregen.'

Ze hing op en Banks bleef roerloos met de hoorn in zijn hand staan. Janet Taylor. Nog een dodelijk slachtoffer door toedoen van de Paynes. Hij schonk een glas Laphroaig in en nam zijn sigaretten mee naar zijn vaste plek bij de waterval. Onder een in het westen feloranje en paars gestreepte hemel bracht hij een zwijgende dronk uit op Janet Taylor en het naamloze dode meisje dat in de tuin van de Paynes begraven had gelegen.

Hij had er nog geen vijf minuten gestaan toen hij bedacht dat hij toch naar Annie moest gaan, wat ze ook had gezegd. Hun romantische relatie mocht dan voorbij zijn, hij had beloofd dat hij haar vriend zou blijven en haar zou steunen. Als ze in deze situatie geen steun nodig had, wanneer dan wel? Hij keek op zijn horloge. Als hij voortmaakte, zou hij er binnen een uur kunnen zijn. En als Annie al was vertrokken, zou hij haar ongetwijfeld in het ziekenhuis kunnen vinden.

Hij liet het halfvolle glas op de lage tafel staan en pakte zijn jas. Voordat hij die had kunnen aantrekken, ging de telefoon opnieuw. Het was Jenny Fuller.

'Hopelijk stoor ik je niet,' zei ze.

'Ik sta op het punt de deur uit te gaan.'

'O. Een spoedgeval?'

'Zoiets, ja.'

'Ik dacht dat we misschien samen iets konden drinken om te vieren dat alles nu voorbij is.'

'Dat is een goed idee, Jenny. Alleen kan ik nu niet. Ik bel je terug, goed?'

'Ik ben niet anders gewend.'

'Sorry. Ik moet nu gaan. Ik bel je. Echt.'

Banks hoorde de teleurstelling in haar stem en voelde zich een rotzak omdat hij zo kortaf tegen haar was geweest. Ze had zich tenslotte net zo voor de zaak ingezet als alle anderen, maar hij wilde haar niet over Janet Taylor vertellen en hij had niet het gevoel dat er iets te vieren viel. Dat alles nu voorbij is, had Jenny gezegd. Banks vroeg zich af of het ooit allemaal voorbij zou zijn, of de nasleep van de rooftocht van de Paynes ooit voorbij zou zijn, of er ooit een eind zou komen aan het aantal slachtoffers dat ze hadden opgeëist. Er waren zes tienermeisjes vermoord, waarvan een nog steeds niet geïdentificeerd was. Kathleen Murray die al minstens tien jaar dood was. Agent Dennis Morrisey was dood. Terence Payne was dood. Lucy Payne was verlamd. En nu was ook Janet Taylor dood en een jong meisje zwaar gewond.

Banks keek of hij zijn sleutels en sigaretten bij zich had had en liep de donkere avond in.

Dankbetuiging

Ik wil graag mijn redacteur, Patricia Lande Grader, bedanken voor haar hulp bij het herschrijven van de weerbarstige eerste versies, en mijn vrouw Sheila Halladay voor haar scherpzinnige en zinvolle opmerkingen. Verder wil ik ook mijn agent Dominick Abel bedanken voor alle inspanningen die hij zich voor mij heeft getroost en Erika Schmid voor haar uitstekende persklaarmaakwerk.

Wat betreft achtergrondinformatie heeft het gebruikelijke team me als altijd uit de brand geholpen: brigadier Keith Wright, inspecteur Claire Gormley, inspecteur Alan Young en hoofdinspecteur Philip Gormley. Mijn dank gaat eveneens uit naar Woitek Kubicki voor zijn advies omtrent Poolse namen.

Een aantal boeken was van onschatbare waarde om het fenomeen van moordende echtparen te doorgronden en tot de boeken waar ik het meest aan heb ontleend, behoren: Emlyn Williams, *Beyond Belief*; Brian Masters, *She Must Have Known*; Paul Britton, *The Jigsaw Man*; Gordon Burn, *Happy Like Murderers*; en Stephen Williams, *Invisible Darkness*.